G. Mauger

Agrégé de l'Université
Directeur honoraire de l'École internationale de l'Alliance Française

Grammaire pratique du français d'aujourd'hui

langue parlée
langue écrite

Huitième édition revue

LIBRAIRIE HACHETTE
PARIS

collection publiée sous le patronage de l'Alliance Française

C'est avec le concours de Jacques Lamaison *qu'avait été entreprise la rédaction de cette grammaire, et plusieurs chapitres lui devaient leur forme initiale.*
Un mal sans pitié est venu l'arracher à une tâche qu'il avait abordée avec enthousiasme et qu'il eût, jusqu'au bout, honorée de son riche savoir.

G. Mauger

Langue et civilisation françaises

Tome I : Méthode 1er et 2e degrés ● ⊙
Tome II : Méthode 3e et 4e degrés ●
Tome III : Méthode 5e degré (PARIS)
Tome IV : Civilisation, littérature

G. Mauger et G. Gougenheim

Le français élémentaire : 2 livrets ●

G. Mauger et M. Bruézière

Le français accéléré
Le Français et la Vie⊙(Nouvelle méthode de langue)

G. Mauger

Contes et récits en français facile

● *Disques de l'Encyclopédie Sonore*
⊙ *Adaptation audio-visuelle*

© *Librairie Hachette 1968.*

Avertissement

C'est une fin essentiellement pratique que nous avons cherchée en rédigeant cette grammaire. Nous avons essayé de résoudre les difficultés particulières que rencontre un étranger à propos de notre langue : « *Que signifie* telle tournure, lue ou entendue? — *Quelle expression* donner à telle idée, de cause ou de conséquence? — *Comment employer*, dans telle situation, les formes du pronom personnel ou de l'article? » Mais nous n'avons point perdu de vue que, chaque fois, l'étranger est soucieux de connaître ce qui se dit et s'écrit couramment, plutôt que les règles strictes de la grammaire traditionnelle. Il désire ne pas se singulariser aux yeux des Français qui l'entendront ou le liront.
Aussi, en lui offrant une description des divers procédés d'expression dans la langue d'aujourd'hui, avons-nous tenté de le guider et de l'orienter discrètement. Nous avons donc été amené, d'abord, à ne traiter que du français actuellement vivant (ne citant un tour ancien que rarement, et s'il garde encore quelque survivance); ensuite, à insister sur certains problèmes particulièrement épineux : la postposition du sujet, par exemple, la place de l'adjectif épithète. Le même souci, tout pratique, explique pourquoi nous n'hésitons point à rappeler un fait déjà évoqué précédemment, ou à multiplier les renvois d'un paragraphe à un autre.
Nous ne cacherons pas que la rédaction d'une grammaire — aujourd'hui, et pour les étrangers — nous a semblé, à maintes reprises, au cours de notre travail, une tâche ambitieuse et peut-être vaine, du moins pour nos forces.
Dans un temps où la langue parlée et la langue écrite évoluent très rapidement; où l'école n'est plus le conservatoire du *bon français* qu'elle fut pendant un siècle et demi; où la presse, la radio, la télévision passent de plus en plus aux mains des jeunes, appelés à se faire entendre d'un immense public, c'est déjà une étrange entreprise que d'oser faire un manuel pour les écoliers de nos lycées; mais entreprise plus étrange encore, si l'on s'adresse à des lecteurs qui ne sont pas français, dont l'attention critique reste en éveil et qui pourront trouver chaque jour, à la radio, dans le journal, dans un roman, le démenti sans réplique de ce que le manuel aura prétendu leur enseigner. Quelle peut être l'attitude du grammairien devant des problèmes tels que l'emploi du subjonctif avec *après que* ou le non-accord du participe passé au féminin? S'il adopte une position de pure description linguistique, inclinant ainsi ses lecteurs à suivre une tendance encore discutée, ne va-t-il pas les désarmer devant les reproches, non seulement des doctes, mais de ceux qui tiennent tout simplement au respect des grandes œuvres?

En fait, l'étranger a besoin de conseils; il attend de nous des solutions qui satisfassent en même temps à la correction et à l'usage. Seulement, pour étayer sa confiance, il faut qu'il nous sente à même de lui expliquer les pressions qui s'exercent sur la langue et les motifs profonds qui les animent : par exemple, dans les deux cas que nous venons de signaler, le besoin, plus ou moins conscient, d'économie. On ne saurait, ici, se contenter de parler de *fautes*. Si instante est la remise en question de certains faits, que l'intransigeance conduirait à l'isolement en face d'une langue — c'est-à-dire d'une société — qui vit et qui change, d'une littérature qui traduit le monde contemporain avec des moyens qu'on peut analyser et justifier.

D'ailleurs, cette langue retrouve souvent, dans ses « incorrections », des tours qui jadis existèrent. C'est le cas de constructions comme : « Il est à craindre qu'il *serait* mécontent » ou : « Quoiqu'on *devrait* s'en féliciter » ou encore : « Il est possible qu'il *refusera* ». Tours choquants? Mais le XVIIe siècle et même le XVIIIe nous en offrent, à côté d'un subjonctif très usuel, maint exemple autorisé. Ce qui signifie que de grands auteurs (Corneille, Fénelon, Chateaubriand) ont écrit dans cette langue-là, et que c'était, alors, du bon français. Seulement, comme ce n'est plus, ou pas encore, du français courant, et que notre lecteur désire, répétons-le, s'exprimer correctement, sans se faire remarquer, il faut lui fournir une réponse. Peut-être la solution sortira-t-elle des termes mêmes du problème : s'il s'agit d'un tour archaïque et propre à faire sourire (par exemple, « la feue reine », ou même « un mien ami »), nous conseillerons l'abstention. Mais si le tour est encore vivant, et s'il a pour lui des avantages de clarté (par exemple l'emploi des divers temps de l'indicatif avec *après que*), nous conseillerons à notre lecteur d'observer une règle que suivent encore beaucoup de bons écrivains et qui ne singularise personne. Il contribuera, pour sa part, à maintenir des nuances précieuses et à retarder le moment où l'*économie* matérielle obtenue par l'uniformité du mode et du temps (passé du subjonctif) sera balancée par l'obscurcissement du discours[1].

Notre livre, on le voit voudrait garder le contact avec la réalité linguistique. Est-ce à dire qu'il ait pu, dans tous les cas, se conformer aux démarches de la science contemporaine? Des maîtres éminents ont évoqué, mieux que nous ne saurions le faire, les perspectives ouvertes à la grammaire par les travaux des structuralistes. Mais il faut bien reconnaître que la pédagogie ne peut tirer de ces recherches qu'un profit encore limité. Sans doute, nous dirons utilement à l'étudiant étranger : « L'article est incompatible avec les adjectifs possessifs, démonstratifs, interrogatifs, et la plupart des indéfinis »; ou encore : « C'est un fait de structure que vous devez dire : la ville *de* Paris et : le poète Valéry»; ou encore : « La place du pronom personnel dans la phrase obéit à telles et telles servitudes. » On n'empêchera pas que les frontières du structural et de l'arbitraire ne soient parfois mal définies et que le domaine de la liberté, du choix, ne demeure très vaste : « Subjonctif, ou indicatif, après : il semble, il est exact que...? » — « Répétition, ou non, des pronoms relatifs, des pronoms personnels? » — En vérité, on ne saurait oublier que l'étranger porte intérêt aux problèmes de nuance et de justesse, surtout si sa culture atteint un

1. En fait, le subjonctif passé avec *après que* semble bien une acquisition irréversible du F. P. (*Note de la 4e édition*).

certain niveau. Remarque d'autant plus importante, croyons-nous, que la langue écrite étend constamment son domaine[1]. Il est peu d'hommes, aujourd'hui, à qui il n'importe pas de savoir lire. Et qui veut, en pays étranger, vivre dans un certain confort d'esprit, doit comprendre les innombrables avis concernant la police de la rue et de la route, et surtout comprendre le journal. Non moins que la radio, et de façon plus souple, il tiendra le visiteur en contact avec le pays où il séjourne et, concurremment avec la conversation, étendra et enrichira son expérience linguistique.

La langue parlée et la langue écrite seront donc, ensemble, la matière de cet ouvrage.
Mais, alors, nous nous heurtons aux difficultés soulevées par leur constante interpénétration, la poussée s'exerçant surtout du parlé vers l'écrit. Ainsi apparaissent assez mouvantes les limites entre les différents niveaux ou tranches linguistiques, assez capricieuse toute division.
Nous avons, cependant, pour la commodité du lecteur, considéré qu'on pouvait définir quatre tranches, allant de la langue la moins populaire à la plus populaire :

1. **Un français écrit,** essentiellement littéraire (représenté dans ce livre par le sigle **F. E.**). Ce fut, en général, celui des écrivains d'avant 1940, et il a constitué la substance des grammaires traditionnelles.

2. **Une langue courante,** qui se placerait entre le français écrit littéraire et le français parlé familier : celle qu'emploie le Parisien de moyenne culture dans une conversation avec un interlocuteur qu'il ne connaît pas intimement, avec un de ses supérieurs ou un de ses chefs.
C'est à cette **langue courante** que se réfère le plus souvent notre ouvrage. Elle n'y est affectée d'aucun sigle particulier. On saura donc que lorsque nous citons : *J'ai très soif*, sans autre symbole, il s'agit d'une expression usitée aujourd'hui dans la langue écrite quotidienne, comme dans la langue parlée.

3. **Un français parlé familier (F. P. fam.).** Il suppose des rapports plus étroits avec l'interlocuteur. C'est à ce niveau que vous vous placez par exemple, quand vous causez avec le mécanicien qui répare votre voiture, ou avec un ami d'enfance. La langue courante s'alimente constamment à cette source.
Voici un exemple comparatif, tiré des phrases conditionnelles :

(F. E.)	**(Langue courante)**	**(F. P. fam.)**
Il se mettrait en route si le ciel était clair et que la température **fût** douce. (Emploi littéraire du ***subjonctif imparfait.***)	Il se mettrait en route si le ciel était clair et que la température **soit** douce, (Emploi usuel du ***subjonctif présent.***)	Il se mettrait en route si le ciel était clair et que la température **était** douce. (Emploi d'un ***imparfait de l'indicatif*** qui tend à passer dans la langue courante.)

1. L'observation est de M. Aurélien Sauvageot, dans *Français écrit, français parlé* (Larousse).

4. Un quatrième niveau concerne **le français parlé populaire** (**F. P. pop.**). Ce sera la langue pratiquée en général par les ouvriers entre eux.
Enfin nous ne citons que pour mémoire le français parlé vulgaire (**F. P. vulg.**) auquel appartiennent les expressions basses ou grossières.

Mais notre lecteur ne doit pas ignorer qu'une autre perspective, très importante, est ouverte par la presse d'information, la radio-télévision, et, dans une certaine mesure, la partie narrative des romans. On y relève des formes grammaticales que l'on croyait reléguées dans un français littéraire ou désuet : passé simple, plus-que-parfait du subjonctif employé comme conditionnel passé, participe présent directement apposé au nom, etc. Cette langue des journaux et de la radio joue un rôle très important en animant, dans un circuit actif, des tours qui passaient pour irrévocablement condamnés, et qui demeurent ainsi disponibles.
Si l'on veut représenter matériellement et de façon approximative l'ensemble de ces divers niveaux, on obtient un diagramme de ce genre :

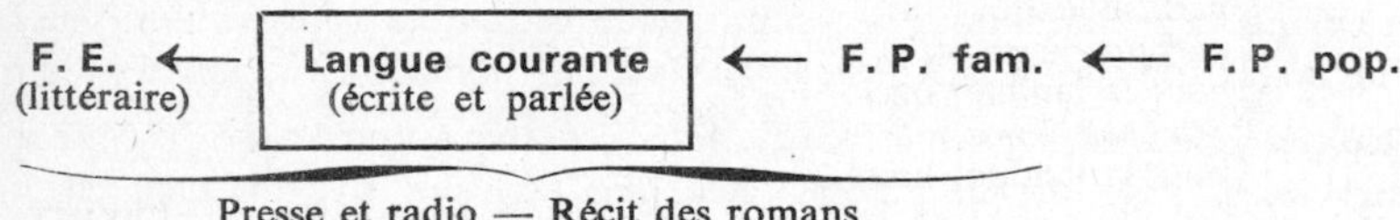

Presse et radio — Récit des romans

Et maintenant, quels conseils donner, pour l'usage de ce tableau ? Nous pourrions les formuler ainsi :
— Pour l'écrit : La rédaction d'un texte d'une certaine tenue (rapport, conférence, essai) demanderait qu'on s'en tienne à la substance embrassée par le français écrit littéraire (**F. E.**) et la langue courante.
S'il s'agit de rédiger un dialogue (roman ou théâtre), une lettre à un ami, les tours de la langue courante et du français parlé familier devraient convenir.
— Pour la conversation : Dans la conversation quotidienne, la langue courante permettra de concilier le naturel et la bonne tenue. Mais les expressions du français parlé familier, et même populaire, ne seront pas toujours déplacées. Tout dépendra des circonstances, de la culture de l'interlocuteur et du ton qu'il confère à l'entretien. Dans tous les cas, il faudra éviter les expressions du français parlé vulgaire et celles qui seront indiquées comme archaïques ou affectées.

Il nous est agréable d'exprimer notre gratitude à MM. Georges Gougenheim, professeur à la Sorbonne, et Charles Muller, professeur à la faculté des Lettres de Strasbourg, qui ont bien voulu lire notre manuscrit ; à M. Michel Forget, agrégé de l'Université, professeur honoraire, qui a accepté la tâche d'examiner l'ouvrage sur épreuves ; et à Mme Mercier, Directrice des études de phonétique à l'Alliance Française, qui a contrôlé l'Introduction. Nous souhaiterions que ce livre fût moins indigne des nombreux et clairvoyants conseils, des utiles rectifications dont ils nous ont favorisé.

G. M.

Introduction

LES SONS DU FRANÇAIS

1. voyelles orales simples

[i] si, pyjama
[e] (fermé), été
[ɛ] (ouvert) être, crème, mais
[a] (antérieur) patte
[ɑ] (postérieur) pâte
[ɔ] (ouvert) or
[o] (fermé) zéro, au
[u] ou

2. voyelles orales composées

[y] (= [u] pour les lèvres,
[i] pour la langue) tu
[ø] (= [o] pour les lèvres,
[e] pour la langue) bleu
[œ] (= [ɔ] pour les lèvres,
[ɛ] pour la langue) heure

3. e dit « muet » (intermédiaire entre [ø] et [œ] et très rapide) :

[ə] premier

4. voyelles orales nasales

[ɛ̃] (avec voyelle orale simple [ɛ]) vin
[ɑ̃] (— — — [ɑ]) an
[ɔ̃] (— — — [ɔ]) on
[œ̃] (— — composée [œ]) brun

5. semi-voyelles

[w] oui
[ɥ] lui
[j] pied

6. consonnes

[b] bas
[d] dur
[f] fort, phare
[g] gant
[ʒ] jeune, gigot, mangeons
[k] corps, cinq, qui, kilo (écho)
[l] le
[m] me
[n] ni
[p] papa
[ʀ] or
[s] se, ce, commençons (dix)
[t] tu, théâtre
[v] vous
[z] disons, zéro (dixième)
[ʃ] chat (schéma)
[ɲ] peigne

LA PRONONCIATION

Observations élémentaires

A part l'articulation même des sons, la difficulté, pour les étrangers, est de reconnaître dans quels cas sont ouverts ou fermés les sons représentés par *e*, *o*, *eu*; quand un *a* est antérieur ou postérieur; quand un *e* dit muet se prononce, ou non. On aura intérêt à consulter le *Traité de prononciation française* de Pierre Fouché, qui présente un inventaire très complet de ces divers cas.
On y constatera, par exemple, que :

- l'ouverture ou la fermeture dépendent souvent de l'accentuation de la syllabe;
- en syllabe accentuée, *E* suivi d'une consonne prononcée est toujours ouvert : mer [mɛʀ], veste [vɛst];
- *Eu* accentué, non suivi d'une consonne prononcée, est toujours fermé : Monsieur [məsjø], etc.

e **dit muet.**

Voici quelques remarques importantes concernant la prononciation de *e* en prose française[1] :

Sauf le cas d'élision (v. ci-dessous) *e* est maintenu dans l'écriture, mais non pas toujours dans la prononciation.
Il tombe en général à la fin d'un mot, et toujours à la fin d'un groupe rythmique :
Jeann(e) rêv(e) de voyag(es).

Mais il se maintient :

a) lorsque joue la loi des trois consonnes (v. nº 131), c'est-à-dire dans la plupart des cas où l'*e*, suivi d'une consonne prononcée, est précédé de deux autres :
appart*e*ment — quelqu*e*fois — l'autr*e* livre[2].

b) lorsque *e* porte un accent tonique, après l'impératif affirmatif :
dis-l*e*.

On notera que, toujours, *e* se prononce :
dans : *que* de *parce que*, s'il n'est pas élidé : parc(e) qu*e* j(e) vois...
dans : *ceci* : c*e*ci est vrai; est-c(e) vrai, c*e*ci ?

[Jamais il ne se prononce dans le *ce* de :
est-c(e) que, quand est-c(e) que, etc.]

Il se prononce dans : *je n(e)...* :
j*e* n(e) sais pas;

et dans la plupart des finales en *-elier* : le chap*e*lier — Mais le bourr(e)lier.

L'*e* se maintient volontiers dans la première syllabe d'un groupe rythmique :
J*e* vois cet homme — C*e* garçon est sympathique.
On dira donc plutôt : j*e* l(e) sais, que : j(e) l*e* sais.

Dans les séries, il y a, en général, alternance des e prononcés et des e muets :
J*e* n(e) l*e* r(e)d*e*mand(e) pas.

Les liaisons

La liaison intéresse la langue parlée seulement. Elle consiste à faire entendre, dans un groupe, une consonne finale devant une voyelle ou un *h* « muet » : les amis [lezami]. Souvent il y a une modification du timbre de la consonne : s > z, d > t, et (fait plus rare) g > k :
Les amis [lezami] — attend-il? [atɑ̃til] — suer sang et eau [sɑ̃keo].

1. Dans la versification traditionnelle *e* se prononce devant consonne ou h *aspiré* :
« Herb (e), us**e** notre seuil ; ronc**e**, cach**e** nos pas ! » (V. Hugo).
2. La même loi explique l'apparition fautive d'un *e* prononcé dans des expressions comme : le strict[ə] minimum.

Aujourd'hui, certaines liaisons tendent à se raréfier. Mais on entend souvent, dans un français peu surveillé ou populaire, la liaison devant l'*h* « aspiré » : il est Hongrois, elle est hors de danger. Et les enfants disent couramment : c'est honteux. Ces prononciations semblent progresser[1] ; il sera bon, pour déterminer la valeur de *h*, de consulter un dictionnaire.

Liaisons couramment pratiquées.

Après un **nom** : la liaison n'est obligatoire que si ce nom est le premier terme d'un groupe figé ou d'un nom composé : Les Ponts et Chaussées — un guet-apens — suer sang et eau [sɑ̃keo].

On distinguera ainsi : les États-Unis et : les Éta(ts) unis par ce traité — ou : faire des châteaux en Espagne, et : il possède des château(x) en Espagne. Remarquer qu'on doit dire : les Nor(d)-Africains — de par(t) en part, et, de préférence, Nor(d)-ouest... (Voir plus bas : un for(t) encombrement.)

Après un **adjectif qualificatif,** devant un nom : Un heureux homme — ce petit inconvénient. On pourra ainsi faire la distinction d'un adjectif et d'un nom : un savant aveugle (savant, adjectif); un savan(t) aveugle (savant, nom) — Saint-Honoré (saint, adjectif); un sain(t) honoré (saint, nom). (Mais la liaison ne se fait pas en général, au singulier, si l'adjectif se termine par *r* suivi d'une consonne normalement non prononcée : un for(t) encombrement — ce cour(t) intervalle — un lour(d) héritage.)

Après un **adjectif numéral cardinal,** devant un nom ou un adjectif : trois enfants — trois heureux enfants.

N. B. Devant les dates du mois, pas de liaison, en général : le deu(x) avril.

Les adjectifs numéraux ordinaux, au pluriel, admettent plutôt la liaison : les premiers éléments (on trouvera, n° 196, quelques détails supplémentaires sur la prononciation des consonnes finales des nombres).

Après un **déterminant,** devant un nom ou un adjectif : les enfants — ces enfants — mon avion — quels avions? — aucun ami — quelques autres — tout homme — tous autres projets.

Après un **pronom personnel** (et après **on**) devant un verbe : ils arrivent — vous entendez — on vous entend — tu les as vus — vous y allez — on arrive.

Après un **verbe,** devant les pronoms : il, ils, elle, elles, on : vient-il? — vient-on? — prend-il?

Remarquer l'adjonction d'un *t* (analogique des verbes des 2e et 3e groupes) dans : pense-*t*-il? — pense-*t*-on? — va-*t*-il? — vainc-*t*-il? — aima-*t*-il?

Après *est* la liaison, en bonne langue, est obligatoire devant toute voyelle : c'est un acteur — elle est au cinéma.

Après *sont*, on entend parfois, par exemple : i(ls) son(t) arrivés — Il faut dire : ils sont arrivés.

1. En revanche, on entend souvent : « un || hiatus » (au lieu de : « un hiatus », avec liaison de l'n, ce qui est la prononciation correcte.)

Après un **adverbe de quantité,** la liaison est obligatoire en bonne langue : plus‿utile — très‿utile — trop‿entreprendre — tant‿essayer.

Après **bien, mieux,** il en est de même :
bien‿accueillie — pour mieux‿entendre.

Après les prépositions **chez, dans, en, sans, sous,** même obligation :
chez‿un camarade — dans‿une heure — en‿une heure — sans‿y voir — sous‿aucun prétexte.

Remarque : **quant‿à** est toujours prononcé avec liaison. Mais l'adverbe interrogatif quand ? est très rarement lié : quan(d) aura-t-il fini ? (mais : quand‿est-ce que... ? où *d* sonne comme *t*).

Après les conjonctions **donc, quand,** enchaînement ou liaison obligatoires :
Je pense, donc je suis — quand‿Ernest le voudra.

En revanche, si *donc* est une particule exclamative, le *c* ne se prononce pas, en général : venez don(c)!

L'élision

L'élision est l'effacement d'une des voyelles **finales** *a, e, i* devant une voyelle ou un *h* « muet ».

La liaison (v. ci-dessus) et l'élision ont d'étroits rapports. En général, là où il y a liaison, il y a chance d'élision, et inversement. Comparez : les‿habits et l'habit — le(s) hachoirs et : le hachoir.

L'élision concerne la langue écrite aussi bien que la langue parlée.

Dans l'écriture, l'élision se marque généralement, mais non pas toujours, par une apostrophe (v. plus loin), qui remplace la voyelle élidée : l'encrier — l'auto — l'habit.

On élide *e* et *a* dans l'article défini et dans les pronoms personnels atones :
L'auto — j'ai dit — il m'a vu — je l'entends — ils s'observent.

Remarque : Les possessifs féminins *ma, ta, sa* deviennent *mon, ton, son* devant un nom commençant par une voyelle ou un *h* « muet » : mon‿auto — son‿influence.

On élide encore *e*, à la fin des mots suivants :

ce : (pronom) : C'est vrai; Ç'a été difficile.
de : Le prix d'une voiture.
ne : Il n'a rien fait.
que : Qu'il est beau! — je crois qu'en ce cas on doit agir — l'homme qu'on a vu...
jusque : Jusqu'à trois heures — Jusqu'où? — Jusqu'ici.

e final de certaines conjonctions composées, comme : **lorsque, parce que, puisque, quoique, pour que,** ne s'élide obligatoirement dans l'écriture que devant *un* (article), *une, il, ils, elle, elles, on* :
Lorsqu'on viendra... Parce qu'elle s'en va... Pour qu'on sache...

e final de **quelque** ne s'élide obligatoirement dans l'écriture que devant *un, une* :
Quelqu'un — (mais : quelque affaire)

e final de **presque** ne s'élide obligatoirement que dans : *presqu'île*.
(Mais on écrit : presque aveugle).

e final de **entre** n'est pas toujours remplacé par une apostrophe :

S'entr'aimer — (mais : s'entraider).

i de **si** s'élide devant il et ils :

s'ils veulent.

(En fait, c'est d'un ancien *e* qu'il s'agit. *Se* est, en ancien français, la forme primitive de si.)

N. B. Il n'y a pas d'élision (donc il y a un **hiatus**) :

en général devant les nombres : **un, huit, huitième, onze, onzième** :

le un — le onzième — messe de onze heures.

devant les noms des **lettres** :

le a — *le* o — *le* i.

(mais on peut dire, comme naguère : l'a, l'o, etc.)

devant certains mots commençant par ***u*** [y] :

le uhlan — *le* ululement.

devant certains mots commençant par ***ou*** [w] :

le ouistiti — *la* ouate (on peut dire encore aujourd'hui l'ouate).

devant certains mots commençant par ***y*** [j] :

le yacht — *le* Yang-tsé-Kiang — *le* yatagan — *le* Yankee — *le* Yémen[1] — *le* yoga — *le* Yougoslave — *le* Yukon.

(mais on dit : l'yeuse — maladie d'yeux — l'Yonne — le duc d'York — et : l'université d'Yale ou de Yale).

devant toute citation d'un fait de langue employé comme nom :

le « oh! » — *le* « ah! » — *le* « encore! »

L'accent tonique et l'intonation

Accent tonique.

Normalement (et sans parler des accents d'émotion ou d'insistance), le mot français isolé est frappé, sur la dernière voyelle prononcée, d'un accent d'intensité, assez faible d'ailleurs :

infin*i* — vérit*a*ble.

Mais, dans une phrase parlée, certains de ces accents disparaissent, pour laisser la place à un ou plusieurs accents de groupe :

Un grand h*o*mme — Il m'a d*i*t — Le brave h*o*mme m'a d*i*t.

1. Alors que Chateaubriand écrivait encore, dans *Les Martyrs* : l'Yémen.

Intonation.

Dans l'énoncé courant (et mises à part les phrases interrogatives ou exclamatives), une phrase française présente en général une partie montante (qui se termine sur une note plus haute) suivie d'une partie descendante (qui se termine sur une note plus basse) :

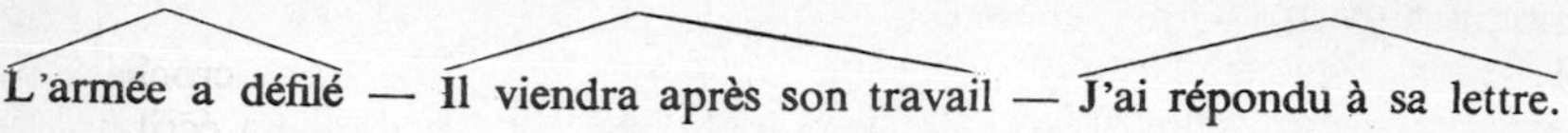

L'armée a défilé — Il viendra après son travail — J'ai répondu à sa lettre.

On voit que, dans les phrases ci-dessus, le clivage s'est opéré soit après le nom-sujet (quand le verbe n'avait pas de complément), soit après le verbe (quand il était suivi d'un complément). L'intonation prend en effet des formes très variées, surtout dans les phrases d'une certaine longueur.

SIGNES ET ACCENTS

Principaux signes de ponctuation

L'emploi des signes de ponctuation n'obéit pas à des règles absolument strictes; et l'écrivain jouit, à cet égard, d'une certaine liberté. On peut cependant donner quelques indications de principe :

Le **point** (.) marque une pause importante après une phrase (qui peut être réduite à une proposition) :

L'enfant avait de la fièvre ce jour-là. Le lendemain, il allait mieux.

Le **point et virgule** (;) marque une pause plus brève : Je t'interroge; réponds.

La **virgule** (,) marque une légère séparation (souvent pour l'œil seulement) entre des sujets, des compléments, des membres de phrase, des propositions :

« Voici des fruits, des fleurs, des feuilles et des branches (...) »
(Verlaine).

On remarquera que la virgule ne se place pas, en principe, devant *et*, *ou*, coordonnant des termes de la proposition. Ajoutons qu'elle ne se place pas devant une subordonnée sujet ou complément d'objet : Il est douteux qu'il revienne — Je crois que tu as raison.

La virgule sert souvent à la mise en relief : Moi, j'accepte — Le chauffeur, qui était dans son tort, se vit retirer son permis.

Les **guillemets** (« ») encadrent les paroles du style direct :

Tu m'as dit : « Oui, je viendrai. »

Les **deux points** (:) annoncent une citation ou un développement explicatif :

Il dit : « non » — Voici mon avis : retarde ton départ — Il a pris son parapluie : il pleuvait.

Les **parenthèses** ( ) encadrent une fraction de phrase non indispensable à la structure du discours : Cette réponse (et vous serez de mon avis) était décevante.

Le **tiret** joue parfois le même rôle — ou met en relief, pour l'œil, les éléments de la phrase — ou désigne les interlocuteurs dans le style direct :

« — Qu'en penses-tu?
« — Rien. »

Les **points de suspension** (...) traduisent l'inachèvement du discours ou du récit : Apportez votre... comment appelez-vous ça?
Ils servent aussi, placés généralement entre parenthèses ou entre crochets, à marquer une coupure dans la citation d'un auteur : La Fontaine a écrit :

« Rien ne pèse tant qu'un secret :
Le porter loin est difficile aux dames (...) »

Ici, il y a coupure dans la citation, qui doit être ainsi complétée :

« Et je sais même sur ce fait
Bon nombre d'hommes qui sont femmes. »

Le **point d'interrogation** (?) se place après une expression interrogative :
Viens-tu? Quand?

Le **point d'exclamation** (!) se place après une expression exclamative :
Que c'est beau!

Les accents et signes orthographiques

L'**accent aigu** (´) se place généralement sur *e* fermé :
l'été (mais crémerie se prononce [kʀɛmʀi]).

L'**accent grave** (`) se place généralement sur *e* ouvert : lève-toi. Il distingue aussi la préposition *à* du verbe *il a*; les adverbes *où, où?* de la conjonction *ou* (= ou bien); l'adverbe *là* de l'article défini *la*.

L'**accent circonflexe** (^) se place en principe sur une voyelle longue, souvent pour marquer la disparition du son *s* : être (anciennement estre) — ôter (anc. oster). Mais, parfois, il n'est qu'une survivance graphique, sans allongement. Comparez : la pâte (*a* long, accentué) et : le pâtissier (*a* bref, inaccentué). Dans les mots *dû* (du v. devoir) et *crû* (du v. croître), il permet la distinction de *du* (article) et de *cru* (adjectif ou participe de croire).

Le **tréma** (¨) marque en principe la séparation de deux voyelles en deux syllabes. Il se place sur la seconde voyelle (e, i ou u) : la cigu*ë* — ha*ï*r — ambigu*ï*té.

L'**apostrophe** (') marque l'élision de *a, e, i* (v. p. XII) : l'épée, l'ami, s'il veut.

La **cédille**, sous le *c* (*ç*) marque le son [s] devant *a, o, u* :
çà et là — un hameçon — un reçu.
(Il joue ainsi le même rôle que *e* placé après *g* pour lui donner le son [ʒ] :
Nous mangeons — il mangea — un esturgeon — une gageure [gaʒy:ʀ].)

Le **trait d'union** (-) unit deux éléments d'un nom composé ou d'un groupe :
arc-en-ciel — dit-il.
Il devient de plus en plus rare dans les noms composés.

LA PHRASE ET LES PROPOSITIONS

Une phrase est l'expression, plus ou moins complexe, mais offrant un sens complet, d'une pensée, d'un sentiment, d'une volonté.

La phrase peut être constituée d'une ou de plusieurs propositions. On appelle proposition un ensemble de termes liés par la grammaire et le sens, généralement autour d'un verbe. Voici une phrase composée de deux propositions :

Je *crois* | que tu *as* raison.

La proposition que tu as raison est dite proposition subordonnée parce qu'elle dépend, grammaticalement, de je crois, proposition principale.

Il y a cinq espèces de propositions subordonnées :

1. La proposition subordonnée conjonctionnelle, introduite par une conjonction de subordination (v. n° 850) :

Je crois | *que* tu as raison.

2. La proposition subordonnée relative, introduite par un pronom relatif :

Je te donne un conseil | *qui* vaut de l'or.

3. La proposition subordonnée interrogative (ou interrogative indirecte) introduite par un mot interrogatif :

Dis-moi | *pourquoi* tu agis ainsi.

4. La proposition subordonnée infinitive, dont le verbe est à l'infinitif :

J'entends | Paul *entrer*.

5. La proposition subordonnée participe (ou participiale) dont le verbe est au participe :

La ville *prise* |, l'ennemi proposa la paix.

Une proposition est dite indépendante quand elle peut former, à elle seule, une phrase :

Tu as bien agi.

Enfin les propositions de même fonction peuvent être associées entre elles, soit par une conjonction de coordination (v. n° 847) ; on les dit alors propositions coordonnées :

Il va |*et* il vient — Je vois la souris |qui va| *et* qui vient;

soit par simple juxtaposition ; on les dit alors propositions juxtaposées :

Il va, |il vient.

LA SPHÈRE DU NOM

LE NOM (ou substantif)

1 **Le nom[1] désigne (ou nomme) les êtres animés (personnes, animaux) et les choses (objets, actions, idées, sentiments). Il donne la réponse à : « qu'est-ce que c'est? »** (— C'est *une table*).

Nom propre, nom commun

2 **Le nom propre appartient en propre (= en privé) à tel homme, telle femme, tel enfant, tel animal. C'est par ce nom qu'on les appelle; c'est à ce nom qu'ils répondent :**

« Écoutez-moi, *Henri.* » — « *Madame Lefèvre*, où êtes-vous? »
« Ici, *Dick*! »

Il désigne aussi, en propre : tel peuple, tel pays, telle province, telle ville, tel fleuve, telle montagne, etc. :

les Français, la France, la Bretagne, Paris, la Seine, les Alpes.

Le nom commun, lui, désigne tous les êtres, toutes les choses de la même espèce :

Henri est un *homme* parmi d'autres hommes — Mme Lefèvre est une *femme* parmi d'autres femmes — Dick est un *chien* parmi d'autres chiens.

RÈGLE GÉNÉRALE : Écrivez les noms propres avec une initiale majuscule :

la France.

Écrivez les noms communs avec une initiale minuscule :

une femme, la table.

3 **Écrivez de préférence avec une majuscule : les noms ou expressions désignant une institution officielle, un grand organisme administratif :**

la Comédie-Française — la Légion d'honneur — le Conseil d'État — la République française — l'Assemblée nationale.

- **Les noms désignant telle rue, tel boulevard, etc. :**

  la rue de la Paix — le boulevard des Invalides.

- **Les noms de fêtes :**

  la Toussaint — la Fête nationale.

1. Les linguistes disent plutôt : le *substantif* quand il s'agit d'un nom commun. Mais nous pensons que *nom*, dans une grammaire pratique, se justifie par les termes qui en dérivent : *nommer, nom propre, pronom, nominaux, complément de nom, etc.*

• **Les noms de bateaux, d'avions, d'automobiles, d'engins spatiaux :**

le « Titanic » — la Caravelle — une Peugeot — un Spoutnik.

• **Le premier terme dans le titre d'une œuvre, ainsi que l'article s'il fait partie du titre :**

le « Dictionnaire de la langue française » — les « Mémoires d'outre-tombe » — « La Légende des siècles ».

• **L'adjectif (ou le participe) qui caractérise un nom géographique :**

La mer Rouge — les monts Maudits.

• **Dans certains cas, distinguez par une majuscule le nom propre du nom commun :**

« Soyez béni, *mon Dieu* » **mais** : *les dieux romains* — *la Bourgogne* (province) **mais** : *le bourgogne* (vin connu) — *la Champagne* (province) **mais** : *le champagne*, etc.

Noms concrets, noms abstraits

4 **Les noms concrets désignent les êtres, les objets qu'on peut voir, entendre, toucher** : Un livre — un chien.

Les noms abstraits désignent des qualités : la force; **des idées; des sentiments** : La paix, l'amitié.

Les noms concrets peuvent être employés dans un sens abstrait. Sens concret :

« Faites un *nœud* à votre mouchoir pour ne pas oublier. »

Sens abstrait :

« Savoir s'il acceptera, voilà le *nœud* de l'affaire. »

Inversement les noms abstraits peuvent devenir concrets : la prise a d'abord signifié l'action de prendre, puis : ce qui a été pris[1].

Soyez très prudent dans cette sorte de transformations. Consultez un dictionnaire.

Noms collectifs

5 **Ils ont la forme d'un singulier, mais désignent un groupe, une collection d'individus de même espèce :**

le peuple, la foule, une troupe, la main-d'œuvre, la vaisselle, le linge, la tuyauterie, une douzaine, et **(F. P. fam.[2])** une kyrielle, une ribambelle. — Et l'on dira : la pomme est chère cette année.

Les noms collectifs posent parfois un problème d'accord (voir n° 583).

1. Concret et abstrait sont d'ailleurs des notions très relatives. Ainsi le mot *chat* dans : le *chat* est un animal domestique, apparaît avec un sens plus abstrait que dans : tu vois le *chat* de la concierge.

2. Rappelons que **F. E.** signifie, dans cet ouvrage, français écrit **littéraire** — **F. P. fam.** français parlé familier — **F. P. pop.** français parlé populaire — **F. P. vulg.** français parlé vulgaire (voir notre Avertissement).

LE GENRE DES NOMS : LE MASCULIN ET LE FÉMININ

6 **Les noms français appartiennent soit au genre masculin, soit au genre féminin**[1].

Genre des noms communs

7 **Noms de personnes : en règle générale, les noms désignant des personnes du sexe masculin ou qui exercent des professions uniquement masculines (il y en a de moins en moins) sont du genre masculin :** le père, un chirurgien. **Mais :** la mère, une aviatrice.

Noms de choses : pas de règle. Le genre n'est pas « motivé ». Notez pourtant quelques séries (avec des exceptions!) :

8 **Sont généralement féminins les noms :**

- **des maladies :**
  la grippe, la typhoïde, la bronchite, **etc. (sauf :** le choléra, le croup, le diabète, l'emphysème, le rhume **et les noms en** *-isme* : l'arthritisme aigu).
- **des sciences :**
  la médecine, la politique, les mathématiques, **etc. (sauf :** le calcul, le droit).
- **des fêtes :**
  la Toussaint, la Saint-André **(pour** Noël, Pâques, **v. n°s 26 et 232).**
- **les noms abstraits en -eur :**
  la candeur, la valeur.

Exceptions : le bonheur, le malheur, l'honneur, le labeur.

9 **Sont généralement masculins les noms :**

- **d'arbres**[2] **:**
  le chêne, le tilleul, **etc. (sauf :** une yeuse = **chêne vert).**
- **de métaux ou de corps chimiques :**
  le fer, le cuivre, **etc. (sauf :** la fonte, l'alumine **et la plupart des noms en -ite).**
- **des jours, des mois, des saisons, des points cardinaux :**
  le lundi; un avril pluvieux; un été chaud **(N. B. — : dites plutôt** *un* automne, **bien que** *une* **soit admis)**; le nord, le sud-ouest.
- **des vents :**
  le zéphyr, le noroît, le mistral **(sauf :** la bise, la brise, la tramontane, **vent soufflant du nord sur la Méditerranée).**

1. Mais les pronoms connaissent le genre neutre, par exemple : *cela* me convient; *que* veux-tu? *il* est bon de donner.
2. Mais non **de plantes.**

- **des chiffres, des lettres et des notes de musique :**
  le *huit* a gagné; écrivez un *B*; un do, un mi bémol.

- **formés d'adjectifs :**
  le bleu, le rouge; le vrai; le beau; le français, l'anglais (**← la langue française, la langue anglaise**). (**Sauf** : l'anglaise, la ronde = **sortes d'écritures** — une polonaise, une allemande = **sortes de danses ou de rythmes; et des expressions telles que** : être assis *à la turque* = **à la manière turque**; riz *à la milanaise*, **ou** riz *milanaise*.)

- **formés d'infinitifs :**
  le dîner, le souvenir.

- **formés de mots invariables** (**adverbes, prépositions, conjonctions, interjections**) **ou d'expressions figées :**
  le bien, le mal — le devant de l'armoire — le « *mais* » que vous objectez — le « *aïe!* » que j'ai entendu — Je me moque du *qu'en-dira-t-on.*

10 **Le genre identifié par le moyen des suffixes.**

La connaissance des suffixes permet d'identifier plus sûrement le genre des noms. Malheureusement il est souvent difficile à un étranger de distinguer un vrai suffixe (par exemple : -age, dans bavardage, **masculin) et une simple terminaison venue directement du latin (comme dans** : image, **féminin). Le dictionnaire est ici le recours le plus sûr. Voici cependant des suffixes qui, avec une signification déterminée, accompagnent un genre déterminé :**

-ade f. = action : la bousculade; **collectif** : la colonnade.
-age m. = action ou résultat de l'action : un assemblage.
-aie f. = plantation d'arbres : la chênaie.
-ail m. = s'applique à divers objets : un épouvantail, le vitrail.
-aille f. = collectif (plutôt péjoratif[1]) : la ferraille.
-ailles f. pl. = action : de joyeuses fiançailles, épousailles, retrouvailles.
-aison (-oison, -ison, -sion, -ation, -ition- -otion, -ution) f. = action : la pendaison, la pâmoison, la guérison, la confusion, la passion, la fondation, la finition, une émotion, la parution.
-ance f. = action, état : la brillance, la vaillance.
-ard m. = objet : le brassard, le poignard.
-as m. = collectif ou péjoratif : le plâtras, le coutelas.
-asse f. = collectif (souvent péjoratif) : la paillasse.
-at m. = collectif social : le patronat, le salariat.
-eau m. = diminutif[2] : le moineau.
-ée (-etée) f. = contenu : la potée, la pelletée.
-elle (-erelle) f. = diminutif : la poutrelle (**masculin** : le libelle, **directement venu du latin).**

1. Le terme péjoratif comporte une idée défavorable (de laideur, de méchanceté, de faiblesse, etc.).
2. Le diminutif introduit une idée de *petitesse*.

-er (-ier) m. = arbres fruitiers : un oranger; **profession d'homme :** le pompier.
-esse f. = être animé : la poétesse, l'ânesse; **qualité :** la finesse.
-et m. = diminutif : le coffret, le garçonnet.
-ette f. = diminutif : la starlette, la fillette.
-ie (-rie) f. = maladie : la leucémie; **action :** la causerie.
-ière f. = profession de femme : une lavandière; **récipient :** une soupière.
-ine f. = diminutif : la bécassine, la tartine.
-is m. = action, état (souvent péjoratif) : le cliquetis, le fouillis.
-ise f. = qualité, état, action : la maîtrise, la prêtrise, la hantise.
-isme m. = doctrine : le socialisme; **maladie :** l'arthritisme,
-itude f. = état, qualité : l'exactitude.
-ment m. = action : un écrasement — **résultat de l'action :** un bâtiment.
-oir m. = instrument : le semoir.
-ose f. = maladie : la tuberculose.
(Masculins : mois du calendrier républicain (1793) : nivôse, pluviôse, ventôse.)
-ot m. = diminutif : un angelot.
-otte f. = diminutif : la menotte.
-ron (-eron) m. = diminutif : le moucheron.
-té f. = qualité, état : la saleté, l'émotivité.
-ure f. = action, résultat : la brûlure.

Genre des noms propres

11 **Noms de personnes : le genre suit le sexe :**

Jean est *grand*, Jeanne est *grande*.

12 **Noms de pays :**

Sont féminins : les noms de pays terminés par e :

la France; la Russie. **Mais :** le Caucase du Nord (U.R.S.S.); le Cambodge; le Mozambique; le Maine (État des U.S.A. et ancienne province française), le Mexique, le Tennessee (U.S.A.).

Sont généralement masculins les autres noms :

l'Angola, le Congo, le Ghana, le Nigéria, le Vietnam (mais on peut dire : la Nigéria).

N. B. — On dit naturellement (à cause du nom commun initial) :

la Côte-d'Ivoire, la République centre-africaine; **et :** la Réunion.

13 **Noms de villes :**

Ils tendent à devenir masculins, du moins dans le français parlé.

New York est *étendu*. Marseille est *actif*.

On n'écrirait plus comme Pascal *(Pensées) :*

« Il y a des lieux où il faut appeler Paris Paris et d'autres où il *la* faut appeler capitale du royaume. »

Rome, Athènes, Sparte, Alexandrie, **du fait d'une longue tradition, resteront plutôt féminins :** Rome est *glorieuse*. **Mais, dans le sens**

spécial de : la ville avec son district, on dira : le Grand Rome, **comme :** le Grand Paris.

Les noms de ville qui comportent un article gardent le genre de l'article :

La Rochelle est encore *active*. Le Havre est *reconstruit* depuis 1950.

Si vous êtes embarrassé, vous pourrez toujours dire, par exemple : *La ville* de Rome est chargée d'histoire.

14 Noms de bateaux :

Suivez l'usage des marins eux-mêmes :

Navires de guerre et bateaux de pêche : ils prennent généralement le genre du nom qui les baptise :

Le « Jaguar », la « Jeanne d'Arc », la « Rose-Marie ».

Navires de commerce, transatlantiques — dites plutôt :

Le « France », le « Flandre[1] ».

Bien entendu, si le nom comporte un article, suivez le genre de cet article :

« La Belle Poule » fut *chargée* de rapporter en France la dépouille de Napoléon.

Mais vous pourrez toujours dire :

Le paquebot « France »; *l'aviso* « Meuse », etc.

15 Noms d'avions :

Formés d'un nom commun français, ils gardent le genre de ce nom si c'est un nom de véhicule : la Caravelle. **Mais :** le Concorde.

Formés d'un nom étranger, ou d'un symbole, ils sont du masculin :

Un Boeing; un DC 4 — « L'Ilyouchine *polonais* qui devait emmener le chanteur... » (*Le Figaro* du 16 novembre 1963.)

15 bis Noms d'engins spatiaux :

Ils sont généralement du masculin :

Un Spoutnik — les *premiers* Surveyor — les *précédents* Luna (*Le Monde* du 5 février 1966.)

16 Noms d'automobiles :

Les voitures sont du féminin : une Jaguar; une Citroën; une 404.
Les camions sont du masculin : un Berliet; un Citroën.

Genre des noms composés

17 Formés de deux noms apposés : l'ensemble suit ordinairement le genre du premier nom :

Un chou-fleur, une pêche abricot.

1. Vous lirez aussi : « Voyagez sur *France* ». Mais cette construction n'est pas naturelle aux Français, qui, d'instinct, cherchent un article (voir n° 211).

18 **Composés d'un nom et d'un adjectif : l'ensemble suit le genre du nom :**

La chauve-*souris*; *le* jeune *homme*; *la* jeune *fille*. **Sauf :** *le rouge-gorge* **(oiseau).**

N. B. — On dit : la mi-temps **(football);** la mi-carême; la mi-août; la mi-juin, **etc. Mais, dans ces mots, la valeur adjective de mi n'est plus perceptible.**

19 **Composés d'un verbe et d'un nom :**

a) noms de personnes : le sexe détermine le genre :

Le garde-barrière[1] **(si c'est un homme);** la garde-barrière **(si c'est une femme).**

b) noms d'animaux : généralement masculins :

Le hoche-queue **(oiseau);** le perce-oreille **(insecte).**

c) noms de choses : généralement masculins :

Le presse-purée; le porte-cigarettes; le garde-boue. **Sauf :** la garde-robe. **Et vous direz :** la perce-neige **(fleur).**

20 **Composés de deux verbes : noms masculins :**

Le savoir-faire; un ouï-dire.

21 **Composés d'une préposition (ou d'un adverbe) et d'un nom :**

a) noms de personnes : le sexe détermine le genre :

Un sans-soin, une sans-soin; un sans-culotte **(révolutionnaire de 1792, qui portait le pantalon et non la culotte courte);** un sans-cœur, une sans-cœur; un hors-la-loi, une hors-la-loi.

22 **b) noms de choses :**

1. Le composé prend généralement le genre du nom, si le premier élément a plutôt valeur d'adverbe que de préposition :

avant (= en avant) : un avant-poste; une avant-garde; une avant-cour.
contre (= en opposition) : un contrordre; une contre-proposition.
sous (= au-dessous) : un sous-produit; la sous-production.

23 **2. Le composé est le plus souvent masculin si le premier élément est une vraie préposition :**

à : un à-propos; un à-côté.
après : l'immédiat après-guerre.
en : un en-cas; un en-tête. **N. B. — :** *une* encaisse.
hors, hors de : un hors-bord; un hors-d'œuvre.
sans : le sans-façon, le sans-gêne.
Dites plutôt *un* après-midi; **mais** *une* après-midi **est correct et notez :** *une* avant-scène.

1. Où « garde » est sans doute une forme de *verbe*. Pour le pluriel, voir n° 59.

24 **Noms composés d'expressions figées, phrases ou parties de phrases, raccourcis : noms masculins.**

Ce n'est qu'*un on-dit*; il craint *le qu'en-dira-t-on*; *le sauve-qui-peut* fut affreux; avoir *un tête-à-tête* **(une entrevue particulière) avec quelqu'un ;** *un pied-à-terre* est un petit logement, pour un bref séjour; *le va-et-vient* de ces camions me fatigue.

25 **S'il s'agit d'êtres humains, ici encore le sexe détermine le genre :**

Un couche-tard — un lève-tôt — une rien-du-tout[1] — un (ou une) ci-devant (= **naguère** aristocrate, **expression courante en 1792) — Remarquez** : un vaurien (= **qui ne vaut rien)**, une vaurienne.

CAS PARTICULIERS

26 **1. Noms dont le genre varie, suivant le nombre :**

amour : masculin au singulier ; — féminin, généralement, au pluriel (F.E.[2]), signifie alors : aspects (émouvants, cruels, etc.) de l'amour :

L'amour *filial* impose toujours le respect — Les amours de Musset et de George Sand furent *orageuses.*

délice : masculin au singulier; féminin au pluriel (F.E.) :

Ce gâteau est *un délice* — On peut trouver de *singulières* délices dans la tristesse. **(Les deux termes n'ont pas tout à fait la même origine.)**

gent : féminin au singulier (signifie alors « peuple », « clan », souvent avec valeur péjorative) ; féminin ou masculin au pluriel (écrit gens), **suivant que l'adjectif précède immédiatement ou suit le nom :**

La gent *ailée* **(les oiseaux) ;** l'*odieuse* gent des bellicistes — Voilà de *curieuses* gens; je connais *toutes* ces *curieuses* gens[3] — **Mais** : *tous* ces gens sont *étonnants.*

hymne (chant collectif en l'honneur de Dieu ou de la patrie) ; féminin dans le premier cas, masculin dans le second :

Les hymnes *nationaux;* une hymne *sacrée* **(on dit plutôt en ce dernier sens** : un cantique).

orgue : masculin au singulier et s'il désigne plusieurs instruments; féminin au pluriel, s'il a un sens noble :

Cette église a trois orgues *différents* — Sa femme tient le *petit* orgue; lui, tient les *grandes* orgues.

1. « C'est *une pas-grand-chose* avec *un rien-du-tout.* » (*La Fille de Madame Angot*, opérette célèbre.)
2. Rappelons que **F. E.** désignera le français écrit **littéraire.**
3. Mais on dit : *tous* ces braves gens, parce que l'adjectif *brave* n'a pas de forme distincte pour le féminin.

Pâques : écrit avec « s » : a) est masculin singulier s'il désigne la date de la fête ; b) est féminin pluriel s'il désigne la fête elle-même, ou les actes de dévotion :

Nous nous reverrons à Pâques *prochain* — « *Joyeuses* Pâques ! » — Faire de *bonnes* Pâques — On appelle Pâques *fleuries* la fête des Rameaux.

Écrit : Pâque, le nom est féminin singulier et désigne la fête solennelle et particulière, des juifs, des orthodoxes (parfois des catholiques) :

La Pâque *juive* dure sept jours — Rimsky-Korsakov a composé « *La Grande* Pâque russe ».

27 **2. Noms dont le genre varie, suivant le sens. (Les homonymes qui ne remontent pas à une même origine seront marqués du signe *.)**

Aide : Cet architecte a engagé *un bon aide*, et *une aide meilleure* encore. Tous deux lui apportent *une aide* précieuse.

Aigle : De jeunes agneaux peuvent être enlevés par *un aigle*... **(ou** *une aigle*). L'*aigle noir* de Prusse était une décoration militaire — *Les aigles impériales* ornaient les étendards des armées de Rome et de Napoléon.

Cartouche : Le nom du pharaon est gravé dans *un cartouche* **(= un encadrement)** — Avant de se rendre, les soldats brûlèrent *leurs dernières cartouches*.

Chèvre : *Le chèvre* est le fromage fait avec le lait de *la chèvre*.

Crêpe : Les hommes en deuil mettent *un crêpe noir* au revers de leur veston — Je vous ai fait *de bonnes crêpes*, avec de la farine et du lait.

Critique : Sainte-Beuve fut *un grand critique* littéraire — « *La critique* est aisée, et l'art est difficile. » (Destouches).

Enseigne : Un *enseigne de vaisseau* a le même grade qu'un lieutenant d'infanterie — L'épicier a suspendu *une belle enseigne* au-dessus de sa boutique.

Espace : Laissez *un espace* entre vos voitures — *Une espace* est une petite pièce de métal que le typographe place entre les mots.

***Foudre** : Cet homme n'est ni *un foudre de guerre* **(= un héros)** ni *un foudre d'éloquence* **(= un orateur prestigieux).**
**Un foudre* est aussi un vaste tonneau.
Le paratonnerre attire *la foudre*.

Garde : J'ai trouvé *un bon garde* pour assurer *la garde* de ma propriété — On paiera *une garde* pour surveiller la malade.

Greffe : Les pièces du procès sont déposées *au greffe* du tribunal — *La greffe* des arbres améliore les fruits.

Guide : Conduit par *un guide expérimenté*, vous ne vous égarerez pas — J'ai acheté *de bonnes guides* pour ma carriole.

***Livre** : Lisez *ce livre* — Achetez-moi *une livre* de sel.

Manche : *Le manche* de ma pioche est fendu — *La manche* droite de ce veston est trouée.

Manœuvre : *Un manœuvre* est moins payé qu'un ouvrier qualifié — Par *une fausse manœuvre*, il a jeté sa voiture sur un arbre.

Mémoire : *Les mémoires* de Chateaubriand sont intéressants **(= les souvenirs rédigés)** — Pour m'aider à retenir tous ces chiffres, faites-moi *un mémoire* **(= un exposé écrit)** : cela soulagera *ma mémoire*.

Mode : Avant d'utiliser cet instrument, lisez *le mode* d'emploi — *La mode* est aux jupes courtes, cette année.

***Moule** : Quel gâteau préparez-vous dans *ce moule* à pâtisserie? — Parmi les coquillages, je préfère l'huître à *la moule*.

***Mousse** : *Un mousse* est un apprenti marin ou un apprenti ouvrier — L'écorce de cet arbre est couverte d'*une mousse épaisse* — Sur certains liquides se forme *une mousse blanchâtre*.

Œuvre : Quel musée possède *tout l'œuvre gravé* de Rembrandt? **(= l'ensemble de ses estampes)** — « Elle n'avait pas l'idée de lire *l'œuvre entier* de cet homme. » (H. de Montherlant, *Le Démon du bien*) — *Le gros œuvre* de l'édifice est achevé **(= les gros murs)** — La Joconde est *une œuvre* fameuse.

Office : Il existe en France *un office national* de la main-d'œuvre — Déposez le sac de pommes de terre dans *la petite office*, près de la cuisinière.

***Ombre** : *Un ombre* est une variété de poisson — Ce chêne donne *une ombre épaisse*.

***Page** : Le jeune Ronsard fut *un des pages* du prince royal François — *Une page* de ce cahier est restée blanche.

Parallèle : « Quatorze raids ont été exécutés au-dessus du *17e parallèle*. » (*Télé-midi* du 8 février 1966.) — On a souvent établi *un parallèle* entre Corneille et Racine **(= une comparaison point par point)** — Le professeur de mathématiques trace *une parallèle à la droite* AB.

Pendule : *Le pendule* sert à régulariser le mouvement des horloges — Ne mettez pas *une pendule* Empire sur une cheminée Louis XV.

Physique : Dans certaines carrières *un beau physique* est avantageux — *La physique* est une science exacte.

***Poêle** : *Le poêle* n'a pas cédé partout la place au chauffage central — Aux obsèques du roi les cordons *du poêle* **(= drap noir qui recouvre le cercueil)** *étaient tenus par des princes* — Faites frire le poisson dans *une poêle*.

Solde : Payez tout de suite la moitié de cette somme, et vous paierez *le solde* dans trois mois — *La solde* d'un capitaine est supérieure à celle d'un lieutenant.

***Somme** : Je vais me reposer une demi-heure, en faisant *un somme* — *La somme* de vos dépenses atteint dix mille francs.

Statuaire : *Le statuaire* fait des statues; il pratique ainsi *la statuaire*, qui est un art.

***Tour** : Allons faire *un tour* en ville — *La tour Eiffel* date de 1889.

Trompette : *Le trompette* est un soldat qui sonne de *la trompette*[1].

Vapeur : *Un vapeur* est un bateau mû par *la vapeur.*

***Vase** : Mettez ces fleurs dans *un vase* — Au XIIe siècle les rues de Paris étaient couvertes d'*une vase épaisse.*

Voile : La jeune mariée couvre sa tête d'un *léger voile* blanc — Ce bateau marche *à la voile.*

28 **Noms sur le genre desquels les Français ne sont pas toujours d'accord.**
Il vous est conseillé de suivre la tendance aujourd'hui dominante :

Après-midi (la tendance est au masculin) : un après-midi ensoleillé.

Automne (même remarque) : un automne pluvieux.

Effluves (donné comme masculin par les dictionnaires; mais le féminin semble l'emporter) : des effluves printanières.

Entrecôte (décidément passé au féminin) : une savoureuse entrecôte.

Interview (f.) : une *interview intéressante* **(c'est le français** entrevue).

Orge (f.) : de *la belle orge.* (Orge mondé (= **nettoyé) et** orge perlé **sont des expressions techniques figées.)**

Palabres (plutôt f.) : après de *longues palabres*, on décida... (= **entretien, conversation) F.P. fam.**

Steppe (f.) : la steppe sibérienne.

Notez qu'on trouve encore (dans d'anciens noms de rues, par exemple) des termes dotés d'un genre archaïque : rue *de la Duché* — **cf. l'ancienne province** : la Franche-Comté.

Les expressions (F.P. fam.) : « c'est la belle âge » — « une grosse légume » **(= un important personnage) n'ont plus qu'un caractère de plaisanterie.**

1. Celui qui **joue** de la trompette (dans un orchestre) s'appelle un trompettiste (comme on dit clarinettiste, violoniste, etc.).

COMMENT FORMER LE FÉMININ DES NOMS

(êtres animés; noms propres et noms communs)

29 **RÈGLE GÉNÉRALE : dans l'écriture on ajoute un e au masculin singulier; dans le français parlé, les consonnes devenues intervocaliques se prononcent :**

-ais : un Anglais, *une Anglaise.*

-ain : un châtelain, *une châtelaine* **(mais :** un sacristain, *une sacristine,* **dans un couvent de religieuses)** — un copain, *une copine* **(F.P. pop.)**

-al : un rival, *une rivale.*

-an : un sultan, *une sultane* **(mais :** un paysan, *une paysanne*; Jean, *Jeanne*).

-and : un marchand, *une marchande.*

-er, -ier : un boucher **(prononcez** *é* fermé) [buʃe], *une bouchère* **(pron.** *è* ouvert) [buʃɛːr] — un épicier, *une épicière.*

-in : un cousin, *une cousine.*

-is : un marquis, *une marquise.*

-ois : un bourgeois, *une bourgeoise.*

-ol : un Espagnol, *une Espagnole.*

Il en est de même de tous les noms d'êtres animés, formés de participes présents en -ant, ou passés en -é, -i, -u, -it, -ut, -is, -us :

> Le commerçant, *la commerçante* — faire l'étonné, faire *l'étonnée* — la liste des reçus, la liste *des reçues* — le proscrit, *la proscrite* — le reclus, *la recluse.* **Mais :** le favori **(qui fut jadis participe) a pour féminin** *la favorite.*
>
> **Rem.** Salaud, **F.P. très vulg., écrit parfois, chez Sartre p. ex.,** salop, **a pour féminin** salope — Saligaud, **de même radical (=** **sale) et un peu moins vulgaire, n'a pas de féminin.**

PARTICULARITÉS IMPORTANTES :

30 **Noms en -en, -on[1] : redoublent l'n, et la voyelle précédente perd sa nasalité** : le pharmacien, la pharmacienne [farmasjɛ̃, farmasjɛn] — un baron, une baronne [barɔ̃, barɔn]. **(Pour les noms en -an, voir ci-dessus, n° 29.)**

-el, -eau : Marcel, Marcelle — le jumeau, la jumelle.

en **-at, -et, -ot** : le chat, la chatte — le cadet, la cadette — un sot, une sotte.

1. Pour Lapon, Letton, Nippon, vous pouvez écrire, comme font d'excellents écrivains : une Laponne, une Lettonne, une Nipponne — A démon donnez pour féminin... un démon (v. n° 38).

Mais : un soldat, une soldate **(Armée du Salut**[1]**)** — un avocat, une avocate — un candidat, une candidate — un bigot, une bigote — un dévot, une dévote — un huguenot, une huguenote — un idiot, une idiote — un manchot, une manchote — un mendigot **(F.P. pop.)**, une mendigote — un nabot, une nabote.

La préfète, la sous-préfète **désignent (plutôt plaisamment) l'épouse du préfet, du sous-préfet, comme** la maréchale, la générale, la colonelle **désignent (sérieusement) l'épouse du maréchal, du général, du colonel.**

31 **Noms en -eur (à l'exclusion de certains noms en -teur) : donnent -euse :**

Un danseur, *une danseuse* — un nageur, *une nageuse*. **Sauf** : un pécheur **(celui qui commet des péchés)**, *une pécheresse* — **(mais** : un pêcheur, *une pêcheuse*) — un enchanteur, *une enchanteresse* — le demandeur, *la demanderesse*, le défendeur, *la défenderesse*, **termes juridiques** — le supérieur **(d'un collège religieux)**, *la supérieure* — le prieur (= **le premier d'un couvent)**, *la prieure* — un mineur **(âgé de moins de vingt et un ans)**, *une mineure*.

Noms en -teur : donnent -trice :

Un instituteur, *une institutrice* — un directeur, *une directrice* — un préparateur, *une préparatrice*.

Mais les noms français provenant de verbes en -ter donnent -teuse :

Un porteur (de porter), *une porteuse* — un flatteur, *une flatteuse* — un ergoteur, *une ergoteuse*. **On dit aussi** : un menteur, *une menteuse* **(v. n°s 79-80).**

Chanteur a deux féminins : *une chanteuse*, **au sens « ordinaire »**, — *une cantatrice*, **au sens « noble ». Mais, bien entendu,** *cantatrice* **tend à s'imposer dans tous les cas!**

Le docteur[2] **fait au féminin, très couramment** : *la doctoresse*. **Sauf dans l'énoncé des titres : les cartes de visite, par exemple, porteront** : « Docteur Henriette Dupont. » — **De même, pour une avocate** : « Claire Martin, avocat à la Cour. » — **Et l'on dira** : Maître Claire Martin.

32 **Noms en -f donnent -ve :** Un veuf, *une veuve* — un Juif, *une Juive*[3].

en -x donnent -se (pron.-ze) : Un époux, *une épouse* **(mais** : un roux, *une rousse*).

pour les noms en -c (Grec, Turc, laïc), **voir n° 71.**

Hébreu, comme nom, n'a pas de féminin (v. n° 69). Dites :
une Juive, ou une Israélite (*Israélienne* **est un terme de nationalité moderne).**

1. Comme on dit : une officière de l'Armée du Salut.
2. Au sens de docteur en médecine — mais on dira : ma fille est docteur ès lettres, ès sciences — *médecin* n'a pas de féminin.
3. En fait, *veuf* est tiré de *veuve*, *juif* de *juive*.

33 **Féminins en -esse (noms de personnes et d'animaux) :**

Un abbé, *une abbesse* — un âne, *une ânesse* — un bonze, *une bonzesse* — un chanoine, *une chanoinesse* — un comte, *une comtesse* (un vicomte, *une vicomtesse*) — un devin, *une devineresse* — un diable, *une diablesse* — un dieu, *une déesse* — un duc, *une duchesse* (un archiduc, *une archiduchesse*[1]) — un hôte **(celui qui accueille ou qui est accueilli)**, *une hôtesse* **(seulement dans le sens de :** celle qui **accueille,** qui **donne** l'hospitalité) — un ivrogne, *une ivrognesse* — un maître, *une maîtresse* — un mulâtre, *une mulâtresse* — un nègre[2], *une négresse* — un ogre, *une ogresse* — un pauvre, *une pauvresse* — un poète, *une poétesse* — un prêtre, *une prêtresse* — un prince, *une princesse* — un prophète, *une prophétesse* — un Suisse, *une Suissesse* **(seulement comme nom. On dira donc :** une jeune fille suisse, **adj.)** — un tigre, *une tigresse* — un traître, *une traîtresse* **(plutôt adjectif). Pour doctoresse, voir n° 31.**

Le tsar **donne au féminin** *la tsarine* — le speaker **(pron. spîkeur) donne** *la speakerine*[3].

Autres formes du féminin

34 **a) Noms de parenté :**

Le beau-fils, *la belle-fille* — le beau-frère, *la belle-sœur* — le beau-père, *la belle-mère* — l'époux, *l'épouse* — le frère, *la sœur* — le gendre, *la bru* **(ou plutôt** *la belle-fille*) — le grand-père, *la grand-mère* — le mari, *la femme* — le neveu, *la nièce* — l'oncle, *la tante* — le papa, *la maman* — le père, *la mère* — le petit-fils, *la petite-fille*.

35 **b) Noms divers de personnes et d'animaux (formant généralement des couples) : Quand il s'agit d'animaux, l'expression particulière du féminin s'explique souvent par l'intérêt que présente la femelle pour l'éleveur :**

Le bélier, *la brebis* — le bœuf, *la vache* — le bouc, *la chèvre* — le canard, *la cane* — le cerf, *la biche* — le compagnon, *la compagne* — le copain **F.P. fam.**, *la copine* **F.P. fam.** — le coq, *la poule* — le dindon, *la dinde* — l'empereur, *l'impératrice* — l'étalon, *la jument* — le garçon (le gars[4]), *la fille* (*la garce* **F.P. pop. n'a qu'un sens péjoratif : fille méchante**) — l'homme, *la femme* — le jars[5], *l'oie* — le jeune homme, *la jeune fille* — le lièvre, *la hase* — le loup, *la louve* — le mâle, *la femelle* — monsieur, *madame* — le mulet, *la mule* — le roi, *la reine* — le sanglier, *la laie* — le serviteur, *la servante* — le singe, *la guenon* — le taureau, *la génisse* — le verrat, *la truie* — le vieux, *la vieille*.

1. Devineresse, déesse, duchesse, archiduchesse sont de formation plus complexe.
2. On dit plutôt : un Noir, une Noire, ou, si possible, un Africain, une Africaine.
3. Ces termes ont pour concurrents : présentateur, présentatrice.
4. Pron. le *gâ*.
5. Pron. le *jar*.

36 **Noms de personnes s'appliquant aux deux sexes (forme unique pour le masculin et le féminin, article différencié) :**

Un adversaire, *une adversaire* — un aide diplômé, *une aide* diplômée — un artiste, *une artiste* — un camarade, *une camarade* — un collègue, *une collègue* — un complice, *une complice* — un concierge, *une concierge* — un dentiste, *une dentiste* — un élève, *une élève* — un enfant, *une enfant* — un esclave, *une esclave* — un garde, *une garde* — un locataire, *une locataire* — un novice, *une novice* (= **qui vient de prendre l'habit de moine ou de religieuse**) — un partenaire, *une partenaire* — un patriote, *une patriote* — un pensionnaire, *une pensionnaire* — un propriétaire, *une propriétaire* — un pupille, *une pupille* — un touriste, *une touriste* (**et les noms propres de nationalités, si le masculin est en** *-e* : un Belge, *une Belge* — un Russe, *une Russe*, etc. Les noms de musiciens en *-iste* : un pianiste, *une pianiste*, etc.)

N. B. — : Ange est parfois employé au féminin s'il désigne une femme (H. de Montherlant, *Les Jeunes Filles*, **passim**). — *Souillon* **est masculin ou féminin** : ce garçon, quel petit *souillon!* — cette fille est *une souillon* (**ou** *un souillon*) — *Laideron* **qui s'applique toujours à une femme reste plutôt au masculin** : cette femme, *quel laideron!*

37 **Noms de personnes, de genre uniquement masculin, mais qui désignent aussi des femmes (ce sont notamment des termes administratifs) :**

Ambassadeur[1] — *auditeur* au Conseil d'État (**mais** *auditrice* d'un concert) — *auteur* — *avocat*[2] (**v. n° 31**) — *chauffeur* (de taxi) — *chef* (de service) — *censeur* (de lycée : **celui ou celle qui surveille la discipline générale**) — *conseiller* (d'État, à la Cour) — *conservateur* (dans un musée, une bibliothèque) — *député* — *docteur* (**v. n° 31**) — *écrivain* — *graveur* — *juge* — *magistrat* — *maire* (la *mairesse*, la *notairesse* **désignent, de façon plaisante,** l'*épouse* du maire, du notaire [**v. n° 30**]) — *mannequin* (**ne s'applique guère qu'aux femmes, dans un atelier de couture**) — *ministre* — *modèle* (d'atelier de peinture) — *peintre* — *procureur de la République* — *professeur* — *sculpteur* — *témoin*, etc.

On dira donc : Elle est faite comme *un modèle* — Mme Durand est *le professeur* de ma fille — Mlle Lambert est *le seul témoin* de l'accident.

On peut d'ailleurs ajouter le nom « femme » **aux termes ci-dessus** : *une femme auteur*, *un professeur femme*. **On dit** *un* **ou** *une* *contralto*, *un* **ou** *une* *soprano*.

1. *Ambassadrice* tend à se répandre dans la langue courante.
2. On distinguera : « Je m'adresserai à une avocate plutôt qu'à un avocat. » Mais on dira volontiers : « Mme Martin est *un bon avocat*. »

38 **Beaucoup de termes masculins (généralement péjoratifs) peuvent d'ailleurs être appliqués à des femmes, surtout si on facilite cet emploi par un adjectif comme :** « vrai », « véritable » :

Cette femme est *un vrai tyran, un véritable bourreau, un petit démon*, etc.

Et l'homme peut dire à sa femme F.P. fam. :

« *Mon chéri, mon petit chat* », **etc.**

Inversement, des noms féminins peuvent s'appliquer à des hommes, soit par mépris F.P. fam. :

Cet homme est *une oie*; *cette commère* de Marcel;

soit par amitié F.P. fam. : « Comment vas-tu, *ma vieille*? »;

soit parce que le nom n'a que ce genre :

Il a été la dupe, la victime de son imagination — M. Leclerc est une vedette de cinéma — Ce garçon est une canaille, une fripouille.

39 **Enfin, certains noms de personnes, de genre uniquement féminin, désignent seulement des hommes (vocabulaire militaire) :**

Une sentinelle — une vigie (= **sentinelle**) — une vedette (= **sentinelle**[1]) — une recrue — une estafette.

39 bis **De nombreux noms d'animaux n'ont qu'une forme pour le mâle et pour la femelle (article non différencié) :** *la souris, le zèbre*, **etc. On dira donc :** la souris mâle, la souris femelle.

LE NOMBRE DANS LES NOMS : LE SINGULIER ET LE PLURIEL

Le nombre dans les noms communs

40 **RÈGLE GÉNÉRALE : Le pluriel des noms communs se marque, en général, dans l'écriture, par l'addition d'un s final :** (un) livre, (des) livres.

On ne prononce pas cet s, sauf dans les cas de « liaison », où il a la valeur d'un Z :

Garçons‿et filles étaient là.

41 **Si le nom, au singulier, est terminé par** s, x, z, **il reste** tel **au pluriel :**

Le bois, *les bois* — la voix, *les voix* — le nez, *les nez*.

1. En ce sens le nom est tombé en désuétude. Il ne s'applique plus guère qu'aux artistes en renom, en vue, en vedette, et désigne alors aussi bien les femmes que les hommes.

Pluriel des noms terminés en -l, ou -eau, -eu, -ou (tous masculins)

42 **a) Noms en -al. Ils forment leur pluriel en -aux :**

Le cheval, *les chevaux*[1] [ʃəvo.] — l'idéal, *les idéaux*[2].

Une douzaine de noms en -al, dont certains sont entrés plus tard dans la langue, ont un pluriel en -s :

Le bal, *les bals* — le cal, *les cals* — le carnaval, *les carnavals* — le cérémonial, *les cérémonials* — le chacal, *les chacals* — le choral, *les chorals* — le festival, *les festivals* — le narval, *les narvals* **(sorte de cétacés)** — le pal, *les pals* **(rare au pluriel)** — le récital, *les récitals* — le régal, *les régals*.

Évitez d'employer « val » **au pluriel, sauf dans l'expression figée :** galoper par monts et *par vaux*, **et dans les noms propres** (Les Vaux-de-Cernay — Vaux-le-Vicomte); **dites plutôt :** les vallées — **Dites et écrivez de préférence :** l'étal, *les étals* **(= table de travail des bouchers) pour éviter la confusion avec le pluriel de** étau **(instrument qui maintient immobile l'objet qu'on veut limer). Et notez, en architecture,** le matériau **(pierre, bois, fer), terme technique qui sert de singulier à** matériaux **— enfin, dans la langue ancienne de la cavalerie :** un chevau-léger, des chevau-légers.

43 **b) Noms en -ail. On les a prononcés, un certain temps, comme les noms en -al. C'est pourquoi quelques-uns d'entre eux ont gardé un pluriel en -aux :**

Le bail, *les baux* — le corail, *les coraux* — l'émail, *les émaux* — le soupirail, *les soupiraux* — le travail, *les travaux*[3] — le vantail, *les vantaux* **(= doubles battants d'une porte, d'une fenêtre)** — le vitrail, *les vitraux*.

Les autres noms en -ail, forment leur pluriel en -s ; par ex. : les chandails, les éventails, les rails.

N. B. — : le bétail **est un collectif (v. n° 5) sans pluriel. L'expression :** les bestiaux **(= les animaux de gros bétail) n'a pas, elle, de singulier**[4].

44 **c) Noms en -au, -eau : pluriel -aux, -eaux :**

Le tuyau, *les tuyaux* — le chapeau, *les chapeaux* — **Sauf :** le landau, *les landaus*; le sarrau, *les sarraus* (sarraux **se lit chez quelques écrivains contemporains).**

1. Anciennement **chevals,** devenu **chevaus** et écrit dans les manuscrits du Moyen Age chevax (x = signe abréviatif pour *us*). L'*u* a été rétabli, mais on a bizarrement gardé l'*x* final. C'est là l'origine des pluriels en *x*.
2. Plutôt que **idéals.**
3. Le pluriel travails (= machines maintenant les chevaux qu'on ferre) est très rare.
4. De même le matériel est un collectif, sans pluriel. L'expression les matériaux n'a que le singulier matériau, au sens de : matière de construction.

d) Noms en -eu : pluriel -eux :

Le cheveu, *les cheveux* — le jeu, *les jeux*. **Sauf** : le bleu, *les bleus* **(combinaisons portées par les mécaniciens, ou marques bleues produites par des chocs sur la peau)** — le pneu, *les pneus*.

e) Noms en -ou : pluriel -ous :

Le clou, *les clous* — le trou, *les trous*... **Sauf sept noms** : le bijou, *les bijoux* — le caillou, *les cailloux* — le chou, *les choux* — le genou, *les genoux* — le hibou, *les hiboux* — le joujou, *les joujoux* — le pou, *les poux*.

Pluriels doubles

45 Aïeul **fait** *aïeuls* **si le mot désigne les grands-parents** : Mes quatre aïeuls[1] vivent encore **(forme rare).** Aïeux **ne désigne que les** *ancêtres lointains* : **Qui sert bien son pays n'a pas besoin d'aïeux** (Voltaire, *Mérope*).

Ciel **fait** *cieux*, **sauf dans l'expression (rare aujourd'hui)** les ciels de lit **(sortes de dais au-dessus des lits) et au sens de** *peintures* **représentant le ciel** : « Aimez-vous les *ciels* de ce peintre ? » **ou de** : *aspects* **du ciel** : Les poètes ont chanté *les beaux ciels* de l'Italie.

Œil **fait** *yeux*[2] : Ses ennemis ne lui ont laissé que *les yeux* pour pleurer. **Sauf dans les expressions** : des œils-de-perdrix **(douloureuses excroissances entre les doigts de pied)** — des œils-de-bœuf **(fenêtres rondes dans les frontons, les tourelles) — et** : des œils-de-chat **(pierres précieuses).**

Pluriel des noms d'origine étrangère

46 Ici, l'usage est parfois hésitant. Nous vous conseillons de suivre, autant que possible, la règle générale des pluriels français, et d'écrire tout bonnement :

Des *accessits*, des *barmans* **(le mot n'est plus senti comme anglais)**, des *concertos*, des *contraltos*, des *déficits*, des *extras* **(domestiques engagés exceptionnellement, pour un dîner, par exemple)**, des *forums*, des *intérims*, des *lieds*, des *matchs*, des *maximums* (et des *minimums*), des *mémentos*, des *mercantis*, des *récépissés*, des *référendums*, des *sanatoriums*, des *scénarios*, des *solos*, des *sopranos* **(et** : des *visas*, des *vivats*).

En revanche, les gentlemen, les policemen **tiennent bon : le caractère étranger de ces mots est toujours sensible ; de même** les errata **et** les duplicata, **qui appartiennent, le premier uniquement**

1. Et de même les bisaïeuls, les trisaïeuls.
2. La liaison les yeux a donné naissance, **dans le F. P. pop.**, à un pluriel prononcé zieu : Je lui dirai ça entre quatre (z) yeux (en tête à tête) — une femme à [z] yeux bleus — cf. aussi le verbe pop. zieuter (= regarder). Même origine du z dans l'expression pop. quatre [z] officiers (chanson de « Malbrough »).

au français écrit, le second à la langue administrative; condottiere **fait toujours** condottieri; **et les noms latins ou grecs de la liturgie catholique gardent encore leur forme invariable :** des ave, des credo, des amen, des kyrie.
Pour macaroni, **l'usage est plutôt de dire en toute circonstance :** le macaroni — **Écrivez :** un confetti, des *confetti.* **Mais** confettis **n'est pas sans exemple.**

Pluriel ayant une valeur particulière

47 **a) Une valeur concrète :**

Les noms de matière (cuivre, or, par ex.) prennent au pluriel le sens de : objets, ornements en cuivre, en or :

La bonne fera *les cuivres* de la cuisine — Dans cette réception, *les ors* des uniformes jetaient un vif éclat.

Le blé, le foin, le raisin désignent un produit de la terre, au sens général. Mais on dira, dans un sens plus concret :

Ces blés sont mûrs — Rentrons *nos foins* avant l'orage — Voyez *ces raisins* dorés.

En outre, beaucoup de noms abstraits expriment, au pluriel, des actions, ou des œuvres :

Votre bonté est bien connue; *toutes vos bontés* m'ont touché — Que préférez-vous, la peinture ou la sculpture? Ce musée est riche de *peintures* et de *sculptures modernes.*

Ajoutons que certains pluriels ont une valeur augmentative ou poétique :

Notre Père, qui es *aux cieux...*
La fleur fut emportée dans *les airs.*
Cela coûte *des prix fous,* il dépense *des argents* fous **(cité par** M. Cressot, *Le style et ses techniques*).
Moustaches **(au pluriel) prend parfois un sens emphatique ou légèrement comique :** *Les moustaches* donnaient un air terrible au brave douanier.

48 **b) Un sens différent du singulier :**

Les *Assises* de la Seine ont sévèrement condamné le malfaiteur — Ce mur a *une assise* solide **(= une base solide)** — *Le ciseau* est un outil de métal, qui sert à tailler le bois ou la pierre — *Les ciseaux* de la couturière coupent l'étoffe — La foudre peut avoir *un effet* curieux — Mettez *vos effets* dans la malle — Ma présence à vos côtés est *un gage* **(= une garantie)** de notre accord — *Les gages* **(= le salaire)** des domestiques **(ou gens de maison)** sont plus élevés à Paris qu'en province — *La lumière* de cette lampe est faible — Aidez-moi de *vos lumières* pour que je comprenne ce texte — *La lunette* permet d'observer les astres — *Les lunettes* corrigent la vue — Zola a raconté l'histoire d'*une noce* perdue dans les salles du Louvre.

Les noces d'argent se célèbrent au bout de 25 ans de mariage, *les noces* d'or au bout de 50 ans — *La vacance* de ce poste vous permet d'y poser votre candidature — En été les écoliers ont *de longues vacances.*

Caleçon, pantalon (**et naguère,** lorgnon) **s'emploient, sans changement de sens, au singulier ou au pluriel. Employez plutôt le singulier** : un caleçon de nylon, un pantalon de tergal.

49 Noms sans singulier

Noter en particulier :

Les agrès (m.); *les annales* (f.); *les archives* (f.); *les armoiries* (f.); *les arrhes* (f.); *les entrailles* (f.); *les épousailles* (f.); *les fiançailles* (f.); *les frais* (m.); *les funérailles* (f.); *les mœurs* (f.); *les munitions* (f.); *les obsèques* (f.); *les préliminaires* (m.) (de paix); *les ténèbres*[1] (f.); *les victuailles* (f.); *les vivres* (m.). **Mais on dit** : le vivre et le couvert (= **la nourriture et le logement).**

50 Noms sans pluriel

Certains noms abstraits, par exemple :

La foi **(bien que Michelet, par exemple, ait écrit** : « guerre de deux dogmes et de deux *fois*[2]. » **Mais l'équivoque avec** « une fois » **est gênante** — *la grandeur d'âme* — *la paix* — *la patience*, etc.

N'ont pas de pluriel non plus, en général, les mots « invariables[3] » employés comme noms. Pourtant Verlaine a pu écrire :

« Si *ces hiers* allaient manger *nos beaux demains*? » (*Sagesse.*)

50 bis Les nombres cardinaux appelés parfois noms de nombre ne prennent pas la marque du pluriel, sauf vingt et cent multipliés : quatre-vingts — les Quinze-vingts — deux cents. **(N. B. — Il est toléré d'écrire** : quatre-vingts mille, deux cents un.**)**

Pluriel des <u>noms propres</u>[4]

51 Ici encore, l'usage est assez incertain. Nous vous conseillons, en règle générale, de laisser invariables les noms propres, et d'écrire :

Les Martin, les Durand, les Bonaparte, les Hohenzollern, les Borgia, les Corneille, les Hugo — Achetez-moi *deux* « *Figaro* » (= **journaux)** — Je possède *deux Peugeot* (= **automobiles),** *trois Manet* **(tableaux du peintre Manet)** — *Les Luna, les Surveyor* furent les premiers engins destinés à se poser sur la lune.

1. Mais le singulier a été assez fréquent du XIIIe au XVIe siècle. Et l'on trouve encore : « Chasse de moi *la double ténèbre* dans laquelle je suis né » (A. D. Sertillanges, traduction de *La Prière de saint Thomas avant l'étude*), et « *Aucune ténèbre* ne recouvrait la terre » (F. Mauriac cité par M. Grevisse).
2. *Les Femmes de la Révolution* (préface).
3. Adverbes, prépositions, conjonctions, interjections.
4. Lecteurs de langue anglaise, allemande, espagnole, attention!

Toutefois écrivez : *les Tarquins, les Césars, les Antonins, les Bourbons, les Tudors,* **et, s'il s'agit de personnages comparables à tel homme célèbre :** *Les Molières* sont rares aujourd'hui. — **On écrit :** — *Médicis,* **au singulier comme au pluriel**[1]**; et, s'il s'agit d'***œuvres* **représentant** Apollon, Diane... : des *Apollons,* des *Dianes.*

Enfin, à propos de géographie, écrivez : *les trois Amériques — les deux Carolines — les trois Guyanes.* — **Noté dans** *Le Monde* du 13 novembre 1965 : « Ce sont deux *Frances* qui sont aux prises. » **Mais les noms de villes resteront plutôt invariables :** Les U.S.A. comptent *trois Moscou.*

Pluriel des noms composés

52 **Écrits en un seul mot : pluriel normal :** le pourboire, *les pourboires* — le portemanteau, *les portemanteaux.*

Notez aussi :

Monsieur, *Messieurs* — Madame, *Mesdames* — Mademoiselle, *Mesdemoiselles* — *Monseigneur* l'Évêque, *Nosseigneurs* les Évêques. (*Messeigneurs* **est aujourd'hui une expression plaisante, qu'on entend parfois dans les cabarets de chansonniers.)**

le bonhomme, *les bonshommes* (**pron.** bonzom) — le gentilhomme (**pron.** genti-yom), *les gentilshommes* (**pron.** gentizom).

53 **Formés de mots séparés :**

a) Nom et adjectif qualificatif : les deux termes varient.

Le coffre-fort, *les coffres-forts* — la carte postale, *les cartes postales.*

avec l'adjectif placé en tête : le blanc-seing, *les blancs-seings* **(papiers signés d'avance, « en blanc »)** — le haut fourneau, *les hauts fourneaux.*

On écrit : les haut-parleurs, **parce que** haut **a ici une valeur d'adverbe : des appareils qui « parlent haut »; et** des demi-heures, des demi-mesures, des mi-carêmes.

On peut écrire : les grands-mères, les grands-tantes, **aussi légitimement, semble-t-il, que :** les grand-mères, les grand-tantes — **Et, bien entendu, on écrira :** les grands-pères.

54 **b) Deux noms apposés : les deux termes varient.**

Le bateau-mouche, *les bateaux-mouches* — le chou-fleur, *les choux-fleurs.*

Toutefois, dans des composés récents où est encore vive l'idée de comparaison, on écrit : des arguments massue — des pêches abricot.

1. En prononçant l's (dur).

55 **c) Deux noms, dont le second est complément du premier**[1] **: le premier, seul, varie :**

Le chef de gare, *les chefs de gare* — l'arc-en-ciel, *les arcs-en-ciel*[2] — le sac à main, *les sacs à main* — le croc-en-jambe, *les crocs-en-jambe* — le ver à soie, *les vers à soie* — le timbre-poste, *les timbres-poste.*

Mais on pourra écrire, indifféremment : des habits *d'homme*, **ou** d'*hommes* (*de femme* **ou** *de femmes*).

56 **d) Deux adjectifs : les deux termes varient :**

Le sourd-muet, *les sourds-muets* — le clair-obscur, *les clairs-obscurs*[3] **de Rembrandt.**

57 **Pour les noms de couleur composés, on distingue deux cas : ou bien les deux termes sont tirés d'adjectifs de couleur (ou de nuance) : alors ils varient tous deux en général (cas de 53 a) :**

Les bleus clairs, les bruns foncés; **et même :** les bleus verts.

Ou bien le deuxième terme est un nom, servant de comparaison : le premier terme seul varie :

Les rouges brique, les verts d'eau.

(Usage différent pour les adjectifs de couleur composés, voir n° 160.)

58 **Dans les noms formés d'un participe passé précédé de nouveau, premier, dernier** (nouveau-venu, premier-né, etc.), **le plus simple est de suivre l'exemple de bons écrivains comme** Colette[4], **en faisant toujours varier les deux termes :**

Les nouveaux-venus, les premiers-nés, les nouveaux-mariés; **donc aussi** les nouveaux-nés[5] **(v. n° 158).**

59 **e) Un verbe et un nom, complément d'objet du verbe.**

Si ce nom est déjà au pluriel, pas de problème : le nom composé garde la même forme : le compte-gouttes, *les compte-gouttes.*

Si le nom complément est au singulier :

1. il désigne des choses qui peuvent être dénombrées. Alors, en général, il varie :

Un cure-dent, *des cure-dents* — un tire-bouchon, *des tire-bouchons* — un garde-magasin, *des garde-magasins*[6].

1. Et non, comme dans pied-à-terre, coq-à-l'âne, complément d'un verbe sous-entendu, voir n° 61.
2. On ne prononce pas l'**s** de arcs, ni l'**s** de sacs, ni l'**s** de crocs, ni l'**s** de vers — De même, dites, plutôt : **les rayon (s) X.**
3. On ne prononce pas l'**s** de clairs.
4. Citée par M. Grevisse (*Le Bon Usage*).
5. Rien ne vous empêche, bien sûr, de suivre le conseil des grammaires et des dictionnaires qui recommandent d'écrire : les nouveau-nés, parce que nouveau a valeur d'adverbe (= nouvellement). Mais l'argument devrait s'appliquer aussi à : nouveaux-mariés (admis par les grammaires) et à premiers-nés. En fait, les Français ont de plus en plus conscience que « nouveau » a ici la valeur d'un qualificatif — Le choix de Colette est donc justifié; et vous direz, bien entendu : les nouvelles-mariées, les nouvelles-nées.
6. Comme le conseille Littré, il vaut mieux laisser toujours **garde** invariable (c'est un verbe), que la fonction s'applique à des personnes (des garde-barrières) ou à des choses (des garde-robes).

Cependant les dictionnaires donnent comme invariables : les coupe-file, **et les noms composés avec le verbe porter** : les porte-plume.

2. il désigne soit une idée abstraite, soit une matière qui n'est pas nombrable. L'ensemble reste invariable :

Un abat-jour, *des abat-jour* — un faire-part, *des faire-part* — un traîne-misère (= **malheureux vagabond**), *des traîne-misère* — un cache-poussière (**sorte de manteau léger**), *des cache-poussière*.

60 **f) Un mot invariable et un nom : ce nom varie généralement, dans les cas prévus au n° 22 :**

Un avant-poste, *des avant-postes* — une contre-allée, *des contre-allées*.

Mais on écrit : des sans-façon, des sans-gêne, des sans-souci, des sans-soin, des hors-d'œuvre, des sous-main, des après-midi. **Si le nom est composé d'un adverbe et d'un participe, ce dernier varie, bien entendu** : un tard-venu, *des tard-venus* — un non-combattant, *des non-combattants*.

61 **g) Une expression figée : phrase ou partie de phrase, raccourci, mot invariable : ne varient pas :**

Des pied-à-terre — des tête-à-tête — des va-et-vient — des ouï-dire — des laissez-passer — des on-dit — des oui et des non, **etc. — Mais on écrit** : des vauriens.

FORMATION DE NOMS NOUVEAUX DANS LE FRANÇAIS D'AUJOURD'HUI[1]

Par suffixes

62 **Voici les suffixes les plus vivants (= les plus « formateurs[2] »).**

A) En particulier dans les langues techniques :

-age m. (action) : le téléguidage — le bruitage.

-aire m. (profession) : le disquaire.

-aste m. (profession) : le cinéaste — le téléaste.

-at m. (collectif social ou fonction) : l'assistanat.

-ation -isation -fication f. (action) : — la motorisation — la plastification.

-ateur m. -atrice f. (agent) : un réalisateur; **(machine)** : une excavatrice.

1. A l'exclusion des emprunts étrangers.
2. V. J. Dubois, L. Guilbert, H. Mitterand, J. Pignon, dans *Le Français moderne*, 1960.

-bus **m. (automobile collective et publique) :** un bibliobus, un trolleybus.

-crate **m.** **-cratie** **f. (puissance) :** un technocrate, la technocratie.

-eur **m.** **-euse** **f. (profession) :** un bruiteur; **(appareil) :** un attendrisseur.

-ette **f. (diminutif) :** une starlette, une cosmonette.

-graphe **(instrument) :** un oscillographe.

-graphie **(action, résultat, science) :** une radiographie.

-ie **(maladie) :** la leucémie.

-ien **(-éen)** **m.** **-ienne** **(-éenne)** **f. (profession) :** une esthéticienne; **(habitant ou participant) :** un Malien, un Ghanéen, un Onusien **(membre ou soldat de l'ONU —** *Paris-Match* du 3 juin 1967**).**

-ique **f. (science ou technique) :** l'électronique, l'informatique.

-isme **m. (action ou propagande, politique ou sociale — résultat de cette action) :** le colonialisme, le jusqu'auboutisme **(F.P. fam.) — (attitude, comportement) :** l'abstentionnisme, le confusionnisme.

-iste **m. ou f. (celui, celle qui se livre à ces actions, à ces comportements) :** un colonialiste, un abstentionniste; **(profession) :** un documentaliste, un maquettiste.

-isant **m.** **-isante** **f. (qui a des complaisances pour un groupe politique, surtout adjectif) :** les communisants, les gaullisants.

-ite **f. (maladie) :** la poliomyélite.

-ité **f. :** l'émotivité.

-logie **f.** **-logue** **m. (science — savant qui pratique cette science) :** la spéléologie — le spéléologue.

-ment **m. (action, état) :** l'apparentement.

-ose **f. (maladie) :** la myxomatose.

-phone **m.** **-phonie** **f. (instrument, action) :** un magnétophone — la stéréophonie.

-scope **m.** **-scopie** **f. (instrument, action, résultat) :** le cinémascope — la radioscopie.

B) Dans le français parlé, souvent populaire, ou vulgaire :

63 **-ade** **f. (action ou résultat) :** une attrapade.

-ard **m. (professionnel de, familier de) :** un motard, un pistard **(cyclisme) —** un comitard **(qui ne sait que fréquenter les comités politiques).**

-rie **f. (action, résultat) :** une vacherie.

-is **m. (action ou état confus) :** le bafouillis, le cafouillis, le barbouillis.

Par préfixes

64 **Voici les préfixes les plus vivants aujourd'hui (les préfixes grecs dominent) :**

a- **(privatif) :** l'apesanteur **(f.) — On a même écrit plaisamment :** l'alittérature.

aéro- **(qui concerne l'air ou l'aviation)** : un aéroport, un aéro-club.
anti- **ou contre (opposition)** : un antigel, l'antialcoolisme **(m)** — le contre-terrorisme.
auto- **(qui agit de soi-même)** : l'autodétermination **(f.)**, un auto-vaccin.
(concernant l'automobile) : un autorail, une autoroute, l'autostop **(m.)**.
bi-, tri-, quadri- **(multiplicité)** : un quadriréacteur.
cosmo- **(qui concerne le « cosmos »)** : un cosmonaute.
dé- **ou des-** **(action ou agent qui détruisent)** : la déchristianisation, la désintoxication.
demi- **(qui concerne la moitié)** : une demi-mesure.
électro- **(qui concerne l'électricité)** : un électrochoc, un électrocardiogramme.
géo- **(qui concerne la terre)** : la géophysique.
hélico- héli- **(qui concerne l'hélice)** : un hélicoptère, un héliport.
hyper- **(qui surpasse, ou dépasse)** : l'hyperémotivité **(f.)**.
super- : une superproduction.
sur- : une surproduction.
hypo- **(qui reste inférieur)** : l'hypotension **(f.)**.
sous- : une sous-production, la sous-alimentation.
in- im- **(absence de)** : l'impréparation **(f.)**.
inter- **(placé entre)** : un intertitre **(titre secondaire, placé au milieu d'un texte par un autre que l'auteur)**.
mal- **(accompagne de nombreux participes employés comme noms)** : les mal-logés, *Les Mal-aimés* **(drame de Mauriac)**.
méga- **(grand)** : une mégatonne.
micro- **(petit)** : un microphone **(qui retransmet les plus petits sons)**, un microsillon.
mini- **(diminutif)** : la minijupe, un minithéâtre, un minibus.
mono- **(seul, consacré à un seul objet)** : la monoculture **(culture du blé seul, par exemple)**.
multi- **(multiplié)** : un multimilliardaire.
poly- : la polyculture.
néo- **(renouvelé)** : le néo-fascisme.
non- **(négation)** : la non-dissémination des armes nucléaires.
pan- **(qui concerne une totalité)** : le panaméricanisme, le panarabisme.
para- **(voisin de, semblable à)** : une paraphlébite; **(opposition)** : un parachute — **d'où** : les parachutistes.
phono- **(qui concerne la voix, le son)** : une phonothèque, la phonologie.
photo- **(qui concerne la photographie)** : une photocopie.
pré- **(fait à l'avance, ou qui devance)** : la préfabrication.
presque **(à peu près)** : la presque totalité.
quasi- : la quasi-totalité.
psycho- **(qui concerne la vie psychique)** : la psychothérapie **(science médicale qui traite les psychoses)**.
re- ré- **(recommencement)** : la repopulation, la réadaptation. **Il s'agit**

de noms d'action. Mais l'emploi de re devant un nom de chose n'est pas sans exemple : « un re-gilet ! » **(déjà dans** Labiche, *L'affaire de la rue de Lourcine*), re-pipe, re-cigarette **(narration familière)**, le redoux **(météo)**.

télé- (au loin) : les télécommunications **(f.)**, le téléguidage, le téléski — **(qui concerne la télévision) :** le téléspectateur.

thermo- (qui concerne la chaleur) : la thermo-électricité, la thermo-propulsion.

ultra- (qui est au-delà) : les ultra-sons, un ultravirus.

Autres moyens de formation

65 **Avec les mots où le préfixe peut être considéré comme ayant déjà la valeur d'un nom (téléspectateur), nous sommes en présence de composés par juxtaposition. Ce moyen est aussi très vivant :** la mondovision, l'anarcho-syndicalisme.

En outre, la « dérivation impropre[1] », au moyen d'un article placé devant un mot quelconque, forme toutes sortes de noms :

- **article et adjectif :** le bleu **(du mécanicien)** — le plus beau **(de l'affaire). L'adverbe de manière peut demeurer auprès de l'adjectif :** les économiquement faibles.
- **article et participe (surtout pluriel) :** les possédants, les enseignants, les sous-alimentés, **etc.**
- **article et participe féminin singulier (procédé très ancien et très populaire) : recevoir** une dégelée de coups **ou** une tripotée — une dénivelée de 300 m **(langue des skieurs).**
- **article et adverbe ou préposition. On a dit en 1792 :** les ci-devant — **On dit aujourd'hui :** un extra **(serviteur engagé exceptionnellement pour une réception)** — les ultras **(fanatiques d'un parti politique, comme en 1815)** — un contre de l'avant-centre **(football), ou** un contre du gauche **(boxe), etc.**

Le radical d'un verbe en -er fournit aussi des noms : la casse **(la destruction des autos hors d'usage)** — la gambille **F.P. pop. (= la danse, du v. « gambiller »)** — avoir les mains à la retourne **F.P. pop. (retournées comme celles d'un homme qui ne veut pas travailler) etc.**

— **Souvent le nouveau nom est dû à la réduction (pour plus de brièveté) d'un nom composé :** les paras **(= parachutistes)** — la télé **(la télévision), comme on a dit, très tôt,** le métro.

1. La **dérivation impropre** forme des mots nouveaux non plus à l'aide d'un suffixe (dérivation proprement dite) mais en modifiant *la catégorie* grammaticale du mot : ainsi l'adjectif *bleu* devient un *nom* par l'adjonction de l'article = *le bleu.*

L'ADJECTIF QUALIFICATIF

66 **L'adjectif qualificatif exprime une qualité, une manière d'être (physique ou morale) de la personne, de l'animal, ou de la chose représentés par le nom. On dit que cet adjectif qualifie le nom :**

La *grande* femme — un cheval *fougueux* — ces jardins *verdoyants*[1].

67 **On écrit l'adjectif qualificatif avec une minuscule, même s'il est tiré du nom d'un peuple :** la nation *française*.

• **Écrivez cependant avec une majuscule, parce que l'adjectif fait corps avec le nom propre :**

les États-Unis — les Nations Unies — la Comédie-Française, etc.

L'adjectif de certains termes géographiques :

le mont *Blanc* — la mer *Rouge* — l'océan *Atlantique*, etc.

Celui des titres d'ouvrages, s'il vient en premier :

« *Nouveau* Traité de psychologie » — « La *Divine* Comédie » —

Mais : « Lexique de l'*ancien* français » **(l'adjectif** ancien **n'est pas ici le premier terme).**

Adjectifs concrets, adjectifs abstraits

68 **Comme les noms, les adjectifs peuvent être concrets, c'est-à-dire exprimer une qualité saisie par les sens :** un livre *rouge* — **ou abstraits, c'est-à-dire exprimer une qualité saisie seulement par l'esprit :** un homme *bon*.

Mais leur valeur peut passer du concret à l'abstrait : entrer dans une colère *noire* — une *lourde* responsabilité — des idées *nettes*.

FORMATION DU FÉMININ DES ADJECTIFS

69 **Comme on le verra plus loin (nos 152 et suiv.), l'adjectif s'accorde en genre et en nombre avec le nom auquel il se rapporte. Il faut donc savoir former le féminin et le pluriel des adjectifs, non moins que le féminin et le pluriel des noms. A cet égard, d'ailleurs, adjectifs et noms appartiennent à la même espèce de mots.**

1. L'adjectif qualificatif se distingue des adjectifs dits déterminatifs (ou déterminants) (voir nos 211 et suiv.), en ce que ceux-ci appartiennent à la structure même de la phrase ; placés en général devant le nom, les déterminatifs n'ont pas la souplesse de construction du qualificatif. Comparez : *le* récit, *ce* récit, *mon* récit, et : un récit *intéressant* — un *intéressant* récit — un récit des plus *intéressants* — ce récit est *intéressant* — *intéressant*, ce récit, etc.

RÈGLE GÉNÉRALE :

Dans l'écriture, on forme le féminin d'un adjectif qualificatif en ajoutant un e au masculin singulier :

Il est *petit*, elle est *petite*.

Dans la prononciation, cet e de l'écriture correspond à une prononciation effective de la consonne précédente (si consonne il y a) :

Il est peti(t), elle est petit(e) **(mais :** un veston bleu, une robe bleu(e)).

N. B. — Favori **donne** *favorite* — frais, *fraîche* — hébreu, *hébraïque* **(dans : langue, écriture, littérature *hébraïques* — Mais on dit aussi :** littérature *juive* — *Hébraïque* **est parfois employé au masculin :** caractères hébraïques). — Pour *beau, nouveau, fou, vieux*, v. nº 75.

70 **PARTICULARITÉS (Adjectifs classés suivant la lettre finale du masculin) :**

Adjectifs en -c

71 **a) Ou bien ils conservent au féminin le son c (pron. k) sous la forme écrite que :**

Un accord caduc **(= qui ne vaut plus)**, une convention *caduque*; **de même :** turc, *turque* — laïc **(le masculin** laïque **existe aussi)**, *laïque* (l'école laïque = **non confessionnelle)** — fran(c) **(nom d'un peuple de l'ancienne Germanie) :** les invasions *franques* — public, *publique*.

N. B. — Le féminin de grec **s'écrit** *grecque*.

72 **b) ou bien ils passent à -che :**

Blan(c), *blanche* — fran(c)[1] **(qui parle comme il pense)**, *franche*. Sec **donne** *sèche*.

Adjectifs en -f

73 **Ils ont leur féminin en ve :**

Actif, *active* — bref, *brève* — captif, *captive* — neuf, *neuve* — sauf, *sauve* — veuf, *veuve* — vif, *vive*.

Adjectifs en -g

74 Long **fait** *longue* — oblong **(= plus long que large)**, *oblongue*.

1. Franc signifiait à l'origine : libre. Ce sens premier de l'adjectif a survécu dans les expressions : paquet *franc* de port (libre de taxe postale), *affranchir* un esclave, *affranchir* une lettre, la *franchise* postale, *franchir* un obstacle (= s'en libérer).

Adjectifs en -l

75 a) **-al : ne redoublent pas la lettre l :** amical, *amicale.*

b) **-el, ul : redoublent la lettre l sans changement de prononciation :**

Cruel, *cruelle* — individuel, *individuelle* — nul, *nulle.*

c) **-eil : redoublent aussi cet l, sans changement de prononciation :**

Pareil, *pareille* — vermeil, *vermeille.*

d) **-il : les adjectifs en -il ne redoublent pas la lettre l :**

Civil, *civile* — puéril, *puérile.*

Mais genti(l) [ʒɑ̃ti] **fait :** *gentille* **(pron. gentiy)** [ʒɑ̃tij].

Les féminins *belle, folle, jumelle, molle, nouvelle, vieille* **correspondent aux masculins :** beau, fou, jumeau, mou, nouveau, vieux, **qui, sauf** jumeau, **ont gardé au singulier une forme ancienne en l,** **employée encore aujourd'hui devant une voyelle ou un h muet :**

Un *bel* enfant — un *fol* espoir — un *mol* oreiller — le *nouvel* an — un *vieil* homme.

Mais les écrivains tirent parfois un effet de la forme vieux, **au lieu de** vieil **:**

« Un *vieux* appartement » (Barbey d'Aurevilly, *Le Chevalier des Touches*) **: par sa rareté relative, ce tour donne plus de force à l'adjectif — On ne peut dire d'ailleurs, en redoublant l'adjectif, que : « un** *vieux, vieux* **homme ».**

Adjectifs en -n

76 **Les voyelles nasales se dénasalisent :** fin **donne** fine, **c'est-à-dire** fi-*n*(e) [fɛ̃, fin] — brun **donne** brune **c'est-à-dire** bru-*n*(e) — persan **donne** persane : persa-*n*(e) — **De même,** certain **donne** certai-*ne* — romain **donne** romai-*ne* — serein **donne** serei-*ne.*

Mais notez qu'on écrit *paysanne* **avec deux n, ainsi que le féminin de tous les adjectifs en -ien :** italien, *italienne* — païen, *païenne.*

De même pour les adjectifs en -on : bon, bonne **(pron. bo-ne).**

En dépit des controverses, tenez-vous à la même règle pour : lapon, *laponne* — letton, *lettonne* — mormon, *mormonne* — nippon, *nipponne.*

N. B. — Le féminin de bénin **est** *bénigne* [beniɲ]; **de** malin **:** *maligne* [maliɲ].

Adjectifs en -r

77 a) **Adjectifs en -er (r non prononcé, é fermé) : féminin -ère (avec è ouvert) :**

Lége(r), *légère* [leʒe, leʒɛ:ʀ] — premie(r), *première.*

N. B. — L'r est prononcé au masculin dans amer **(féminin** *amère*) — cher, *chère* — et fier, *fière.*

b) **Adjectifs en -eur (r articulé). Il faut distinguer :**

78 • **ceux dans lesquels la finale -eur est précédée d'une voyelle ou d'une consonne autre que t. Leur féminin est en -euse**[1] **:**

Un visage rieur, une physionomie *rieuse* — un esprit frondeur (= **volontiers rebelle**), une nature *frondeuse* — un aspect trompeur, une apparence *trompeuse* — un tempérament voyageur, une humeur *voyageuse*.

Ces adjectifs ont le même radical que le participe présent du verbe qui sert généralement de base :

Riant, frondant, trompant.

Exceptions : pécheur **fait** *pécheresse* **(termes plutôt employés comme noms, mais on peut dire :** âme pécheresse[2]**)** — vengeur, *vengeresse* — vainqueur **a pour féminin** *victorieuse* **— et** avant-coureur **n'a guère qu'***avant-courrière* : un signe *avant-coureur* de la tempête — la lueur *avant-courrière* de l'aurore.

79 • **ceux dans lesquels la finale est en -teur. On les divisera eux-mêmes en deux groupes :**

a) Les adjectifs tirés d'un verbe en -ter ont leur féminin en -teuse :

un propos flatteur, une parole *flatteuse* — l'axe porteur, la fusée *porteuse*.

N. B. — A ce groupe, il convient d'ajouter menteur, *menteuse*.
Mais enchanteur **fait** *enchanteresse* : une voix *enchanteresse*.

80 **b) Les autres adjectifs en -teur (en particulier les adjectifs en -ateur) forment leur féminin en -trice. Ce sont pour la plupart des adjectifs techniques, de formation savante**[3] **(v. n° 62).**
En voici quelques-uns :

accusateur, accusatrice : un document accusateur — une lettre *accusatrice*.

conducteur, conductrice : le fil conducteur de Thésée — la voiture *conductrice* **(dans un cortège).**

conservateur, conservatrice : un député conservateur — une politique *conservatrice*.

corrupteur, corruptrice : un procédé corrupteur — des manœuvres *corruptrices*.

1. Au cours du XVIe siècle, l'*r* final ayant cessé d'être prononcé, on disait, par exemple, *menteu* — d'où formation d'un féminin analogue à celui des adjectifs en *eux* (*-eus*) : *menteuse* comme *heureuse*. La prononciation *menteux* vivait encore naguère dans les campagnes du Nord-Ouest (cf. Maupassant, *La Ficelle*).

2. De ces adjectifs féminins en *-esse* on peut rapprocher *traîtresse* (féminin de traître), en notant que Victor Hugo, avec d'autres, a écrit : « Je n'ai jamais fait une chose *traître* » (Manuscrit de la Bibl. Nationale) — Le féminin *traître* tend à s'imposer.

3. Et se rattachant à la forme des verbes latins qu'on appelle supin.

créateur, créatrice : les génies créateurs du XVIIe siècle — l'imagination *créatrice*.
destructeur, destructrice : les effets destructeurs de la bombe — une action *destructrice*.
détenteur, détentrice : le pays détenteur, la nation *détentrice* d'un record.
directeur, directrice : faire partie du Comité directeur — les roues *directrices* de la voiture.
distributeur, distributrice : organe distributeur — société *distributrice*.
générateur, génératrice : un acte générateur de discorde — une action *génératrice* de discorde.
interrogateur, interrogatrice : un air interrogateur — une expression **(de visage)** *interrogatrice*[1].
moteur, motrice : les organes moteurs — les pièces *motrices*.
persécuteur, persécutrice : les princes persécuteurs — une mentalité *persécutrice*.
protecteur, protectrice : un air protecteur — une attitude *protectrice*.
tuteur, tutrice : surtout au féminin : la nation, la puissance *tutrices*.

81 **Enfin certains adjectifs en eur, issus de comparatifs latins, ont un féminin en -eure :**

antérieur (≠ postérieur) : les faits antérieurs; les actions *antérieures*.
intérieur (≠ extérieur) : un verrou intérieur; une serrure *extérieure*.
majeur (≠ mineur) : un fils majeur (= **de vingt et un ans ou plus**). Il avait une raison *majeure* pour agir ainsi (= **plus forte que toute considération**).
meilleur : un meilleur rendement — une *meilleure* conduite.
supérieur (≠ inférieur) : un air supérieur — une production *inférieure*.
ultérieur : la réunion est remise à une date *ultérieure*.
Le contraire de *ultérieur*, citérieur, **ne s'emploie que dans un sens géographique** : l'Inde *citérieure* **(en deçà du Gange, pour un Romain de l'Antiquité; expression vieillie).**

Adjectifs en -s

82 **Pour le féminin, on ajoute, dans l'écriture, un -e — Mais attention à la prononciation : au masculin, l's n'est pas prononcé — au féminin, il est sonorisé en Z après une voyelle; il devient S dur après un r :**

Un costume gri(s) — une robe gri*s*e **(pron. Z)** [gRi, gRiz] — des débris épar(s) **(= éparpillés)** — des armes éparses **(pron. S).**

1. Très différente d'*une expression interrogative* (en grammaire) : *pour quelle raison?* est une expression *interrogative*.

N. B. — Tier(s) (= **troisième) fait** *tierce* : une *tierce* personne **(une personne non intéressée à l'affaire, au procès).**

Frais **donne** *fraîche* **(v. n° 69).**

83 **Quelques adjectifs redoublent, au féminin, l's écrit, qui se prononce alors S dur :**

Ba(s), *basse* — gra(s), *grasse* — gro(s), *grosse* — la(s), *lasse* — épai(s), *épaisse* — exprè(s), *expresse* (= **formelle, absolue) :** défense *expresse* de fumer — **ou : acheminée très rapidement :** envoyer une lettre *expresse*[1] — métis, *métisse* (toile métisse = **tissée fil et coton).** — profè(s) *professe* **(religieux, religieuse qui ont prononcé des vœux).**

Adjectifs en -t

84 **a) en -et : redoublent, dans l'écriture, au féminin, le t qui, au masculin, n'est pas articulé (sauf dans** net) **:**

muet, *muette* [mɥɛ, mɥɛt] — coquet, *coquette.*

Les dix adjectifs suivants prennent un accent grave sur l'e du féminin :

Complet, *complète* — incomplet, *incomplète* — concret, *concrète* — désuet, *désuète* — discret, *discrète* — indiscret *indiscrète* — inquiet, *inquiète* — quiet, *quiète*[2] — replet, *replète* — secret, *secrète* — (prêt **fait** *prête.*)

85 **b) en -ot font généralement leur féminin en -ote, sans redoublement :** idio(t), *idiote* — mancho(t), *manchote.*

Exceptions : boulot **F.P. fam.** = **gras et court sur jambes, pareil à une boule, ne s'emploie guère qu'au féminin** : une petite femme *boulotte* — maigriot, *maigriotte* — pâlot, *pâlotte* — sot, *sotte* — vieillot, *vieillotte* **(un peu vieux — se dit surtout de choses, d'idées, d'expressions de langage). L'o final, dans ces masculins, est toujours fermé. Au féminin, cet o, non final, devient ouvert.**

Adjectifs en -x

86 **Les adjectifs terminés par -eux, -oux (x non articulé) forment leur féminin en -euse, -ouse (au Moyen Age ces adjectifs s'écrivaient -eus, -ous) :**

Peureux, *peureuse* — jaloux, *jalouse.* **Mais** roux **fait** *rousse* — doux, *douce* — faux, *fausse.*

N. B. — Le féminin de hindou est *hindoue*, **de** bantou, *bantoue*, **de** flou, *floue* — **mais** andalou **fait** *andalouse.*

1. Dans : train *express*, on a une forme masculine, venue au français par le détour de l'anglais.
2. Rarement employé : appartement *quiet* et confortable (silencieux, reposant) : la chaleur *quiète* de la maison — Une autre forme (doublet) de quiet est *coi* (se tenir coi = calme et silencieux) qui fait au féminin (archaïque) *coite* : une petite chambre *coite.*

Présentent un féminin identique au masculin

87 **a) les adjectifs terminés par -e :**

Un instrument *pratique*, une installation *pratique*.

88 **b) les adjectifs** *grand* **et** *fort*, **figés dans certaines expressions anciennes :**

La *grand*-croix **(de la Légion d'honneur, par exemple)**, la *grand*-mère, la *grand*-tante, la *grand*-messe, la *grand*-route, la *grand*-rue; **et aussi** avoir *grand*-faim, *grand*-soif[1], *grand*-pitié, *grand*-peur — marcher à *grand*-peine — ne pas faire *grand*-chose;

de là aussi les noms de *Granville* **(nom de ville et nom de famille),** de *Rochefort* **(nom de ville et nom de famille), et :** Elle se fait *fort* de réussir **(elle se prétend capable de réussir). On dit aussi maintenant :** Elle se fait *forte* de réussir.

Toutes ces formes remontent à des adjectifs latins dont le masculin et le féminin étaient identiques, et dont on trouve des traces dans certains adverbes de manière en -mment (v. n° 787).

89 **c) les adjectifs :**

angora : un chat angora, une chatte *angora*.

bougon : un guichetier bougon, une vieille tante *bougon* **(on dit aussi** *bougonne*).

camaïeu : les tons camaïeu d'une étoffe, une étoffe *camaïeu*.

châtain : avoir le cheveu châtain; une barbe *châtain* **(ou** une barbe *châtaine*).

chic : un chapeau très chic, une robe *chic* **(pour le pluriel, v. n° 97).**

gnangnan F.P. pop. (= sans énergie, mollasse) : un grand garçon gnangnan, une mère *gnangnan*.

grognon : un enfant grognon, une humeur *grognon* **(ou** *grognonne*).

kaki : un uniforme kaki, une casquette *kaki*. **(Certains auteurs écrivent** *kakie*.)

marron : un costume marron, une robe *marron*.

mastoc F.P. fam. (= massif et sans élégance) : un édifice mastoc. « Il a épousé une femme *mastoc*. »

rococo (= style d'architecture et de mobilier en faveur dans la deuxième moitié du XVIIIe siècle et caractérisé par des rocailles, des lignes courbes, des coquilles — pris ensuite au sens de : démodé et de mauvais goût) : le style rococo — une robe *rococo*.

snob (= qui affecte les airs distants et les goûts des gens « chics ») : Il est trop snob (elle est trop *snob*) pour que nous l'invitions.

1. On dit plutôt, dans la langue courante, avoir *très faim, très soif*, et même *très pitié*, comme on dit aussi *très froid, très chaud*.

souillon (= très sale sur soi) : un enfant souillon, une servante *souillon* **(s'emploie surtout comme nom invariable en genre) :** *un petit souillon* **(homme ou femme), ou féminin pour les femmes :** *une vraie souillon* **(v. n° 36).**

90 **Sont parfois donnés comme n'ayant pas de féminin, mais, en fait, tendent de plus en plus à en admettre un, surtout dans le F.P. :**

cabochard (= entêté) : il est cabochard — elle est *cabocharde*.

dispos : il s'est levé frais et dispos **(physiquement à l'aise, « en forme »)** — elle est peu *dispose*, ce matin.

pantois (= stupéfait et penaud). Cet adjectif eut jadis et retrouve aujourd'hui, pour féminin, *pantoise* : à ces mots elle est restée *pantoise*.

Adjectifs ne s'appliquant qu'à des noms féminins

91 Une *accorte* servante **(= vive et aimable)** — Rester bouche *bée* **(= ouverte d'étonnement — vieux participe)** — Une porte *cochère* **(= à deux battants, faite pour laisser passer les « coches », les grandes voitures)** — Une ignorance *crasse*, une paresse *crasse* **(= épaisse ; a la même origine que gras).** — La *dive* bouteille **(= divine ; vieux mot popularisé par Rabelais)** — Une femme *enceinte* — La soie *grège* **(= soie brute, telle qu'on la tire du cocon)** — Chercher la pierre *philosophale* **(= qui changerait les métaux en or)** — Faire œuvre *pie*[1] **(= pieuse, chère à Dieu)** — Jument *poulinière* **(= destinée à la reproduction, à donner des poulains)** — La fièvre *scarlatine*[2] — Une jument *suitée* **(= suivie, accompagnée de son poulain)** — Les trois vertus *théologales* **(= qui ont Dieu pour objet ; la foi, l'espérance, la charité)** — Des roses *trémières* **(= d'outre-mer ; appelées aussi de Damas ou passeroses)** — La noix *vomique* **(= qui favorise le vomissement ; c'est un poison violent).**

Adjectifs ne s'appliquant qu'à des noms masculins

92 Un nez *aquilin* — Un garçon très *fat* **(le t final est souvent articulé) = un garçon très sûr de ses mérites. (Il n'y a sans doute pas de femmes de cette sorte.)** — Minerve, la déesse aux yeux *pers* **(= bleu-vert)** — Les signes *précurseurs* de l'orage — Les marais *salants* **(= d'où l'on extrait le sel marin)** — Un hareng *saur* **(= salé et fumé).**

N. B. — On dit courant (électrique) *monophasé*, *triphasé* — **Mais aussi :** une prise *triphasée*.

1. Ne pas confondre avec l'adjectif de cheval pie (blanc et noir, comme *la pie*) !
2. Un rhumatisme *scarlatin* appartient à la langue technique de la médecine.

FORMATION DU PLURIEL

RÈGLE GÉNÉRALE :

93 **Le pluriel des adjectifs est généralement caractérisé, dans l'écriture, pour le masculin, par un s final ajouté au masculin singulier; et, pour le féminin, toujours par un s ajouté au féminin singulier. Dans la prononciation, cet s n'est pas articulé, sauf liaison de la finale, devant un nom commençant par une voyelle ou un h muet. Dans ce cas, l's se prononce z.**

Les petits‿enfants — les petites‿entreprises.

94 **Adjectifs en -al. Pluriel (masculin) -aux :**

Un signe amical, des signes *amicaux* **(mais, naturellement :** une voix amicale, des voix *amicales*).

Attention! Certains adjectifs ont le masculin pluriel en -als :

Des compliments *banals*[1] — des fauteuils *bancals* — des heurts *fatals* — les bravos *finals* — des combats *navals*.

Pour d'autres, les Français seraient parfois en peine de s'accorder. Ce qu'on peut constater, c'est une tendance, dans le F. P., à employer le pluriel en -aux : des engins *spatiaux*.

95 **Adjectifs en eau- : Masculin pluriel -eaux :**

Beau, *beaux*.

96 **Adjectifs en -eu :**

Bleu **fait** *bleus* — hébreu, *hébreux* — et camaïeu **(v. n° 89) est invariable. Quant à** *feu* (= défunt; **v. n° 185) il ne s'emploie plus au pluriel.**

Adjectifs en -s, -x, -z.

Ils restent invariables au masculin pluriel :

Un bœuf gras, des bœufs *gras* — un faux rapport, de *faux* rapports — il est *gaz* **F.P.arg. (= ivre),** ils sont *gaz*.

97 Remarque relative aux adjectifs du n° 89

Bougon, *châtain*, *chic*, *grognon*, *mastoc*, *snob*, *souillon*, **admettent, sans les exiger absolument, des pluriels masculins en -s :**

Des vieillards *bougons* et *grognons* — de *chics* garçons — des édifices *mastocs* — des garçons très *snobs* — des gosses *souillons* — des cheveux *châtains*.

Kakis **est écrit par certains auteurs :** « Noirs, roses et *kakis* ensemble sur la grappe [ces fruits] offrent... (F. Ponge, *Le Parti pris des choses*).

1. Mais, dans la langue du Moyen Age : des fours banaux = relevant du « ban » (de l'autorité) du seigneur, et que les paysans étaient contraints d'utiliser, tout en payant redevance.

Les autres demeurent invariables au masculin pluriel. Quand ils sont appliqués à un féminin pluriel, nous vous conseillons de laisser tous ces adjectifs invariables :

Des chattes *angora* — des vieilles femmes *grognon* — de *chic* filles — des maisons *mastoc* — des robes *marron*.

Pour les règles générales de l'accord de l'adjectif épithète et attribut, voir nos 152 et suivants.

FORMATION D'ADJECTIFS NOUVEAUX DANS LE FRANÇAIS D'AUJOURD'HUI[1]

Par suffixes

98 **Les suffixes encore vivants, c'est-à-dire formateurs, sont surtout les suivants :**

-able (possibilité, souvent avec le préfixe -in) : éjectable — invivable[2].

-ais (nationalité) : *pakistanais.*

-al (qui concerne) : *spatial, maximal.*

-ard (péjoratif) F.P. pop. : *patriotard.*

-atif, -if (qui permet, qui produit) : *bourratif* **(F.P. fam.)** : la marmelade, c'est *bourratif* — *contraceptif.*

-gène (= qui produit) : *cancérigène* — *fumigène.*

-iel (= qui permet, qui produit) : prix *concurrentiels* — tarifs *préférentiels.*

-ien, -éen (nationalité) : *irakien* — *ghanéen.*

-ique (catégorie) : bombe *atomique* **(adjectif déjà ancien, sens récent)** — centrale *thermique* **(même remarque).**

-isant (tendance, aptitude) : politique *gauchisante* **(qui incline vers la gauche, politique libérale).**

-iste (catégorie) : savant *atomiste.*

Par préfixes

99 **Voici les préfixes les plus vivants, pour les adjectifs :**

aéro- (qui se rapporte à l'air) : *aéronaval* — *aéroporté.*

anti- (opposition) : canon *antichar* — fusée *antichar* — phare *antibrouillard* — artillerie *antiaérienne* — politique *anticolonialiste.*

auto- (= de soi-même) : soudure *autogène* **(produite par le métal en fusion lui-même)** — engin *autopropulsé* **(qui se propulse lui-même).**

auto- (réduction de automobile) : troupes *autoportées.*

extra- (superlatif) : *extra-souple.*

1. V. nos 62 à 65.
2. M. Marcel Cohen (*Le français moderne* de janvier 1960) a remarqué que l'adjectif composé n'est pas toujours le contraire du simple : désirable (= qui éveille le désir) n'est pas le contraire de indésirable (= dont on n'accepte plus la présence) — Et comparable (= qui peut être comparé) admet un complément (avec...) que n'admet pas incomparable (= supérieur à tout)

hyper- **(superlatif) (≠ hypo) :** *hypertendu* **(qui a de l'hypertension)** ≠ hypotendu.
in- **(négation) :** *inactuel — increvable.*
inter- **(rapports réciproques ou position intermédiaire) :** *interdépendant* — frontière *interallemande* **(entre l'Allemagne de l'Ouest et l'Allemagne de l'Est).**
néo- **(= nouvellement) :** groupes *néo-fascistes.*
non- **(négation) :** *non récupérable.*
pan- **(qui concerne un tout) :** congrès *panasiatique.*

post- **(= postérieurement) :** films *postsynchronisés.* **pré-** **(= antérieurement) :** maison *préfabriquée.* **sous-** **(diminutif) :** pays *sous-développé, sous-alimenté.* **sur-** **(augmentatif) :** pays *surpeuplé.*	**Le deuxième élément est un participe**

ultra- **(superlatif) :** *ultramoderne.*

Autres moyens de formation

100 **Adjectifs composés, se rapportant surtout aux nations :**

Conférence *israélo-arabe* — relations *africano-asiatiques* — théories *anarcho-syndicalistes* **(l'élément en -o est invariable).**

Dérivation impropre (v. n° 65, note)

101 **a) Participes devenant adjectifs :**

Une situation affolante.

b) Noms devenant adjectifs. Le cas est extrêmement fréquent : Il est *très professeur* **(= très professoral)** — un chapeau *mode* — « Prenez ce manteau : c'est *tout à fait mode.* » « Les Stadistes sont *lanterne rouge.* » (Télévision du 3 novembre 1963 : **les joueurs du « Stade français » sont les derniers dans le classement, comme le dernier wagon d'un train, qui porte une lanterne rouge.)**

101 bis **Expressions formées d'une préposition et d'un nom et ayant valeur qualificative :** *Rester en forme* **(dispos)** — « l'Algérie *de papa* » (Général de Gaulle) = **administrée selon les traditions colonialistes; on dira de même :** le téléphone *de papa* — un secrétaire *à la page* (= **bien informé de ce qu'il doit faire)** — Le manteau *en vitrine* va attirer l'attention de ma femme, etc. **Nous retrouvons ici beaucoup de compléments de nom (v. n°s 254 et suivants, 186 et suivants et 192).**

Pour la **place** et l'**accord** des adjectifs, v. n°s 116 et suivants, 152 et suivants.

LE NOM EN APPOSITION
L'ADJECTIF ÉPITHÈTE

102 **Les mots « apposition » et « épithète » ont, étymologiquement, la même signification. L'un et l'autre (le premier étant d'origine latine, le second d'origine grecque) signifient : terme placé auprès d'un autre terme, pour en préciser le sens.**

Nous réserverons le terme d'apposition au nom, celui d'épithète à l'adjectif[1]. Mais nous ferons une distinction :

1. entre l'apposition non détachée du nom, que nous appellerons conjointe (le roi *Louis*, la ville *de Paris*) — **et l'apposition détachée du nom, que nous appellerons disjointe** (Louis IX, *un roi glorieux*);

2. entre l'épithète conjointe (la nation *française*) — **et l'épithète disjointe** (*résolue*, la nation fit face au danger).

L'apposition et l'épithète disjointes sont séparées du nom par une pause, elle-même souvent marquée dans l'écriture par un signe de ponctuation.

L'APPOSITION

103 **L'APPOSITION CONJOINTE**

Juxtaposée au nom, parfois à l'aide d'une préposition, elle souligne le plus souvent une identité entre les deux termes (nom et apposition) :

ainsi l'expression « la ville de Paris » **comprend deux termes désignant un seul « être » et contient une apposition** (Paris) **tandis que l'expression** « une rue de Paris » **comprend un nom de partie** (rue) **et un nom d'ensemble** (Paris), **associés par le moyen d'un complément de nom. On a pu dire plaisamment que la formule de l'apposition est : un + un = un[2].**

Même remarque pour l'expression « le roi René ».

I) L'apposition sans préposition

104 **On la trouve :**

soit avec un nom de personne (identité entre les deux termes) : le roi *René*, **soit avec une valeur proche de l'adjectif qualificatif dans des expressions comme :**

> le roi-*Soleil* — un argument *massue* — la voiture *balai* **(qui ferme un cortège et « ramasse » les traînards)** — une pêche *abricot*.

Cette construction est à l'origine de certains noms composés.

(Dans : la rue Pasteur, **il s'agit d'un complément de nom, devenu une sorte d'étiquette ; voir n° 191.)**

1. Les divergences étant ici nombreuses entre linguistes, nous essayons de nous en tenir à des appellations simples et pratiques.
2. V. *Le Français moderne*, octobre 1963.

II. L'apposition avec préposition « de »; ce sont des noms de villes, de montagnes, de mois; plus rarement de cours d'eau :

105 La ville *de Paris*, les monts *des Pyrénées*, le mois *de juin*, le fleuve *du Pô*.

A l'origine, de a pu introduire ici un complément de nom[1]. Aujourd'hui il ne joue plus que le rôle d'une **particule de soutien** (rôle d'ailleurs très important dans la structure de la phrase française, v. nº 837); c'est une préposition « vide ».

Quant à la discussion, encore ouverte entre linguistes, pour savoir si c'est *Paris*, ou *ville*, qui est l'apposition, elle n'a guère de portée, en pratique. Disons, avec M. J.-C. Chevalier (*Le Français moderne*, juillet 1962), que l'apposition est le terme qui **restreint** l'extension d'un genre, d'une espèce : donc *Paris*, dans : la ville *de Paris* — *juin* dans : le mois *de juin* — Tel est bien, croyons-nous, le sentiment du Français parlant.

106 D'un type différent sont les tours : un *maladroit de chauffeur*, la *sotte de fille*, une *drôle d'idée*, ce *voleur de commerçant*, ce *menteur de Marcel*, un *amour d'enfant*, un *brave homme de pompier*, un *saint homme de chat* (La Fontaine).
Ici le Français a nettement conscience que *maladroit*, *sotte*, *amour*, etc., ont une valeur **qualificative.** On peut les considérer comme les vraies appositions.

Ce tour est particulièrement vivant en **F.P.** pop. ou vulg. Il y crée toutes sortes d'expressions injurieuses :

Cet idiot de Jean — *Ce cochon de Morin* (titre d'une nouvelle de Maupassant).

107 On notera alors :

- quand le terme est un adjectif, **la nécessité de le substantiver,** d'en faire **un nom.** Les adjectifs comme « intelligent », « remarquable », qui ne peuvent guère être substantivés, n'entrent pas dans les expressions du nº 106.
- **l'absence d'article** devant le second terme (à la différence de certaines langues étrangères).

L'APPOSITION DISJOINTE

108 Elle est séparée du nom par une **pause,** généralement marquée dans l'écriture par une **virgule,** un **tiret,** ou des **parenthèses** :

M. Legris, *médecin*, est tenu de porter secours.

1. Comme le croirait volontiers M. Gougenheim (*Le Français moderne*, janvier 1959) et comme le suggère le latin tardif.

Alors l'apposition traduit souvent une nuance de cause, ou d'opposition, ou d'hypothèse :

M. Legris, *médecin*, est tenu de porter secours (= *parce qu*'il est médecin).
M. Legris, *pourtant médecin*, a refusé ses secours (= *quoiqu*'il soit médecin).
Pierre, *médecin*, aurait le droit d'intervenir. Simple étudiant, il ne le peut pas (= *s'il était* médecin...).

109 **L'apposition disjointe peut suivre ou précéder le nom : le deuxième cas est très fréquent. Et, comme il advient pour nombre de compléments circonstanciels, cette antéposition confère à la phrase plus d'aisance, surtout dans le F.E.**

Médecin, M. Legris est tenu de secourir...
Médecin, M. Legris a pourtant refusé ses secours.
Médecin, Jean aurait le droit d'intervenir; *étudiant*, non.

N. B. — Un singulier collectif peut être apposé à un pluriel :
« Vieux *peuple* rompu aux vicissitudes de l'Histoire, *ils* savaient combien il est cruel de remonter la pente des abîmes » (De Gaulle, *Discours du 18 juin 1944*).

110 **Pour l'emploi de l'article, voir nos 241 et suivants.**
Disons seulement que l'article indéfini met en relief l'être désigné par l'apposition parmi des êtres de la même espèce :

Un homme s'approcha, *un médecin*.

Il peut aussi exprimer, dans un certain contexte, la considération, l'admiration :

Lefèvre, *un artiste*, n'aurait jamais peint ça.

L'article défini souligne que l'être est bien connu (v. nos 212, 214) :

Des deux Martin, Pierre, *le médecin*, sera là.

111 **L'apposition peut se trouver aussitôt après certains pronoms :**

Lui, *médecin*, ne peut accepter... — *Celui-là*, *un bon garçon*, sera félicité — *La mienne*, *la voiture grise*, est garée là-bas.

Si le pronom personnel est atone (v. nos 420 et suiv.), l'apposition le précède :

Médecin, *il* ne peut accepter... **Ou encore (surtout dans le F. P. fam.) elle suit le verbe :** Ils ont tout pris, *les bandits*.

Dans l'expression archaïque figée : « *Je*, *soussigné*, docteur en médecine, certifie... » *Je* **est demeuré accentué. D'où la place de l'apposition** *docteur*.

Un infinitif et même une proposition entière admettent aussi l'apposition :

Tuer un homme, *crime irréparable*,...
Si l'on tue un homme, *crime irréparable*,...

112 **Inversement : l'apposition peut être :**

un pronom : Mon frère, *lui*, viendra — La voiture grise, *la mienne*, a été endommagée.

ou un infinitif : Il a commis cette faute : *pardonner!*

ou une proposition : Il caressait cet espoir, *que la mauvaise nouvelle était fausse* **(subordonnée conjonctionnelle).**

Nos amis ne viendront pas, *ce qui me peine* **(subordonnée relative).**

L'ÉPITHÈTE

L'ÉPITHÈTE CONJOINTE

113 **Qu'elle suive ou précède le nom, elle exprime généralement une qualité étroitement associée, parfois même inhérente à l'être :**

Le cheval *blanc* — un *beau* visage.

Comme l'apposition, elle peut être juxtaposée à l'aide de la préposition de, qui joue encore ici le rôle d'une particule de soutien, pure et simple :

Après : quelque chose, quelqu'un, personne, rien, quoi? :

Quelque chose *de beau* — « Quelqu'un *de grand* va naître » (Victor Hugo, *Mil huit cent onze*) — Il n'y a personne *de malade* — Rien *de meilleur* — Quoi *de neuf*?

Après : ceci, cela : Pierre a ceci *de bon* qu'il est travailleur.

Dans les expressions : Il y a dix spectateurs *de blessés*, je n'ai pas une heure *de libre*, **il s'agit plutôt d'attributs (voir n° 141 bis).**

114 **Peuvent jouer le rôle d'une épithète qualificative :**

a) F.P. fam. les adverbes *bien*, *mal*, *mieux*, **la locution** *comme ça :*

Un jeune homme *bien* — Un homme *bien* sous tous les rapports — Il a épousé une femme plutôt *mal* — Une femme *mieux* que son mari — Des gens *comme ça*, on devrait les fouetter.

b) toutes sortes de locutions complétant un nom :

Un départ *à contrecœur* — un entretien *à la dérobée* — un voyage *gratis*, **etc. (v. les compléments du nom, n° 186).**

c) une proposition comparative ou relative :

Un garçon *comme il faut* — un fonctionnaire *comme on n'en fait plus* — Achetez la peinture *qui convient* (= **la peinture convenable).**

L'ÉPITHÈTE DISJOINTE

115 **Séparée du nom par une pause, l'épithète disjointe, au lieu d'exprimer une qualité inhérente à l'être, lui est associée accidentellement, en vertu des circonstances.**

Ainsi, dans : un homme *aimable*, **l'épithète conjointe exprime une qualité permanente de bonne grâce, de courtoisie.**
Mais dans : aimable, il accepta (= **aimablement, il accepta), l'épithète disjointe exprime une attitude de circonstance.**

De même on distinguera :
J'aime les élèves *attentifs* **(épithète conjointe : il s'agit d'une qualité permanente) —**
et : *Attentifs*, les élèves notent (notaient, noteront) l'énoncé du problème **(épithète disjointe = les élèves alors pleins d'attention).**

Certains grammairiens voient dans cette épithète disjointe un véritable attribut à valeur d'adverbe (= Attentivement, les élèves notent...).
Pratiquement, pour parler ou écrire le français, on négligera dans des phrases de ce genre la distinction entre épithète disjointe et attribut.

PLACE DE L'ÉPITHÈTE CONJOINTE

116 **En ancien français l'épithète se plaçait très souvent avant le nom, sous l'influence, peut-être, de la syntaxe germanique. Aujourd'hui c'est après le nom que, normalement, se place l'adjectif. Mais, dans bien des cas, l'antéposition est encore pratiquée.**

I. Prennent place généralement après le nom en prose française

117 **Les adjectifs qui définissent ou identifient; c'est-à-dire qui se rapportent :**

a) à une qualité physique, couleur, forme, aspect, etc. (au sens propre) :
un toit *rouge*, une planche *carrée*, une table *ronde*, une pente *raide*, etc. **(sauf** *double*, *triple... :* un *double* saut**).**

b) à la géographie, à la nationalité : la zone *tropicale*, la nation *française*.

c) à la religion : la morale *chrétienne*, la morale *laïque*.

d) aux sciences et aux techniques : l'acide *sulfurique*, la désintégration *atomique*.

e) à l'administration, à la politique : une circulaire *ministérielle*, le parti *socialiste*.

f) à l'art (littérature et beaux-arts) : un texte *poétique*, la musique *dodécaphonique*, le style *roman*.

118 **Employés comme adjectifs, les participes passés et certains participes présents ne se placent guère qu'après le nom :**

Une chevelure *frisée*, une conférence *assommante.*

119 **Enfin, c'est la construction normale pour les adjectifs suivis de compléments :**

Une soupe *bonne pour les chiens.*

II. Se placent avant le nom

120 **Certains adjectifs très usuels (généralement courts) qui n'ont guère cessé d'être antéposés, depuis les origines[1]; en particulier :**

beau : le *beau* chapeau, une *belle* robe.

bon : un *bon* outil, cette *bonne* pioche **(mais on dit :** un homme *bon*).

grand : ce *grand* arbre, une *grande* ville.

gros : un *gros* caillou, une *grosse* pierre.

haut : ce *haut* édifice, une *haute* tour **(mais on dit :** à marée *haute*).

N. B. — Dans : marcher la *tête haute*, porter l'*épée haute*, **l'adjectif a plutôt valeur d'attribut.**

joli : un *joli* pays, une *jolie* maison.

long : un *long* voyage, cette *longue* table.

mauvais : le *mauvais* chemin, la *mauvaise* route.

petit : un *petit* homme, une *petite* femme[2].

vilain : un *vilain* quartier, une *vilaine* couleur.

121 **N. B. — 1. Modifiés par les adverbes courts, comme très, peu, ces adjectifs se placent plus aisément après le nom :** un homme *très grand* — un enfant *trop jeune*. **Si l'adverbe est plus long, cette construction devient quasi obligatoire :** un homme *plutôt gros* — un garçon *vraiment petit* — une planche *démesurément longue.*

122 **2. Certains de ces adjectifs, surtout lorsqu'ils sont appliqués à des êtres humains, ou à des faits qui intéressent les hommes, abandonnent souvent leur sens premier : en effet, et c'est un fait vrai pour tous les adjectifs antéposés, ils tendent à faire corps avec le nom qui suit et prennent alors une valeur affective ou expressive, plutôt qu'explicative :**

« Un *grand homme* », « les *grands hommes* » **désignent le plus souvent ceux qui ont bien servi l'humanité** — « Un *gros mangeur* » **peut être mince : il frappe surtout par sa capacité d'absorption —**

1. Ce sont des adjectifs anciens et « improductifs » (qui ne composent pas d'autres adjectifs, à la différence de *faisable*, par exemple, qui a donné *infaisable*).
2. Barbusse *(Clarté)*, a donné une valeur morale à cet adjectif en le plaçant après le nom : « L'idée de patrie est une idée petite, et qui doit rester petite. »

« Les *vieux amis* » **sont ceux, même jeunes, sur qui l'on peut compter** — « C'est *un petit imbécile* », **appliqué à un adulte, signifie : un imbécile particulièrement maladroit.** « Nos *petits soldats* », « Ma *petite maman* », **au contraire, ont un sens affectueux.** Pierre Daninos **s'est amusé à citer quelques expressions de ce genre chères aux Français (F.P. fam.) :** « un *petit coin* tranquille » « de *bons petits plats* », **etc.** (*Les Carnets du Major Thompson.*)

123 **D'où la nécessité, parfois, de placer ces adjectifs en postposition pour leur restituer le sens premier ainsi mis en relief :**

Dites : « un *homme grand* », **pour éviter une confusion avec** « un grand homme » — « un *homme jeune* », **pour éviter la confusion avec** « un jeune homme ». **(De 15 à 25 ans, par exemple, on est un jeune homme — mais on est un** *homme jeune*... **sans limite d'âge.) Dites** « un *ami vieux* » **(ou plutôt** *âgé*) **pour insister sur sa vieillesse.**

124 **D'autres adjectifs, aujourd'hui normalement postposés, sont restés cependant antéposés dans des expressions figées et anciennes comme :** faire *la sourde oreille*, un *rond-point*, un *rouge-gorge*.

Ou dans des noms propres, anciens aussi : *Neufchâteau* — *Noirmoutier* (**= monastère noir),** rue des *Blancs-Manteaux*.

En Picardie, en Artois, en Lorraine, on pourra encore entendre dire : une *noire robe*, un *noir merle*[1].

III. Cas de beaucoup d'adjectifs courts :

125 **Les adjectifs normalement antéposés (n° 120) ne sont pas seuls à connaître le passage du sens premier (explicatif) au sens second (expressif, souvent intensif) — Beaucoup d'adjectifs courts (d'une ou deux syllabes prononcées), normalement postposés, offrent aussi cette variation.**
En voici quelques-uns parmi les plus employés (on remarquera que, souvent, l'antéposition introduit un sens figuré ou intensif :

126 **Amer :**

1. des pommes *amères* **(par opposition à pommes** *douces*).
2. d'*amers* reproches (des reproches sévères et irrités, **sens figuré intensif)** — une *amère* expérience (= **pénible, mais on peut dire aussi :** une expérience amère).

Ancien :

1. une maison *ancienne* : **construite depuis longtemps.**
   un capitaine *ancien* : **ancien dans son grade.**
2. mon *ancienne* maison : **la maison qui était la mienne autrefois.**
   l'*ancien* capitaine de Jean : **celui qui fut autrefois le capitaine de Jean.**

1. V. A. Dauzat, *Le génie de la langue française.*

Antique : **1.** des monuments *antiques* : **datant de l'Antiquité.**
une vertu *antique* : **digne de l'Antiquité.**

2. d'*antiques* monuments : **respectables à cause de leur ancienneté, ou, au contraire, délabrés, croulants.**
Les « Humanités » ont perdu leur *antique* vertu : **leur vertu de jadis, maintenant un peu démodée.**

Bas : **1.** un siège *bas* — une porte *basse.*

2. une *basse* vengeance (= **lâche**) — une *basse* flatterie (= **servile**).
(Mais on dit, dans un sens technique, les *bas* salaires, les *bas* morceaux, les *bas*-côtés, le *bas*-ventre.**)**

Brave : **1.** un homme *brave* : **courageux devant le danger physique. Mais on dit aussi, en ce sens, avec, peut-être, une nuance de sympathie, d'affection** : un *brave* soldat.

2. un *brave* homme, une *brave* femme, de *braves* gens (= **honnêtes et simples**).

Certain : **1.** Éviter un mal douteux pour un mal *certain* (= **sûr**).

2. J'ai un *certain* mal à vous suivre (= **quelque mal — sens indéfini, plutôt intensif**).
Vous avez un *certain* toupet! **(intensif).**

Chaud : **1.** un plat *chaud*, une boisson *chaude.*

2. Nous avons eu une *chaude* alarme **(intensif).**
C'est un *chaud* partisan de votre père **(intensif).**

Cher : **1.** un manteau *cher* : **qui coûte beaucoup d'argent.**
un ami *cher* : **que l'on aime bien.**

2. « mon *cher* ami » — **souvent simple formule de politesse, abondamment répandue dans les milieux politiques, artistiques, etc.**
« *ce cher* garçon » **peut être ironique. De même :**
« *Le cher* homme n'a pas encore compris ».

Doux : **1.** une pomme *douce*, du cidre *doux* — de l'eau *douce* — une heure de musique *douce* — le Livre de la mort *douce.*

2. votre *douce* fiancée (= **tendre pour vous — sens figuré**) — une *douce* perspective.
Mais on dira : Cette dame fait les *doux* yeux, **ou** les yeux *doux* à mon frère. Il va lui répondre par un billet *doux* **(un message galant).**

Dur : **1.** coucher sur un lit *dur;* manger du pain *dur;* un cœur *dur* **(sans bonté).**

2. subir une *dure* épreuve **(intensif).**

Fameux : **1.** C'est un écrivain *fameux* : **réputé.**

2. C'est un *fameux* écrivain : **un écrivain puissant, mais peut-être ignoré du public (sens intensif).**
une *fameuse* canaille **F. P. fam. (intensif).**

Faux : 1. **Placé après le nom, l'adjectif signifie en général que l'être désigné par le nom existe, mais que son comportement n'est pas sincère** : une femme *fausse* : **elle ment** — un camarade *faux* : **il vous trahit** — une pensée *fausse* : **une pensée non conforme à la vérité, trompeuse.**

2. **Placé avant le nom, l'adjectif signifie en général que l'être n'existe pas** : une *fausse* femme **(c'est, par exemple, un homme travesti en femme)** — un *faux* ami **(il n'a jamais eu les sentiments d'un ami)** — une *fausse* pensée **(elle n'a que les apparences, les prétentions d'une pensée)** — un *faux* problème **(une difficulté sans portée, dont on n'a pas à chercher la solution)** ;

Pourtant on dira : un *faux* rapport **(= mensonger)** — une *fausse* nouvelle **(= inexacte), expressions où** « faux » **a gardé le sens 1. même en antéposition.**

Placé avant le nom, *faux* **signifie aussi** *maladroit* : un *faux* pas, une *fausse* démarche, une *fausse* manœuvre.

Fier : 1. Les gens *fiers* évitent les relations douteuses **(ils ont un sens juste de leur dignité).**

2. Vous êtes un *fier* insolent **(intensif — ce sens remonte sans doute au temps où** *fier*, **étymologiquement, signifiait** « sauvage », **« intraitable »)** — **de même** : livrer une *fière* bataille — **On dira aussi** : Je vous dois une *fière* chandelle **F. P. fam. (infiniment de gratitude — intensif).**

Fin : 1. une aiguille *fine* — une perle *fine* **(pure, véritable)** — l'or *fin* **(l'or pur)** — passer au peigne *fin* **(pris souvent au sens figuré, en parlant d'une enquête, d'opérations militaires destinées à traquer l'adversaire).**

2. un *fin* connaisseur : **un homme qui s'y connaît parfaitement (intensif). De même** : le *fin* fond de l'affaire — la *fine* fleur de la chevalerie, **etc.**

Fort : 1. un garçon *fort* — une âme *forte*.

2. une *forte* odeur de brûlé **(intensif)** — on a de *fortes* présomptions contre cet accusé **(intensif)** — un *fort* mangeur **(= qui mange beaucoup).**

Fou : 1. Il est absurde de confier sa voiture à un conducteur *fou* — les vierges *folles* de l'Écriture. **(Mais** : Il y avait un monde *fou* = **énormément de gens.)**

2. une *folle* aventure : **extraordinaire, extravagante** — un *fol* espoir : **que rien ne justifie** — avoir le *fou* rire : **un rire incoercible (intensif).**

Franc : 1. une personne *franche* : **qui dit la vérité, spontanément, librement.**
une zone *franche* : **où les marchandises sont libres de taxe.**
2. Il a dit une *franche* sottise : **évidente (intensif).**

Froid : 1. une pierre *froide* — un repas *froid.*
2. Ces gens ont la *froide* audace de vous contredire **(intensif). Dans** : faire *froide* mine à quelqu'un **(l'accueillir sans empressement), l'adjectif prend le sens figuré.**

Furieux : 1. un client *furieux.*
2. J'ai une *furieuse* envie de dormir **(intensif).**

Gris : 1. du papier *gris.*
2. faire *grise* mine à quelqu'un (**cf.** froide mine : un accueil peu aimable).

Léger : 1. **sens propre** : un vêtement *léger* — un vent *léger* — prendre une nourriture *légère* : **facile à digérer.**
2. **sens figuré diminutif** : une *légère* amélioration — de *légers* progrès — prendre une *légère* nourriture : **peu abondante** — avoir une *légère* notion de quelque chose.

Maigre : 1. un chat *maigre* — des jambes *maigres* — un repas *maigre* : **sans aliments « gras », sans viande.**
2. un *maigre* repas : **peu abondant (diminutif)** — une *maigre* consolation — une *maigre* indemnité : **sans consistance, sans valeur (diminutifs).**

Méchant : 1. un homme *méchant.* **Mais on peut dire aussi, survivance ancienne** : un *méchant* homme, une *méchante* femme **pour** : un homme *méchant*, une femme *méchante.*
2. un *méchant* auteur : **sans talent** — un *méchant* roman : **sans valeur.**

Mince : 1. une tartine *mince* : **peu épaisse.**
2. un *mince* avantage **(sens figuré).**

Mortel : 1. Ce breuvage est un poison *mortel* : **qui fait mourir** — L'homme est un être *mortel* : **qui doit mourir.**
2. une *mortelle* inquiétude — de *mortelles* frayeurs : **capables, ou presque, de tuer (intensif) — Mais** : inquiétude *mortelle*, frayeurs *mortelles* **se disent aussi.**

Mou : 1. un sol *mou* **(≠ dur)** — du fromage *mou* — un oreiller *mou* **et** : un temps *mou*, un style *mou* **(au sens figuré).**
2. avoir pour quelqu'un de *molles* complaisances : **des complaisances qui n'ont même pas le courage de s'affirmer.**

Noble : 1. une famille *noble* : **qui appartient à la classe appelée « noblesse ».**

2. une *noble* famille, de *nobles* sentiments : **qui cultivent, qui expriment la noblesse du cœur** — Il entra dans une *noble* colère **(ironique).**

Nouveau : 1. le vin *nouveau* : **jus récent, non encore fermenté** — la saison *nouvelle* : **le printemps, F.E.**

2. J'ai un *nouvel* habit : **autre que celui d'hier** — un *nouveau* directeur **(même s'il a 75 ans!).**

Pâle : 1. une lumière *pâle* — un teint *pâle.*

2. un *pâle* voyou **F.P. fam. : un voyou qui n'a même pas l'apparence énergique (intensif, en somme).**

Pauvre : 1. Il a épousé une fille *pauvre* — une langue *pauvre* : **dont le vocabulaire n'est pas très abondant** — une rime *pauvre* : **qui n'a pas la consonne d'appui**[1].

2. Ému par la *pauvre* fille, il l'a épousée — un *pauvre* homme : **digne de pitié, ou de mépris** — ce *pauvre* Durand : **désigne un disparu, qu'on a l'air de regretter.**

Dans : « les *pauvres* blancs d'Amérique », **traduction littérale de l'anglais (= les blancs pauvres) l'antéposition fait équivoque.**

Pieux : 1. un enfant *pieux* : **qui a beaucoup de piété** — une fondation *pieuse* : **faite par piété.**

2. Je me suis fait un *pieux* devoir de recueillir ses enfants **(sens figuré : un devoir moral)** — Ce *pieux* mensonge m'indigne : **ce mensonge que l'on veut faire passer pour généreux.**

Plaisant : 1. un voyage *plaisant* : **agréable.**

2. une *plaisante* réponse : **amusante, ou ridicule, ou impertinente** — de *plaisants* moralistes : **qui se mêlent, sans être qualifiés pour cela, de donner des leçons de vertu.**

Plat : 1. un pays *plat* — une assiette *plate*[2].

2. le *plat* pays **(noter l'article défini) s'oppose à la partie montagneuse d'une région** — Il m'a fait de *plates* excuses, **ou** ses plates excuses : **très obséquieuses (intensif).**

Propre : 1. Voici une assiette *propre* **(≠ sale).**

1. Exemple de rimes riches : dor*mir*/é*mir* — de rimes pauvres : su*bit*/f*ini*.
2. Mais la *vaisselle plate* est la vaisselle *d'argent* (cf. : l'espagnol *plata*).

2. Ne vous mêlez pas de cela : ce sont mes *propres* affaires **(possessif renforcé)** — Telles furent ses *propres* paroles : **ses paroles *à lui*, c'est-à-dire ses paroles *exactes* — Mais, soit par un goût de nouveauté, soit parce qu'en effet l'expression est ancienne, on peut dire en F.E. :** Ce sont mes affaires *propres*; **et l'on oppose le nom propre au nom commun (v. n° 2)** — le sens *propre* d'un mot : **son sens originel.**

Rare : 1. des fleurs *rares* : **qu'on ne trouve pas communément.**

2. Vous avez une *rare* audace **(intensif).**

Riche : 1. Il a épousé une fille *riche*.

2. Vous me faites un *riche* cadeau **(intensif)** — Elle a une *riche* nature : **pleine de vitalité et de sensibilité.**

Royal : 1. le trône *royal* : **du roi.**

2. un *royal* présent, ce *royal* pourboire : **magnifiques comme ceux d'un roi** — une *royale* indifférence : **totale (ce sont des intensifs).**

Rude : 1. une étoffe *rude*; une voix *rude*; une vie *rude*; des mœurs *rudes*.

2. C'est un *rude* travailleur **(intensif)** — **F.P. fam.** : Il a fait une *rude* sottise **(intensif) ou** : C'est un *rude* imbécile **(intensif).**

Sacré : (voir saint) 1. les livres *sacrés* **(la Bible, le Coran, par exemple).**

2. **F.P. pop.** : Il a une *sacrée* audace — C'est un *sacré* menteur **(intensif) — Sans idée injurieuse, mais toujours intensif :** Ah! tu y tiens, à ta *sacrée* liberté! **(intensif de possession)** — C'est un *sacré* gaillard! **(nuance admirative).**

N. B. — Le sens 1. s'est maintenu dans : le *Sacré* Collège, la *Sacrée* Congrégation des Rites — **expressions figées de la langue catholique.**

Saint : 1. l'Histoire *sainte* — l'Écriture *sainte* — les Livres *saints*.

2. **Antéposé, désigne : a) les grands personnages honorés sur les autels de l'Église catholique :** *saint* Michel — *sainte* Jeanne d'Arc; **b) les fêtes de ces saints :** *la Saint-Michel* — **d'où, communément :** C'est un *saint* homme — **(F.P. fam.) (intensif de possession) :** Il y tient, à sa *sainte* liberté! **(v. sacré) — et :** Il a une *sainte* terreur de l'eau **(F.P. vulg.** = une sainte frousse) — **intensif pur et simple.**

Sale : 1. Des mains *sales* **(≠ propres)** — Un travail *sale* exige des vêtements de rechange.

2. **F.P. pop.** : *un sale* travail : **pénible, ou odieux moralement** — un *sale* individu : **dangereux, sans scrupules** — avoir une *sale* histoire : **être compromis dans une affaire désagréable et peu glorieuse. Dans :** Tu es *un sale* menteur **F.P. vulg., « sale » prend une valeur intensive.**

Seul : (voir unique)

1. Compartiment de dames *seules* : **isolées des hommes** — Les gens seuls **(isolés de leurs semblables)** ont souvent une pénible existence.
2. C'est *le seul* fils qui me reste : **l'unique fils** — *Un seul* Dieu adoreras : **un Dieu seulement.**

Simple :

1. Un corps *simple* : **qu'on ne peut décomposer : l'oxygène par exemple** — le passé *simple* des verbes français — un homme *simple* : **qui répugne aux manières compliquées ou prétentieuses** — un cœur simple[1] : **sans détours, sincère et modeste.**
2. Il est vêtu d'un *simple* pyjama : **d'un pyjama seulement** — *un simple* soldat : **sans aucun grade.**

Triste :

1. Je n'aime pas les convives *tristes* : **qui ont et inspirent de la tristesse.**
2. C'est un *triste* convive : **il mange et boit peu, paraît absent du repas** — un *triste* écrivain : **sans valeur** — un *triste* individu : **particulièrement odieux** — mener une *triste* existence **(= pénible)** — faire *triste* figure dans une soirée : **y paraître sans éclat et quelque peu dédaigné.**

Unique :

1. Il est fils *unique* : **n'a eu ni frère ni sœur** — Voilà une occasion *unique* : **exceptionnelle, qu'on ne retrouvera pas.**
2. C'est l'*unique* fils qui me reste **(de ceux que j'ai eus).**

Vague :

1. un terrain *vague* : **où l'on peut vagabonder; non bâti et même laissé à l'abandon** — une description *vague* : **sans précision** — une promesse *vague* : **qui se tient dans les généralités.**
2. Dans le bureau il y avait deux ou trois *vagues* secrétaires : **étaient-ce seulement des secrétaires?** — Il m'a fait de *vagues* promesses : **des promesses peu appuyées (diminutifs).**

Vrai :

1. **postposé, l'adjectif signifie généralement : qui parle ou agit conformément à la vérité ou qui est conforme à la vérité** : femme *vraie* : **sincère** — une pensée *vraie* : **qui correspond à la réalité.**

1. C'est le titre d'un conte de Flaubert.

2. **antéposé, il signifie que la réalité correspond** à la **dénomination (même avec quelque hyperbole, quelque exagération voulue)** : du *vrai* bois (≠ **du faux bois)** — un *vrai succès* : **un succès qui mérite ce nom** — une *vraie* pensée : **une pensée qui mérite d'être appelée ainsi** — le *vrai* problème : **le problème essentiel** — « C'est une *vraie* femme », **appliqué à un homme, signifie qu'il mériterait d'être ainsi qualifié. De même, appliqué à une femme** : C'est un *vrai* tyran.

Vert : 1. Une feuille *verte* — du bois *vert* : **fraîchement coupé sur l'arbre.**

2. Une *verte* vieillesse **(sens figuré : vigoureuse)** — les *vertes* années : **les années de jeunesse** — une *verte* réprimande : **une sévère réprimande (intensif).**

Vif : 1. Une haie *vive* : **faite de plantes vivantes** — l'eau *vive* **(celle de la rivière, par exemple, vivante et fraîche)** — une couleur *vive* : **si intense qu'elle paraît vivre** — des manières *vives* : **un peu brusques. (Du Moyen Age, où l'adjectif se plaçait avant le nom, il reste, par exemple** : de *vive* force : **par la violence** — le *vif-argent* : **le mercure — se dit aussi d'un enfant très remuant.)**

2. De *vifs* reproches : **vigoureux (intensif)** — **de même** une *vive* inquiétude — une *vive* attaque.

IV. Les adjectifs « longs[1] » (trois syllabes et davantage)

127 **Qu'ils soient (comme il est normal) postposés, ou, surtout dans le F.E., antéposés, ils ne connaissent pas, pour autant, de telles variations de sens. La nuance qui sépare les deux constructions est parfois peu sensible : on dira aussi bien** : une *intéressante* conférence **qu'**une conférence *intéressante*, une conversation *ennuyeuse* **qu'**une *ennuyeuse* conversation[2]. **C'est surtout à propos de ces adjectifs que jouera la liberté de l'écrivain, mais, antéposé, l'adjectif est plus accentué.**

128 **Cependant, ici encore, la postposition confère essentiellement une valeur explicative — l'antéposition une valeur plus expressive et parfois intensive.**

On dira donc : un ambassadeur *extraordinaire* : **chargé d'une mission exceptionnelle — mais** : Vous avez une *extraordinaire* audace **(valeur intensive).**

On notera, d'ailleurs, certains abus dans la prose contemporaine. M. Aurélien Sauvageot cite (*Français écrit, français parlé)* : « un *prometteur* duel Saint-Étienne-Nancy » (*Le Figaro* du 5 janvier 1957).

1. Pris hors du groupe I (n° 117).
2. Le deuxième tour appartient plutôt au F. E.

129 Ajoutons que, dans le **F.P.**, un accent d'intensité frappe souvent la consonne initiale de l'adjectif (ou, s'il commence par une voyelle, la consonne initiale de la seconde syllabe). Alors, même en postposition, l'adjectif souligne la part que prend à l'énoncé le sujet parlant, et joue le rôle d'une sorte d'**intensif** :

Il a un talent ***r***emarquable — C'est un crime a***b***ominable.

V. Cas des adjectifs et des noms **monosyllabiques** :

C'est une question particulièrement délicate, où interviennent l'**accent tonique, l'harmonie, l'usage.**
On peut distinguer trois cas :

130 1. Seul **l'adjectif** est monosyllabique :

Alors, en principe, il se place soit après, soit avant le nom, selon les observations de I, II, III (n°s 117 et suiv.) :

Un *grand* terrain — un tapis *rond* — un garçon *fier* — un *fier* insolent.

131 **2. Le nom seul est monosyllabique :**
Le français répugne à antéposer l'adjectif (sauf n° 120) et dit :

Un cas *difficile* — un air *satisfait* — un mot *sonore*.

Mais cette observation ne vaut pas pour les adjectifs dont la finale dégagera, par nécessité phonétique (loi des trois consonnes par exemple[1]), un **e sonore, séparant** ainsi l'accent du **nom** et l'accent de l'**adjectif** :

Un horri*ble* cri — un quadru*ple* saut.

132 3. Le nom et l'adjectif sont tous deux monosyllabiques :
Là encore (sauf n° 120) le français répugne à antéposer l'adjectif :

Un cri *bref* — un pas *vif* — un temps *sec* — un train *lent*.

L'antéposition n'est acceptable, généralement, que si la première syllabe (en l'espèce, l'adjectif) comporte un certain allongement[2] (par exemple : un long cri, de grands mots) — « Le *héron au long bec emmanché d'un long cou* » (La Fontaine, *Le Héron*).
Ou, bien entendu, si cette syllabe se termine par deux consonnes dégageant un **e articulé** (v. n° 131), qui transforme l'adjectif en dissyllabe : un sim*ple* mot — une tris*te* fin.

132 bis VI. Cas du nom accompagné de **plusieurs épithètes** :

Les habitudes de construction sont en général les mêmes qu'en I, II, III, IV, V :

Une planche *longue* et *étroite* — un *bon gros* homme — une *petite* rue *étroite* — un *bon petit* diable — une table *ovale ancienne* — l'*ancienne* table *ovale* (**= qu'on a transformée et qui n'est plus ovale**) — une *jolie* maison, *fraîche* et *accueillante*.

1. A l'intérieur d'un groupe, tout « e » muet s'articule en général, s'il est **précédé** de *deux consonnes* différentes, prononcées, et suivi d'une *troisième*, également prononcée.
2. V. Bally : *Linguistique générale et linguistique française* p. 223.

L'ATTRIBUT

133 **Nous avons vu que l'apposition disjointe et l'épithète disjointe expriment généralement une qualité de circonstance, située dans le temps, donc justifiée par un verbe — Si le verbe « être » sert de ligament entre le nom et la qualité en question, on a, non plus une apposition ou une épithète, mais un attribut, en l'espèce un attribut du sujet :**

comparez : *Médecin*, M. Martin ne pouvait refuser ses soins **(apposition disjointe) et :** M. Martin était *médecin* **(attribut du sujet Martin)**
ou : *Attentive*, la classe notait l'énoncé du problème **(épithète disjointe) et :** La classe était *attentive* **(attribut du sujet classe).**

Il y a des attributs du sujet, notamment, après les verbes dont le sens se ramène à celui de être : 1° rester, devenir, passer pour — 2° certains verbes passifs : être nommé, être réputé, etc.

134 **Il existe aussi des attributs de l'objet direct.**
Comparez : La classe est attentive **(attribut du sujet classe) et :** *Je crois* la classe *attentive* **(attribut de l'objet direct classe).**

135 **En étudiant chacun des deux cas (sujet, objet) nous observerons les aspects suivants :**

l'état { La classe est *attentive* **(attribut du sujet).**
Je crois la classe *attentive* **(attribut de l'objet).**

le devenir { La classe devient *attentive* **(attribut du sujet).**
Je rends la classe *attentive* **(attribut de l'objet).**

ATTRIBUTS DU SUJET

I. L'état (ou l'apparence de l'état)

136 Il est *heureux* — il est *directeur*, il est *le directeur*, c'est *un directeur* **(pour l'emploi de l'article, voir** **nos 246 et suivants****).**
De même :
il semble ... il paraît ... il a l'air ... il passe pour ... il est tenu pour ... il est considéré comme[1] *... il est dit ... il reste ... il demeure ...*

Cette viande est reconnue (déclarée, dite) *bonne* pour la consommation — Il sera reconnu *comme héritier*, *comme l'héritier*.

1. Ne pas oublier **comme** ni **pour :** « Il est considéré *heureux* » n'est pas d'un français très sûr. Ce tour s'explique par des motifs *d'économie*, et par une influence de l'anglais.

Ce paquet est déclaré *comme lettre.*
Il est qualifié *de bienfaiteur*, traité *de lâche* **(« Il est traité en lâche, comme un lâche » implique une comparaison, non une appellation).**

N. B. — Les verbes constituer, faire, former, ont souvent un sens voisin de celui du verbe être : Ces deux textes forment un tout = **sont un tout — Dans :** Il *s'est trouvé* seul **(= il est resté seul), on aura un attribut du sujet. Mais dans :** Il *se trouve* malheureux **(= il se juge malheureux) on a un attribut de l'objet se (v. n° 138).**

II. Le devenir

137 Il est devenu *honnête.* — Il est devenu *le directeur, directeur* — Il a été nommé, appelé, fait *directeur*, choisi *comme directeur*; sacré *roi*; élu *président;* proclamé *empereur.*

Je me fais *vieux* **(= je deviens vieux). (Dans :** Le solliciteur se fait tout petit **(volontairement), l'expression garde plutôt le caractère d'un attribut de l'objet** = il fait soi tout petit.)

L'eau { se change *en glace.*
se transforme *en glace.*

(On peut voir également ici un complément circonstanciel de matière.)

ATTRIBUTS DE L'OBJET DIRECT

I. L'état

138 Je sais (je crois, je vois) Jeanne *heureuse*; je la sais (je la crois, je la vois) *heureuse* — Je le sais (je le crois, je le vois) *employé* aux Nouvelles Galeries; je le sais (je le crois, je le vois) *l'ami* de Pierre.

Je le devine (je le sens, je le pressens) *heureux* — *bon directeur* — *l'ami* de Pierre.

On dit (on prétend, on assure) Jeanne *heureuse;* on la dit (on la prétend, on l'assure) *heureuse* — On le dit (on le prétend, on l'assure) *employé;* on le dit (prétend, assure) *l'ami* de Pierre.

Je le tiens *pour heureux — pour le directeur — pour un sot.*

Je le regarde, le considère *comme heureux*[1] — *comme le directeur, comme un directeur.*

Je le trouve (le juge, l'estime) *heureux* — Je le trouve (le juge, l'estime) *bon directeur* — Je le reconnais *honnête — bon directeur.*

On le traite *de lâche — de bandit.*

1. Voir n° 136. note.

II. Le devenir

139 On le nomme, on l'élit **(etc., v. n° 137)** *directeur, roi, président.*
On le choisit *comme directeur.*
Ne le faites pas *plus méchant* qu'il n'est.
Vous les rendrez *fous.*

139 bis Prendre une femme *à témoin* **(invariable)** d'un incident.
Prendre les gens *à partie* **(invariable)** : les interpeller comme des adversaires.
Prendre quelqu'un *pour un directeur, pour le directeur* : le confondre avec un directeur. *Prendre pour directeur* **signifie choisir comme directeur.**

140 **N. B. — Beaucoup de verbes peuvent introduire un attribut :**

1. du sujet : Il *agit* en directeur — *en tant que* directeur — comme directeur, comme *le* directeur de la maison.
Il *arrive* employé, il *part* directeur.
Il s'*endort* soldat, il *se réveille* roi — Il *est mort* académicien.
Il *sourit*, en homme bienveillant.

Dans l'expression *tomber* malade, **le verbe a perdu son sens propre.**

141 **2. de l'objet :** *Apportez* les plats bien chauds — Il *a* les cheveux longs.
Ce livre, je te le *prête* intact, tu me le *rends* déchiré!
Laissez-le tranquille — *Laissons*-le simple employé.
Tenez la tête droite — *Gardez* les mains libres.

Dans des expressions comme : Il *a* les deux jambes coupées, **il ne peut être question, sous peine d'absurdité, que d'attributs : ici le verbe *avoir* n'implique évidemment pas la possession.**

141 bis **Nous avons encore des attributs dans les expressions du F.P. :**
Il y a eu dix spectateurs *de blessés* **(attribut du sujet** : Dix spectateurs se sont trouvés blessés) — Je n'ai pas une heure *de libre* **(attribut de l'objet heure) — Ici, de joue le rôle d'une particule de soutien.**

PEUVENT ÊTRE ATTRIBUTS

142 **Un nom :** Pierre est *architecte.*

Un adjectif ou un adjectif verbal :
Paul est *petit* — Il est *accommodant.*

Toute expression équivalant à un adjectif :
Je suis *debout, dans l'embarras* — La table est *en bois* — Le livre est *en bon état* — Cette maison est *à vendre*, **etc.**

Un pronom démonstratif :
Je serai *celui-là* — Nous restons *ceux* que nous étions.

Un pronom possessif :
Ce livre est *le mien.*

Un adjectif possessif :

Cette idée est *mienne* **(F.E.)**

Un pronom personnel :

Êtes-vous peintre? — Je *le* suis.
Êtes-vous **le** peintre? — (Je *le* suis) **ou plutôt** : Oui, c'*est moi.*
Êtes-vous **les** peintres? — Oui, c'*est nous.*

Attention au féminin :

Êtes-vous dactylo? — Je *le* suis.
Êtes-vous **la** dactylo? — Oui, *c'est moi*[1].

Le F.P. pop. tend à confondre ici l'attribut et un complément circonstanciel d'état, de situation, et à dire : Peintre, j'*y suis.* **Employez** *le* **en pareil cas, même pour représenter des expressions complexes équivalant à des adjectifs :**

En proie à des terreurs, il *l*'est — A bout de forces, ils *le* sont.

On trouve même (construction discutable ici, car il semble s'agir plutôt d'un complément circonstanciel) :

« Les troupes canadiennes ne sont pas sous le commandement d'un autre pays, et ne *le* seront pas. » (*Le Monde*, 24 fév. 1966.)

Un pronom indéfini :

A dix-sept ans, Victor Hugo voulait être Chateaubriand, ou *rien.*

Un pronom relatif :

Mon enfant, l'homme *que* tu deviendras aura de lourdes charges[2].

Un pronom ou adjectif interrogatifs :

Qui êtes-vous? — *Quels* sont ses parents?

Un adjectif exclamatif :

F.E. : *Quel* fut son étonnement!

Un adjectif numéral cardinal :

Nous serons *six.*

ou ordinal :

Pierre est *second* — Il est le *second* **(notez ici l'emploi de** *il est*, **et non de** *c'est*).

Un infinitif :

Souffler n'est pas *jouer* — Agir ainsi s'appelle *trahir* — **F. P. fam. :** ça s'appelle trahir — Espérer, c'est *vivre* **(pour l'emploi de** *c'est*, **v. n° 296).**

Un participe :

Je l'ai vu *tremblant* de rage — Je l'ai vu *traîné* par les pieds.

1. *Je la suis*, expression qui fut correcte, tombe en désuétude. Rappelons l'anecdote (vraie) de ce conseiller municipal qui s'écriait au cours d'une séance : « *Après tout, la République, c'est nous qui la sommes!* » et à qui un de ses collègues répliqua parmi les rires : « *La République, c'est toi qui l'assommes!* »
2. Remarquez que le français n'a qu'une forme pour les pronoms attributs et les pronoms objets directs : Je *le* vois, vous *l'*êtes — l'homme *que* je vois, l'homme *que* vous êtes.

Avec les verbes exprimant une opération des sens (*voir, entendre*), **on peut employer l'infinitif au lieu du participe :**

Je l'ai vu *trembler* de rage — Je l'ai vu *traîner* par les pieds.

Toute une proposition :

Mon espoir est *que vous réussirez* — Sa volonté est *que vous partiez.*

L'ATTRIBUT PEUT QUALIFIER OU CARACTÉRISER

143 **Un nom :**

Seul, le *silence* est *grand.*

Un pronom :

Cela n'est pas *rien* — *Personne* n'est *sûr* du lendemain.

Un infinitif :

Partir n'est pas *mourir.*

Une proposition :

Qu'il revienne n'est pas *certain* **(F.E.)** — Qu'il revienne, ***ce*** n'est pas *certain* **(langue courante).**

144 REMARQUE IMPORTANTE. **On dira obligatoirement :**
La nourriture du lion, *ce sont* les gazelles, les zèbres... **jamais** *sont*, **ou** *est* — (« *c'est* les gazelles » **appartient plutôt au F. P. fam.)** **De même** : Les coupables, *ce sont* eux (« *c'est* eux » : **F.P. fam.).** **Mais (à la différence de l'ancienne langue), on dira, en employant le singulier :** *c'est* nous, *c'est* vous — **Et aussi** : Le coupable, *c'est* moi.

N. B. — Dans ces diverses expressions, le mot qui suit *c'est* **ou** *ce sont* **peut être considéré comme un sujet mis en relief.**

REMARQUES SUR LA CONSTRUCTION DE L'ATTRIBUT

Emploi des prépositions

145 **Les prépositions qui introduisent l'attribut sont les suivantes :**

A, exprimant la direction, l'aboutissement :

Prendre *à témoin.*

Comme[1]**, exprimant au sens propre la comparaison :**

Agir *comme roi.*

1. Nous classons ici « comme » parmi les prépositions. Il est vraiment difficile de voir un adverbe dans : *traiter comme roi,* quand on voit une préposition dans : *traiter en roi.*

De, qui semble bien avoir ici son caractère de préposition vide, de particule de soutien (v. n° 837) :

Traiter *de lâche.*

Et surtout :

En, exprimant la situation morale (= dans le personnage de, dans les sentiments de) :

Agir *en roi.*

Pour, exprimant à l'origine la substitution (= à la place de) :

Prendre *pour un roi.* **D'où :** prendre *pour roi.*

146 • **Enfin, dans un très grand nombre de cas, le français introduit l'attribut sans préposition. C'est que, pour le locuteur comme pour l'écoutant, le sens, dans ce raccourci, est parfaitement clair** (il se réveille roi, on le fait roi). **Cette clarté jointe au désir d'économie explique l'usage, de plus en plus fréquent, de « considérer » employé sans comme (v. n° 136, note).**

PLACE DE L'ATTRIBUT

Attribut du sujet

147 **Il se place, normalement, après le verbe :**

Si j'étais *jeune...* — Si j'étais *roi...* — Il se réveille *roi.*

Mais on trouve l'attribut du sujet avant le verbe dans les cas suivants :

- **en F.E. dans certaines inversions de l'adjectif et du verbe :**
  Grande fut sa surprise — *Délicate* est l'opération.
- **en F.E. dans certains tours figés :**
  Si *bon* me semble (= **si (cela) me semble bon**) — *Tels* sont ses mérites (= **voilà ses mérites**) — *Telle* est sa bonté que...
- **lorsque l'attribut doit être repris par un pronom personnel :**
  Jalouse, elle *l'*est.
- **enfin, obligatoirement :**

a) si l'attribut est un pronom relatif, un pronom ou un adjectif interrogatifs, ou un adjectif exclamatif :

Restez l'homme *que* vous êtes devenu — *Qui* est-il? — *Que* devenez-vous? — *Quel* est votre nom?

F.E. *Quel* devint son étonnement!

b) si l'attribut est un pronom personnel de la 3e personne :

Il est député, et il *le* restera — Député, il *l'*est devenu — Ils sont dévoués; oui, ils *le* sont.

• **Le F.E. et le F.P. emploient l'attribut sans verbe exprimé :**

Bienheureux les pacifiques — *Libre* à vous de partir — *Fameux*, ce vin — Pas *folle*, la guêpe **F.P. pop.** — **Dans :** Napoléon fondit sur l'ennemi, *telle* la foudre, **le tour équivaut à...** la foudre *étant telle*, **d'où l'accord avec le féminin foudre**[1] — **Dans :** « La belle chose *qu*'un soleil d'aurore », **que est une particule de soutien.**

• **quand l'attribut est une exclamation, un adverbe à valeur d'adjectif, notant le plus souvent un ordre :**

Assis, là-bas! — *Debout*, mes enfants!

Attribut de l'objet

148 **Normalement, sa place est après l'objet si cet objet est un nom :**

Je crois ce garçon *honnête* — Je considère ce garçon *comme honnête*. « Je crois honnête ce garçon » **appartient plutôt au F.E.**

Mais des raisons d'harmonie peuvent modifier cet ordre. Ainsi, même dans le F.P. Tu rendras ces pauvres enfants *fous* **sera volontiers remplacé (pour des raisons d'équilibre et d'harmonie) par le tour :** Tu rendras *fous* ces pauvres enfants.

Si l'objet est un pronom personnel atone, donc placé lui-même devant le verbe, l'attribut suit le verbe :

Je le crois *honnête* — Tu me laisseras *tranquille*.

Si le pronom est tonique, l'attribut suit le pronom :

Laisse-*moi tranquille*.

149 **N. B. — Quand l'adjectif est plutôt épithète disjointe qu'attribut (v. nº 115), sa place est soit avant le verbe (F.E.), soit après (F.E. et F.P.)**

F.E. *Furieux*, il sortit.

F.E. F.P. Il est sorti, *furieux*.

REMARQUE : **Il est rare que les verbes attributifs proprement dits ne soient pas accompagnés de leur attribut. Cependant vous trouverez :**

Être et *paraître* sont choses bien différentes.

1 On écrit aussi, et de plus en plus, par attraction avec le sujet: *tel* la foudre. Cf. Georges Duhamel : Toute la nappe, *telle* un aveuglant Sahara » *(Fables de mon jardin)*. Mais il écrit, plus loin : « Elles s'arrêtent, *tels* des fauves. »

ACCORD DE L'APPOSITION ET DE L'ÉPITHÈTE ACCORD DE L'ATTRIBUT

LE NOM EN APPOSITION OU ATTRIBUT

150 **Il suit le genre et le nombre des noms qu'il détermine, à moins que sa nature ne s'y oppose :**

Jean, *épicier* — Jeanne, *épicière*.

Jean est *épicier* — Jeanne est *épicière* — Les Durand sont *épiciers*, etc.

151 **Mais vous trouverez obligatoirement :**

Ce chauffeur est *une* canaille **(pas de masculin)** — Votre fille est bon *médecin* **(pas de féminin)** — Elle est le seul *témoin* **(même remarque)** — Les braves gens sont *légion* **(nom collectif), etc.**

L'ADJECTIF QUALIFICATIF ÉPITHÈTE OU ATTRIBUT

I. RÈGLE GÉNÉRALE

152 **L'adjectif qualificatif[1] s'accorde en genre et en nombre avec le ou les noms, le ou les pronoms auxquels il se rapporte.**

Un *charmant* garçon — une fille *charmante* — des filles *charmantes* **(épithètes).**

Paul est *franc* — Jeanne est *franche* — Paul et Pierre sont *francs* — Ils sont *francs*
(attributs).

Les noms : *témoin*, *partie* et *preuve* restent invariables dans des expressions comme : prendre une femme *à témoin* — prendre des passants *à témoin*, *à partie* — L'impression générale est bonne; *à preuve*, ces lettres de félicitations (tour vieilli, mais encore vivant — on dira plutôt (langue courante) : la preuve, ces lettres; ou : ces lettres en sont la preuve.)

1. Et le participe passé ou les participes présents à valeur d'adjectifs (*intéressant*, *ressemblant*, etc.).

153 **Si l'adjectif se rapporte à des noms de genre différent, le masculin l'emporte :**

J'aime Paul et Jeanne, *gentils* à croquer — Paul et Jeanne sont *francs*.

Mais quand les épithètes se prononcent très différemment au masculin et au féminin (et surtout s'il s'agit d'adjectifs à nasales, ou en -eau -elle; -eux -euse; -eur -euse; -teur -trice), évitez, dans un texte écrit, de placer l'adjectif masculin pluriel auprès d'un nom féminin. Il vaut mieux éviter de dire : des bâtiments et des constructions nouveaux **(et surtout :** de nouveaux constructions et bâtiments). **Dites plutôt :**

des constructions et *des bâtiments nouveaux*.
de nouveaux bâtiments et constructions.

de même, dites plutôt :

des filles et *des garçons menteurs*.
des pensées et *des actes humains*[1], **etc.**

Quelques écrivains modernes ont repris, de la langue classique, l'accord, par voisinage, avec le nom le plus rapproché de l'adjectif :

« Armez-vous d'un courage et d'une foi *nouvelle*. » (Racine, *Athalie*); **accord de** « nouveau » **avec** « foi », **bien qu'il se rapporte aussi à** « courage ». **Mais il faut, pour pratiquer cette construction, un sens très sûr de la langue.**

II. ADJECTIFS COMPOSÉS (épithètes ou attributs)

154 **Si les deux termes qualifient également le nom (p. ex. sourd-muet) les deux s'accordent :**

Une fille *sourde-muette*, des enfants *sourds-muets* — une saveur *aigre-douce*, des fruits *aigres-doux*.

155 **Quand le premier adjectif se réduit à une forme en -o, ou -i, il reste invariable :**

Les rapports *franco-allemands* — les relations *italo-turques* — les zones *pluvio-orageuses* — la démocratie *socio-chrétienne* — une scène *tragi-comique* — des histoires *héroï-comiques*.

156 **Si le premier terme est un mot « invariable » (adverbe, préposition) il garde partout la même forme, bien entendu :**

Les *avant-dernières* troupes — une conséquence *quasi certaine*.

157 **Pour l'adjectif** *bas-breton*, **à côté de :** les chansons *bas-bretonnes*, **vous trouverez :** des chansons *basses-bretonnes*. **Et l'on dit :** les mœurs *petites-russiennes* — des habitudes *petites-bourgeoises*.

1. On constatera que souvent, comme ci-dessus la construction de la phrase française obéit à des lois formelles et que le voisinage exerce une forte attraction. Pour l'attribut, en revanche, vous pourrez dire : « Les garçons et les filles sont menteurs » aussi bien que : « Les filles et les garçons sont menteurs ».

Cependant, la plupart des composés de cette sorte semblent plus fidèles à la règle de l'invariabilité :

Les vaches *bas-normandes* — les fêtes *franc-comtoises*. **Ou encore :** les dignités *franc-maçonniques* — « la politique *moyen-orientale* » (*Le Monde*, 13 fév. 1965); **et, bien entendu :** les aspirations *nord-africaines*, *sud-américaines*, **où nord, sud, pris à part, sont des noms.**

158 **Varient, bien qu'ayant valeur adverbiale, les premiers termes de certains adjectifs[1] :**

Vous arrivez *bons premiers* (= **vraiment les premiers)** — fenêtres *grandes ouvertes* — fleurs *fraîches cueillies* — *Nouveaux-venus*, *nouvelles-venues* — Je vous présenterai ces jeunes gens, *nouveaux-mariés*, et ma fille, *nouvelle-mariée* aussi — *Premiers-nés*, Pierre et Jean sont les plus chéris — Ils *eurent encore une fille*, *dernière-née*.

Il y a là un fait d'attraction très légitime, que renforce le sentiment, éprouvé par le Français, d'avoir affaire à deux adjectifs variables. Pourtant les puristes maintiennent :

Des enfants *nouveau-nés*, *mort-nés* **(v. n° 58).**

Quant à *fin prêt*, **les garagistes ou les sportifs disent généralement :** La voiture est *fin prête*. — Les coureurs sont *fin prêts* — **Mais il y a aussi des exemples où** *fin* **s'accorde en genre et en nombre.**

III. ADJECTIFS DE COULEUR (épithètes ou attributs)

159 • **Simples, ils s'accordent normalement :**

Un corsage *vert* — des jupes *vertes*.

Mais si c'est un nom qui sert d'adjectif, il est, en principe, invariable :

Des tons *ivoire* — des satins *prune* — des chevaux *pie* (= **qui ont une robe noire et blanche, rappelant les couleurs de la pie — Les gens qui écrivent** chevaux pies **risquent une plaisante équivoque.)**

Cependant on accorde, car ils sont adjectivés depuis longtemps : *écarlate*, *fauve*, *mauve*, *pourpre*, *rose* : des lueurs *fauves*, *des étoffes pourpres*; **la violette a donné** *violet*, **variable dès le XIVe siècle.**

Marron **est invariable, en principe :**

Une robe *marron* — des yeux *marron*.

La châtaigne a donné *châtain*, **qui s'accorde, le plus souvent, au masculin pluriel :** des cheveux *châtains* — **Au féminin on dira :** une barbe *châtain* — **Mais** *châtaine* **n'est pas sans exemples.**
Pour *kaki*, **voir n° 97.**

1. Dont le second élément peut être un participe.

160 • **Composés, les adjectifs de couleur restent invariables : en effet l'expression** « des yeux *bleu clair* » **signifie** « des yeux *d'un* bleu clair ».

On écrira donc :

Des yeux *brun foncé* — La cassette d'Harpagon était *gris-rouge.*

Même stabilité si le second terme est un nom marquant la comparaison :

Des robes *rouge cerise* — une nuance *vert bouteille* — des rideaux *bleu ciel* — une teinte *gris souris.*

161 **S'il s'agit de couleurs mêlées, on dira :**

ou bien une robe *noire et blanche*

ou bien une robe *noir et blanc* **(= en noir et en blanc).**

IV. PARTICULARITÉS

Adjectifs ou participes qualifiant des noms unis par « ou » (épithètes ou attributs).

162 **On peut négliger les distinctions que fait de moins en moins la langue courante entre éléments « exclusifs » l'un de l'autre (cas où l'accord ne pourrait se faire qu'avec un seul des deux éléments) et éléments « non exclusifs » (qui seuls permettraient l'accord avec l'ensemble). Écrivez donc tout simplement, selon la règle générale (v. nº 152) :** Paul a le bras *ou* la jambe cassés **(éléments « non exclusifs » : Paul peut avoir, à la fois, le bras et la jambe cassés).** L'Écossais portera un kilt *ou* un pantalon *tissés* aux couleurs de son clan **(éléments « exclusifs » pourtant, puisque notre Écossais ne peut porter, à la fois, un kilt et un pantalon![1]).**

163 **Adjectifs qualifiant des noms unis par « ni » (épithètes ou attributs).**

Même observation. Faites l'accord selon la règle générale (accord avec l'ensemble) : Paul n'a *ni* le pied *ni* la jambe *cassés* **(éléments « non exclusifs »).** — Avec ce garçon, *ni* la violence *ni* la douceur ne sont *efficaces* **(éléments pourtant « exclusifs » l'un de l'autre) [v. aussi nºs 581 et 582].**

Série de noms formant gradation :

164 **L'adjectif épithète s'accorde soit avec l'ensemble[2], soit avec le dernier nom de la série, qui doit alors être le plus expressif :**

Cet homme a montré une fermeté, un courage, une sérénité *admirables* — Il a montré une fermeté, un courage, une sérénité *étonnante.*

1. Littré écrivait déjà, il y a un siècle, à propos de *ou* : « En général, c'est l'idée de conjonction qui domine. »

2. Si un nom *féminin* termine la série, la forme de cet adjectif doit être *la même* aux deux genres (v. nº 153).

165 **Si la série est résumée par des expressions comme :** *tout, tout le monde, tout cela, tout l'auditoire, toute l'assistance, l'assistance en un mot,* **etc., le verbe se met au singulier et l'adjectif, épithète ou attribut, prend le genre du pronom ou du nom qui résument :**

Les voyages, les explorations, les aventures, tout cela est *exaltant* — Enfants, adolescents, adultes, toute l'assistance, *ravie*, acclama les acteurs.

166 **Si plusieurs adjectifs épithètes qualifient, chacun pour leur compte, un nom impliqué dans un ensemble pluriel, chaque adjectif se met au singulier :**

Les *dix-septième* et *dix-huitième* siècles — Les langues *française* et *allemande*.

167 **Si un adjectif épithète accompagne un ensemble formé d'un nom et d'un complément de nom, l'accord se fait (selon le sens) soit avec le nom, soit avec son complément; on écrira donc :**

Un chemisier de laine *écossaise*; **mais :**
un chemisier de laine *élégant*,
un groupe de *spectateurs enthousiastes*,
un groupe de spectateurs *très dense*.

Si l'adjectif est attribut d'un terme collectif comme *une multitude, une foule de, un grand nombre (de),* **son accord se conforme à celui du verbe (v. n° 585) :**

Une multitude *était présente* — Une foule de gens *sont présents* — Un grand nombre *étaient présents*.

168 **Après des expressions vagues ou dédaigneuses introduites par :** *une sorte de..., une espèce de..., une manière de..., un genre de...* **ou franchement péjoratives comme :** *cette canaille de..., cette crapule de...* **ou** *ce monstre de...,* **accordez l'adjectif épithète ou attribut avec le second terme de l'expression :**

Une sorte de *singe*, *laid* à faire peur[1]... — Cette manière de *singe* est *laid* à faire peur — Cette canaille de *Paul*, *faux* comme un jeton... — C'est un genre de *femme assommante* — Ce monstre de *femme*, *méchante* au possible... — Ce monstre de *femme* est *méchante* au possible[2].

169 **Adjectif qualifiant certains pronoms personnels (épithète ou attribut).**

Il reste au singulier :

après le « vous » de politesse :

« Vous, madame, *heureuse* du succès de vos enfants... » « Vous êtes *satisfait*, monsieur ? »

1. L'attraction du deuxième nom est si forte que dans le **F.P. pop.** il en vient à imposer son genre à *l'article* : *un* espèce de singe.

2. Pour les expressions comprenant *terme masculin* et *terme féminin* (ce monstre de femme), il semble que l'accord masculin soit aussi en usage : Ce monstre de femme est *méchant* au possible.

et après le « nous » : a) de majesté (= chefs d'État, hauts fonctionnaires, etc.) — b) de modestie (= dans la préface d'un livre, l'auteur parlant de lui-même) :

a) « Nous, Président de la République, *conscient* de nos hautes responsabilités... », etc.

b) « Dans cette grammaire que nous présentons aux étrangers, nous ne sommes pas *sûr* d'avoir résolu tous les problèmes importants que pose la langue française... »

Comme attribut après « nous », désignant, dans le F.P. fam., une seule personne, et signifiant « tu » ou « vous » de politesse :

« Alors mon petit, nous sommes un peu *fatigué*, ce matin? »
« Eh! mais nous sommes *profonde* » (Montherlant, *Les Jeunes Filles*.)

N. B. — « Nous » peut aussi tenir la place d'un « vous » appliqué à plusieurs personnes. Dans ce cas, naturellement, l'adjectif est au pluriel :

« Alors, les enfants, nous sommes *fatigués*? »

Après « on », qui peut, notamment dans le F.P. fam., se substituer à toutes les personnes, l'accord se fait, suivant le contexte, de la manière suivante :

169 bis On = *je* **(assez rare)** — Déjà levé? — Oui, on est *matinal* **(singulier).**

On = *tu*—Alors, on fait de la rébellion ? on est *brutal ?* **(singulier).**
On = *il, elle* — Ah! on n'était pas *contente*, ce matin... Il a fallu la dorloter... **(singulier).**

On = *nous* **F.P. pop.** — Vous n'êtes pas égaux? Eh bien, nous, on est égaux **(pluriel).**
On = *vous* **(F.P. pop. et rare)** — Alors, on n'est pas encore *contents*? **(pluriel).**

N. B. — On = *ils, elles* — **l'adjectif reste au singulier :** « Chez *les* Durand, on est *loyal.* » **Ici, « on » a une valeur d'indéfini, qui exige le singulier.**

170 L'adjectif est au superlatif relatif (épithète ou attribut)

En règle générale, l'accord se fait avec le complément du superlatif; on dira, on écrira :

L'éléphant est *le* plus intelligent *des animaux* **(= l'animal le plus intelligent) — Mais :** L'éléphant est *la* plus intelligente *des bêtes* **(= la bête la plus intelligente).**

171 Si le superlatif n'a pas de complément, il est parfois difficile, même pour les Français, de décider quelle forme doit prendre l'article (*le* plus...).

Par exemple, il convient de dire et d'écrire, selon la grammaire traditionnelle :

a) Elle est *la* plus courageuse (= **la plus courageuse par rapport aux autres femmes).**

b) C'est aujourd'hui qu'elle a été *le* plus courageuse (= **qu'elle a montré le maximum de courage par rapport à toute sa vie).**

Ici, « le plus » **est une sorte de tour neutre signifiant :** au plus haut degré.
Si l'on disait : C'est là qu'elle a été *la* plus courageuse, **on voudrait dire :** la plus courageuse *des femmes*, en cette circonstance **(sens a).**

Telle du moins est la règle de principe. Il n'y a aucun inconvénient à l'appliquer — Mais vous entendrez et lirez souvent, dans le sens b : C'est là qu'elle a été *la* plus courageuse, **parce que, ici encore, l'attraction de la forme est la plus forte.**

Si un adverbe s'interpose entre « le plus » et « l'adjectif » (et dans ce cas c'est en réalité l'adverbe qui est au superlatif), cette attraction s'exerce encore :

« Les ouvrages les plus *longuement* médités »

Surtout si l'adjectif a un féminin différent, phonétiquement du masculin :

« Vous êtes la femme *la* plus *sincèrement* et *la* plus *simplement* grande qu'il y ait » (Barbey d'Aurevilly, cité par R. Le Bidois. *Le Monde* du 28 mars 1962).

172 Adjectif (épithète ou attribut) précédé de « des plus », « des moins » :

Un voyage *des plus intéressants* (= **un voyage parmi les plus intéressants, un voyage extrêmement intéressant).**
Normalement, vous mettez l'adjectif au pluriel.

Mais comme « des plus » a fini par signifier « extrêmement », vous entendrez parfois (et vous lirez!) : Il n'a pas un caractère *des plus égal* **(ou** *de ces plus égal*, **F. P. fam.).**
Tenez-vous-en à l'accord normal (un caractère *des plus égaux*), **sauf dans certains cas :**

a) Quand aucun nom ne permet l'accord formel :

Il (= **neutre)** m'est *des plus agréable* d'avoir à vous féliciter.

b) Quand l'accord serait absurde : ainsi Émile Henriot **(cité par M. Grevisse) a raison d'écrire, dans** *Aricie Brun* **:**

« M. Coutre était *des plus satisfait* de sa femme »,

c'est-à-dire extrêmement satisfait — S'il avait écrit : « des plus satisfaits », **cette comparaison implicite eût fait sourire...**

173 **Les plus... possible.**

Avec un adjectif intercalé, laissez « possible » invariable en nombre, malgré une tendance (par attraction) à le régler sur l'adjectif intercalé ; écrivez :

Avoir les avions les plus rapides *possible* (= **les plus rapides qu'il soit possible) plutôt que :**

les plus rapides possibles.

(Bien entendu, « possible », simple épithète ou attribut, suit la règle d'accord : Il m'a fait tous *les ennuis possibles* — « Le meilleur des mondes *possibles* » **signifiera :** le meilleur parmi les *mondes possibles.*)

174 REMARQUE : **Adjectifs employés comme adverbes :**

En principe, ils sont invariables :

Vous chantez *juste*, ils crient *fort*, elles voient *clair*, ces fleurs sentent *bon* — « [La prise de la religion] s'exerçait plus *profond* » (Daniel-Rops, *La Réforme protestante*).

On peut rattacher à la même construction :

Quand on parle de pardonner, ils voient *rouge* (= **ils se sentent pris de fureur)** — Nous votons blanc : vous votez socialiste[1].

Court, employé comme adverbe, est invariable aussi :

Elle resta *court*, s'arrêta *court* (= **brusquement silencieuse, sans pouvoir répliquer)** — L'affaire tourne *court* **(s'arrête sans aboutir)** — Vous avez pris ces virages trop *court* — Couper *court* à une tentative — Ils furent pendus haut et *court* **(à une haute potence, mais avec une corde courte)** — « Ne nous appelez plus messieurs Dupont ; dites-nous Henri et Marcel, tout *court.* »

175 Avoir l'air content.

a) Elle a l'air *content*; **b)** Elle a l'air *contente.*

Les deux formes correspondent à des sens très voisins : mais : en a) *content* **est un attribut de** *air* **(= aspect) : elle a l'aspect content ;**

en b) *contente* **est l'attribut de** *elle*, **sujet de l'expression verbale « avoir l'air » qui prend le sens global de : sembler, paraître.**

Dans le F.E., il n'y a aucun inconvénient à pratiquer l'accord avec air (*content*), **bien que** *contente* **y soit fréquent.**

Dans le F.P., vous serez plus fidèle à l'usage en faisant l'accord avec elle (*contente*).

Mais si l'on n'a plus affaire à une expression globale (*air* **étant déterminé), respectez la règle générale d'accord :**

Elle a *un air* satisfait — Elle a l'*air* satisfait que donne le succès[2].

1. Tour qui s'emploie même avec des noms : Roulez Azur. Souriez Gibbs (influence de l'américain).

2. On notera que ce double tour ne convient qu'à des adjectifs de sens *moral* ou *intellectuel*. On ne dira pas : cette porte a l'air bas, mais seulement : cette porte a l'air basse.

176 A quoi bon? — Rien de bon. — Quelque chose de bon.

Dans ces expressions, l'adjectif reste invariable, ayant une valeur neutre :

A quoi *bon* ces crises de colère? — Rien de *bon* — Il y a quelque chose de *bon* dans cette lettre (de = **particule de soutien).**

177 Il y en a trois de bons, plusieurs de bons.

Ici, accord avec le nom désigné par le contexte :

« Vos fruits? il y en a tout juste trois *de bons* » **(v. n° 141 bis).**

Sans égal.

178 Dans ce tour, accordez égal avec le nom :

Une *félicité* sans *égale* — des *félicités* sans *égales* — un *succès* sans *égal.*

Au masculin pluriel, mieux vaut tourner autrement (« sans égaux » est « barbare ») et dire, par exemple : des succès *incomparables.*

179 Elle se fait fort de...

Dans : « Elle se fait *fort* de réussir » **(= elle se prétend capable de réussir) l'adjectif garde un féminin sans e, remontant à l'époque où, de par son étymologie latine, il n'avait qu'une forme pour le masculin et le féminin.**

Mais « Elle se fait *forte* de... » **est devenu courant. Vous pouvez donc faire l'accord, puisque, aussi bien, le premier tour n'est plus qu'un archaïsme.**

Caractère invariable de certains adjectifs placés devant le nom

180 Placés devant le nom, certains adjectifs ou anciens adjectifs, formant une expression figée, demeurent généralement invariables :

a) demi-, mi-.

Écrivez : une *demi-heure* — les *demi-litres* de vin — les *demi-douzaines* de poires — une *demi-mesure.*

Le cortège de *la mi-carême* — Le magasin sera fermé à la *mi-août* **(pron. mi-ou)** — Je n'ai trouvé que des *mi-bas* en coton — S'arrêter à *mi-côte.*

Mais : une heure *et demie*, huit heures *et demie*, deux douzaines *et demie.*

Dans : avoir les yeux *mi-clos*, des mets *demi-cuits* (*à demi cuits)* — *mi*, *demi*, **ont valeur d'adverbes.**

181 b) **Ci-joint, ci-inclus :**

Ils demeurent invariables, en principe, quand ils précèdent le nom : Vous trouverez, *ci-joint*, deux pièces...

Placés après le nom, ils varient : Vous trouverez deux pièces *ci-jointes* — **Mais personne ne sera vraiment choqué de lire** : Vous trouverez, ci-jointes, les pièces — **Et la plupart des secrétaires notent tout simplement au bas de la page** : « deux pièces *jointes...* ».

y compris, non compris précèdent généralement le nom et restent alors invariables : douze livres, *y compris* les grammaires, *non compris* les grammaires.

182 c) **Franc de port (= exempt de taxe postale) est dans le même cas :**

Je vous enverrai, *franc de port*, ces deux colis — Je vous enverrai ces deux colis *francs de port*.

Mais on écrit plus simplement : *franco*, **invariable en toute circonstance.**

183 d) **Certains participes, antéposés au nom, ont pris la valeur de prépositions, et demeurent généralement invariables :**

Attendu, ou *vu*, les articles 14 et 17 de la loi du 10 août 1960...
Excepté les infirmes, tous les hommes furent mobilisés **(de même l'adjectif** *sauf* : *Sauf* les infirmes...)
Étant donné votre imprudence, on ne vous excusera pas. **(Ici, l'accord est fréquent.)**
Passé huit heures, la porte sera fermée.

184 e) **Quelques adjectifs restent invariables devant le groupe article + nom** (*plein*, *haut*, *bas*) **— ou le nom sans article** (*nu*) **:**

Le meurtrier avait du sang *plein* les mains — La police cria : « *Haut* les mains! » — Il l'a emporté sur ses concurrents *haut* la main (*avec aisance*, **terme d'équitation**) — Allons, mon chien, *bas* les pattes! — Ne sors pas *nu*-tête **(mais** : tête *nue*[1]**).**

185 f) **Feu (signifiant défunt[2]) est un adjectif aujourd'hui bien archaïque, défunt lui-même — Généralement placé devant le nom, il s'accordait ou ne s'accordait pas, selon qu'il était, ou non, précédé de l'article (ou du possessif) :**

La feue reine, *ma feue* grand-mère — mais : *feu la* reine.

1. L'arrêté ministériel du 26 février 1901 tolère l'accord de *nu* dans tous les cas.
2. Aucun rapport avec *le feu*. Cet adjectif vient du latin et signifie : qui a accompli sa destinée (*fatum*).

LES COMPLÉMENTS DU NOM

186 **Le sens du nom peut être précisé :**

a) sans préposition,

par un nom en apposition : le roi *Louis*,
par un adjectif qualificatif épithète : un voyage *intéressant*,
ou par l'équivalent d'un adjectif : un voyage *gratis*,
par un adjectif numéral : il a *deux* fils — le *deuxième* fils,
par un article, un adjectif démonstratif, possessif, interrogatif, exclamatif ou indéfini : *la* maison — *cette* maison — *ma* maison — *quelle* maison? — *quelle* maison! — *certaine* maison,
enfin par une proposition apposée : Les parents s'abandonnent à l'espoir *qu'un miracle sauvera leur enfant.*

187 **b) avec préposition (outre les cas de nom apposé** : la ville *de* Paris),
par un nom : le livre *de* l'étudiant,
par un pronom : une maison *à* moi,
par un adverbe : les femmes *d'*aujourd'hui,
par un infinitif : la volonté *de* réussir — terrain *à* bâtir.
Ce sont ces quatre emplois que traditionnellement on appelle compléments du nom.

SENS ET CONSTRUCTION DES COMPLÉMENTS DU NOM AVEC PRÉPOSITION

188

SENS DU COMPLÉMENT	EXEMPLES
l'appartenance, la possession	Le magasin *de la commerçante* — une maison *à moi**[1] C'est une maison *à moi* — **F.P. pop.** : la bague *à Jules*[2], la maison *au fermier* **(expression figée** : *un fils à papa*)
l'origine	Un vase *de Chine**, un vase *du Japon** **(pour l'article, v. n° 271)**
l'époque, le point de départ	Une maison *du Moyen Age** — la mode *d'hier** Le train *de Milan* — **(mais voir aussi : la direction vers)** Un saut *du haut de la tour*[3]

1. Le signe * affecte les compléments qui peuvent, tout au moins en **F. P.**, se construire aussi comme attributs : Cette maison *est* à moi — Cette mode *est* d'hier, etc.
2. Tour ancien, demeuré très vivant.
3. L'emploi de *depuis* pour indiquer le lieu de départ est aujourd'hui très répandu. On peut le discuter mais il permet parfois d'éviter une équivoque : parler *depuis* Londres est plus clair que : parler *de* Londres.

l'ensemble dont on considère une partie	Une part *de gâteau* — le bras *de la statue* — un kilo *de raisin* — **F.P. fam.** : un gars *de la marine*
la matière	**Au sens propre : de, ou en :** une table *de* bois* **(plus courant)** — une table *en* bois* **(insiste davantage sur la matière)** **Au sens figuré : de :** Une énergie *de fer** **(mais :** un caractère *en or** **F.P. fam.)**
la couleur	Un teint *d'ivoire** — des lèvres *de corail**

l'auteur, l'agent	Ce tableau *de Rembrandt** — « Les Misérables » *de Victor Hugo** — « Concordances », *par* Paul Leblanc **(dans le titre d'un volume, pour présenter l'auteur)** **N. B. On dira** : cette statue *par Rodin* — la statue de Balzac, *par Rodin* **(pour éviter l'équivoque d'un** de **ou une répétition)** — l'assassinat d'Henri IV *par Ravaillac*
la cause	Des cris *de colère* Une plaie *par balle* — un meurtre *par imprudence* Un procès *pour dettes*

la direction vers	Le retour *à Paris*, *à la vie civile*, le chemin *du village*, le train *de Milan* **(v. aussi : le point de départ)**
la destination, le but	Un sac *à charbon* — une vache *à lait* Une machine *à calculer*; *à laver* — un maillot *de bain* — un tuyau *d'échappement* La lutte *pour la vie* — un voyage *pour information** — une robe *pour fillette** — une histoire *pour rire**
l'objet	Son dévouement *à* la *patrie* — son dévouement *pour toi* — La chasse[1] *au sanglier* — la pêche *au saumon*, **ou parfois** : *du saumon*

le contenu	Un sac *de charbon*
l'accompagnement	Une robe *à volants**
l'élément caractéristique	La route *aux dix-sept tournants* — La Vallée *aux loups* — l'omelette *au fromage** — **F.P. fam.** : une robe *avec des volants**

1. Toujours *à* avec chasse; *à* ou *de* avec pêche.

l'habillement	Une dame *en manteau noir** — la guerre *en dentelles* **F.P. fam.** : une dame *avec un manteau noir*
la qualité	Un garçon *à principes* (≠ un garçon *sans principes*) — un type *à histoires* **F.P. pop.** une femme *de mérite*[1] — un lieu *de sainteté* — un regard *de prière* (P. Loti)
la valeur	Un livre *de prix** — une voiture *de 20 000 F** — un homme *de peu*, des gens *de rien* — des stylos *à 5 F**
la mesure	Une salle *de 200 mètres carrés** — un camion *de 15 tonnes**
l'instrument, le moyen, le véhicule	Un orgue *à manivelle* — un moulin *à vent* — un bateau *à vapeur* — une promenade *à cheval, en auto*
la manière	L'escroquerie *au mariage* — le vol *à la tire* — le saut *à la corde* — le saut *à ski* Un coup *de pied* — signe *de la main* — un voyage *en bateau*
la comparaison, la manière	Le thé *à la russe** — une sortie *à l'anglaise* (= **discrète**) — un voyage *à la papa* (= **sans hâte — F.P. pop.**)
le rapport, le point de vue	Des camarades *d'enfance* — les invalides *du travail*[2] — un problème *de physique* Le sermon *sur la mort** Mon rival *en poésie* Mon concurrent *dans le cent mètres* Un programme *selon mes goûts**
l'opposition, la réciprocité	Une course *contre la montre** Une arrestation *au mépris de la loi* Un envoi *contre remboursement**
le lieu, l'emplacement	La vie *à Paris* — la vie *en France* Une promenade *dans la campagne* Une victoire *sur le papier** La bataille *de Poitiers*
le temps	Un voyage *au printemps* — un voyage *en été* Un voyage *de trois jours** Le tour du monde *en 80 jours* Un départ *pour trois jours* Une promenade *avant*, *pendant*, *après le dîner*

1. Souvent le complément est lui-même qualifié : une femme d'un *grand* mérite, de *beaucoup* de mérite.
2. Ces deux compléments ont été d'abord des compléments d'origine.

189 **Signalons enfin que le complément des noms d'action peut représenter :**

a) le sujet de cette action : l'accueil *du père* fut généreux

b) l'objet direct : l'assassinat d'*Henri IV*

c) l'objet indirect : l'obéissance *aux lois*.

N. B. — 1. Les deux premiers compléments peuvent être remplacés par un adjectif possessif : *mon* accueil — *son* assassinat.
Le troisième, non. On ne peut dire : leur obéissance, **pour :** l'obéissance *aux lois*.

2. Il faut éviter certaines équivoques, favorisées par les emplois multiples de la préposition de : la peur *des ennemis* **peut signifier :** la peur *qu'on a* des ennemis **(les ennemis sont l'objet de cette peur) —** ou celle *qu'ils éprouvent* **(les ennemis sont le sujet) [voir plus haut :** le train *de* Milan **(= origine ou destination)].**

LA PRÉPOSITION EST ABSENTE

190 **a) De certains noms composés, récents aussi bien qu'anciens :**

L'hôtel-*Dieu* **(l'hospice de Dieu)** — le timbre-*poste* **(le timbre pour la poste),**

et, dans le F. P. fam. :

La question *santé*, le côté *succès*.

souvent, même, sous forme d'un complément global :

Question principes vous serez satisfait — *Côté succès*[1], on est plutôt déçu — *Au point de vue santé*, ça va.

N'abusez pas de ces tours, rapides sans doute, mais qui sentent la négligence. Dites plutôt :

Au point de vue *de la* santé... — Du côté *du* succès...

191 **b) Devant les noms propres d'hommes, dans l'appellation des rues, des places, etc.**

La rue *Pasteur*, la place *Georges-Clemenceau*.

Mais ici, la préposition reparaît, en principe, si le nom propre est apposé à un nom commun, lui-même complément du nom rue, avenue, etc. : l'avenue *du* Maréchal-Leclerc **(Il y a une tendance populaire à dire, là aussi :** l'avenue Maréchal-Leclerc) **ou, si le nom propre est celui d'un pays, d'une ville :** rue *de* Lisbonne.

1. *Côté cour* (du côté droit de la scène, aux yeux du spectateur), *côté jardin* (du côté gauche) appartiennent depuis longtemps à la langue technique du théâtre. « *Réalisation Pierre Martin* » (à la Télévision) est aussi une expression technique *figée* — de même : lainage *grand teint* — boîte *carton* — robe *laine et coton* (abréviations commerciales).

COMPLÉMENT DE NOM REMPLACÉ PAR UN ADJECTIF

192 **On devra — les étrangers en particulier — se garder de substituer sans contrôle un adjectif à un complément de nom.**

En général, la substitution est possible avec un complément exprimant :

la possession :

la maison *paternelle* (= **du père**) — le palais *royal* (= **du roi**)

le lieu d'origine :

un vase *grec* = **(de Grèce)** — des oranges *maltaises* (= **de Malte**)

le sujet :

l'amour *filial* — le voyage *présidentiel.*

Mais les autres catégories de compléments n'ont pas toujours d'adjectif équivalent : car les sens de l'adjectif et du nom de même radical peuvent ne pas coïncider — Cela est vrai surtout des adjectifs qui ont une valeur plus abstraite (morale, poétique, etc.), comme *enfantin, théâtral, vespéral,* etc.

On ne dira pas : un camarade enfantin **pour** : un camarade *d'enfance ;*
la rentrée théâtrale d'un acteur **pour** : son retour *au théâtre;*
la presse vespérale **pour** : la presse (= **les journaux**) *du soir.*

La prudence s'impose aussi à propos des adjectifs tirés de noms propres. Évitez de dire : la surface parisienne **pour** *la surface de Paris.*
On n'oubliera pas que rabelaisien signifie : débordant de joyeuse vie, un peu grossier, à la manière des personnages de Rabelais et non : écrit par Rabelais — voltairien, spirituel et sceptique à la manière de Voltaire et non : écrit par Voltaire, etc.

En revanche les adjectifs formés d'un radical savant et qui n'ont guère qu'une valeur technique se substituent plus facilement au nom complément : éducation *sanitaire*, témoin *oculaire*, tarifs *ferroviaires*, réforme *agraire*, exposition *canine* **sont courants — Et certaines expressions, difficilement remplaçables, peuvent être considérées comme figées** : des blessés *graves*, des blessés *légers.*

LES COMPLÉMENTS DE L'ADJECTIF QUALIFICATIF

193 **Comme le nom, l'adjectif peut être complété ou caractérisé, très diversement :**

Soit <u>sans préposition</u> :

par un adverbe: *sincèrement* modeste;
par une proposition : je suis content *qu'il accepte.*

194 **Soit <u>à l'aide d'une préposition</u> :**

par un nom : un homme riche *en terres*, riche *de terres;*
par un pronom : il est content *de lui;*
par un infinitif : il est content *de partir.*

COMPLÉMENTS DE L'ADJECTIF INTRODUITS PAR UNE PRÉPOSITION

195

SENS DU COMPLÉMENT	EXEMPLES
la richesse, la pauvreté, la plénitude	Une terre riche (pauvre) *en blé* **(ou** fertile *en blé*) riche *de* **peut avoir le même sens, mais qualifie plutôt un nom de personne :** *Paul* est riche de terres La salle est pleine *de spectateurs* (vide *de spectateurs*) — **F.P. arg.** : il est plein *aux as* **(= il est riche d'argent)**
le désir, l'objet, l'aptitude	Une âme avide *de gloire* — une âme avide *de dominer* — il est soucieux *du succès* — soucieux *de réussir*, capable *de réussir* Il est passionné *pour la peinture* — passionné *de peinture* — ardent *à l'ouvrage* Ardent *à poursuivre* la gloire — nous sommes confiants *en l'avenir* — un homme confiant *en lui* Un malade sujet *à des crises* fréquentes — un enfant sensible *au froid* — une décision favorable *à mes intérêts*
l'intérêt	Soyez bon *pour les animaux*

la destination	Un caractère enclin *à la mélancolie* Un garçon né *pour les affaires*
le contact	Un pansement adhérent *à la plaie*
la conséquence	Mon âme est triste *à mourir* — cet enfant est gentil *à croquer* **(valeur intensive du complément)**
la séparation	Je suis détaché *de tout*; exempt *de soucis*; libre *d'occupations*
la privation	Privé *de mon collaborateur*
la différence	Différent *de vous*
l'origine	Il est originaire (natif) *de Caen* Elle est riche *par sa mère* **F.P. fam.** riche *du côté de sa mère*
la cause	Je suis honteux *de cette négligence* — il entra rouge *de colère* — un père fier *de son fils* Les Grecs sont célèbres, fameux *par leur génie artistique*, **ou plutôt :** Les Grecs sont célèbres, fameux *pour leur génie artistique*
la comparaison	**(N. B. — Le complément de couleur se construit normalement sans préposition :** Bleu *roi* — rouge *cerise* — vert *olive*, **etc.)** Méchant *en diable* Nous sommes égaux, supérieurs, inférieurs *à nos adversaires*
le point de vue	Large *d'épaules* — remarquable *de sang-froid* Supérieur *en intelligence* — fort *en calcul* Grand *par le cœur* Homme habile *à parler* **(le verbe est intransitif)** Chose facile *à dire*[1] **(le verbe est transitif)**
la mesure	Un mur haut *de 6 mètres*
la mesure d'une différence	Un mur *plus* bas *de 2 mètres* — *plus* bas *de cela* **(avec un geste)** Vous êtes en retard *de 5 minutes*

On voit que, pour la formation des compléments de l'adjectif comme pour celle des compléments du nom, les prépositions les plus employées sont de et à.

1. Bien distinguer : il est facile *de* dire cela (où *dire* est le **sujet** de *est*) et : cela est facile *à* dire (où *dire* est le **complément** de *facile*) — v. n° 542, N. B.

LA QUANTITÉ, LES DEGRÉS

QUANTITÉ ET DEGRÉS APPLIQUÉS AUX NOMS

I. QUANTITÉS CHIFFRÉES, OU NOMBRES

196 **a) Nombres cardinaux (ou adjectifs numéraux cardinaux)**

Emploi et prononciation (les parenthèses encadrent les lettres qui ne se prononcent pas) :

zéro[1]	:	Vous avez fait *zéro* faute — Combien étaient-ils ? — *Zéro*.
un[2]	:	*Un* arbre, *un* homme.
deux	:	*Deu(x)* livres, *deux* ‿ arbres (x **pron.** Z) — ils sont *deu(x)*.
trois	:	*Troi(s)* livres, *trois* ‿ arbres (s **pron.** Z) — ils sont *troi(s)*.
quatre	:	*Quatre* livres.
cinq	:	*Cin(q)* livres ou *cinq* livres[3] (q **pron.** K) — *cin(q)* francs[3] — ils sont *cinq* (q **pron.** K).
six	:	*Si(x)* livres — six ‿ arbres (x **pron.** Z) — ils sont *six* (x **pron.** S).
sept	:	*Se(p)t* livres — *se(p)t* francs — *se(p)t* arbres — ils sont *se(p)t* (**t toujours prononcé**)
huit	:	*Hui(t)* livres — *hui(t)* francs — *huit* ‿ arbres — ils sont *huit*.
neuf	:	*Neuf* livres — *neuf* francs — *neuf* arbres. **Mais** *neuf* ‿ *heures* (f **pron.** V) — *neuf* ‿ *ans* (f **pron.** V) — *neuf hommes* (f **pron.** V) — ils sont *neuf*.
dix	:	*Di(x)* livres — *di(x)* francs — *dix* ‿ arbres (x **pron.** Z) — ils sont *dix* (x **pron.** S) — *dix-se(p)t* (**mais souvent :** *dix-se(pt)* livres) — *dix-huit* (**mais** *dix-hui(t)* livres) — *dix-neuf* (x **pron.** Z) — *dix-neuf* ‿ hommes (f **pron.** V).

1. Équivalents : **adjectifs :** *aucun, nul, pas un* — **pronoms :** *personne* (*aucun, nul, pas un*), *rien* (v. n°s 389-390).
2. Ou pour souligner le caractère unique : *un seul, un tout seul* (pour un numéro de téléphone par exemple : *Lourdes* 00 01 se dit : *un tout seul*).
3. On tend à prononcer le **q** final (= K).

vingt	:	*Vin(gt)* livres — *vin(g)t* arbres — ils sont *vin(gt)* — *vin(g)t et un* — *vin(g)t et une pommes* — *vin(g)t-deux*[1], **etc.**
soixante	:	(x **pron.** S) — *Soixante et un* — *soixante-deux*, **etc.** — *soixante-dix*[2] — *soixante et onze soixante-douze*, **etc.**
quatre-vingts	:	*Quatre-vin(gts)* livres — *quatre-vin(gt)s* arbres (s **pron.** Z) — ils sont *quatre-vin(gts)* **attention : on écrit et on prononce** *quatre-vin(gt)-un* — *quatre-vin(gt)-deux*, **etc.** *quatre-vin(gt)-dix*, *quatre-vin(gt)-onze*, **etc.** **A la différence de** *vingt* (vin*gt*-deux, vin*gt*-trois, **etc.**) **le** *t* **de** quatre-vingts **n'est jamais prononcé — Il importera donc de bien distinguer :** quatre-vin(gt)-cinq soldats **et :** ces fruits coûtent quatre francs vin(g)*t*-cinq (4,25 F).
cent	:	*Cen(t)* livres — *cent* arbres — ils sont *cen(t)* — *cen(t) un* — *cen(t) deux*, **etc.**
deux cen(ts)	:	*Deux cen(ts)* livres — *deux cen(t)s* arbres (s **pron.** Z) — ils sont *deux cen(ts)*. *deux cen(t) un*, *deux cen(t)*[3] *deux*, **etc.**
mille	:	*Mille un*[4], *mille deux*, **etc.**
un million de	:	*Un million de* francs.
un milliard de	:	*Deux milliards de* francs.

N. B. — Un billion **équivaut à** un *million de millions*.
Un trillion **à** un *milliard de milliards*.

REMARQUES

197 **1. Pour nommer les nombres, on dit :** *le un*, *le deux*, *le onze*, **etc.**

2. *Vingt*, *cent*, **multipliés, restent en principe invariables s'ils équivalent à un adjectif numéral ordinal :** la page *quatre-vingt*, l'an mil *huit cent*. **Mais cette règle, ignorée de la plupart des Français, ne s'impose plus guère.**

3. On écrit *deux mille* hommes **(mille est invariable, c'est un adjectif numéral). Mais : une distance de** *deux milles* **(mille est un nom de mesure** (mille *marin*)**, représentant environ 1 850 m**[5]**).**

1. Prononcez ving*t*-deux mais non ving*te*-deux comme on l'entend trop souvent à la radio.
2. *Septante* (= 70), et *nonante* (= 90), quelquefois *octante, huitante* (= 80) sont d'anciennes appellations, encore usitées en Belgique wallonne et en Suisse romande.
3. En principe on laisse **invariables** *vingt* et *cent* suivis d'un autre adjectif numéral ; mais le pluriel est toléré. Bien entendu, on écrira *deux cents millions* (million est un nom).
4. Si l'on énonce une série de nombres. Mais si le nombre est isolé on dira toujours : Il m'a causé *mille et un soucis* — Vous avez *mille et une occasions* de le rencontrer — Les contes des *Mille et une Nuits*.
5. La langue des sports a introduit aussi le mot anglais *mile* (pron. maïl), soit 1 600 m environ : courir le mile.

Dans les actes juridiques on écrit encore : dix juillet *mil* neuf cent soixante-cinq.

4. Mais pour les nombres de la série du millier on dit : *dix-neuf* cents, **etc., plutôt que** mille neuf cents.

5. Écrivez de préférence en lettres les nombres énoncés dans un récit, dans une page littéraire, surtout si ces nombres sont peu élevés ou imprécis :

Les manifestants furent d'abord *dix* ou *douze*, puis *cinquante*, puis *deux cents*.

Employez les chiffres pour les heures, les dates, les pages : en *1914*, le *2* novembre, page *18*; **les énoncés scientifiques :** La température du soleil est d'environ *6 000* degrés.

Si l'on écrit un prix en chiffres on le présente ainsi :

pommes à *2,50* F.

Mais l'on continue à dire : pommes à *deux francs cinquante*.

b) Nombres ordinaux

198 **Premier — deuxième** (x **pron.** Z) **ou second :**
on dira : les *deuxièmes* classes, **ou** les *secondes* classes **(train, avion, bateau), avec une préférence pour « secondes classes ». Mais, sans le nom « classes » :** les *secondes*; voyager en *seconde* — **D'un élève, on dira plutôt :** Il est élève de *seconde* — **D'un soldat, on dira :** Il est *deuxième* classe **(= simple soldat).**

dans sixième, et dixième, x **est pron.** Z.
vin(g)t‿et unième, vin(g)t[1]-deuxième, etc.
soixante-dixième, soixante et onzième, soixante-douzième, etc.
quatre-vin(gt)[2]- unième, quatre-vin(gt)-deuxième, etc.
quatre-vin(gt)-dixième, quatre-vin(gt)-onzième.
centième, cen(t) unième, cen(t) deuxième, etc.
deux centième, deux cen(t) unième, etc.
millième, deux millième, cent millième.
millionième, si(x) millionième.
milliardième, si(x) milliardième.
(billion et trillion n'ont guère de correspondant ordinal.)

En parlant de siècles, dites : au *dix-septième* siècle **plutôt que :** au dix-septième **: façon de parler trop répandue.**
Dans le *dix-septième* **signifie :** dans le dix-septième *arrondissement*[3].
Au premier, *au second* **(ou** *au deuxième*), *au troisième*, **etc., désignent l'étage.**

Rappelons que le nombre cardinal remplace l'ordinal pour la page, le tome, l'heure, le numéro d'un fauteuil, le rang d'accession au trône : page *18* — tome *VI* — à *quatre* heures — fauteuil *24* — Henri *IV* **(mais :** François Ier**).**

1. On prononce le *t*.
2. On ne prononce pas le *t*.
3. Lu sur une affiche publicitaire pour les billets de la Loterie Nationale : « Avec son *dixième* (de billet) ce monsieur s'est acheté un *troisième* (étage) dans le *VI*^e^ (arrondissement) »

c) Fractions

199 **Si le nom qui suit la fraction est une unité de mesure, dites, pour énoncer la quantité :**

une *demi*-tonne — *un tiers de* litre — *deux tiers de* tonne — *un quart de* tour.

S'il désigne un objet, dites, suivant le cas :

un demi-gâteau (**ou** *une moitié de* gâteau, *la moitié du* gâteau) — *un tiers de* gâteau, *le tiers du* gâteau — *deux tiers de* gâteau, *les deux tiers du* gâteau, *les deux tiers d'un* gâteau.

S'il est un nom de matière :

la moitié du charbon, *le tiers de* l'eau, *les deux tiers du* sable.

d) Multiples

200 **S'il s'agit de multiplier une unité-mesure :**

un double (*triple*, *quadruple*, *quintuple*, *sextuple*) rang de perles — un *double* tour — un *double* litre.

S'il s'agit de multiplier une quantité de matière :

le double (*le triple*, *le quadruple*, *le quintuple*, *le sextuple*, *le décuple*, *le centuple*) *du* charbon, *de* ce que tu gagnes (**ou** *deux* fois autant de charbon, *deux* fois ce que tu gagnes, **ce qui devient souvent en F.P.** : *deux fois plus de* charbon; *deux fois* plus que tu ne gagnes).

(Notez aussi les termes composés : *tri*cycle — avion *bi*moteur, avion *bi*place, *quadri*moteur, **etc., et les expressions :** *trois volumes* d'eau, *un volume* de lait**).**

N. B. — : Pour les fractions (ou sous-multiples) et les multiples, le système métrique est d'un usage constant : un *milligramme* **(= un millième de gramme)** — un *kilogramme* **(= mille grammes)** — La *tonne* **vaut généralement 1 000 kilogrammes. Et l'on a introduit** : bombe d'une *kilotonne* **(bombe thermo-nucléaire équivalant à 1 000 tonnes de trinitrotoluène),** bombe d'une *mégatonne* **(= un million de tonnes de trinitrotoluène).**

e) Distributifs

201 **Ne dites pas :** Il vient chaque troisième année — Plantez un arbre chaque dixième mètre. **Mais :** Il vient *tous les trois ans* **ou** : Il vient *une année sur trois* — Plantez un arbre *tous les dix mètres* — **De même :** Il passe ici *deux années sur trois* — *Un soldat sur quatre* fut blessé.

Pour désigner des êtres, des choses qui se présentent régulièrement par quantités égales :

Ils s'avancent *quatre par quatre* — **ou** : *quatre à la fois* — J'*ai acheté* ces œufs 30 centimes *pièce*, **ou** *la pièce*; trois francs *la douzaine* **(de même :** *la demi-douzaine*, *la dizaine*, *le cent*, *le mille*) — **Mais :** Ces œufs *se vendent à la pièce*, *à la douzaine*, *au cent*, *au mille*.

f) La totalité

202 Ils viendront *tous deux* **(ou** tous *les* deux), *tous trois* (tous *les* trois); **mais, ensuite :** tous *les* quatre, tous *les* cinq..., tous *les* dix...

(Sans nombre : Ils viendront *tous*[1] **: l's se prononce** — Ces disques, vous les entendrez *tous;* **ou :** en *totalité* — *jusqu'au dernier.*)

g) Quantités approximatives

203 **1. Nombres cardinaux.** *Dizaine, vingtaine, trentaine... millier,* **qui sont des noms, indiquent des quantités approximatives. Il en est de même, souvent, de** *douzaine, demi-douzaine.*

Combien étaient-ils? — Oh! *une demi-douzaine,* au plus (*une centaine, deux ou trois centaines, un millier, quelques milliers*).

On dit aussi : cinquante *à peu près* (*environ, peut-être*); *dans les* cinquante (il a *dans les* cinquante ans), quinze *ou* vingt, quinze *à* vingt, dix *à* quinze mille (= 10 000 à 15 000).

(N. B. — *Quelque*[2] cinquante [= **environ cinquante**] **appartient au F. E.)**

Autres tours, très courants : *cent et quelques* — Combien gagne-t-il? C'est *de l'ordre du* million par année.

Son cheval a gagné d'*une tête*, d'*une courte tête*, à *deux longueurs* — **et l'on notera les expressions du vocabulaire maritime :** *une brasse, une encablure.*

Pour exprimer une quantité supérieure ou inférieure à un nombre donné :

Ils étaient *plus* **de** *dix* — *moins* **de** cinquante — ils étaient *au moins dix* — ils étaient *bien dix* — cinquante *au plus.*

204 **2. Nombres ordinaux. On écrira :**

Il est *dans les* premiers. **Mais :** Il est *dans les* huitième (= **le huitième environ). Noter aussi l'expression F.P. fam. :** « Je lui ai dit ça pour la n[ième] fois. »

II. QUANTITÉS NON CHIFFRÉES (voir n° 210 bis : Tableaux des adverbes de quantité)

205 **a) Le nom est un pluriel (êtres ou choses que l'on pourrait compter)**

Quantité élevée :

Beaucoup de visiteurs[3], *un grand nombre de..., bien des...* (*force* visiteurs **est du F.E. un peu archaïque)**

1. Jamais *tous* pour : tous les deux, tous deux.
2. Maintenant adverbe invariable.
3. Le français utilise aussi certains nombres **approximatifs :** « *Vingt* fois sur le métier remettez votre ouvrage » (Boileau, *Art poétique*). Je te l'ai dit *cent* fois (et **F.P. fam. :** J'en ai vu *trente-six* chandelles [**après un coup, un choc violent**] — Je ne vais pas attendre *cent sept* ans!)

un très grand[1] *nombre de..., quantité de..., des quantités de..., énormément de..., une foule de... excessivement de*[2]... — **F.P. fam.** : une *masse* de..., un *tas* de[3]...
On dit aussi : des visiteurs *en quantité, en foule* — **F.P. fam.** : des visiteurs, *en veux-tu en voilà* — **Notez encore** : j'ai attendu *des* mois; *des* mois *et des* mois; *de longs* mois.

Quantité faible :

Peu de visiteurs, *un petit nombre de..., quelques* visiteurs **(et même, avec des nombres de valeur approximative :** *un ou deux..., deux ou trois* visiteurs). *Très peu de..., fort peu de..., un très petit nombre de..., infiniment peu de..., extrêmement peu de..., excessivement*[2] *peu de...,* un *nombre infime de...* (**F.P. fam.** : presque rien, *comme* visiteurs) — Il n'y avait *pas trop* de visiteurs. *Guère* **ne s'emploie que dans le sens de quantité faible** : il n'y a *guère de* visiteurs. « Combien y en a-t-il? — *Guère.* » — **(ou** : *à peine* quelques-uns**)**.

Quantité moyenne :

Assez, un assez grand nombre de..., suffisamment de visiteurs.

N. B. — *Assez* **prend souvent, dans le F.P., le sens d'une quantité élevée — de même on dira** : *pas mal de* ... **pour** : beaucoup de...

Totalité :

Tou(s) les visiteurs sont là. Ils sont *tous là* — *La totalité* des visiteurs est là — *Tout le monde* est là — Vous avez *toute la somme* — Vous avez *tout* — Emportez ***le tout***.

Néant :

Aucun visiteur n'est là — *aucun n*'est là — *personne n*'est là — vous *n*'avez *rien* — **F.P. fam.,** avec un geste : *pas ça.*

Excès :

Trop de visiteurs, *un trop grand nombre de..., un nombre excessif de...*

(N. B. — F.P. fam. : ils sont *par* trop; *par* trop nombreux.**)**

Insuffisance :

Trop peu de visiteurs, *un trop petit nombre de..., insuffisamment de* visiteurs — *un nombre insuffisant de...*

Comparaison[4] **:**

(Comparatifs de supériorité) *Plus de* visiteurs, *davantage de...*
(Comparatif d'infériorité) *Moins de...*
(Comparatifs d'égalité) *Autant de...* **(mais** : il *n*'y a *pas tant de...,* ou *autant de...*) — Y en a-t-il *tellement*? **F.P. fam.** Y en a-t-il *tant que ça*?

1. Superlatif absolu (v. n° 208).
2. En **F. P.** cet adverbe a perdu le sens de *trop* pour prendre celui de *beaucoup, très*.
3. Le **F. P.**, et même la langue courante sont riches de ces équivalents : *un torrent de* larmes, *une bordée d'*injures, *une avalanche de* coups.
4. Pour les compléments de comparaison, voir n°s 764 et suivants : la comparaison.

(Superlatifs relatifs : ils impliquent une comparaison)

Le plus de visiteurs, *le plus grand nombre de...*, *la majorité des... la plupart des*[1]... (mais avec un pron. personnel : la plupart *d'entre* nous, *d'entre* eux).

Le moins de..., le plus petit nombre de..., la minorité des...

Degrés dans la comparaison :

Beaucoup plus de..., bien plus de..., un peu plus de...

F.P. fam.) : il y avait *autrement de* visiteurs (= **beaucoup plus)**

F.P. pop. : des visiteurs *rudement* plus nombreux.

Beaucoup moins de..., **etc.** *Les plus nombreux de beaucoup, de beaucoup les plus nombreux* (*les moins nombreux*).

Pour renchérir : *Encore plus de* visiteurs. **(Pour le tour :** *D'autant plus de* **v. n° 781.)**

Exclamation :

Que de visiteurs! *Que de* visiteurs il y a! — *Combien de* visiteurs se sont présentés! — **F. P. fam.** : *Ce qu*'il y a *de* visiteurs! **et** : *Qu'est-ce qu*'il y a *comme* visiteurs!

Il y a *tant de* visiteurs! — il y a *tellement de* visiteurs!

Je n'ai pu approcher, *tellement* il y avait *de* visiteurs[2].

Il y avait *si peu de* visiteurs! — Tellement il y a *peu de* visiteurs.

Combien plus de visiteurs! *Tellement plus* de visiteurs!

Interrogation :

Combien de visiteurs? (*Combien de* visiteurs y a-t-il? **ou** : *Combien* y a-t-il *de* visiteurs?)

Y a-t-il *tant* (*tellement*) de visiteurs?

206 b) Le nom est un singulier (nom de matière ou nom abstrait)

Quantité ou intensité élevées :

Beaucoup d'eau — *beaucoup de* prudence — *bien de la* prudence — *une grande* prudence — *une très grande* prudence[3]. (**F.P. fam.** : *énormément* d'eau, de prudence.)

Quantité ou intensité faibles :

Peu d'eau, *de* prudence — *un peu d*'eau, *de* prudence — *quelque* prudence — *Très peu d*'eau, *de* prudence — *infiniment peu de, extrêmement peu de..., excessivement peu de* **(v. n° 205)** il *n*'y a *guère d*'eau. Tu *n*'as *guère de* prudence.

Quantité ou intensité moyennes :

Assez d'eau, *de* prudence — *suffisamment d*'eau, *de* prudence — **F.P. fam.** : *pas mal d*'eau, *de* prudence — *Assez peu d*'eau, *de* prudence — *Bien assez d*'eau : quantité au-delà de laquelle il y aurait excès.

1. *La plupart* ne peut plus être suivi d'un nom singulier, sauf dans : *la plupart du temps*.
2. On notera dès maintenant que tellement s'emploie avec un nom, un adjectif, un verbe — tant s'emploie seulement avec un nom et un verbe — si seulement avec un adjectif (*si* grand) et certaines locutions verbales : il a *si* peur.
3. Pour les tours : j'ai très peur, très faim, voir degrés du verbe, n° 609.

Totalité :

*La totalité de l'*eau, *toute la* prudence.

Néant :

*Pas d'*eau *du tout*, *aucune* prudence — **F.P. pop.** : *rien comme* eau, *rien comme* prudence.

Pour renchérir : encore plus d'eau.

N. B. — : Pour le tour : D'autant plus d'eau, **voir n° 781.**

Excès :

*Trop d'*eau, *de* prudence — *une* prudence *excessive* — **F.P. fam.** : Il montre *par trop de* prudence.

Insuffisance :

*Trop peu d'*eau, *de* prudence — *insuffisamment d'*eau, *de* prudence — une prudence *insuffisante*.

Comparaison :

*Plus d'*eau, *de* prudence — *davantage d'*eau[1], *de* prudence — une plus *grande* prudence.
*Moins d'*eau, *de* prudence.
*Autant d'*eau, *de* prudence **(mais avec négation** : il n'y a *pas tant d'*eau, *de* prudence, **ou** : il n'y a *pas autant d'*eau, *de* prudence).

(Superlatifs relatifs) :
*Le plus d'*eau, *de* prudence.
*Le moins d'*eau, *de* prudence.

Degrés dans la comparaison :

Beaucoup plus, *bien plus d'*eau, *de* prudence — **F.P. fam.** : Il a *autrement de* prudence (= **bien plus de**). *Un peu plus* de...
Beaucoup moins, *bien moins de*...

Exclamation :

*Que d'*eau, *de* prudence! *Combien d'*eau, *de* prudence! (**F.P. fam.** : *Ce qu'il y a d'*eau!) — *Ce qu'il a de* prudence! — (**F.P. pop.** : *Qu'est-ce qu'il y a comme* eau!) — Il y a *tant d'*eau! — *Tellement d'*eau! — Il y a *si peu* d'eau!
*Combien plus d'*eau, *de* prudence! *Tellement plus d'*eau, *de* prudence!

Interrogation :

Combien y a-t-il *d'*eau?
Y a-t-il *tant* (*tellement*) *d'*eau? A-t-il *tant* (*tellement*) *de* prudence?
Il y a *si peu d'*eau? Il a *si peu de* prudence?

1. Pour l'emploi de davantage, voir n° 771.

207 **Expressions particulières du degré ou de l'intensité dans les noms :**

Avec un préfixe :

l'*hyper*tension — l'*hypo*tension — une *demi*-obscurité — une *semi*-ignorance.

Avec un suffixe :

diminutif : un *coffret*, une *fillette*, un *corpuscule*, une *particule*.

augmentatif : viande *extra*.

Avec un complément de mesure :

Savant *au petit pied* (= **médiocre**).
« Mystiques *à la petite semaine* » (H. Bazin, *Vipère au poing*).

Avec un complément de nom exprimant la comparaison :

Une faim *de loup*, un feu *d'enfer*, une lenteur *de tortue*, **etc.**

Avec le redoublement du nom, pour marquer la plus haute valeur, l'extrême degré :

Le roi *des rois*, la ville *des villes*, le cantique *des cantiques*, à la *fin des fins*[1].

Avec certains adjectifs :

Une *bonne* douzaine (= **plus de douze**) — Le *fin* fond des choses — Une *vraie* mégère — Une *pure* merveille — A *toute* vitesse — Voilà les faits, dans *toute* leur éloquence — Je lui parlerai en *toute* confiance.

(Voir aussi nos 125 et suivants : les adjectifs intensifs.)

Avec un terme de comparaison marquant l'approximation :

Il a commis *une sorte de* lâcheté — J'ai *comme* un voile devant les yeux.

Tour exclamatif de la phrase (F.P. fam.) :

Ça, *c'est du* vin! — Tu m'*en* fais, *une* peine!

On notera enfin l'emploi courant de très, un peu :

J'ai *très* faim, *un peu* soif, *très* peur **(v. no 609)**.

DEGRÉS APPLIQUÉS AUX ADJECTIFS
(et aux participes à valeur d'adjectifs)

208 **Intensité forte :**

(superlatifs absolus)

très bon, *fort* bon, *bien* bon, *tout à fait* bon — Adroit, il *l'*est *beaucoup* — **F.P. fam.** : « Est-il adroit? — *Très.* »

1. Il y a aussi des cas de redoublement du pronom : « Non, *rien de rien*, non je ne regrette rien... » Chanson d'Edith Piaf.

Remarquez le tour : Adroit, il *l'*est *beaucoup*. **(Beaucoup au lieu de très, si l'adverbe ne doit pas précéder l'adjectif.)**

(Beaucoup d'adverbes peuvent traduire l'intensité : *vraiment* bon — *affreusement* laid, **etc. Surtout dans le F.P. fam. et pop.** : *joliment* intéressant, *richement* utile, *rudement* bête, *drôlement* intéressant.) — **F. P. pop.** : Il est *vachement* sympa.

Noter aussi l'emploi fréquent de tout : Ils sont *tout* pâles **(voir plus loin n° 385).**

D'autres adjectifs peuvent être employés adverbialement dans le même sens (v. n° 174) :

La voiture est *fin* prête. Ils sont *fin* prêts **(v. n° 158).** Il arriva *bon* premier, *bon* dernier.

L'intensité se traduit aussi par un complément de comparaison :

fort *comme un Turc*, riche *comme Crésus*, pauvre *comme Job*, gai *comme un pinson*, jaloux *comme un tigre*, entêté *comme une mule*, **etc. — F.P. fam. :** Gentil *comme tout*.

ou par un infinitif de conséquence :

laid *à faire* peur, fou *à lier*, gentil *à croquer*, **etc.**

Autres tours (F.P. surtout) :

Ce film est *des plus* bêtes, *du dernier* bête, *on ne peut plus* bête, *tout ce qu'il y a de* bête — Ce film est *d'un bête*! — Il est *bête, bête...* — Il est bête, *mais* bête... — Cette histoire est triste *au possible*.

F.P. pop. : Adroit, lui? *Et comment!* — **Ou** : *Un peu!*

Enfin certains adjectifs ont par eux-mêmes une valeur absolue et expriment le plus haut degré dans la qualité :

excellent, *détestable*, *affreux*, *parfait*, *infini*, *immense*, *énorme*, *minuscule*, **etc.**

Leurs comparatifs et leurs superlatifs sont plutôt rares.

Intensité faible :

Peu intelligent, *très peu* intelligent.

(N. B. — Peu ne s'emploie pas avec tous les adjectifs, surtout s'ils sont monosyllabiques. Il est inusité, en particulier, devant les adjectifs de couleur.)

Un peu[1] inquiet — **(F.P. fam. :** *un brin*, *un rien*, *un tantinet* inquiet) — *Médiocrement*, *modérément*, *faiblement*, *vaguement* curieux, pas *tellement* curieux — *assez peu* curieux — *pas très* curieux — *pas trop* curieux.

Il est *à peine* curieux — Il *n'*est *guère* curieux.

Intensité moyenne :

Assez grand — *Moyennement*, *passablement* attentif.

1. On dit aussi parfois : *tant soit peu*, ou *un tant soit peu* (= un peu, quelque peu) — Si vous étiez *tant soit peu* attentif...

N. B. — *Bien assez, suffisamment* **(comme parfois** *assez*) **impliquent le degré au-delà duquel il y aurait excès :** Il est *bien assez* riche comme cela.

Intensité totale :

Tout à fait (*absolument, parfaitement*) *heureux, tout* heureux **(pour la construction, v. n° 385).**

Intensité nulle :

Il *n*'est *nullement* satisfait, *pas du tout* inquiet, *en rien* désireux de venir.

F.P. fam. : Lui inquiet? *Vous voulez rire.*

Excès :

Il est *trop* grand, bon *à l'excès* (*excessivement* bon **a, en F.P. fam., une valeur de superlatif absolu, v. n° 205).**

Insuffisance :

Il est *trop peu* intelligent — *insuffisamment* curieux.

Comparaison :

Comparatifs de supériorité[1] **:** Il est *plus* grand *que* son frère.
Comparatifs d'infériorité : Il est *moins* bon *que...*
Comparatifs d'égalité : Il est *aussi* bon *que...* (notez le *que*).
Dans une phrase négative, on dit : Il n'est pas *aussi* grand *que...* **ou :** Il n'est pas *si* grand *que...*

N. B. — Le complément est une proposition :

Il est *plus* grand *qu'il ne paraissait.* **(Pour le** *ne*, **v. n° 782.)**
Il est *plus* riche *qu'hier* **(ou** qu'il *n*'était hier).

Le complément est un adjectif :

Il est *plus* brave *que prudent.*

Degré d'écart entre les deux termes :

Je suis *plus* vieux que lui *de* trois ans.

Les superlatifs relatifs impliquent une comparaison :

Voici *le plus grand* livre, le livre *le plus grand.*
Pour l'article, voir n° 250.
Voici *le plus grand des* deux livres, *de tous les* livres.
Voici *le plus grand qui soit* **(v. n° 416 bis).**

N. B. — Pour : C'est aujourd'hui qu'elle est *le* plus heureuse, *la* plus heureuse, **v. n° 171.**

209 **Degrés dans la comparaison :**

Beaucoup plus sérieux — *bien plus* sérieux — *un peu plus* sérieux. *Plus* riche *de beaucoup* — *plus* riche *de peu* — *Le plus* sérieux *de beaucoup, de beaucoup le plus* sérieux — **Pour renchérir :** *encore plus* sérieux.

1. Pour les formes spéciales voir n° 210.

Exclamation :

*Qu'*il est bon! — *Comme* il est bon! — **F.P. fam.** : *Ce qu'*il est bon! — **et** : Il est d'*un bête*!
Il est *si* bon! — Il est *tellement* bon!
Il ne refusera pas, *tellement* il est bon!
Combien plus sérieux est Henri! (**F.E.**) — *Comme* Henri est *plus* sérieux! — Henri est *tellement plus* sérieux!

Interrogation :

Jusqu'à quel point est-il renseigné? *En quoi* est-il informé?

Formes spéciales de comparatif et de superlatif

210 **bon** : *meilleur, le meilleur*[1].

mauvais : *pire, le pire* **(au sens moral) — Mais, au sens concret :**
Cette étoffe est *de plus mauvaise* qualité.

pis, forme neutre de pire, ne s'emploie que dans les expressions suivantes (où il est tantôt adjectif, tantôt adverbe, tantôt nom) :
Il va *de mal en pis, de pis en pis* **(de plus en plus mal).**
Dire de quelqu'un *pis que pendre* **(toutes sortes de médisances).**
Ce fut *encore pis*.
Tant pis! **(≠ tant mieux!)**
Il a provoqué un accident, et, *qui pis est* **(= ce qui est pis)**, il n'a pas son permis de conduire.
Le pis fut que...
Ne mettez pas tout au pis **(= ne désespérez pas totalement).**
Au pis aller **(= en supposant les pires conditions).**

petit : *moindre, le moindre* **(surtout au sens moral ou abstrait) :**
Préparez-le à cette mauvaise nouvelle. Sa déception sera *moindre* — **Et** *plus petit, le plus petit,* **surtout au sens concret :**
Cette clef est *plus petite*.

Notez aussi les comparatifs suivants (v. n° 81).
Supérieur à, inférieur à — antérieur à, postérieur à — extérieur à, intérieur à.
Ultérieur à (citérieur, **sans complément).**
Mineur, majeur **(sans complément; mais voir n ° 771).**

et les superlatifs récents :
Températures *minimales* — températures *maximales* — « Pour assurer une stabilisation *optimale* à l'engin... » (*Le Monde*, 8 février 1966.)

Expressions particulières de l'intensité dans les adjectifs :

Suffixes diminutifs : pâl*ot* — faibl*ard* — bleu*âtre* — noir*aud*.

augmentatifs : rich*issime* — rar*issime*.

Préfixes : *archi*-fou — *ultra*-royaliste — *sur*fin — *super*fin — *extra*-fin.

1. Mais on dit fort bien : Ce sera *plus ou moins bon*.

210 bis **TABLEAU DES ADVERBES DE QUANTITÉ**

I Devant un nom

Beaucoup d'eau (de visiteurs) — *bien* **des** visiteurs. V. nº 226
Un peu d'eau (de visiteurs)
Peu d'eau (de visiteurs)
Très peu d'eau (de visiteurs)
Pas du tout d'eau (de visiteurs)

Assez d'eau (de visiteurs)
Trop d'eau (de visiteurs)

Combien d'eau ? (de visiteurs ?)
Combien d'eau ! (de visiteurs !)
Que d'eau ! (de visiteurs !)
Tant, *tellement* d'eau ! (de visiteurs !)

Plus d'eau (de visiteurs)
Le plus d'eau (de visiteurs)
Moins d'eau (de visiteurs)
Le moins d'eau (de visiteurs)
Autant d'eau (de visiteurs)
Tant, possible avec une négation : Il n'y a pas *tant* d'eau (de visiteurs)
D'autant plus d'eau (de visiteurs)
D'autant moins d'eau (de visiteurs)

N. B. — Pour modifier un verbe ordinaire (voir nº 609), on emploie les mêmes adverbes.

II Devant un adjectif

Très courageux, *tout-à-fait* courageux
Un peu courageux
Peu courageux
Très peu courageux
Nullement, *pas du tout* courageux.

Assez courageux
Trop courageux
Jusqu'à quel point courageux ?
Combien courageux !
Comme (il est) courageux !
Qu'(il est) courageux !
Si, *tellement* courageux !

Plus courageux
Le plus courageux
Moins courageux
Le moins courageux
Aussi courageux
Si, **possible avec une négation** : Il n'est pas *si* courageux
D'autant plus courageux
D'autant moins courageux.

N. B. — Pour modifier des adverbes, on emploie les mêmes formes.

LES DÉTERMINANTS DU NOM

210 ter **On appelle ainsi des termes, ayant valeur d'adjectifs non qualificatifs, qui ont pour rôle d'introduire le nom en lui conférant une nuance soit de notoriété (article défini :** *le* livre) **— soit de désignation (adjectif démonstratif :** *ce* livre) **— soit de possession (adjectif possessif :** *mon* livre) **— soit d'interrogation ou d'exclamation (adjectif interrogatif ou exclamatif :** *quel* livre? *quel* livre!) **— soit d'imprécision ou de généralité (adjectif indéfini :** un livre *quelconque*).

• **Les déterminants ont pour caractère commun d'être étroitement associés au nom, avec lequel ils ont une liaison phonétique (v. Introduction. Les liaisons) :**

Les‿arbres — mon‿image — certains‿hommes.

• **En outre, les adjectifs démonstratifs, possessifs, interrogatifs, exclamatifs (et souvent les adjectifs indéfinis) sont employés sans article ; mais l'article, à lui seul, est le déterminant le plus courant du nom.**

• **A ces adjectifs correspondent des pronoms qui équivalent à un nom déterminé, et exercent les différentes fonctions du nom dans la phrase :**

Ne prenez pas sa voiture, prenez *la mienne*.

• **Le nom dont l'idée est incluse dans le pronom peut avoir été, ou non, déjà exprimé.**
Dans le premier cas, le pronom est dit représentant (du nom) ; dans le second cas, il est dit nominal (= équivalent d'un nom). Ainsi, dans l'exemple ci-dessus, *la mienne* **est représentant (du nom** *voiture*, **déjà exprimé) ; dans :** *ceci* est bon, *ceci* **est nominal (= cette chose, cette idée).**

• **Une règle importante pour la clarté du discours veut que le pronom représentant ne se rapporte qu'à un nom déterminé ; il est peu correct de dire :** Il m'a fait perdre *confiance* et la tienne est ébranlée, **parce que le nom** *confiance* **n'est pas déterminé. On doit dire plutôt :** Il m'a fait perdre *ma* confiance et la tienne est ébranlée. **Mais, comme la langue classique, la langue d'aujourd'hui déroge souvent à cette règle.**

L'ARTICLE

211 **L'article est un des éléments les plus remarquables du français. Précédant le nom (ou l'adjectif épithète), il constitue le support, souvent indispensable, de ce nom; il lui permet de se manifester dans la phrase; il en marque ou en précise :**

le genre : *le* manche, *un* manche (d'outil) — *la* manche, *une* manche (d'habit).
le nombre : *l'*abus, *un* abus — *les* abus, *des* abus[1].

Il permet de former toutes sortes de noms :

On a entendu *des oh! et des ah!* — Je n'aime pas les gens qui pratiquent l'*ôte-toi-de-là-que-je-m'y-mette.* **F. P. fam.**

Surtout, l'article insère dans la réalité (actualisée) un être, qui, sans lui, ne serait présenté qu'avec une valeur abstraite, virtuelle.

Comparez : 1. *Paysan* : homme de la campagne **(dictionnaire Larousse) et 2.** *Tu vois* la maison *du* paysan, *d'un* paysan.

212 **On distingue l'article défini, l'article indéfini, l'article partitif. Disons dès maintenant que l'article défini s'applique à des êtres ou des choses connus de celui qui parle et de ses interlocuteurs[2] :**

Apprenez-lui *la* nouvelle.

L'article indéfini s'applique à des êtres introduits dans l'instant même, et non encore totalement identifiés :

Voici *un* livre.

L'article partitif, au sens vrai du terme, marque un prélèvement :

Prenez *du* pain qui est sur la table;

mais, comme on le verra, dans bien des cas il est passé du sens partitif au sens indéfini ou quantitatif.

N. B. — : L'article ne se combine ni avec l'adjectif possessif (du type mon) **ni avec un adjectif démonstratif** (ce)**, ni avec un adjectif interrogatif** (quel?) **ou exclamatif** (quel!) — **Mais il peut se combiner avec l'adjectif numéral ordinal** (*le deuxième*) **ou cardinal** (*les deux* hommes) **et avec certains adjectifs indéfinis** (*un* homme *quelconque*).

1. L'article joue aussi un rôle comme signe extérieur de la prononciation : les singuliers : le][homard, l'homme, permettent de prononcer correctement les pluriels : les][homards, les hommes.

2. L'article défini est un **indice de notoriété** (Damourette et Pichon, *Des mots à la pensée*) — A l'origine, il est un *démonstratif*, tandis que l'article indéfini est, à l'origine, un *nombre* (= unité indéterminée).

L'ARTICLE DÉFINI

Ses formes

213 **ARTICLE SIMPLE**

singulier	pluriel
le : masculin	
la : féminin	**les : masculin et féminin**
l' : masculin et féminin	

N. B. — : le, la s'emploient devant les noms commençant par une **consonne,** ou un **h aspiré** : *le* pain, *la* halle. **l'** s'emploie devant les noms commençant par une **voyelle,** ou un **h muet** : *l'*animal, *l'*épée, *l'*homme.

ARTICLE CONTRACTÉ (formé avec une préposition) :
du : masculin singulier = **de le,**
des : masculin et féminin pluriel = **de les,**
au : masculin singulier = **à le,**
aux : masculin et féminin pluriel = **à les.**

N. B. — : de l' et à l' subsistent (devant un nom commençant par une voyelle ou un h muet) :

*de l'*étudiant, *à l'*étudiant; *de l'*homme, *à l'*homme (en face de : *du* livre, *au* livre; *du* Hongrois, *au* Hongrois).

Aux formes contractées on peut ajouter la vieille forme **ès** (= en les, dans les) qui doit être toujours **suivie du pluriel,** et ne subsiste que dans quelques formules :

licence *ès lettres* — doctorat *ès sciences* — bachelier *ès arts* — le ministre décidera *ès qualités* (= en qualité de ministre) — Baudelaire a dédié *Les Fleurs du Mal* à Théophile Gautier, « parfait magicien *ès lettres* françaises ».

Emploi de l'article défini

214 D'une manière générale, l'article défini est, nous l'avons dit (v. n° 212, note), une marque de **notoriété.**

On l'applique par conséquent :

- à des choses considérées comme **uniques** en leur genre, donc parfaitement connues : le soleil, la lune, la terre, le ciel, la mer.
- à des êtres ou des choses pris dans un **sens général** et formant **unité** :

L'homme est mortel — *La littérature* me passionne — Défendons *la liberté* — *Le fer, le bois* sont des matériaux — *Le vin* sera cher cette année.

- à des êtres ou des choses particulièrement **connus** de ceux qui parlent :

« Où avez-vous mis *le vin*? » — « Servez *les fruits.* » — « *La maison* a-t-elle le chauffage? » — « *Le directeur* sera absent. »

• à des êtres ou des choses qui sont ou vont être définis par le contexte :

Le livre de Pierre — *Le livre* blanc est à vous — Parlez-moi *du voyage* que vous avez fait — Voici un stylo et un crayon; je prends *le crayon* — Il entre dans sa chambre et ouvre *la fenêtre.*

Valeurs particulières de l'article défini

215 Comme **démonstratif** :

Pour *le moment* il est absent (= **en ce moment**) — Il sort *à l'instant* — Je ne veux pas être traité *de la sorte* — Vous voyez d'ici *le tableau* (= **la scène dont je parle**).

216 De là, comme **exclamatif** (exprimant l'étonnement, l'admiration, l'indignation, etc.) :

Avec adjectif :

La jolie voiture! — Peuh! *la belle affaire!*

Sans adjectif :

Oh! *le toupet!* **(ici le démonstratif peut aussi être employé :** *ce toupet!*)

217 Sans exclamation, comme **terme péjoratif (F. P.)** :

Je ne veux rien avoir de commun avec *le monsieur* — Vous connaissez *le personnage.*

Ou, au contraire, comme **terme amélioratif**[1] :

Spécialité de restaurant : *la sole* au gratin — **publicité commerciale :** X..., *le chausseur* sachant chausser — Y...., *le fourreur* qui fait fureur **(v. aussi n° 263 bis).**

218 Comme **distributif** (= chaque) :

Avec un chiffre de prix :

Carottes à 1 F *le kilo* **(mais on dira :** à 15 centimes *pièce* **ou** *la pièce* — **et, avec un verbe:** payer les carottes 2 F *le kilo*).

Sans chiffre :

Etre payé *à l'heure*, *à la journée*, **etc.** — vendre le pain *à la livre* — le vin *au litre.*

On dit aussi : fermé *le lundi* (= **tous les lundis**).

219 Comme **possessif** :

En français, quand le « possesseur » est évident, on remplace souvent l'adjectif possessif par l'article défini :

« Ceux qui pieusement sont morts pour *la patrie...* » **(V. Hugo).**

1. On dit aussi : emphatique.

L'emploi de l'article est courant :

- **s'il s'agit de parties du corps :**

  J'ai mal *à la tête* — Donne-moi *la main* — Tournez *la tête.* (**Notez qu'on dit de même :** rendre *l'âme*, perdre *la vie, la mémoire.*)

- **avec un pronom indirect marquant le possesseur :**

  « Un glaive *te* percera *le cœur.* » — Elle *se* lave *les mains* — Sa chute *lui* a brisé *les jambes.* (**On dit même :** Une pierre *lui* a crevé *l'œil*, **aussi bien que :** *un œil.* **Notez le singulier** — Il *m*'a pris *le bras.*)

L'emploi du possessif dans l'un des cas ci-dessus prendrait une valeur particulière :

Elle a encore mal *à sa tête* (**elle a son mal de tête habituel**) — **Une mère dira à son enfant :** « Ne remue donc pas *tes pieds* comme ça! » (**= tu fais avec tes pieds un bruit insupportable**).

Dans : « Prends l'éloquence et tords-lui *son cou* » (Verlaine, *Art poétique*), **le tour populaire met en relief la brutalité du geste.**

Dans : Il a *les yeux bleus*, **« bleus » est attribut de l'objet « yeux ». Mais les Français disent aussi :** Il a *des yeux bleus*[1] **et, si l'adjectif épithète précède couramment le nom, on dira :** Il a *de beaux yeux* — « Oh! grand-mère, que vous avez *de grands bras*! » (*Le Petit Chaperon Rouge*).

Mais la construction avec adjectif attribut permet de distinguer : J'ai *des* cheveux blancs (**= quelques-uns sont blancs) et :** J'ai *les* cheveux blancs (**tous mes cheveux sont blancs). Et l'on dira, avec d'autres verbes :** Il *porte* les cheveux longs — Il *tient* le bras levé.

Pour les vêtements, on dira :

Otez *votre manteau* — mettez *vos gants* — gardez *votre chapeau*[2].

Mais, d'une manière générale, on emploie l'article s'il s'agit d'un complément de manière construit directement, sans préposition :

Il marchait *les yeux mi-clos, la tête basse, le manteau sur le bras, la pipe à la bouche, une fleur à la boutonnière.*

Ou, s'il s'agit d'un complément d'objet avec attribut :

Il a *le* chapeau de travers.

Pour la parenté, l'article est rare : J'en parlerai *à mon père.*
Si la mère dit : « *Le père* décidera » **elle donne au nom une valeur surtout affective (de respect, p. ex.) (v. n° 217).**
Avec l'adjectif « propre » (= personnel, privé), le possessif est obligatoire, à moins qu'il n'y ait un complément de nom : Apportez *vos propres livres* — **Mais :** C'est *le propre livre* du maître.

1. Cf. F. Brunot : *La Pensée et la Langue*, p. 629 — Grevisse, *Le Bon Usage*, p. 234.
2. L'expression « tombez la veste », très familière, appartient surtout au français du Midi.

L'ARTICLE INDÉFINI

Ses formes

220 **singulier** | **pluriel**

singulier	**pluriel**
un : masculin **une : féminin**	**des : masculin et féminin.**

Un est, à l'origine, le nombre un — des est, à l'origine, un partitif, formé de l'article défini contracté : ainsi apparaît dès maintenant le rapport étroit qui unit l'indéfini et le partitif.
Mais il importe parfois de distinguer un (nombre) qui s'oppose à deux, trois, plusieurs, beaucoup, de un (article) qui s'oppose à des.
Ne pas confondre, non plus : 1. des, article indéfini, qu'on peut remplacer par quelques, et 2. des, article défini contracté (= de les).

1. Article indéfini :

Des fleurs ornent la maison **(sujet)** — Ces taches sont *des fleurs* **(attribut du sujet)** — Je vois *des fleurs* **(objet direct)** — Je pense *à des fleurs* **(objet indirect)** — La maison est égayée *par des fleurs* **(complément d'agent), toutes expressions dont le singulier sera :** *une* fleur.

2. Article défini contracté :

L'odeur *des fleurs* parfume la maison **(complément de nom)** — La maison est pleine *des fleurs* que vous avez cueillies **(complément d'adjectif)** — La maison est parfumée *des fleurs* que vous avez cueillies **(complément d'agent), toutes expressions dont le singulier sera :** *de la fleur*.

Emploi de l'article indéfini

221 **L'article indéfini, avons-nous dit, s'oppose à l'article défini en ce qu'il n'est pas indice de notoriété. Il introduit un objet ou un être pris dans un ensemble de même espèce, et non encore totalement précisé ou identifié.**
Comparez : « Avez-vous rencontré *le facteur*? » **(= le facteur qui vient chaque jour) et :** « *Un nouveau facteur* fera la levée » **(= un facteur parmi d'autres[1]).**

1. L'article indéfini a une « valeur de *soudaineté*, d'*inattendu* » qui l'oppose au caractère *statique*, « *fond de tableau* », de l'article défini (v. I. Vildé Lot dans *Le Français moderne*, janvier 1960) — On peut dire aussi que *l'individualité* de l'article indéfini l'oppose parfois au caractère *général* de l'article défini. Un film d'abord intitulé : « *La* femme mariée » a dû s'appeler ensuite « *Une* femme mariée » pour ne pas paraître mettre en cause *toutes* les épouses.

Valeurs particulières de l'article indéfini

222 **Un** = un grand..., un étonnant..., **sens fréquent dans les exclamations de la langue familière F.P. :**

Tu as *un appétit*! j'ai *une soif*! il a eu *une peur*! **(et, plus familièrement encore :** tu *en* as, *un appétit*! — j'*en* ai, *une soif*! — il *en* a eu, *une peur*!) — il était dans *une colère*! — « ... Et nous avons ici des gens d'*une adresse*! ... » (Beaumarchais, *Le Barbier de Séville*).

Sans exclamation, les romanciers du XIXe siècle ont employé l'article indéfini devant un nom abstrait pour évoquer, par l'indétermination même, un sentiment diffus :

Et elle demeurait dans *une adoration*, jouissant de la fraîcheur des murs et de la tranquillité de l'église » (Flaubert, *Un Cœur simple*).

Avec un accent d'indignation (F. P. fam.) :

Et ce gosse rentre à *des* onze heures, *des* minuit, *des* une heure du matin!

Un... = *un vrai...* — **des...** = *de vrais...*

L'article indéfini sert souvent à présenter plus vigoureusement une appréciation, flatteuse ou non :

Ça, c'est *un homme* — Vous êtes *un père*! — Raphaël, voilà *un peintre*. **Et, en F.P. pop.** : Tu parles *d'un as*! (ou d'*un idiot*!).

223 **On dira aussi dans un sens admiratif** : Un Corneille, un Racine (des Corneille, des Racine) ont créé la tragédie classique **(v. n° 263 bis).**

224 **Des associé aux noms : heures, jours, semaines, années, dizaines, pages, etc., pour indiquer l'ampleur, la durée, etc.**

Je t'ai attendu *pendant des heures* — Il y a *des années* que je ne l'ai vu — J'en achète *des douzaines* **(ou** : J'en achète *par douzaines*).

Parfois, pour insister sur le nombre, on redouble l'expression :

Il a été absent *des jours et des jours* — J'ai lu *des pages et des pages* — Il gagne *des mille et des mille*.

Des remplacé par de

225 **Dans le français écrit et, généralement, dans le français parlé un peu surveillé, de remplace des devant un adjectif pluriel :**

On voyait *de grands* navires, *d'assez grands* navires, *de très grands navires*; on en voyait aussi *de petits*.

La langue parlée (et même la langue écrite) prennent d'ailleurs ici beaucoup de libertés :

Quelle sorte de carottes voulez-vous? J'en ai *des* grosses et *des* petites. « Ils auraient (...) *de* chauds pantalons de velours, *des* gros souliers... » (G. Perec, *Les Choses*).

Et, même en français écrit, des reparaît, si le groupe adjectif-nom forme un tout, et notamment un nom composé, où l'adjectif a pris une valeur spéciale (on fera bien de consulter un dictionnaire) :

Des bas-côtés — des bas-reliefs — des jeunes gens et des jeunes filles — des grands-parents et des petits-enfants — des petits-fours — des petits pois — des bons mots — des bons points — des courts-bouillons — des simples soldats (= **non gradés**) — des faux pas — des fausses notes — « Des faux billets de 50 F sont en circulation » (*Le Monde*, 26 décembre 1965) — des grosses légumes (**F.P. fam., v. n° 28), etc.**

De restituerait à l'adjectif sa valeur première, son autonomie :

De *grands* enfants.

Écrivez et dites toujours : d'autres **(adjectif et pronom)** : Prenez d'*autres livres;* prenez-en d'*autres* — *De certains* **(pour : certains) est aujourd'hui archaïque; mais Victor Hugo, par exemple, l'employait régulièrement** : « *De certains* cerveaux sont des abîmes » *(Histoire d'un crime)* — **Avec** « pareil » **on pourra dire** : *De pareilles* erreurs sont étonnantes **ou** : *Pareilles* erreurs sont étonnantes **(plutôt F.E.) — Mais avec** « tel », **on dira toujours :** *De telles* erreurs sont étonnantes, **c'est-à-dire : des erreurs comme celles-là.** (Il a commis *telles erreurs* que je regrette **signifierait** : *certaines* erreurs que je pourrais préciser.)

226 **De s'emploie après une expression de quantité :**

Assez de soucis, *trop de* soucis, *beaucoup de* soucis, *une foule de* soucis, *quantité de* soucis, *guère de* soucis (il n'a *guère de soucis*[1]).

Après ces expressions, des s'appliquerait à des êtres connus :

Beaucoup des électeurs inscrits n'ont pas voté. **(des : art. défini).**

Mais du, de la, des sont obligatoires, et de est impossible, dans tous les cas, après bien **(= beaucoup)**, la plupart :

Bien des soucis vous seront épargnés — La *plupart des* soucis vous seront épargnés — Il dort *la plupart du* temps.

227 **Enfin de s'emploie correctement au lieu de** un, du, de la, des, **dans les phrases négatives :**

Je ne mange pas *de* pain — Il ne vient pas *de* visiteurs.

1. Voir aussi **article partitif,** n°s 273 et suivants. — Il est souvent difficile et sans grand intérêt pratique de distinguer **partitif** — et d'autre part **indéfini** ou expression de **quantité.**

Mais si la négation porte seulement sur le nom en question, ou sur un complément de ce nom, on mettra du, de la, des : Ce pot ne contient *pas* **du lait**, il contient de l'eau[1] — Je ne mange pas *de la viande* **tous les jours (= j'en mange, mais pas tous les jours)** — Je n'achète pas *des fruits* **avariés** — Il n'accepte pas *des amis* **de rencontre** — « Si on demande du pain, on ne reçoit pas *des pierres* » (Simone Weil, *Attente de Dieu*) — **De même, on dira** : Il agit sans espérer *de récompense* **(sans est une préposition négative) — Mais :** Il agit sans espérer *une* récompense **autre que votre bonheur.**

On emploie encore des pour suggérer une idée d'abondance :

« Il n'avait pas *des* outils à revendre » (La Fontaine, **cité par M. Cressot).**

Enfin, après « ce n'est pas », « ce ne sont pas », des, du, de la se maintiennent généralement :

Ce ne sont pas *des* cavaliers
Ce n'est pas *de la* fumée
Ces objets ne sont pas *des* livres.

Remarques pratiques concernant la préposition « de », devant un nom complément

228 **« De », immédiatement suivi d'un nom pluriel, est une préposition qui forme avec ce nom, et sans article, un complément d'une valeur indéfinie et générale. Le tour *de des* (= préposition *de* + article indéfini pluriel) n'existe pas — On dira donc :**

de + complément de nom :

J'attends l'arrivée **de** *voyageurs* **= de certains voyageurs (au sing. :** l'arrivée **d'un** voyageur).

De + complément d'adjectif :

Ce sol est riche **de** *nombreux fossiles* **(au sing. :** Je suis riche **d'une** maison).

De + complément d'objet :

Parlez de *choses* sérieuses **(au sing. :** **d'une** chose sérieuse).

De + complément d'agent :

Le Président, suivi **de** *ministres*... **(au sing. :** suivi **d'un** ministre).

De + complément circonstanciel :

Entourez votre maison **de** *murs* **(au sing. :** **d'un** mur) — Ils viennent **de** *points* très éloignés **(au sing. :** Il vient **d'un** point très éloigné).

229 **On dira aussi, avec un complément au singulier, pris dans un sens très général :**

« Parlez-moi **d'***amour*, ah! dites-moi des choses tendres... » **(chanson fameuse des années 1930)** — « Occupez-vous **de** *littérature*. »

1. « Ce pot ne contient pas *de* lait » pourra signifier : il ne contient rien.

ABSENCE ET PRÉSENCE DE L'ARTICLE

230 **En français, l'absence d'article est plutôt l'exception que la règle. Nous venons de voir, cependant, que l'article indéfini disparaît généralement, remplacé par de :**

1. Devant l'adjectif pluriel : *de* beaux livres **(v. nº 225).**

2. Après beaucoup, trop, **etc. (v. nº 226).**

3. Dans la plupart des tours négatifs :

Je ne fais pas *de* mal **(v. nº 227).**

4. Dans les tours signifiant : de (préposition) + certains :

Parlons *de* voyages **(v. nº 228).**

5. Ajoutons les cas où il a une valeur très générale, voisine de celle d'un adjectif :

Un casque *de* soldat **(v. nº 255 bis).**

En outre, l'article (défini ou indéfini) disparaît :

231 **Quand le nom est déjà déterminé (v. nº 212 N. B.) :**

- **par un adjectif possessif :**

  Mon livre **(mais :** *un mien* cousin, **v. nº 337).**

- **par un adjectif démonstratif :** *ce* livre.

- **par certains adjectifs, dits indéfinis :**

  Si j'ai *quelque* influence... — *tout* homme qui... — en *tous* lieux... **(Mais :** *l'autre* livre — *un certain* Durand — *les quelques amis* que tu as encore — *un travail quelconque* — *les divers*, *les différents* modèles — *tous les* citoyens — *toute la* terre).

- **par un adjectif interrogatif ou exclamatif :**

  Quel succès ? — *quel* succès !

- **par un adjectif numéral cardinal :** *deux* livres.

Mais, pour marquer la « notoriété », on dira : *les deux* livres, *tous les deux*[1] — **De même :** *les* Quarante académiciens — *Les* Mille et une Nuits.

Fractions : *le* tiers d'*un* litre (ou *un* tiers *de* litre) — **Notez surtout :** *une* demi-heure (« Attendez-moi demi-heure » **est méridional).**

Expressions de temps (v. nºs 642 et suivants).

Noms de fêtes.

232 **Le nom des fêtes proprement dites prend généralement l'article :**

Fêtons *la* Sainte-Irène, *l'*Ascension, *la* Noël **(ou Noël),** *les* Rois, *la* Pâque juive **(v. nº 26).**

S'il s'agit plutôt d'une date, on dira :

Venez me voir *à Noël*, *à Pâques*. **Mais :** *à la Toussaint*, *à l'Ascension*, etc.

Pour les échéances de loyers, on dit encore maintenant :

« Termes payables *à la Saint-Jean* et *à la Saint-Michel*. »

1. Tous deux **est également possible.**

Les jours.

233 **Habituellement, dans les dates mises en apposition, l'article disparaît :**

Aujourd'hui, *2 novembre* — le samedi *3 novembre.*

Mais on dira obligatoirement : Il viendra *le 2 novembre* — **en tête d'une lettre :** *le 2 novembre* (*ce* 2 novembre **est un peu affecté).**

Notez en outre les expressions : *tous les trois jours* **(répétition)** — *dans les trois jours* **(dans moins de trois jours)** — *dans trois jours* **(le troisième jour à partir de maintenant)** — Il viendra *lundi, lundi prochain* **(mais : Il vint** *le* **lundi,** *le* **lundi suivant)** — Magasin fermé *le lundi* **ou :** *chaque* lundi, *tous les* lundis — Cette année, la Fête nationale tombe *un vendredi,* **ou** *le* vendredi — **Et, si le nom du jour est suivi d'un complément :** fermé *le lundi de Pâques.*

Les semaines et les mois.

234 Venez *la* semaine prochaine — *dans une* semaine[1] **(= au bout des sept jours qui viennent)** — *dans la* semaine **(= avant la fin de la semaine) — avec les mêmes différences de sens :** *la* quinzaine prochaine, *dans une* quinzaine, *dans la* quinzaine; *le* mois prochain, *dans un* mois, *dans le* mois; *l'*année prochaine, *dans un* an, *dans l'*année.

Notez la formule fréquente dans la langue des tribunaux :

Jugement *à huitaine, à quinzaine.*

Le nom des mois n'est généralement pas accompagné d'article :

Janvier sera froid — La première quinzaine *de décembre* a été pluvieuse — *Décembre* de l'an dernier a été brumeux — Venez *en décembre, dès octobre.*

Les saisons.

235 *Le* printemps, *l'*été, **etc.**

Comme complément de temps :

Au printemps; **mais :** *en* été, *en* automne, *en* hiver.

Et, naturellement, si le nom a une valeur générale d'adjectif, pas d'article :

La mode *de printemps* — manteaux *d'hiver.*

Indication de l'heure.

236 Il est *une heure, dix heures* — rentrer à *une heure,* à *dix heures.*

Mais on dira (dans un sens approximatif et toujours au pluriel) :

Rentrer vers *les une heure,* vers *les midi,* vers *les minuit,* vers *les dix heures* **ou :** sur *les une heure,* sur *les midi,* **etc.**

1. Ici **une** est un nombre.

Indication de l'âge.

237 *A* dix ans, *à* quarante ans — Il a *quarante* ans — Un homme *de quarante* ans. **Mais, avec idée d'approximation :** Un homme *dans les quarante* ans, *dans la quarantaine* — Il va *sur les quarante* ans (ou *sur quarante* ans), *sur la quarantaine.*

238 **Le tome d'un livre, la page, la ligne — la place, l'adresse, etc., comme compléments de lieu :**

Lisez ce récit, *tome I, page 18, ligne 4* — Prenez le dossier *armoire 5, rayon 3* — La conférence aura lieu *salle 23* — Il habite *rue de Médicis*; *3, rue de Médicis* **(plus rarement :** Il habite dans la rue de Médicis; au 3, rue de Médicis) — Cela s'est passé *boulevard* de la Chapelle, *place* des Vosges.

Dans les adresses de lettres ne mettez pas l'article :
Monsieur Durand, *4*, rue Escarpée, Lyon, *III*e arrondissement; **ou :** Monsieur Martin, *château* de Saint-Charles (*Eure-et-Loir*).

Le titre des œuvres.

239 **L'article est souvent absent de la couverture du livre :**
Voyages de Gulliver — Pascal, *Pensées.*

Mais, parlant de l'œuvre, vous direz :
« Avez-vous lu *les* « Voyages de Gulliver » ? — *les* « Pensées » de Pascal ? »

Dites :
Le succès *du* « Soulier de Satin »,

et, s'il s'agit de titres plus complexes :
Le succès de la pièce « *Le* Diable et *le* bon Dieu » **ou :** le succès *du* « Diable et le bon Dieu[1] ».

Il serait ridicule de dire : le succès du « Diable et du bon Dieu » : **par l'effet du deuxième article** « du », **le Diable et le bon Dieu sembleraient associés pour un succès commun.**

Le prix.

240 On vend, on achète, on paie un livre *dix francs.*

Mais (avec une nuance d'approximation) :
Ce livre vaut *dans les dix francs*, vous l'avez payé *dans les cent francs.*

Et, avec un complément, l'article défini s'impose (v. n° 214) :
Les dix francs *que vaut ce livre.*

1. Simone de Beauvoir : *La Force des choses* : « la centième du *Diable et le bon Dieu.* »

L'ARTICLE DEVANT LES NOMS EN APPOSITION ET LES ATTRIBUTS

241 **On notera que, d'une manière générale, l'article laisse au nom son autonomie, son relief.**

Nom en apposition

a) Apposition conjointe (v. n° 103).

L'article est généralement absent :

Une borne-*fontaine*, la voiture *balai* (= **la dernière d'un cortège**) — le doux nom *de liberté*. (**Dans** : le nom *de la* liberté, **nous avons un complément de nom.**)

Mais on dira : le mont Caucase **ou** le mont *du* Caucase, les monts *des* Pyrénées.

Dans des expressions comme : un fripon *d'*enfant, **le deuxième terme n'a pas d'article (v. n**os **106, 107).**

242 **b) Apposition disjointe (v. n° 108). Elle est séparée, dans l'écriture, par une virgule, et parfois placée en avant du nom.**

L'article est souvent absent :

- **S'il s'agit d'indiquer une qualité, une profession ou une définition :**

  M. Lefèvre, *transporteur*, habite place Victor-Hugo — Le triangle isocèle, *figure* à deux côtés égaux.

- **Sur une carte de visite :**

  André David, *avocat* à la Cour.

- **Dans le titre d'un ouvrage :**

  « La Peste », *roman* d'Albert Camus.

- **Après un pronom personnel :**

  « Nous, *Français...* »

Mais on peut dire aussi : « Nous *les Français...* ». **Ce tour est moins solennel et plutôt explicatif**[1] **— Et l'on dira en détachant l'apposition en avant :** « *Avocat*, je ne puis trahir mon serment » **(tour solennel, soulignant la cause : *parce que je suis* avocat...) — Ou au contraire :** « *Avocat*, il a trahi son serment! » **(tour solennel, soulignant l'opposition : *bien qu'il soit* avocat...).**

Les écrivains tirent des effets de la suppression de l'article :

« En lui (= **Gilliatt**) l'ignorance, *infirmité;* hors de lui, le mystère, *immensité.* » (Victor Hugo, *Les Travailleurs de la Mer.*)

1. Pour l'article devant les noms propres, v. nos 263 et suivants.

243 **Mais pour souligner la notoriété, on emploiera l'article défini :**

M. Lefèvre, *le transporteur*, chargera nos caisses — J'ai invité maître David, *l'avocat* des grands éditeurs (maître David, qui est, vous le savez, *l'avocat*...) — Avez-vous lu « La Peste », *le roman* d'Albert Camus ? — Vous, *l'homme de toutes les bassesses*, on vous connaît trop...

On l'emploiera avec les surnoms :

Pierrot *le fou* — Jo *la terreur*.

244 **L'apposition disjointe admet aussi l'article indéfini : il met en relief un être au milieu d'un ensemble d'une même espèce :**

J'ai consulté le docteur Leblanc, *un oculiste* de l'hôpital.

Dire : J'ai consulté le docteur Leblanc, *oculiste* de l'hôpital **serait plutôt annoncer une profession, une qualité.**

245 **L'article indéfini peut aussi donner un sens emphatique à l'apposition. Mais généralement, celle-ci n'est plus détachée en avant :**

Toi, *un avocat*, tu as pu trahir ton serment ! — Victor, *un dur*, a foncé sur les agents **F.P. pop.** — Je te présenterai André, *un as* de la belote **F.P. pop.**

Nom attribut (voir nos 133 et suivants)

246 **a) Absence d'article, si le nom attribut exprime une profession, une qualité sociale :**

M. Lefèvre *est transporteur* — Alexandre Durel *est mécanicien*.

On dira donc aussi : Il devient, il reste *mécanicien* — Il passe *pour mécanicien*. **Et, avec l'attribut de l'objet (v. nos 138 et suivants) :**

On l'a élu *président* — On l'a choisi *comme président* — On le traite *d'âne*.

247 Le nom attribut du sujet peut, dans ces conditions, être traité comme un véritable adjectif :

M. Legris est *très professeur* (= très professoral).

248 **b) Présence de l'article. Il rend au nom son autonomie, son relief (v. no 244) :**

Article indéfini.

Ainsi vous direz : M. Lefèvre est *un transporteur* de Paris — Vous êtes avocat **: simple qualification.** Vous êtes *un* avocat **: mise en relief.** Je suis soldat **: c'est mon métier ;** je suis *un* soldat **: j'en ai les caractères moraux.**

D'où, avec sens emphatique : « Je cherchais à devenir *un* menuisier » **(= un vrai),** Perdiguier, *Mémoires d'un compagnon* **(v. aussi no 222).**

N. B. — Avec un pronom de la 3e personne : au lieu de : *il (elle) est un... (une...)* **et de** *ils (elles) sont des...*, **dites :** *C'est un* mécanicien, *ce sont des* mécaniciens — *C'est un* avocat réputé, **etc.**

En résumé, vous direz, suivant le cas :

Je suis mécanicien, ou *un* mécanicien
tu es mécanicien, ou *un* mécanicien
{ *il* est mécanicien
{ *c'est* *un* mécanicien.

249 **Article défini.**

Il introduit, ici encore, une idée de notoriété ou de précision :

Maître Legrand est *l'avocat* de Jean;

ou d'unicité : Tu es *le chef.*

L'article défini permet de dire *il est* **ou** *c'est :*

Il est *l'*avocat de Jean **(ou :** *C'est* *l'*avocat de Jean**).**

On l'emploie également pour donner à l'attribut la valeur d'un surnom (v. n° 243) :

On appela Henri IV *le Béarnais* — On la surnomme *la Folle.*

Si l'attribut traduit l'idée d'une matière (au sens propre ou au sens figuré), dites : C'est *du vin* — L'eau devient *de la glace* — Cela, c'est *de la littérature*; **mais (F.E.) :** C'est pure littérature.

Après les verbes « se changer », « se transformer », **on emploie en, sans article :** L'eau *se transforme en* glace.

Mais si l'attribut reçoit une précision, l'article apparaît :

« Comment *en un plomb vil* l'or pur s'est-il changé? »
(Racine, *Athalie.*)

Superlatif

250 **L'article défini est nécessaire à la formation du superlatif dit relatif et il doit précéder immédiatement l'adjectif : il faut donc dire, non seulement** *le plus beau* livre, **mais :** le livre *le* plus beau[1].

Cet article subsiste quand le nom est apposition ou attribut :

Ce livre, le plus beau de tous — *Ce livre* est *le* plus beau de tous.

N. B. — : Mais avec l'adjectif possessif, on dira : *mon plus beau* livre.

251 **Nom en apostrophe (v. n° 629)**

Pas d'article, en général :

« *Soldats,* du haut de ces Pyramides, quarante siècles vous contemplent. » (Bonaparte) — Tenez bon, *camarades*!

On dit : « Oui, *Monsieur le* Directeur », « *Monsieur le* Professeur », « *Monsieur le* Président ».

Mais non pas : « Oui, Directeur », « Oui, Président »; **cependant** « Oui, Professeur » **s'entend quelquefois.**

On dit, suivant le cas (v. n° 327) : « Mon Général », **ou** « Général », **etc.**

1. On trouve cependant, abusivement, le superlatif sans l'article, dans certaines appositions : « L'iode, *meilleur* lubrifiant du titane » (titre d'un article du *Monde*, 20 janvier 1966).

Certains emplois de l'article défini appartiennent à la langue familière ou populaire :

« Hé *les* copains! » — « Bonjour *la* petite mère » **(à une marchande des quatre-saisons, par exemple)** — « Vous, *le* numéro 4, sortez du rang » **(un officier à un soldat)** — « Parlez, *le* 17 » **(une standardiste, à quelqu'un qui obtient la communication téléphonique).**

Locutions verbales

252 **L'article est absent d'un grand nombre de locutions verbales, où le verbe et son complément forment un tout, équivalant à un verbe seul :**

Tenir tête à quelqu'un = **résister à quelqu'un.**

• **Si le complément est déterminé, l'article est obligatoire :**

Avoir *l'*air de rire — avoir *l'*air fâché. **On dit aussi** : avoir *un* air fâché **(v. n° 219)** — avoir *l'*habitude de travailler **(mais, sans complément associé, F.P. fam. :** Vous riez? — J'ai *l'*air, mais je ne ris pas — Vous travaillez encore? — Oh! j'ai *l'*habitude).

• **Dans d'autres cas, la présence d'un article modifie le sens général, en rendant au nom son autonomie, son relief.**

On opposera : *faire part* d'une nouvelle **(l'annoncer)** — *faire la* part du feu **(réserver une part à l'incendie, pour mieux le combattre)** — *faire feu* sur quelqu'un **(tirer un coup de feu sur lui)** — *faire un* feu d'enfer **(allumer et entretenir un feu intense).**

C'est l'usage surtout qui, à la longue, enseigne les distinctions à faire.

Voici les verbes le plus souvent employés :

Avoir

253 *Avoir faim, très faim* **(langue courante),** *grand-faim* **F.E.,** *une* grande faim, *une* faim *de loup* **F.P.** — *avoir soif, très soif* **(langue courante),** *grand-soif* **F.E.,** *une* grande soif — J'avais *une* de ces soifs! **F.P. fam.** — *avoir raison* de faire quelque chose **(= faire à bon droit)** — avoir *une* raison de faire (avoir un motif particulier de faire), **etc.**

Donner

Donner raison (*tort*) à quelqu'un **(approuver, ou désapprouver quelqu'un)** — donner *la* raison d'une chose **(expliquer pourquoi cette chose se fait), etc.**

Faire

Faire peur à quelqu'un **(l'effrayer)** — lui faire *très peur.*

Mais : lui faire *une* peur bleue **(une peur extrême) F.P. fam., etc.**

Mettre

Mettre à jour ses affaires **(= régler celles qui avaient du retard).**

Mettre au jour une poterie **(= la découvrir au cours de fouilles), etc.**

Parler

Parler *le* français **(savoir, d'une manière générale, s'exprimer en français), etc.** — *parler français* **(s'exprimer en français, dans une circonstance déterminée)** — « Je *parle français*, il me semble! » **(= ce que je dis est pourtant clair!)**

Perdre

Perdre confiance en ses amis — Perdre *la* confiance de ses chefs.

Porter

Porter tort à quelqu'un — Porter *les* torts d'une action **(= en être tenu pour responsable).**

Prendre

Prendre garde de tomber **(= éviter de tomber)** — Prendre *la* garde **(en parlant d'un soldat qui va veiller), etc.**

Rendre

Rendre service à quelqu'un — Lui rendre *un* service **(lui être utile dans une circonstance).**

L'article et les compléments de nom (v. n°s 186 et suiv.)

254 **Il disparaît souvent, notamment après les prépositions à, de, et surtout en.**

a) à :

Une tasse *à café*, une cabane *à lapins*, un pot *à lait*, un chapeau *à plumes*, une robe *à volants*. **(Mais on dit :** une boîte *aux lettres*.)

N. B. — Pour les expressions non figées[1], accompagnées ou non d'un adjectif, vous pouvez vous conformer au tableau de correspondance ci-dessous, où l'article un commande généralement un complément sans article :

LE	*la* maison *aux* volets	**ou :** *la* maison *à* volets
	la maison *aux* volets *verts*	**ou :** *la* maison *à* volets *verts*
UN	*une* maison *à* volets	(*aux* **est exclu)**[2]
	une maison *à* volets *verts*	**(plus rarement :** *une* maison *aux* volets *verts*)

Dans les noms de **mets,** le nom complément est généralement introduit par : *au, à la, aux* : omelette *au* fromage — gigot *aux* flageolets — tarte *à la* crème. Mais la langue parlée et la langue commerciale abrègent volontiers; et l'on commande au garçon : « Un poulet froid *mayonnaise* — un steack *frites*. »

255 **b) de :**

Une échelle *de* fer **(v. n° 188)** — une tasse *de* porcelaine — le professeur *d'*histoire, *de* français — un écrivain *de* langue allemande — des adverbes *de* temps, *de* lieu, *de* manière — une rage *de* dents **(pour les fractures, de; pour les blessures, à :** une fracture *du* bras, une blessure *au* pied), **etc.**

1. C'est-à-dire qui ne constituent pas, depuis longtemps, un nom composé, comme : une tasse *à* café, une retraite *aux* flambeaux, une boîte *aux* lettres.
2. Sauf dans certains **noms composés**, comme : une tarte *aux* fraises.

N. B. — L'absence d'article peut conférer aux compléments de nom introduits par de une valeur générale, indéfinie : celle, par exemple, d'une matière, d'une science. Mais si ce complément de nom évoque un personnage ou une chose connus ou déterminés, l'article (défini généralement) reparaît :

Connaissez-vous M. Delamain, *chef d'orchestre*? M. Delamain, chef *de l'orchestre* du Grand Théâtre? — Je voudrais voir le *chef de bureau*, le chef *du premier bureau* — Voici un *professeur de faculté*, un professeur *de la faculté des lettres*.

255 bis

le, un commandant des compléments de nom précédés de du, d'un, des, de[1]

au singulier	au pluriel
Le casque *du* soldat Martin...	*Les* casques *des* soldats Martin et Dupont...

(Les soldats sont déterminés ou connus.)

Le casque *d'un* soldat...	*Les* casques *de certains* soldats...

(Les soldats ne sont pas connus.)

Un casque *de* soldat...	*Des* casques *de* soldats...
Le casque *de* soldat que j'ai trouvé...	*Les* casques *de* soldat(s) que j'ai trouvés...

(Soldat désigne ici l'espèce en général : valeur d'adjectif.)
Un casque *du* soldat **supposerait une pluralité de casques (= un de ses casques).**

256 **c) en :** Une boîte *en* carton — la vie *en* rose.

L'article et les compléments circonstanciels

257 **L'article est souvent absent de certains compléments circonstanciels où entre une préposition.**

a) Il est toujours absent après : à force de, pour cause de, pour raison de :

Réussir *à force de* patience — Fermé *pour cause de* décès — Se démettre *pour raison* (ou *raisons*) *de* santé.

b) Il est très souvent absent après la préposition en, quelle que soit la valeur de celle-ci :

Aller *en prison*, être *en prison* — être *en Angleterre*, *en Allemagne de l'Ouest* (*Le Monde*, 22 juillet 1963) — rouler *en auto*, voyager *en été*, *en automne*, *en hiver* — *en janvier*, *en mars*, **etc**[2].

1. On notera que, ici encore, *un* commande généralement un complément sans article.
2. Il est à remarquer que le français contemporain tend à préférer l'expression synthétique en... à l'expression articulée, et à dire : *En* démocratie, le citoyen a le droit d'être informé — Je vous écrirai *en* fin de semaine (au lieu de : *dans une* démocratie, *à la* fin *de la* semaine).

Cependant on dit avec l'article défini :

Regarder *en l'*air — Donner une réception *en l'*honneur de quelqu'un — La soirée sera donnée *en l'*hôtel de la Présidence — **On dit** : *en l'*absence de, **mais** : *en* présence de — *en la* personne de — Il n'y a pas de péril *en la* demeure (**= à attendre). Evitez d'employer** « en le », « en les » —. **Pour** *ès*, **v. n° 213).**

Et l'article s'emploie encore dans de nombreuses expressions figées où *le* = *ce* **(v. n° 215) :**

*En l'*espèce, *en la* matière, *en la* circonstance, *en l'*occurrence. (« *En l'*occurrence, la voiture des pompiers est autorisée à prendre le sens interdit. ») — Laisser les choses *en l'*état.

L'article indéfini s'emploie aussi après en, peut-être avec plus de souplesse :

En des temps comme les nôtres... — Je l'ai rencontré *en une* curieuse circonstance, *en de* nombreux endroits — *En un* sens, il a raison.

258 **c) L'article est souvent absent après les autres prépositions :**

à :

Se mettre *à genoux* — être *à terre* — rouler *à toute vitesse* — voyager *à petites journées*, *à petites étapes* — marcher *à grands pas* — parler *à haute voix*, *à voix basse* — suer *à grosses gouttes*, etc. **Mais on dit (compléments de lieu)** : être, ou aller *à la* maison, *à la* messe, *à l'*école, *à la* chasse, *au* concert, *au* théâtre.

après :

Après enquête, nous avons appris que... — Il m'a informé, mais *après coup* — Les difficultés d'*après guerre* — Se retirer des affaires *après fortune faite*.

avant :

Ne décidez pas *avant réception* de ma lettre — Les prix d'*avant guerre*.

avec : (absence très fréquente de l'article) :

Vous serez accueilli *avec honneur* — Je le ferai *avec joie* (**= valeur d'adverbe de manière).**

contre :

Envoyez-moi ce livre *contre remboursement*.

de :

Sortir *de prison*, *de table* — Pleurer *de chagrin*, *de colère*, *de rage* — « Le sort, dit le vieillard, n'est pas toujours *de fer*. » (André Chénier, *L'Aveugle*.)

faute de :

Échouer *faute d'argent* — Faute *de grives* on mange des merles.

hors :

Un numéro *hors programme* — Destins *hors série* — Être classé *hors concours*.

jusqu'à :

Restez au lit *jusqu'à guérison.*

par :

Prenez un manteau, *par prudence* — Agir *par ambition, par jalousie, par bonté* — *Par ordre* du gouverneur... — Payer cent francs *par jour* (*par mois, par an*) — Ce sera dix francs *par personne* — Voyager *par mer, par avion.*

par-devant :

Dans l'expression juridique : acte signé *par-devant notaire.*

par suite de :

Être absent *par suite de maladie.*

pour :

Qu'a-t-il reçu *pour prix* de son travail? — Je viens vous voir *pour affaires* — Il a été remercié *pour négligence* dans le service — Cette observation ne figure dans le document que *pour ordre* (pour le bon ordre), *pour mémoire* (pour le souvenir).

Dicton : Œil *pour œil,* dent *pour dent.*

sans : (l'article est souvent absent) :

Agir *sans prudence, sans générosité* — Être *sans argent.* (**Mais :** *sans le sou*), etc.

selon :

Prix *selon grosseur* **(au restaurant; écrit souvent :** *s. g.*)

sauf :

Tout est là, *sauf erreur* — A lundi, *sauf contrordre.*

sous :

Mettre une gravure *sous verre* — Vivre *sous terre.*

sur :

Prisonnier *sur parole* — Complet *sur mesure.*

N. B. — Mais, en général, si le complément circonstanciel est lui-même déterminé, l'article reparaît :

Être *aux* genoux de quelqu'un — Vous serez accueilli avec *les* honneurs de la guerre.

259 **L'article est encore absent de certaines expressions anciennes se présentant souvent comme des couples :**

Croire *dur comme fer* que... **(croire obstinément)** — Sortir d'un procès *blanc comme neige* **(parfaitement innocenté)** — Vivre *comme chien et chat* **(vivre en désaccord)** — *Entre chien et loup* **(au crépuscule, à l'heure où l'on distinguerait mal un chien d'un loup)** — *Avoir barres* (ou *barre*) sur quelqu'un **(avoir avantage sur lui, locution empruntée au jeu de barres)** — *A malin, malin et demi* **(à un adversaire subtil on oppose un adversaire plus subtil encore)** — *Montrer patte blanche* **(fournir la preuve qu'on peut être admis dans un groupe)** — Jeter *feu et flamme* **(manifester un violent comportement)** — Suer *sang et eau* **(se donner une peine infinie)** — Proclamer *à cor et à cri* **(en faisant beaucoup de bruit), etc.**

260 **L'article est absent de nombreux proverbes (souvent à la forme négative), qui gagnent ainsi en concision et en généralité :**

Bonne renommée vaut mieux que *ceinture dorée* — *Abondance* de biens ne nuit pas — *Ventre affamé* n'a point d'oreilles, **etc.**

de certaines énumérations (F.E.), avec le même effet de concision et de généralité :

« *Femmes, moine, vieillards*, tout était descendu. » (La Fontaine, *Le Coche et la Mouche*.)
« Et je verrais mourir *père, enfants, mère et femme*,
Que je m'en soucierais autant que de cela. » (Molière, *Tartuffe*.)

de certaines phrases (le plus souvent négatives ou interrogatives, F.E.) où le nom a une valeur générale :

Il n'accepte *ni excuses ni compromis* — *Jamais homme* ne fut plus déraisonnable — Connaissez-vous *femme plus élégante*?

261 **du style dit télégraphique, où l'économie de mots s'impose :**

« Reçu *colis. Lettre* suit. » **Dans un agenda :** « Mettre *antigel* dans *radiateur auto* ».

262 **Avec l'infinitif de narration, le sujet est souvent sans article, surtout si c'est un nom pluriel F.E. :**

« *Grenouilles* aussitôt *de sauter* dans les ondes,
Grenouilles de rentrer en leurs grottes profondes. »
(La Fontaine, *Le Lièvre et les Grenouilles*.)

L'ARTICLE ET LES NOMS PROPRES

Noms de peuples et d'habitants

263 **Mettez l'article :** *les* Français, *un* Français; **sauf, souvent, avec l'apposition, l'attribut, l'apostrophe (v. nos 241 à 251).**

Noms de personnes

Noms de famille et prénoms : sans article en général :

Pierre est venu — Le roi *Édouard* — Monsieur *Durand* — **(familièrement :** *Martin et Dupont* sont prévenus.**)**

Mais on dira : *les* Goncourt **(= les deux frères Goncourt) —** *les* Durand **(= la famille Durand) —** C'est *un* Durand, *une* Durand **(un membre de la famille Durand) — Et, pour les dynasties, les familles princières ou célèbres :** *les* Bourbons, *les* Habsbourg **(v. nº 51),** *les* Estienne **(famille d'imprimeurs français du XVIe siècle).**

263 bis **• Le, la, emphatiques.** **L'article défini accompagne, à l'imitation de l'italien, certains noms célèbres d'écrivains italiens :** *l'*Arioste, *le* Tasse[1];
de peintres italiens : *le* Corrège. **(Mais :** Raphaël, Michel-Ange). **On dit aussi** *le* Poussin **(il travailla longtemps en Italie).**

Des noms de cantatrices, ou d'actrices, surtout italiennes, soit de naissance, soit d'éducation :

La Patti, *la* Duse, *la* Tebaldi, *la* Callas.

Pour certaines artistes françaises on a dit :

La Champmeslé, *la* Duparc (XVIIe s.), *la* Clairon (XVIIIe s.), *la* Malibran (XIXe s.).

• Le, et surtout la, péjoratifs. **L'article prend une valeur péjorative dans :** *la* Montespan **(Mme de Montespan)** — *la* Pompadour — *la* Thénardier **(personnage des** ***Misérables*****). Aujourd'hui ce tour est F.P. vulgaire :** « *la* Dupont et son Dupont de mari. »

N. B. — *Un harpagon, un tartuffe* **sont devenus des noms communs.**

L'article accompagne le nom de personne si celui-ci est déterminé ou qualifié :

Le Parmentier *que je connais* habite à Neuilly — Celui dont vous parlez est *un autre Parmentier.*

L'expression à la + nom propre signifie : à la [manière de]. On l'emploie surtout en cuisine : turbot *à la Vatel* — **mais aussi en matière d'art :** un poème *à la Mallarmé* — un nocturne *à la Chopin.*

• Les (quelquefois des) évoque, en particulier :

1. **un personnage célèbre, dans une énumération :**
   Les Corneille, *les* Racine, *les* Molière font la gloire du XVIIe siècle (ou : *Des* Corneille, *des* Racine...) **V. aussi n° 223.**

2. **des personnages comparables à tel grand homme :**
   Les Molières sont rares aujourd'hui.

3. **les œuvres des artistes :**
   Venez voir *les* Matisse et *les* Rouault de ma collection **(et, au singulier : :** Je possède *un* Balzac complet).

Noms géographiques

264 **• Noms de mers, de lacs, de rivières, de caps, de montagnes :**

S'emploient avec l'article défini :

La Méditerranée — *la* mer Caspienne **ou** *la* Caspienne — *le* lac Léman **ou** *le* Léman — *la* Tamise — *le* cap Horn — *le* Caucase.

1. Le Dante est une expression fautive — Dites : Dante (c'est un prénom).

• **Noms d'îles** :

— **archipels : article pluriel** : *les* Hawaii, *les* Lofoten.
— **« grandes » îles d'Europe : article singulier** : *la* Sicile, *la* Crète. **Mais** : Chypre.
— **« petites » îles d'Europe : pas d'article** : Délos, Samos, Rhodes.
— **îles hors d'Europe : pas d'article en général** : Madagascar — Bornéo — Sumatra — **Mais** : *la* Guadeloupe, *la* Martinique, *la* Jamaïque — **Et, parce que le nom contient l'adjectif antéposé « nouvelle », on dit** : *la Nouvelle*-Zélande — *la Nouvelle*-Guinée.

• **Noms de villes** :

Pas d'article (sauf, bien entendu, s'il est inclus dans le nom, ou s'il y a détermination) :

Rouen, Marseille — *Le* Havre.

Et l'on dira : *le* Paris *du XVIII*e *siècle* — *le vieux* Nice (= **les vieux quartiers de Nice)** — *le grand* Paris (= **Paris et son district)** — *le Tout*-Paris (= **la partie la plus « mondaine » de la population parisienne).**

• **Noms de pays, de provinces** :

S'emploient avec l'article défini, même si ce sont des noms étrangers :

La France — *la* Bourgogne — *le* Kentucky — *le* Se-Tchouan.

Mais on dit : Israël, **sans article. Le mot existait avant la nation. (Pour le genre des noms, v. nos 12, 13).**

N. B. — Les emplois ci-dessus concernent les noms sujets, attributs du sujet, compléments d'objet direct — ou compléments de lieu construits avec « par ».

265 • **Noms géographiques employés comme compléments avec les prépositions « à », « dans », « en » et « de ».**

I. Compléments de lieu

a) Question : où?

1. Noms de ville : à, sans article, à moins que le nom de la ville n'en comporte un :

Je réside à Paris[1] — à la Havane — au Havre.

La mode s'est répandue de dire : en Avignon, **provençalisme (?) favorisé par la crainte de l'hiatus : à/Avignon — Certaines gens en viennent même à dire** : en Arles, en Haïti, en Alger[2].

1. **Dans** ne s'emploie avec un nom de ville que s'il est déterminé ou caractérisé : *dans tout* Paris, *dans* le Paris *de Louis XIII*, ou si l'on veut souligner l'idée de contenance concrète : « Rome n'est plus *dans Rome*, elle est toute où je suis » (Corneille, *Sertorius*).

2. La langue du Moyen Age offre, il est vrai, de nombreux exemples de l'emploi de **en** devant un nom de ville, même commençant par une consonne — La langue classique a dit : *en Alger* (Molière, *Fourberies de Scapin*) — *en Argos* (Racine, *Iphigénie*).

266 **2. Noms de départements français : dans le, dans la, dans les :**
dans *le* Nord, dans *la* Manche, dans *les* Ardennes.

Mais vous entendez quelquefois (s'il s'agit de noms qui furent ceux d'anciennes provinces ou de deux termes unis par et) :
En Charente, *en* Vendée, *en* Côte-d'Or, *en* Eure-et-Loir, **etc.**

267 **3. Noms de provinces françaises. En général, en devant les noms féminins, et devant les noms masculins commençant par une voyelle ; en, quelquefois au ou dans le, devant les noms masculins commençant par une consonne :**
En Bourgogne, *en* Auvergne, *en* Anjou, *en* Artois, *en* Berry (quelquefois *dans le* Berry), etc.

268 **4. Noms de pays : dites en, s'il s'agit :**
de noms féminins, ou de noms de grandes îles situées en Europe (v. n° 264) :
En Chine, *en* Suède — *en* Sicile, *en* Crète — **(mais :** *à* Délos, *à* Ouessant **et même** *à* Chypre — *à* Cuba, *à* Bornéo, *à* Terre-Neuve, *à la* Martinique).

de noms masculins commençant par une voyelle :
En Iran, *en* Azerbaïdjan.

269 **5. Mettez au devant les noms de pays masculins commençant par une consonne :**
Au Japon, *au* Brésil.

aux devant les noms du pluriel :
Aux États-Unis **(m.)**, *aux* Antilles **(f.)**.

Si les noms de pays ou de ville sont accompagnés d'un adjectif ou d'une détermination, mettez : dans le, dans la :
Dans la Hollande *maritime* — *dans le* Mexique *d'aujourd'hui* — *dans le vieux* Toulon.

270 **b) Question : d'où?**

Mettez du, de la, des devant les noms des paragraphes 2. 3. 5. :
Je viens *du* Pas-de-Calais, *de la* Bretagne[1], *des* États-Unis, *du* Japon.

Mettez de, d' devant les noms des paragraphes 1. et 4. :
Je viens *de* Rome, *de* Chine, *de* Sicile, *de* Crète, *de* Bornéo, *d'*Iran, *d'*Azerbaïdjan. **(On peut dire :** *de* Nouvelle-Zélande ou *de la* Nouvelle-Zélande.)

1. Mais **de** est fréquent devant les noms féminins de province : Nous arrivons *de* Bretagne, *d'*Alsace.

271 **II. S'il s'agit d'autres compléments que des compléments de lieu**

a) Compléments de <u>nom</u> :

1. De introduit une expression comparable à un adjectif :

L'empereur *d'*Éthiopie — les côtes *d'*Angleterre **(ou anglaises)** — l'histoire *de* France — le fromage *de* Hollande.

Mais du, des reparaissent souvent si le complément est un masculin commençant par une consonne, ou un pluriel :

L'empereur *du* Japon — l'histoire *du* Japon, *des* États-Unis.

2. De la laisse au complément sa valeur individuelle :

Les vicissitudes *de la* France — l'étude *de l'*Angleterre.

272 **b) Compléments <u>d'objet indirects</u> :**

Mettez du, de la, des, au, à la, aux :

Dans vos recherches, occupez-vous *du* Mexique — Pensez *au* Canada.

...Sauf s'il s'agit de petites îles européennes, ou d'îles non européennes, auquel cas on mettra de :

Il se désintéresse *de* Délos, *de* Cuba, *de* Bornéo, etc.

L'ARTICLE DIT PARTITIF

Ses formes

273

<u>**singulier**</u>	<u>**pluriel**</u>
du (masculin) **de la (féminin)**	**des (masculin et féminin)**

274 **Il n'y a véritablement terme partitif que lorsqu'il y a prélèvement d'une partie.**

Comparez : Je prends *le pain* **(= tout le pain)** — Je prends *un pain* **(= un pain entier) et :** Je prends **du** pain *qui est sur la table* **(= une partie de ce pain qui est...),** des confitures *qui sont dans le pot* **(= une partie de ces confitures qui sont...).**

Il y a encore un vrai complément partitif (mais sans article) dans :

Le régiment a perdu *de ses hommes* **(= quelques-uns de ses hommes)** — Je ne veux pas prendre *de votre temps* **(= une part de votre temps).**

Par extension, on voit un partitif dans les expressions suivantes :
Je mange *de la viande*[1], je bois *du vin*, je prends *des confitures* — Pêchons ici : il y a *de la sardine* — Vous avez *de la patience, du courage* — Faire *de la musique* — Lire *du Camus*.
Il n'y verra que *du feu* **F.P. fam. (= il ne s'apercevra de rien).**

après beaucoup, peu, etc. (v. n° 226) :
Il y a *beaucoup de* neige; *peu de* spectateurs[2].

et dans des phrases négatives (v. n° 227) :
Je ne vends *pas de* légumes — Ici, il n'y a *pas de* sardine.

Ce qui est certain, c'est que, dans tous les exemples ci-dessus, il ne s'agit jamais de totalité, laquelle s'exprimerait par tout (Je bois *tout le vin* — J'ai lu *tout Camus*) **ou par l'article simple :** J'ai bu *le* vin.
L'appellation de « partitifs » donnée à ces termes n'est donc pas illogique. Mais elle ne correspond plus que rarement à la conscience du Français parlant.

PLACE DE L'ARTICLE

275 **L'article se place immédiatement devant le nom ou devant l'adjectif épithète si celui-ci précède le nom :** *le* livre — *un* livre *intéressant* — *un beau* livre.

Dans les appellations où entrent soit un titre, soit un surnom, l'article se place devant le titre :
Monsieur *le Député* — Madame *la Duchesse*.

ou devant le surnom (v. n° 243) :
Louis *le Germanique* — Guillaume *le Taciturne*.

Place de l'article accompagnant certains indéfinis

276 **Notez :** *toute la* ville, *tous les* citoyens — **mais :** *la toute* fin **F.P. = la fin extrême,** *le Tout*-Paris **(l'ensemble des notabilités).**

et : *tout homme* est mortel; *l'homme même* **(= lui-même) ou :** *même l'homme* — **Mais :** *les mêmes* hommes **(= les hommes dont nous avons déjà parlé)** — *un tel* homme — **Mais :** *un homme tel que* lui... — *Tel un homme* épuisé **(= comme un homme épuisé),** il s'effondre.

1. Mais on peut y voir un article de **matière** (cf. G. Gougenheim, *Système grammatical de la langue française*).
2. Ce sont, si l'on veut, des expressions de **quantité** — En revanche, si l'on dit : Peu *des spectateurs* furent satisfaits, on a un vrai partitif, équivalant à : peu, *parmi* les spectateurs.

RÉPÉTITION DE L'ARTICLE

I. Nom sans adjectif épithète

277 **a) L'article se répète dans les énumérations dont les termes s'appliquent à des espèces différentes :**

Alors défilèrent *les* artilleurs, *les* cavaliers, *les* fantassins — **Mais voir n° 260.**

278 **b) Dans certaines expressions globales (juridiques ou administratives, généralement) l'article s'exprime *une seule fois*, par un pluriel (les, aux, etc.) :**

Les dommages et intérêts — *les* us et coutumes — *les* Eaux et Forêts — *les* Ponts et Chaussées — *les* Arts et Métiers — *les* officiers, sous-officiers et soldats — Indiquer *les* nom[1], prénoms[1] et date[1] de naissance de l'enfant — Magasin fermé *les* lundi, mardi et mercredi.

279 **c) Dans d'autres expressions globales, l'article s'exprime une seule fois, par un singulier, parce qu'il n'est question que d'un seul et même être :**

Le conseiller *et* âme damnée du roi[2] **(= celui qui était à la fois son conseiller et son diabolique inspirateur)** — X..., *le* fournisseur *et* ami de Sa Majesté — *Le* frère *et* collaborateur de l'architecte.

... en particulier, si la conjonction ou annonce une deuxième appellation du même objet, une définition :

Le plantain, *ou herbe* aux blessures — le tamier, *ou herbe* de la femme battue — le coffre, *ou malle* arrière des voitures.

II. Noms accompagnés d'un adjectif épithète

280 **• Plusieurs noms qualifiés chacun par un adjectif différent : autant d'articles que de noms.**

Les petits profits et *les* grands succès.

• Un seul nom pluriel, représentant plusieurs catégories, qualifiées chacune par un adjectif différent (épithètes incompatibles entre elles) : répétez l'article :

Les bons et *les* mauvais camarades.

N. B. — Si chaque catégorie ne renferme qu'une unité, dites :
Les langues grecqu*e* et latin*e* — *Les* dix-septièm*e* et dix-huitièm*e* siècles.

1. Remarquez l'emploi, logique, du singulier, ou du pluriel, suivant le cas.
2. Voir pour l'emploi du possessif (*son* conseiller et âme damnée) n° 334.

• **Un seul nom, qualifié par plusieurs épithètes compatibles entre elles : ne répétez pas l'article :**

Les jeunes et jolis enfants de mon frère — *Le* grand et gros homme que voici.

N. B. — En répétant l'article, on souligne l'expressivité des épithètes :

Les jeunes, *les* jolis enfants de mon frère — *Le* grand, *le* gros homme que voici — « *Le* vierge, *le* vivace et *le* bel aujourd'hui » (Mallarmé, *Poésies*).

ARTICLES PRIVÉS DE LEUR NOM

281 **L'article peut maintenir la structure de la phrase, même en l'absence du nom qu'il devrait normalement introduire :**

• **Soit qu'il forme alors avec un groupe de mots une expression nominale parfaitement claire :**

Le 2e chasseurs **(2e régiment de chasseurs)** — *la* Saint-Louis **(la fête de saint Louis)** — *la* Française des pétroles **(la Compagnie française des pétroles)** — *une* Royal Dutch **(une action de la Compagnie Royal Dutch)** — *le* Maine-et-Loire **(le département formé par la Maine et la Loire).**

• **Soit qu'il donne lui-même la valeur d'un nom à toute espèce de terme ou d'expression :**

On a entendu *des* oh! et *des* ah! — Je n'aime pas les gens qui pratiquent « *l'*ôte-toi-de-là-que-je-m'y-mette » **F.P. fam.**

L'ADJECTIF DÉMONSTRATIF

282 L'adjectif démonstratif se place **devant** le nom pour **désigner,** pour **montrer** un être, une chose (parfois avec **geste** à l'appui) :

Ce couteau est très pratique — *Cette* fleur-là sent bon.

Formes des adjectifs démonstratifs

	Simples		Composés	
	Masculin	**Féminin**	**Masculin**	**Féminin**
Sing.	ce, cet	cette	ce... -ci, cet... -ci ce... -là, cet... -là	cette... -ci cette... -là
Plur.	ces		ces... -ci ces... -là	

Cet, forme du masculin singulier, ne s'emploie que devant les noms commençant par une **voyelle** ou un **h muet** :

Cet animal — *cet* homme; **mais** : *ce* livre — *ce* héros.

283 Ne confondez pas ce, **adjectif démonstratif** masculin singulier, avec ce, **pronom** démonstratif « neutre », sujet ou objet d'un verbe : *ce* soldat **(adjectif)** — *ce* n'est pas vrai **(pronom).**

Dans : *cet* homme-*ci*, *cet* homme-*là*, **-ci et -là** sont des formes des adverbes de lieu **ici et là.** (Pour l'emploi des adjectifs démonstratifs ainsi composés, v. nº 286.)

Placez -ci et -là (sans oublier le trait d'union) **après** le nom déterminé par le démonstratif. Le groupe ainsi constitué n'admet, comme épithètes conjointes (v. nºs 102 et 113), que les adjectifs qui **précèdent** le nom :

Ce beau livre-*ci*.

(On ne peut dire ni : ce livre bleu-ci, ni : ce livre-ci bleu, alors qu'on dit : *ce* livre *bleu*.)

ADJECTIFS DÉMONSTRATIFS SIMPLES

284 Le sens primitif de démonstration s'est largement étendu :

a) soit pour **rappeler** une personne ou une chose **déjà nommées** :

Vous m'avez annoncé un visiteur; où est *ce* visiteur ?

b) soit pour **annoncer** une personne ou une chose **dont il n'a pas encore été question** :

Écoutez *cette* histoire; elle vous amusera[1].

1. Expressions équivalentes : pour a) le visiteur *en question*; pour b) l'histoire *que voici*, l'histoire *suivante* (parfois, en F.E. ou dans la langue administrative pour a) : *ledit* visiteur, le visiteur *susdit, susnommé*). En outre l'article a parfois aussi sens de démonstratif : *la* proposition est intéressante; ou l'adj. relatif : *auquel* cas..; ou un indéfini : dans *une telle* situation...

Le démonstratif sert, dans le F.E. surtout, à présenter avec plus d'insistance un terme abstrait dont le sens va être développé par un infinitif ou une proposition :

Il a *cette manie de* toujours vous *interrompre* (= **la manie de...**). J'ai sur vous *cet* avantage, *que j'habite* à Paris (= **l'avantage que...**).

285 **Valeur affective de l'adjectif démonstratif :**

Il peut exprimer :

l'étonnement, l'indignation (surtout en F.P. fam.) :

Cette idée! (= **quelle drôle d'idée!**) — oh! *ce* chapeau! — voyez *cette* audace!

le mépris :

Ce petit sot n'a rien su répondre.

l'admiration :

Corneille, Pascal, *ces* génies qui illustrèrent le XVIIe siècle...

le respect, la courtoisie :

« *Ces* messieurs de la famille... », **dira l'ordonnateur des Pompes funèbres pour former le convoi du défunt.**

la tendresse ou la pitié :

Ce pauvre ami, quel chagrin pour lui!

l'ironie légère :

Ces dames sont à papoter dans le salon.

parfois la possession :

L'injustice est intolérable au peuple de *ce* pays (**anglicisme, sans doute, pour :** notre pays).

ADJECTIFS DÉMONSTRATIFS COMPOSÉS

286 **En principe, les composés avec -ci indiquent la proximité d'un être dans l'espace ou le temps.**

Les composés avec -là indiquent l'éloignement :

Je prends *ce* livre-*ci*. Je vous laisse *ce* livre-*là* — Nous viendrons vous voir *ces* jours-*ci* (= **un des jours prochains**) — A *cette* époque-*là* (**qui est du passé**) vous n'étiez pas né.

Mais le F.P. emploie volontiers -là dans tous les cas, comme il dit : là pour ici, voilà pour : voici. Il emploie d'ailleurs voici pour voilà (en conclusion d'un exposé, notamment à la radio-télévision[1]). Nous vous recommandons de maintenir la distinction notée au paragraphe précédent : elle est parfaitement admise de tous les Français et favorise la clarté de l'exposé.

1. Déjà, dans Bossuet, en conclusion d'une exhortation : « *Voici* un article de conséquence, pensez-y, mes filles. » (*Ordonnances notifiées aux Ursulines de Meaux.*)

Ce... -là a souvent une valeur admirative :

Cet homme-là, quelle force de la nature!

ou péjorative :

Je n'ai rien de commun avec *ces gens-là*.

Adjectifs démonstratifs dans les compléments de temps

287 **Ici l'emploi de l'adjectif simple et de l'adjectif composé est assez capricieux et varie selon les noms qu'ils accompagnent. Voici quelques expressions à retenir :**

a) Expressions relatives à aujourd'hui et qui n'admettent guère *-ce... -ci :*

Il fait beau, il fera beau : *ce* matin, *ce* midi, *cet* après-midi, *ce* soir.

b) On dit et on écrit :

Ces jours-*ci*, *ces* temps-*ci*, *à cette* heure-*ci*, *ce* mois-*ci*.

Mais on dira et on écrira : *tous ces* jours, *tous ces* temps, *tous ces* mois **presque aussi souvent que** *tous ces* jours-*ci*, *tous ces* temps-*ci*, *tous ces* mois-*ci*[1].

c) On dit et on écrit :

En ce moment **ou** *en ce* moment-*ci*; *cette* semaine **ou** *cette* semaine-*ci*; *cette* année **ou** *cette* année-*ci*.

Et dans un récit :

Il faisait beau *ce* matin-*là*, *ce* midi-*là*, *cet* après-midi-*là*, *ce* soir-*là*, *ce* jour-*là*, *cette* semaine-*là*, *ce* mois-*là*, *cette* année-*là*; *à cette* heure-*là*, *à ce* moment-*là*, *à cette* époque-*là*, *en ce* temps-*là*.

De même : Il fera beau *ce* jour-*là*.

1. *Ce jour* est parfois employé dans la correspondance commerciale : « votre lettre reçue ce jour ». Ailleurs cette expression est affectée. Dites et écrivez : *aujourd'hui*.

LE PRONOM DÉMONSTRATIF

288 **Comme l'adjectif démonstratif, le pronom démonstratif sert à montrer. Mais en même temps, il joue le rôle d'un nom, a) soit qu'il remplace ou représente un nom déjà exprimé[1], b) soit qu'il exerce les fonctions d'un nom, sans référence précise[2] (valeur démonstrative affaiblie) :**

a) Voici deux livres. Prenez *celui-ci.*

b) Honte à *celui qui* ment.

289 Formes des pronoms démonstratifs

	Simples			Composés		
	Masc.	**Fém.**	**N.**	**Masc.**	**Fém.**	**Neutre**
Sing.	**Celui { de / qui**	**Celle { de / qui**	**Ce**	**Celui-ci** **Celui-là**	**Celle-ci** **Celle-là**	**Ceci** **Cela** **(ça)**
Plur.	**Ceux { de / qui**	**Celles { de / qui**		**Ceux-ci** **Ceux-là**	**Celles-ci** **Celles-là**	

N. B. — Aux formes composées, ceci et cela s'écrivent en un seul mot.

EMPLOI DES PRONOMS DÉMONSTRATIFS SIMPLES

I. Celui, celle, ceux, celles

290 **En principe, ces pronoms doivent être suivis :**

a) d'un pronom relatif : qui, que, à qui, auquel, etc.

Celui qui prendra l'épée périra par l'épée.

b) ou de la préposition « de » :

Son cœur est aussi pur que *celui d'*un enfant.

291 **A éviter : le démonstratif celui, celle, etc., suivi d'un adjectif en épithète conjointe :**

Dites : De ces deux chapeaux, je choisis *le* rouge **(ou** *celui qui* est rouge**).**

1. Les pronoms de cette sorte, rappelons-le (voir n° 210 *ter*), sont appelés des **représentants.**
2. Les pronoms de cette sorte sont appelés des **nominaux.**

Cependant, avec une pause (épithète disjointe), on pourra dire et écrire :

Parmi toutes mes excursions, je me rappelle, surtout, *celles, si agréables*, que j'ai faites dans les Pyrénées.

L'emploi d'un participe est, en revanche, de plus en plus admis :

Avec ma lettre, je vous adresse *celle écrite* par votre fils —

Et la préposition *de* **n'est plus la seule qui se rencontre après le démonstratif :**

« ... Les horlogers, surtout *ceux en boutique...* » (Giraudoux, cité par G. Gougenheim, *Système grammatical de la langue française.*) **Cf. aussi :** « Le message aux intellectuels a été lu par le cardinal Léger, *celui aux artistes* par le cardinal Suenens » (*La France catholique*, 17 décembre 1965).

Accord en genre et en nombre. N'oubliez pas de donner au pronom démonstratif le genre et le nombre du nom qu'il représente réellement :

Aucun souvenir n'est aussi vivace que *ceux* (= **les souvenirs**) de l'enfance.

II. Ce (pronom neutre)

292 **Ce n'a pas de forme du pluriel. Il signifie, selon les circonstances : cela, cette chose, ces choses, etc. Il peut même évoquer des êtres vivants comme nous le verrons plus loin (nº 300) — On élide l'e devant les formes du verbe être commençant par e ou a :**

C'est facile — *Ç*'a été facile — **F.P. pop. :** *Ça a été* facile.

293 **En principe, on ne peut employer ce, aujourd'hui, que suivi :**

a) d'un pronom relatif :

Ce qui me plaît, c'est sa franchise — J'aime tout *ce que* tu aimes — **en apposition** : Il est franc, *ce qui* me plaît. **V. nº 401 bis.**

b) des verbes être, pouvoir être, devoir être :

C'est vrai, *ce n'est* pas vrai — *ce peut être* vrai — *ce doit être* vrai — *Ce* nous *fut* une grande joie.

Mais c'est par une affectation d'archaïsme aussi bien que par souci d'élégance que le poète Moréas a écrit :

... Et la Dame dit : « *Ce* me plaît. » (*Tidogolain*)

On ne dit pas : « il est bon » pour « c'est bon » au sens de : *cela* — que j'ai dit — est bon). **Mais on dit « il est vrai » :** Nous hésitons, *il* est vrai — (Pour : *il est beau de...*, **voir nº 303).**

294 **Cependant, en dehors de son emploi avec être ou un pronom relatif, ce survit :**

a) dans quelques expressions, vieillies, du F.E. où il est représentant :

Ce disant (= **en disant cela**) il prit congé de ses hôtes.
Ce faisant (= **en faisant cela**) vous aurez raison.
« Un épervier aimait une fauvette
Et, *ce dit-on*, il en était aimé » (Chateaubriand, *Mémoires d'outre-tombe*) = **et, dit-on,...**

b) dans quelques expressions que, même en français parlé, on emploie encore (avec quelque affectation il est vrai) et où ce est représentant :

Il refuse de m'aider, *et ce* (= **et cela**) après m'avoir fait les plus belles promesses.
Allons, *sur ce* je vous quitte (= **sur ces mots**).
Il vous raille, *ce me* semble.

c) enfin, et surtout, dans des locutions conjonctionnelles, où il a perdu toute valeur propre et ne peut s'analyser séparément :

Travaille *jusqu'à ce que* je t'appelle.
Je m'inquiète *de ce qu*'il n'est pas arrivé (**ou** : Je m'inquiète qu'il ne soit pas arrivé, **v. n° 639**).
Je m'attends *à ce qu*'il pleuve[1].
Je consens *à ce qu*'il revienne ici.
La différence consiste *en ce que* l'un est jeune et l'autre vieux.

N. B. — Ainsi a été formée la conjonction parce que ; aujourd'hui, elle forme un tout.

Pour tous les exclamatifs du F.P. fam. : *ce qu*'il mange! *ce qu*'il est grand! **v. n° 821.**

295 **Principaux emplois de « ce » devant le verbe être.**

Il l'introduit, en le soulignant :

a) toute espèce de sujet :

Sujet nom : Le coupable, *c'est l'instigateur* — Les coupables, *ce sont les instigateurs.*

Sujet pronom : Le coupable, *c'est moi*, *c'est lui* — Qui a fait cela? *C'est nous, c'est vous, ce sont eux, ce sont elles* (**F.P. fam. :** *c'est* eux, *c'est* elles).

Sujet infinitif : La difficulté, *c'est de décider.*

Sujet proposition : Le plus étonnant, *c'est que je ne l'ai pas reconnu*[2].

1. Les puristes ont réagi contre cet emploi de ce, recommandant le tour : Je m'attends qu'il pleuve, ou qu'il pleuvra. Mais le **F.P.** ne les suit pas, ni même toujours le **F.E.** (v. n° 638).
2. Le plus étonnant est que... — La difficulté est de... sont possibles, mais en **F.E.** seulement.

Noter les tours : *ce qui... c'est; celui qui... c'est :*

Ce qui me plaît, *c'est* la liberté — *Ce dont* j'ai besoin, *c'est* la liberté **(ou :** c'est de la liberté) — *Ce à quoi* je pense, *c'est* mon pays **(ou plutôt :** c'est à mon pays) — *Celui que* j'appelle, *c'est* mon frère — *Ceux qui* arrivent, *ce sont* mes frères — *Ce qui* m'amuse, *c'est que tout le monde s'y est trompé.*

296 **b) Ce introduit toute espèce d'attribut du sujet :**

un nom : Mourir pour la liberté, c'est *une belle mort.*

un adjectif : Mourir pour la liberté, *c'est beau*[1] — Un tel héroïsme, *c'est rare.*

un infinitif : Partir, *c'est mourir un peu.* **(Ce disparaît souvent si le verbe être est négatif :** Partir *n'est pas* toujours mourir.)

N. B. — On peut antéposer, dans la plupart de ces tournures :

- **le sujet nom :** *C'est* l'*instigateur* le coupable.

ou pronom : *C'est moi* le coupable — *C'est vous, ce sont eux* les coupables.

- **l'attribut :** *C'est un beau pays,* la France **(ou plutôt :** *C'est un beau pays que* la France — **que = particule de soutien**).

C'est une belle mort, de mourir pour la liberté **(ou :** *que de* mourir...**).**

C'est beau, de mourir pour la liberté — *C'est rare,* un tel héroïsme.

C'est mourir un peu, que partir **(ou plutôt, surtout en F.P. :** *que de* partir**)** — *Ce n'est pas toujours mourir que de* partir.

297 **c) Ce introduit toutes sortes de compléments :**

Celui que je choisis, *c'est toi.*
Si tu dois partir, *c'est aujourd'hui.*
Où habitez-vous ? — *C'est ici.*
Il a attendu. *C'est pour être sûr de vous rencontrer.*

On dit couramment : *C'est parce que* (C'est parce que je ne savais pas) — **En F.E. :** *C'est que* je ne savais pas.

298 **d) Gallicismes : c'est... qui, que (pronoms relatifs), c'est que... (conjonction).**

Ces expressions encadrent un terme que l'on veut mettre particulièrement en relief :

C'est *la liberté* qui me plaît **(= seule, la liberté me plaît)** — C'est *mon père* qui a dit cela **(= mon père et non le tien)** —

Avec que conjonction :

C'est *de la France* que je parle — C'est *à toi* que je pense — C'est *avec joie* que je pense au retour — C'est *là* que je voudrais vivre, **etc**[2]**.**

1. Pour les tours : *c'est* beau de..., *il* est beau *de*..., voir n° 303.
2. Les étrangers feront bien de ne pas recourir imprudemment à l'inversion si fréquente dans certaines langues et d'éviter des tours comme : De la France je parle.

299 **Variations de c'est... qui... avec des noms :**

C'est *ce livre* que je préfère — Ce sont *ces livres* que je préfère.
Ce sont *ces livres* qui me plaisent.
C'est *Pierre et Paul* qui ont dit cela.
C'est *l'orgueil et les gaspillages* qui l'ont ruiné.
Ce sont *les gaspillages et l'orgueil* qui l'ont ruiné.

En somme, on emploie ce sont devant un nom pluriel[1] — c'est devant un singulier, même, souvent, si un pluriel lui est coordonné.

Variations de c'est... qui avec des pronoms personnels :

C'est moi, c'est toi, c'est lui, c'est elle qui... **ou** que...
C'est nous, c'est vous qui... **ou** que...
Ce sont **(ou en F.P. :** *c'est*) *eux, elles* qui... **ou** que...

Pour le tour : C'est *à* toi *à* qui je parle, **voir n° 407.**

300 **Emploi de « il » et de « ce » :**

a) Comme pronoms représentants, c'est il, elle, ils, elles que normalement on emploiera.

Les enfants, *ils* sont étonnants — *Ils* sont étonnants, les enfants.

Mais « ce » peut (surtout en F.P. fam.) représenter un nom, même de personne, dans son acception la plus générale, ou la plus vague, avec valeur neutre en quelque sorte :

Les enfants, *c*'est étonnant — *C*'est étonnant, les enfants (= **cette espèce)** — Votre histoire, dit le commissaire, *c*'est trop facile[2] **(= ce moyen de défense)** — Regardez ce coucher de soleil, *c*'est étonnant[2] **(= ce spectacle).**

Et l'on notera les tours (nominaux) :

Vous serez *ce que* nous sommes — Il est supérieur *à ce qu*'il était **(et non :** à celui qu'il était)

301 **b) Pour répondre aux questions :**

1. sur l'identité :

On sonne : *qui* est-*ce*? — *C*'est Pierre — *c*'est le médecin.
Ce visiteur, *qui* est-*il*? — *C*'est Pierre — *c*'est le médecin.
Quelle est cette maison? — *C*'est la mienne.

2. sur la manière d'être ou la profession, employez *il* **ou** *ce*, **suivant le cas :**

(manière d'être) : *Comment* est-il? — *Il* est petit et mince — **Mais, avec un nom attribut :** *C*'est un petit homme.

(profession) : Ce garçon, *qu*'est-il devenu? — *Il* est médecin **(pour l'emploi de l'article, v. n° 248).**

1. Mais si le nom est complément indirect (précédé d'une préposition), on emploie toujours **c'est** : *C'est* à mes amis que je pense (et non : ce sont à mes amis...).
2. Exemples donnés par Denis O'Mahony et J.-Cl. Chevalier dans *Le Français dans le Monde*, n° 19.

302 c) **On notera les tours :**

Il est cinq heures — **Mais :** *C*'est jeudi —
Nous sommes jeudi, nous sommes en janvier.

et, dans le sens de : il y a, il y avait :

Il était une fois... **(début des contes de fées).**
Il est des cas où...
« Pour le repos, le plaisir du militaire,
Il est là-bas, à deux pas de la forêt,
Une maison aux murs tout couverts de lierre... »
(*La Madelon*, chanson de la guerre 1914-1918).

Ces tours, qui ont souvent une valeur poétique[1], appartiennent surtout au F.E.

303 d) **Emploi de ce, il, neutres devant l'attribut de l'infinitif : c'est..., il est...**

En principe, on emploie il, et non ce :

Il est beau de soulager la misère d'autrui.

Mais ce est nécessaire si l'infinitif est antéposé :

Soulager la misère, *c*'est beau.

Alors ce reprend sa valeur démonstrative, en rappelant l'idée déjà exprimée : soulager la misère.

Dans la langue courante, on emploie « c'est » très communément : *C*'est beau de soulager la misère. **Ce tour a une valeur plus concrète et plus affective que :** Il est beau de....

Devant d'autres verbes que « être », l'emploi de il est un peu suranné (F.E.) :

Il me coûte de voir ce spectacle — *Il nous étonne* d'apprendre....

Le français courant dit alors : *cela* me coûte **(ou :** *ça* me coûte)...
cela m'étonne **(ou** *ça* m'étonne)...

304 e) **Enfin, c'est entre dans la composition d'un grand nombre d'expressions de la langue courante[2] :**

Est-ce que...? — **et :** Où *est-ce qu*'il est? — Quand *est-ce qu*'il viendra? — Pourquoi *est-ce que* tu as fait ça? — Comment *est-ce qu*'il s'y prendra?

Noter encore : Sais-tu *ce que c'est que de* souffrir? (= **en quoi consiste la souffrance.)**

Voilà *ce que c'est que de* mentir (= **voilà à quoi on s'expose quand on ment).**

1. Voir R.-L. Wagner, *Le Français dans le Monde*, n° 29.
2. On notera là une multiplicité de pléonasmes favorisés par l'affaiblissement de **c'est,** devenu simple particule.

EMPLOI DES PRONOMS DÉMONSTRATIFS COMPOSÉS

Emploi de « -ci » et « -là »

Celui-ci, celui-là, etc., représentent des noms :

Tu veux un livre? Prends *celui-là*.

Ceci, cela (F.P. fam. ça) représentent en général des idées :

Avez-vous noté *cela*?

Mais souvent aussi des noms concrets :

Emportez *cela*.

305 **Les formes composées avec -ci marquent, en principe, la proximité dans l'espace ou le temps — les composés avec -là marquent l'éloignement :**

De ces deux maisons, *celle-là* (= **la plus éloignée**) ne me plaît pas. Je préfère *celle-ci* (= **la plus proche**) — Jean qui pleure et Jean qui rit sont deux symboles, *celui-ci* (= **Jean qui rit**) de la bonne humeur; *celui-là* (= **Jean qui pleure**) de la mauvaise humeur — Maintenant que vous avez lu *cela* (= **ce qui précède**), lisez *ceci* (= **ce qui suit**).

Nous avons vu (nº 286) que le F.P. ne fait pas toujours cette distinction et emploie de plus en plus les composés avec -là dans tous les cas — On notera cependant l'expression « ceci dit », qui semble plus fréquente, en F.P., que « cela dit » :

Ceci dit, examinons votre affaire.

On remarquera les emplois suivants :

306 **1. Celui-là — emphatique ou péjoratif :**

« ... Et s'il n'en reste qu'un, je serai *celui-là* » (Victor Hugo, *Ultima verba*).

Pierre a refusé ta proposition — Oh! *celui-là*!... (= **Ça ne m'étonne pas d'un tel garçon.**)

Si je m'attendais à *celle-là*! (= **à cette mésaventure.**)

307 **2. Pronoms démonstratifs au sens de : un tel ou un tel; telle ou telle chose.**

Un jour il s'en prend à *celui-ci;* le lendemain, à *celui-là*.

Il ne s'agit pas de raconter *ceci* ou *cela*, mais de répondre par oui ou par non.

308 **3. Emploi abusif de celui-ci pour : il.**

Vous lirez parfois, ou vous entendrez, par exemple :

Nous ne pouvons diffuser le bulletin météorologique : celui-ci ne nous est pas parvenu.

Le pronom personnel ne risquant pas, ici, d'être équivoque, on doit dire : *il* ne nous est point parvenu.

309 4. F. Brunot (*La Pensée et la Langue*) **fait remarquer les tours suivants :**

Une *chose* a disparu; *et elle* me manque. **(Le nom *chose* est représenté par *elle*.)**

Quelque chose a disparu; et *cela* me manque. **(Le pronom indéfini *quelque chose* est représenté par *cela*.)**

310 **5. Dans le F.E. vous trouverez parfois le tour : celui-là... qui, ceux-là... qui, au lieu de : celui qui, ceux qui** (v. n° **404). Il a pour effet de mettre en relief attribut et relative :**

Celui-là est riche, *qui* reçoit plus qu'il ne consomme; *celui-là* est pauvre, *dont* la dépense excède la recette.

311 **6. Parfois le pronom cela se dit ou s'écrit en deux mots (ce... là) entre lesquels s'intercale le verbe être. C'est un tour propre surtout au F.E., qui met un accent grave sur là :**

C'est *là* ce qui t'irrite (= **voilà ce qui t'irrite).**

Ce doit être *là* ce qui t'irrite (= **voilà sans doute ce qui t'irrite).**

Emploi de ça

312 **Ça est sans doute une altération de cela — On l'emploie très couramment en F.P. fam.**

Ça ne me plaît pas (= **cela)** — *Ça* sera gai! (= **cela, ce).**

Voici quelques locutions de ce type :

a) avec préposition initiale, ou un terme équivalent :

Fais attention, *sans ça* tu auras affaire à moi.

Pierre aide beaucoup sa mère — Oh! *pour ça* (= **à cet égard),** c'est un fils irréprochable.

Et *avec ça*, madame? — Ça sera tout pour aujourd'hui.

Avec ça, qu'il dort! (= **mais non, il ne dort pas!)**

Prenez l'outil *comme ça* **(v. n° 765).**

Alors, *comme ça* (= **ainsi donc),** il vous a chassé?

Malgré ça, on ne s'est pas ennuyé **(F.P. pop. : quoique ça).**

A part ça, quoi de nouveau?

b) autres locutions :

Ça va-t-il? Comment *ça va?* (= **allez-vous bien?)** — Oui, *ça va* (*ça va* comme *ça*; *ça va* comme ci, comme *ça*).

Ça se dit (= **cette expression est courante)** — *Ça ne se fait pas* (= **cette conduite est incorrecte).**

Oh! *ça m'est égal*!

Il ne manquait *plus que ça*! (= **c'est un comble!)**

Ça y est : tu es reçu!

Quand je l'ai connu, il n'était *pas plus haut que ça* — **(avec un geste).**

Il est intelligent, n'est-ce pas? — Oh! *pas tant que ça*!

Péjoratif : *Et ça* fait le malin!

ou affectueux : Les mères, *ça* vous comprend toujours.

L'ADJECTIF POSSESSIF

313 **L'adjectif possessif désigne le possesseur d'un objet qu'il peut ainsi déterminer :**

Mon livre = **le livre qui est** *à moi.*

Les adjectifs possessifs ont des formes différentes :

a) selon la personne du possesseur :

Mon livre (à *moi*) — *ton* livre (à *toi*);

b) selon le nombre du possesseur :

Mon livre (à *moi*) — *notre* livre (à *nous*);

c) selon le genre de l'objet possédé :

Mon livre — *ma* grammaire;

d) selon le nombre de l'objet possédé :

Mon livre — *mes* livres.

N. B. — Le genre du possesseur n'a pas, en français, de conséquence sur la forme du possessif : *son* livre (à *lui*) — *son* livre (à *elle*) — **D'où équivoques possibles :** M. Cressot *(Le Style)* **cite Sacha Guitry :** « Elle m'a même dit qu'elle aurait été heureuse de le revoir avant *sa* mort. — Avant sa mort *à elle*... ou avant sa mort *à lui ?* »

314 LES ADJECTIFS POSSESSIFS ATONES[1]

		un seul possesseur de la			plusieurs possesseurs de la		
		1re personne	2e personne	3e personne	1re personne	2e personne	3e personne
un seul objet possédé	M	mon	ton	son	notre	votre	leur
	F	ma	ta	sa	notre	votre	leur
plusieurs objets possédés	M et F	mes	tes	ses	nos	vos	leurs

315 **Mon, ton, son s'emploient devant tous les noms ou adjectifs masculins :**

Mon cheval.

et, au sens féminin, devant un groupe nominal commençant par une voyelle ou un h muet :

Mon auto, mon horloge, mon horrible aventure.

1. N'ayant pas **d'accent** propre, ils **s'appuient** sur le nom qui suit.

Dans l'ancienne langue, l'adjectif possessif féminin ma s'élidait devant une voyelle : (ma amie) *m'amie*; **aujourd'hui :** mon amie — (ma amour[1]) *m'amour*; **aujourd'hui :** mon amour.

Ces deux expressions, coupées de façon erronée, ont abouti dans la langue familière à ma mie, sa mie : Il est allé se promener *avec sa mie*; **et à l'expression :** *faire des mamours* à quelqu'un : **l'accabler de gentillesses excessives.**

Ma, ta, sa ne s'emploient aujourd'hui que devant un groupe nominal féminin commençant par une consonne ou un h aspiré :

Ma femme, ma hache, ma première voiture.

Comme on a pu le remarquer (n° 313), à moi, à toi, etc., renforcent parfois le possessif :

C'est mon livre *à moi.*

REMARQUES **concernant le nombre du possesseur**

316 a) **Pluriel de politesse ou de distance sociale.**

Votre, vos indique très souvent un seul possesseur et prend le sens de ton, ta, tes quand il s'agit de personnes qui se disent habituellement vous (v. n° 452) : relations de déférence, relations professionnelles, enfants parlant à des adultes et, dans certains milieux traditionalistes, enfants parlant à leurs parents, ou mari et femme se parlant entre eux.

317 b) **Pluriel officiel ou « de majesté » : notre, nos.**

C'est la forme employée par les souverains, les chefs d'État, certains personnages officiels, même les maires de petites communes :

« *Notre* attention a été attirée sur un cas grave... »

318 c) **Pluriel de modestie : notre, nos.**

C'est celui qu'emploie parfois l'écrivain dans la préface de ses ouvrages :

« *Notre* but, *nos* intentions, en composant ce livre, ont été de... »

319 d) **Possesseur indéfini.**

Il s'agit de tours comportant : on, personne, tout le monde (comme sujets), ou un verbe impersonnel : il faut, il est bon de..., etc.

Dans ce cas :

1. Si la « chose possédée » est dans la même proposition que on, personne, tout le monde, ou que l'infinitif dépendant du verbe impersonnel, on emploie son :

Comme *on* fait *son* lit on se couche — *Il faut* laver *son* linge sale en famille — *Il est doux* de revoir *sa* patrie.

1. Dans l'ancienne langue, *amour* était du féminin, ou du masculin.

2. Si la « chose possédée » est dans une autre proposition que on, on emploie votre :

On perd sa peine à obliger certaines gens : *votre* aide les irrite.

320 **e) Le possesseur est représenté par « chacun ».**

1. Si « chacun » est sujet ou complément, employez son, sa, ses :

Chacun des pompiers a fait *son* devoir — A *chacun* selon *ses* mérites.

2. Si « chacun » est apposition à un sujet ou un complément pluriels :

• Employez notre, votre quand il s'agit d'une 1re ou d'une 2e personnes[1] :

Nous rentrons *chacun* dans *notre* maison, dans *nos* appartements.
Vous rentrez *chacun* dans *votre* maison, dans *vos* appartements.
Donnez-*nous* à *chacun notre* dû.

• Employez son ou plutôt leur quand il s'agit d'une 3e personne :

Ils rentrent chacun dans *sa* maison, dans *ses* appartements.
Ils rentrent chacun dans *leur* maison, dans *leurs* appartements.

321 **f) On notera les emplois suivants, où, à chaque « possesseur », correspond un seul « objet possédé » :**

1. Si l'expression est concrète :

Messieurs, déposez *votre* canne (ou *vos* cannes) au vestiaire.
Donnez-moi *votre* chapeau (ou *vos* chapeaux).

2. Si l'expression est abstraite :

Messieurs, accordez-moi *votre* confiance — Otez *votre* chapeau **(sens figuré)** devant cet héroïsme **(le singulier est ici nécessaire).**

Le réfléchi

322 **Le possessif français n'a pas de forme spéciale (dite réfléchie, v. n° 438) pour indiquer que le possesseur est en même temps sujet de la proposition :**

Comparez : *Nous* avons bâti *sa* maison **et :** *Il* a bâti *sa* maison.

Mais pour souligner l'idée de réfléchi, vous pouvez ajouter au sujet le pronom lui-même ou au possessif l'adjectif « propre », précédant le nom.

Cet homme a bâti *lui-même* sa maison.

ou : Il a bâti sa *propre* maison.

1. L'emploi de *son,* dans ce cas, n'est pas sans exemples : Nous sommes tous partis, chacun de *son* côté (G. Duhamel, cité par M. Grevisse). Mais alors une pause assez nette sépare l'apposition du sujet.

Son propre s'emploie d'ailleurs avec toute espèce de sujets ou compléments pour souligner, non plus l'idée de réfléchi, mais celle d'identité :

Ses propres amis le blâmèrent — On l'a combattu avec *ses propres* arguments **(= ses amis à lui, ses arguments à lui).**

La possession au sens large

323 **L'adjectif possessif désigne souvent des choses ou des êtres qu'on ne possède pas vraiment, mais qui sont dans des relations particulières avec la personne considérée :**

a) **Parenté, amitié, profession, etc. :**

Mon père, *vos* professeurs, *ses* employés.

b) **Sentiments, idées, etc. :**

Ta colère, *nos* pensées, *leurs* soucis.

Possessif d'habitude, ou de préoccupation

324 **Très souvent, le possessif met en relief un fait habituel ou une préoccupation :**

As-tu pris *ton* café ? — Aujourd'hui elle a *sa* migraine — Il est éloquent à *ses* heures — Il veille à *ses* petits intérêts — J'ai tout *mon* temps — Il vérifie *son* addition — Je gagne *mes* 3 000 francs par mois — C'est demain que je passe *mon* concours — Mon fils fait *son* droit (*sa* médecine, etc.) — Sais-tu *ta* leçon ?

Possessif d'amitié, d'intérêt

325 **Aux diverses personnes, le possessif évoque souvent l'affection éprouvée pour un être ou un objet :**

Mon Jean est reçu au baccalauréat.

ou l'intérêt, plus ou moins ironique : Voilà *mon* homme pris.

ou le dédain, le mépris : J'en ai assez de *ton* Ernest !

Possessif dans les appellations et les apostrophes

326 **mon, ma ont servi et servent encore, dans certains cas, d'appellations de politesse ou de respect.**
mon + sieur (= seigneur) a donné : monsieur[1]; **de même :** madame, mademoiselle — **D'où, au pluriel :** messieurs[2], mesdames, mesdemoiselles; *monsieur* Dumont; *monsieur le* Préfet **(notez la présence de l'article et sa place).**

1. Messire est une forme analogue, plus ancienne, où *mes* est un cas sujet du singulier.
2. Devenu nom, *un monsieur* fait au pluriel *des messieurs*; *ce monsieur* devient : *ces messieurs* — *une (belle) madame* ne s'emploie guère que dans la langue enfantine. Le pluriel est alors : *de belles madames* — Le coiffeur affiche : Coiffeur pour *dames* et pour *messieurs*.

N. B. — Dans la langue juridique, le sieur, la dame, la demoiselle sont encore souvent employés, devant le nom propre :

Le sieur Dumont comparaît, assisté de son avocat.

En dehors de cet emploi, ce sont des appellations méprisantes.

327 **Si l'on adresse la parole à quelqu'un en l'interpellant, il y a apostrophe (v. n° 629).**

Apostrophe précédée de mon.

Dans les apostrophes familiales, le nom est tantôt seul :

Oui, *papa* (*maman*, *père*, *mère*, *grand-père*, *grand-mère*),

tantôt accompagné d'un mon affectueux. On dira obligatoirement :

Oui, *ma* fille, *mon* fils (*ma* petite fille, *mon* petit) **et :** Oui, *mon* oncle.

(Mais on entend : oui, *ma* tante, **ou :** oui, tante; **et :** *oncle* Jean, **ou :** *tonton* Jean.)

Dans l'armée, mon exprime le respect (à partir du grade d'adjudant) :

Mon lieutenant, *mon* général[1].

(Mais un civil pourra dire : lieutenant, général; **et jamais une femme n'emploiera « mon ».)**

Dans la marine, on dit : commandant, amiral, **etc.**

Les dignités civiles ne comportent jamais « mon » :

Monsieur le Président (*Mon* président, **dit à un juge de tribunal, est du F.P. pop.)** — *Monsieur* le Professeur.

Autres appellations : Monseigneur **(à un évêque)** — Éminence **(à un cardinal)** — Très Saint Père **(au pape)** — Sire **(à un roi)** — Votre Altesse **(à un prince royal)** — Madame, **s'il s'agit d'une reine ou d'une princesse (ou :** Votre Majesté, Votre Altesse) — Docteur (à un médecin seulement).

Le possessif et l'action

328 **Le possessif désigne souvent : ou le sujet de l'action impliquée dans le nom qu'il accompagne :**

Mon arrivée a surpris (= **le fait que j'arrivais)** — *Votre* chute **(le fait que vous tombez).**

ou l'objet de cette action :

Son expulsion **(le fait qu'on l'expulse)** — *Ta* condamnation **(le fait qu'on t'a condamné).**

1. Maréchal étant non un grade mais une dignité, on dit : *Monsieur le* Maréchal.

Pour comprendre certaines locutions anciennes il est bon de se reporter à la distinction ci-dessus :

Le règlement de l'affaire s'est fait à *mes* dépens (= **j'ai payé**) — en *votre* honneur (= **pour vous honorer**) — sauf *votre* respect (= **le respect que j'ai de vous étant intact, étant sauf** = **sans oublier le respect que je vous dois**).

329 **Parfois deux sens seraient possibles et il conviendra d'éviter les équivoques :**

J'ai entendu *ton* éloge (celui qu'on a fait *de toi* : **objet**) — J'ai été sensible à *ton éloge* (celui que *tu as fait* de moi : **sujet**) — Allons à *son* aide (**objet**) — *Son* aide t'a tiré d'affaire (**sujet**).

330 Le possessif remplacé par l'article défini : voir nº 219

Son et en

331 En principe[1], **son** est remplacé par **en**, placé **devant le verbe**, quand le « possesseur » est une **chose**, et que ce possesseur se trouve dans un membre de phrase **précédent**. Cela se produit :

a) **Quand la chose possédée est sujet du verbe être ou d'un autre verbe de sens voisin :**

J'ai visité *le château*. Les pièces *en* sont (paraissent, restent) belles.

b) **Quand la chose possédée est complément d'objet direct :**

Le grand *château*! J'*en* admire les pièces.

Par contre, si le possesseur est une chose personnifiée, on emploie le possessif :

Je me suis fait l'apôtre de la Liberté, et partout j'écris *son* nom.

332 On emploie **obligatoirement le possessif** si la chose « possesseur » est dans la **même proposition**, soit comme sujet, soit comme complément, que la chose « possédée » :

Sujet : Le *château* est beau dans toutes *ses* parties.
Complément : Portez cette *lettre* à *son* adresse — Remettez *son* couvercle à cette *théière*[2].

332 bis On emploie encore **son** si le nom de la chose possédée est construit indirectement, c'est-à-dire introduit par une **préposition** :

Le grand *château*! Je suis émerveillée *de ses* pièces.

Répétition du possessif

333 En règle générale, on **répète** l'adjectif possessif (comme l'article : v. nos 278, 279, 280) devant chaque nom de « chose possédée » : Il admire *son* frère et *sa* sœur.

1. Mais c'est un principe souvent négligé aujourd'hui.
2. Notez cette construction, où le possessif est énoncé *avant* le possesseur. Elle se trouve (surtout en **F.E.**) avec des verbes signifiant : *donner à, appliquer à*.

334 **Mais on notera les constructions suivantes, encore vivantes :**

Noms au singulier, formant un groupe :

Tes père et mère honoreras — En *mon* âme et conscience, je déclare...

Noms au pluriel, formant un groupe :

Je connais tous *ses* faits et gestes — Vous viendrez à *vos* risques et périls — On épie *leurs* allées et venues.

Deux noms représentant le même personnage :

Voici *mon* cousin et ami — *mon* tuteur et conseiller — *mon* oncle et parrain.

Si plusieurs adjectifs qualifient une même chose possédée, il faut distinguer :

a) adjectifs exprimant des qualités compatibles entre elles :

J'ai été sensible à *votre* généreux et cordial accueil **(on emploie un seul possessif à moins qu'on ne veuille insister :** à *votre* généreux, à *votre* cordial accueil),

b) adjectifs exprimant des qualités incompatibles entre elles :

Je connais *ses* bons et *ses* mauvais côtés **(on emploie plusieurs possessifs).**

ADJECTIFS POSSESSIFS TONIQUES

335 **A côté des adjectifs, mon, ton, son, etc., toujours placés avant le nom, il y en a d'autres, venus des mêmes mots latins, mais dont l'évolution phonétique a été différente.**
Ils ne s'appuient pas, comme les précédents, directement sur un nom. Ils ont leur accent propre — on les dit toniques.

Leurs formes

336

		Un seul possesseur			Plusieurs possesseurs		
		de la 1re personne	de la 2e personne	de la 3e personne	de la 1re personne	de la 2e personne	de la 3e personne
un seul objet possédé	M	mien	tien	sien	nôtre	vôtre	leur
	F	mienne	tienne	sienne	nôtre	vôtre	leur
plusieurs objets possédés	M	miens	tiens	siens	nôtres	vôtres	leurs
	F	miennes	tiennes	siennes	nôtres	vôtres	leurs

N. B. — Remarquer les accents circonflexes (nôtre, vôtre) et l'allongement de l'o qui distinguent les adjectifs toniques des adjectifs atones.
Les possessifs toniques sont beaucoup plus rares aujourd'hui que les possessifs atones. On les emploie encore en F.E. :

a) comme épithètes,

337 **dans des tours un peu désuets :**

Un *mien* frère, un *mien* ami, **auxquels vous préférerez :** *un de mes* frères, *un de mes* amis **ou (plus familièrement) :** *un* frère, *un* ami *à moi*.

N. B. — Seul l'article indéfini est admis ici. N'écrivez pas, ne dites pas : ***le mien ami*** **ni** ***ce mien ami.*** **Mais :**

L'ami *qui est le mien* — *mon* ami *que voici*.

b) comme attributs,

après des verbes tels que être, regarder comme, faire (plutôt F.E.) :

Faites comme chez vous. Ici tout est *vôtre* **(plus naturellement :** tout est *à vous*) — Je considère comme *mien* votre succès — Il a fait *sienne* cette proposition.

Ou, en formule de politesse, à la fin d'une lettre :

Croyez-moi bien *vôtre*. Respectueusement *vôtre*.

N. B. — Leur. Ce mot, qui a pour origine un démonstratif latin signifiant : ***de ceux-là, d'eux,*** **est, en français :**

tantôt adjectif possessif atone :

Leur livre.

tantôt adjectif possessif tonique :

Ils regardent cette terre comme *leur*.

tantôt pronom personnel, objet indirect :

Ne *leur* reprochez rien.

LE PRONOM POSSESSIF

338 **Les pronoms possessifs représentent en principe un être, un objet déjà nommés. Ce sont en général des *représentants*. Ils sont constitués de l'adjectif tonique (v. n° 336) évoquant la possession, précédé de l'article défini évoquant le nom :**

Voici mon livre; voilà *le tien.*

Leurs formes

Un seul possesseur

		de la 1re pers.	de la 2e pers.	de la 3e pers.
un seul objet	M	le mien	le tien	le sien
	F	la mienne	la tienne	la sienne
plusieurs objets	M	les miens	les tiens	les siens
	F	les miennes	les tiennes	les siennes

Plusieurs possesseurs

		de la 1re pers.	de la 2e pers.	de la 3e pers.
un seul objet	M	le nôtre	le vôtre	le leur
	F	la nôtre	la vôtre	la leur
plusieurs objets	M F	les nôtres	les vôtres	les leurs

Valeur et emploi des pronoms possessifs

339 **Comme les adjectifs, ils indiquent la possession proprement dite :**

Voici mon livre; voilà *le tien.*

Ou la possession au sens large :

Mes pensées s'accordent avec *les tiennes.*

Nombre du possesseur

340 **Comme pour les adjectifs possessifs (v. n° 316 à 319) :**

a) Il existe pour les pronoms :

un pluriel de politesse :

Voici ma place. Monsieur, voilà *la vôtre.*

un pluriel de majesté :

L'intérêt des Français se confond avec *le nôtre.*

un pluriel de modestie :

D'autres traités sont historiques; *le nôtre* essaie de décrire l'état présent du pays.

341 **b) Quand le possesseur est un sujet indéfini (on, personne, tout le monde, ou dans une tournure impersonnelle :** il *faut*, il *est bon de*..., **etc.), employez son :**

Il faut aimer les enfants et particulièrement *les siens* **(ou, plus clairement :** *les siens propres*, **voir n° 322).**

342 **c) Quand le possesseur se rapporte à chacun, apposition à un sujet ou un complément pluriels, nous vous conseillons d'employer le nôtre, le vôtre si chacun évoque une 1re ou une 2e personne :**

Rentrez à la maison, *chacun* dans *la vôtre*.
Donnez-nous notre dû, à *chacun le nôtre*.

Employez le sien ou le leur, s'il s'agit d'une 3e personne :

Ils rentrent à la maison, *chacun* dans *la sienne* (ou *chacun* dans *la leur*).

Pronoms possessifs à valeur de nom (= nominaux)

343 **Les pronoms possessifs ne représentent pas toujours des noms précédemment énoncés ; ils prennent parfois par eux-mêmes le sens d'un nom particulier et désignent :**

Au masculin pluriel : des parents ; des amis ; des soldats :

Le père travaille dur pour nourrir *les siens* — Devant ces assauts répétés *les nôtres* tenaient bon.

Au féminin pluriel (comme objet du verbe faire): de mauvais tours, de mauvaises plaisanteries :

Ce garçon a encore fait *des siennes* : il m'a cassé une vitre.

Au singulier neutre : ce qui appartient à chacun ; l'effort de chacun :

Il faut parfois distinguer *le tien du mien* — Que chacun y mette *du sien* **(= que chacun fasse des efforts),** et tout ira bien.

LES INTERROGATIFS ET EXCLAMATIFS

(V. nos 817 à 822 bis).

L'ADJECTIF INTERROGATIF

344 **L'adjectif interrogatif quel? (féminin quelle? pluriel quels? quelles?) permet d'interroger :**

a) sur le nom ou l'identité d'un être ou d'une chose, ou sur sa nature :

Quel chauffeur conduira le car? — Émile.

(Ne dites pas : Quel chauffeur *conduira-t-il* le car? **tour qui se répand en F.P. et même en F.E.).**

Quel est cet animal? (Cet animal, *quel* est-il?) — Un léopard. *Quelle* est cette tache dans la verdure? — Une maison blanche. Celui que vous avez vu, *quel* homme est-ce? — C'est un grand gaillard au teint clair. *Quel* livre choisissez-vous? — Le rouge.

b) sur le rang, le quantième, la mesure :

Quelle est votre place dans le classement[1]? — Sixième.
Quel jour sommes-nous[2]? — Le 8.
Quelle heure est-il? — 10 heures.
Quelle est la hauteur (la longueur) de ce mur? **etc.**

L'ADJECTIF EXCLAMATIF

345 **Le même adjectif (quel, quelle, quels, quelles) s'emploie aussi avec une valeur exclamative (d'étonnement, de joie, de peur, etc.).**

Quel artiste le monde va perdre!
Vous viendrez avec nous? *Quelle* chance[3]!

N. B. — Souvent un adjectif qualificatif détermine le sens de l'exclamation. Comparez :

Quelle nouvelle! — Quelle *bonne* nouvelle! — Quelle *mauvaise* nouvelle! — Quelle nouvelle *tardive*!

L'emploi de quel exclamatif comme attribut (*quel* est, *quel* fut, etc.) **appartient au F.E. :** *Quel* fut alors son étonnement!

1. **F.P. fam. :** Le combien êtes-vous?
2. Ou **F.P. fam. :** Le combien sommes-nous aujourd'hui? ou même : On est le combien aujourd'hui?
3. Notez que le français n'ajoute pas d'article à l'adjectif exclamatif.

CONSTRUCTION DE L'ADJECTIF INTERROGATIF-EXCLAMATIF

346 **Elle offre quelques difficultés :**

Adjectif interrogatif

a) S'il est épithète du sujet, il n'y a pas inversion de ce sujet :

Quel chauffeur conduira le car?

b) S'il est épithète d'un complément, il y a inversion du sujet :

Quel chauffeur *aurez-vous*?

c) S'il est attribut (quel est...?) il y a inversion du sujet, ou, si le sujet est mis en tête, reprise de ce sujet par un pronom personnel inversé : *Quelle* est *votre place*? — Votre place, *quelle est-elle*?

Adjectif exclamatif

347 **Si le nom en exclamation est sujet ou objet, ne faites pas l'inversion du sujet :** *Quelle chance* l'a favorisé! — *Quelle chance* il a!

Si quel est attribut, ou accompagne un nom attribut, le sujet est inversé : *Quel* fut son bonheur! — *Quelle* chance fut la sienne!

On trouve aussi avec le même sens : *Quel ne* fut *pas* son bonheur!

Mais ces tours appartiennent plutôt au F.E. — En F.P. on dira :

Il en a de la chance!

et en F.P. pop. : *Qu'est-ce qu'il* a comme chance!

Parfois, il n'y a pas de verbe : *Quelle chance!*

348 **N. B. — Si l'interrogation ou l'exclamation sont placées dans une subordonnée (interrogation indirecte, et exclamation indirecte, v. n° 641), les formes de l'adjectif restent les mêmes. Mais, en général, il n'y a plus d'inversion :**

interrogation indirecte :

J'ignore *quel chauffeur* conduira le car — J'ignore *quel chauffeur vous aurez* — **F.E. :** Votre place? Je demande *quelle elle est...* **(Mais, avec être, devenir, on inverse le sujet, s'il est un nom :** Je demande *quelle est votre place.*)

exclamation indirecte :

349 Vous voyez *quelle chance* l'a favorisé — Vous voyez *quelle chance* il a — **F.E. :** Son bonheur, vous voyez *quel il est.* **(Mais on inverse le sujet de être et de devenir, s'il est un nom :** Vous voyez *quel fut* (*quel devint*) son bonheur.**)**

En F.P. fam. on trouve souvent : Vous voyez *s'il en a de la chance*!

LE PRONOM INTERROGATIF

POUR INTERROGER SUR L'IDENTITÉ OU LA QUALITÉ (NOMINAUX)

350 **Les formes sont :**
Qui? que? quoi? Qui est-ce qui? qui est-ce que? Qu'est-ce qui? qu'est-ce que?

Sujet

351 **a) pour les personnes : qui? (accord presque toujours au masculin) :**

Qui vient? — Lui (elle, Jean, Jeanne) — **(On dit plutôt, en F.P. :** *Qui est-ce qui* vient?) — *Qui* de vous mesdames, est *venu?*

b) pour les choses : qu'est-ce qui?

Qu'est-ce qui l'empêche de parler? — La honte.

Sujet de certains verbes impersonnels : que:

Que se passe-t-il[1]? *Que* se dit-il d'intéressant? (**F.P.** *qu'est-ce qui se...*) — *Qu'*arrive-t-il? (**F.P.** *qu'est-ce qui* arrive?)

Sans verbe : quoi?

Quoi de neuf[2]? — Une chose me gêne... — *Quoi?*

(Pour les animaux, le sujet est tantôt *qui est-ce qui*, **tantôt** *qu'est-ce qui*.)

Attribut du sujet

352 **a) pour les personnes (identité) : qui?**

Qui êtes-vous? — Le père de l'enfant. (**On dit aussi en F.P. :** *Qui est-ce que* vous êtes?)

b) pour les personnes et les choses (idée de qualité) : que?

*Qu'*êtes-vous donc? un petit sot! — *Que* deviendrai-je seul? (*que* est neutre).

— parfois (F.P. fam.) : quoi? Vous êtes *quoi?* — C'est *quoi?*

(On emploie aussi qu'est-ce que : *Qu'est-ce que* vous êtes donc? *Qu'est-ce que* (sont) vos ennuis auprès des miens?)

Objet direct

353 **a) pour les personnes (et parfois les animaux) : qui?**

Qui voyez-vous? (**On dit aussi :** *Qui est-ce que* vous voyez?)

1. Ici **que** est sujet réel; *il*, sujet grammatical. (La réponse sera : *Il* se passe *quelque chose* de grave.)
2. Verlaine a écrit (*Charleroi*) : *Quoi* donc se sent? tour absolument contraire à l'usage mais très intentionnel. (Wallonisme ?)

b) pour les choses et parfois pour les animaux : quoi? généralement disjoint, et que, atone conjoint :

Je vois... — *quoi?* **F.P. fam. :** Tu lui as dit *quoi?*

Que voyez-vous? Une maison — *Que* fait ton frère? Il lit.

(On dit plutôt en F.P. : *Qu'est-ce que* vous voyez[1]?)

N. B. — Les formes qui est-ce que et qu'est-ce que permettent d'éviter certaines inversions[2] (v. n° 617) :

Qu'est-ce que j'entends?

Complément indirect (avec préposition)

354 **a) pour les personnes et pour les animaux : à qui? pour qui? avec qui? de qui? etc.**

Pour qui travaille-t-il? *De qui* est cette chanson? *Avec qui* chasseras-tu, avec Dick ou Follette?

On dit aussi en F.P. fam. : à qui (pour qui, avec qui) est-ce que?

Avec qui est-ce que tu viendras?

b) pour les choses : à quoi? avec quoi? etc.

A quoi penses-tu? — A mon prochain voyage.

(On dit aussi en F.P. fam. : à quoi est-ce que? *A quoi est-ce que* tu penses?)

N. B. — Que a parfois en F.E. (et seulement dans l'interrogation directe) le sens de en quoi? et, avec une négation, de pourquoi?

Que m'importe? — *Que* ne l'appelles-tu? **(v. n° 818).**

Inversions — On remarque qu'avec les formes qui? que? l'inversion du sujet est de rigueur, sauf si qui? est lui-même sujet : Qui vient? — **Mais le F.P. fam. emploie très souvent les tours sans inversion :**

Tu as rencontré *qui?* — Il sort *avec qui?*

POUR INTERROGER SUR DES ÊTRES DÉJA NOMMÉS OU DÉFINIS PAR LE CONTEXTE

355 **On emploie les représentants : lequel? laquelle?**

De ces fillettes, *lesquelles* sont les tiennes? — *lesquelles* as-tu adoptées?

1. Devant l'infinitif on dit : *Que* faire? et (moins élégamment) : *Quoi* faire? voir aussi n° 359.
2. On doit reconnaître qu'il est incorrect d'écrire : « *Qu'est-ce que* le rédacteur de la rubrique des chats écrasés *entend-il* par un pachyderme? » (Ionesco, *Le Rhinocéros*, acte II).

356

		Masculin	Féminin
(Sujet, objet direct)	S. Pl.	lequel? lesquels?	laquelle? lesquelles?
(Complément indirect)	S. Pl.	auquel? duquel? par lequel? etc. auxquels? desquels? par lesquels? etc.	à laquelle? par laquelle? etc. auxquelles? par lesquelles? etc.

357 **a) Ne dites pas, comme vous l'entendrez trop souvent :**

De ces fillettes, lesquelles sont-*elles* les tiennes?

Lesquelles est ici sujet. Il est contraire à la correction traditionnelle d'ajouter un pronom inversé.

b) Le renforcement des pronoms (... est-ce que) s'étend parfois à lequel? F.P. fam. :

De ces livres, *lequel est-ce que* vous choisissez?

Ce tour permet d'échapper à l'inversion.

Mais le F.P. dit aussi : Lequel vous choisissez?

LE PRONOM EXCLAMATIF

358 **Il est d'un emploi plus rare que l'adjectif exclamatif.**

Je n'ai trouvé qu'un adversaire; mais *lequel!*

Qui! est plus rare encore :

Ils trouvèrent un intrus installé chez eux. *Et qui!*

Quoi! est devenu une interjection courante :

Quoi! ils sont encore là! — **F.P. fam. :** Je fais de mon mieux, *quoi!*

LE PRONOM DANS L'INTERROGATION INDIRECTE (v. aussi nº 617 bis et 641)

359 **Si l'interrogation porte sur une subordonnée (interrogation indirecte) on évitera** (dans le **F.E.**) **les formes qui est-ce qui, qui est-ce que, qu'est-ce qui, qu'est-ce que**[1].

Qui et quoi restent employés. Mais, pour les neutres sujets ou objets directs, quoi, que deviennent : (sujet) ce qui; (objet direct) ce que.

J'ignore *qui* viendra, *à quoi* tu penses — **Mais :** Je ne sais *ce qui* t'empêche de parler, *ce qui* se passe, *ce que* vous voyez.

N. B. — Dans une phrase négative, devant l'infinitif, que et quoi demeurent :

Je ne sais *que* faire — En **F.P.** plutôt : Je ne sais *quoi* faire.

Quant à l'inversion, elle disparaît généralement, sauf avec ce que, objet direct, quoi objet indirect, si le sujet est un nom. Elle est alors facultative :

J'ignore *ce que* fait *Pierre* — *ce que Pierre* fait.

J'ignore *à quoi* peut tendre *ce propos*, *à quoi ce propos* peut tendre.

Mais on dira, avec un pronom personnel sujet :

J'ignore *ce qu'il* fait, *à quoi* il pense.

359 bis

FORMES COMMUNES A L'INTERROGATION DIRECTE ET A L'INTERROGATION INDIRECTE

M et F	**qui** sujet, attribut, objet direct (à) **qui** complément indirect	N (à) **quoi** complément indirect

FORMES DISTINCTES (neutre seulement)

	Interrogation directe	Interrogation indirecte
N	**Qu'est-ce qui** sujet	**Ce qui** sujet
	Que attribut, objet direct	**Ce que** attribut, objet direct

1. C'est du **F.P.** que de dire : Je veux savoir qui est-ce qui vient, à qui est-ce que tu parles. — Mais on trouve ces tours dans le **F.E.** classique (v. Fénelon : *Lettre à Louis XIV*).

359 ter **• La distinction n'est pas toujours nette entre l'interrogatif indirect et le relatif, notamment quand il s'agit des expressions commençant par ce** **(voir n° 401 bis).**

Comparez : Il conserve *ce que* je lui apporte **(relatif neutre :** *les choses que*) **et :** Dis-moi *ce qui* te ferait plaisir **(interrogatif neutre :** *quelle chose*).

La confusion semble avoir commencé dès le Moyen Age.

Il arrive même, en F.P., qu'on emploie, pour l'interrogation indirecte, ce avec un quoi indirect (*ce à quoi, ce pour quoi*) :

J'ignore *ce à quoi* tu penses.

Dites plutôt :

J'ignore *à quoi* tu penses, *de quoi* tu parles.

• On notera les tours où l'interrogation indirecte est liée à une conjonction (surtout F.P.) :

A qui crois-tu *que* je pense ?

• On remarquera aussi cette construction d'une proposition interrogative comme complément indirect :

« Tout eût tourné plus rond si Lobel avait eu la moindre idée *de qui était Costals* » (Montherlant, *Les Lépreuses*), **c'est-à-dire :** la moindre idée *de la personnalité* de Costals.

LE PRONOM DANS L'EXCLAMATION INDIRECTE

360 **On trouve surtout lequel**

Il y a un intrus chez toi, et tu verras *lequel*!

parfois qui :

... tu verras *qui*!

ADJECTIFS ET PRONOMS DITS INDÉFINIS

On range sous ce nom des adjectifs et des pronoms qui ont pour caractère commun de ne pas comporter de précision explicite, ce qui ne veut pas dire qu'ils soient toujours indéfinis au sens absolu du mot.

Ainsi : *le même*, *tout*, *chacun* **sont définis par leur contexte.**

Nous répartirons ces adjectifs et ces pronoms en deux groupes :

Premier groupe : indéfinis impliquant l'imprécision de l'être ou de la chose : Un visiteur *quelconque*.

Deuxième groupe : indéfinis impliquant une certaine quantité d'êtres ou de choses : *Quelques* visiteurs.

INDÉFINIS IMPLIQUANT GÉNÉRALEMENT L'IMPRÉCISION DE L'ÊTRE OU DE LA CHOSE

361 **Un, une, des, article indéfini, prend souvent la valeur de : un (être) indéterminé, un certain, quelque :**

Un jour viendra, où vous pardonnerez — Nous quittons le pays pour *un* temps.

On peut rapprocher les pronoms : l'un... l'autre — les uns... les autres.

De tous ces livres, *les uns* seront vendus, *les autres* seront donnés.

N. B. — a) Comme équivalent de les uns... les autres, le F.E. emploie parfois qui... qui... surtout en apposition au sujet (voir n° 408) :

On accourut, *qui* avec des haches, *qui* avec des pioches[1] **(= les uns avec des haches, les autres avec des pioches).**

b) Les expressions l'un l'autre, les uns les autres ont un sens réciproque :

Aimez-vous *les uns les autres* — Ils se sont nui *l'un à l'autre*. **(Quelques-uns implique la quantité, voir n° 380.)**

1. Il s'agit là peut-être de relatifs employés avec une valeur expressive — Cf. la conjonction *que*, dans la vieille langue — et encore chez La Fontaine (*Les deux pigeons*) : *Que bien que mal* (= tant bien que mal).

Certain

362 **Plutôt archaïque au singulier, l'adjectif certain a la même valeur que un, mais il s'applique en principe à des êtres ou des choses qui existent réellement :**

J'ai vu dans une armoire *certain* gâteau doré **(chanson d'enfants)** — *Certaines* gens vous en voudront.

Le singulier un certain s'emploie encore, même en F.P. fam., dans l'expression : *un certain* monsieur Durand **(= un monsieur Durand que je ne connais pas autrement), dans les expressions :** *un certain temps, une certaine distance*, **etc. — et avec une valeur plutôt intensive :** Vous avez *un certain toupet!*
Pour l'expression : *de certains*, **voir n° 225.**

363 **Comme pronom pluriel (nominal ou représentant), certains est aussi très vivant, mais plutôt en F.E. :**

Certains l'aiment chaud[1] **(titre d'un film).**
Parmi ses amis, *certains* le désapprouvent.

N. B. — Placé après un nom de chose ou après le verbe être, *certain* est un simple adjectif qualificatif et signifie : sûr, dont **on ne peut douter :**

Affronter une mort *certaine* — « Peut-être jamais, peut-être demain; mais pas aujourd'hui, c'est *certain* » (Carmen, opéra-comique).

On distinguera plaisamment : une dame d'un *certain âge* **(d'un âge indéterminé, mais assez avancé) et :** une dame d'un *âge certain* **(dont on ne peut, hélas! douter).**

Quelque

364 **Adjectif singulier, quelque appartient surtout au F.E. littéraire et désigne, d'une façon vague, un être ou une chose qui peuvent ne pas exister réellement. Il s'emploie souvent après si... quand...**

Si *quelque* importun vient me déranger...

Il peut s'employer avec un nom abstrait :

Si vous avez encore *quelque* pudeur, vous devez vous repentir.

Le F.P. dira plutôt :

Si vous avez *un peu de pudeur.*

Au pluriel, quelques implique la quantité (v. n° 380).

N. B. — Quelque a une valeur adverbiale, et reste invariable aujourd'hui dans les expressions du F.E. : Ils firent encore *quelque* **(= environ)** cinquante pas — Ils paraissent *quelque* peu étonnés **(= un peu étonnés).**
(Pour les expressions : *quelque* généreux qu'ils soient... *quelques* torts que vous ayez, **voir : la concession, n° 728.)**

1. En **F.P. fam.** on dira : (Il) y en a qui l'aiment chaud.

365 Les **pronoms** (nominaux) correspondant à **quelque** sont : **quelqu'un** (rarement **quelqu'une**), **quelque chose.**

« *Quelqu'un* de grand va naître » (V. Hugo, *Mil huit cent onze*). Dites *quelque chose*, quelque chose *de vrai*, quelque chose *d'autre.*

Quelqu'un, quelque chose sont parfois suppléés par je ne sais qui, je ne sais quoi :

Il est venu *je ne sais qui* — Son regard a *je ne sais quoi* d'intelligent.

• **On notera l'emploi de quelqu'un, quelque chose comme exclamation :**

Cet homme *c'est quelqu'un!* — Une pareille somme, *c'est quelque chose!*

• **quelqu'un, quelqu'une peuvent s'employer avec un complément partitif :**

Si vous rencontrez *quelqu'une* de ces difficultés... (plutôt **F.E.**)

• **Enfin on se rappellera que quelques-uns est quantitatif (voir n° 380).**

On

366 **Ce pronom (= nominal) est l'équivalent, comme sujet, de quelqu'un :** *On* vient.
ou de : les gens, certains : *On* dit que...

Il a pour représentant, dans la même proposition : soi, se :

On a souvent besoin d'un plus petit que *soi* — *On se* nuit en agissant ainsi.

367 **Dans une proposition différente, vous représente *on* :**

Si *on* lui demande cela, il *vous* répond que...

Pour l'emploi du possessif, voir n° 319.

N. B. — a) On, dans le F.P. fam., peut être :

une 1re personne du pluriel :

Nous, *on* veut bien — *On* n'a pas gardé les cochons ensemble! — **En F.P. pop. :** *On* prend notre café tous les midis.

une 2e personne du singulier ou du pluriel :

Alors, *on* est content(s)?

une 3e personne du singulier ou du pluriel :

Voilà ce que j'ai demandé. Mais *on* s'est contenté de sourire. **(On = il, elle ou ils, elles[1]).**

1. On voit que **on** peut, légitimement, être classé parmi les **pronoms personnels**, dont il partage souvent la construction.

b) **On** peut être remplacé par **l'on** en **F.E.** et même parfois en **F.P.** :

L'on n'y comprend plus rien.

On trouve cette forme surtout après :

Si : *Si l'on* veut.
Ou : *Ou l'on* accepte, *ou l'on* refuse.
Et : ... *et l'on* vous dira que...
Où : L'endroit *où l'on* va.

368 **Substituts de « on » :**

a) **Vous** (plutôt que **nous**) :

Vous marchez parfois des heures dans ce pays, sans rencontrer âme qui vive (= **on marche...**).

b) **F.P.** fam. **ils** :

Ils ont encore augmenté les cigarettes!

les gens :

Les gens savent si bien vous remettre à votre place!

c) La **forme pronominale à valeur passive** :

Il se dit bien des sottises — *Il se vend* beaucoup de livres (= **on dit... — on vend...**).

368 bis Normalement, **on** se répète, surtout dans le **F.P.** :

On va et *on* vient — *On* dit et *on* écrit.

Quelconque, n'importe quel

369 Ces adjectifs signifient que la détermination **serait indifférente** à celui qui parle. ***Quelconque*** se place généralement **après un nom** précédé lui-même de **l'article indéfini** :

Ouvrez *un journal quelconque*.

Devant le nom il a plutôt la valeur d'un **diminutif.**

Si vous éprouvez *une quelconque* frayeur...

N'importe quel, placé devant le nom, sans article, est plus courant, dans le **F.P.** : Ouvrez *n'importe quel* journal.

N. B. — Dans la langue courante d'aujourd'hui, **quelconque,** épithète ou attribut, a pris souvent le sens de **médiocre.** Ainsi employé, il est un véritable adjectif qualificatif :

Cet homme me paraît *quelconque*. Je le trouve *très quelconque*.

370 Le **pronom** est **n'importe qui** (ou : **le premier venu**[1]) comme **nominal** :

N'importe qui vous dira que vous avez tort.

N'importe lequel, comme **représentant** :

Prenez un livre, *n'importe lequel*.

N. B. — Pour **quel qu'il soit** : v. n° **727**. Pour **quiconque** : v. n° **410**.

1. Quelquefois aussi : *l'homme de la rue*, ou : *le Français moyen* : L'homme de la rue s'intéresse aux vedettes de cinéma.

371 **Une sorte de, une espèce de, une manière de, comme un, impliquent une ressemblance approximative.**

J'ai entendu *une sorte de* grondement, *comme un* grondement.

de même : Je ne sais quel, Dieu sait quel :

Ce garçon a contre moi *je ne sais quelle* hostilité.

Tel (= démonstratif)

372 **a) Il a le sens de pareil :**

Le fils est *tel* que le père[1]. **(Voir la comparaison, n° 768.)** — Les enfants, *telles* des souris[2], couraient dans la chambre — Je n'ai jamais vu *une telle* audace. **(L'article est placé devant** *tel*, **qui comporte ici une valeur intensive [v. n° 374].)**

Employé comme attribut, devant : être, devenir, rester etc., tel rappelle ce qui précède :

Telles furent ses paroles (**= voilà ses paroles).**

Tel quel signifie : dans l'état où il est.

Emportez ce paquet *tel quel*[3].

373 **La valeur d'indéfini domine dans certains emplois :**

Si vous lui demandez *telle ou telle* chose (**= n'importe quelle chose**), il refuse.

Le pronom correspondant est tel (nominal) :

Tel dit oui, *tel* dit non **(F.E.) = L'un dit oui, l'autre dit non.**

(Ce tour est vieilli ; le français d'aujourd'hui emploie plutôt : un tel). Tel qui signifie : quelqu'un qui (proverbes) : *Tel qui* rit vendredi dimanche pleurera — **ou :** *Tel* rit vendredi, *qui* dimanche pleurera.

Le pronom un Tel désigne aussi une personne qu'on ne veut pas, ou qu'on ne peut pas nommer :

Adressez-vous à *un Tel*; il vous rira au nez.

374 **b) Souvent tel, devenu une sorte d'adjectif qualificatif, marque l'intensité (voir n° 372) :**

Il faisait une chaleur *telle* **(ou :** une *telle* chaleur) que l'on dut ouvrir toutes les fenêtres.

Comme attribut :

On dut ouvrir les fenêtres : *telle* était la chaleur! **(Voir la cause, n° 687 bis.)**

1. En **F.E.** : Tel père, tel fils (*inversion* des termes, répétition de *tel*).
2. Notez l'accord : = des souris sont telles. Mais de plus en plus on trouve : tels des souris. V. n° 147, note.
3. Le **F.P.** pop. dit souvent : tel que — Emportez ce paquet tel que.

Même (= terme d'identité)

375 **Le même (adjectif ou pronom) a trois emplois distincts dans le sens de l'identité :**

a) Il s'applique à plusieurs êtres ou objets, semblables entre eux, appartenant chacun à un seul « possesseur » (il est alors généralement précédé de l'article) :

J'ai acheté *la même* grammaire que toi **(Il y a, en fait, plusieurs livres, mais ils sont semblables entre eux).**

Pronom (représentant) :

J'ai *la même* que toi (**= la même grammaire).**

b) Il s'applique à un ou plusieurs êtres ou objets communs à plusieurs possesseurs :

Nous avons *le même père* **(ou :** *un même père*, **avec une nuance affective) (= un seul père, un seul et même père).** Nous avons *les mêmes joies, les mêmes peines.*

Pronom (représentant) :

Quant aux joies et aux peines, nous avons *les mêmes.*

c) Il s'applique à un ou plusieurs êtres ou objets déjà mentionnés :

Les mêmes gens sont revenus.

Pronom (représentant) :

Les mêmes sont revenus.

D'où par extension, comme nominal :

Ce sont toujours *les mêmes* qui se font tuer.

375 bis **Moi-même, toi-même, lui-même, signifient moi, toi, lui en personne :**

N'envoyez pas votre adjoint; venez *vous-même.*

On peut dire : *lui-même* viendra; ou : il viendra *lui-même.*

Lui-même s'emploie aussi avec un nom :

Le père *lui-même.*

Plus rare (F.E.) est l'expression : *le père même* — **Mais on dit couramment :** Il est *la bonté même, le courage même* **(valeur intensive).**

En revanche, on ne dirait plus, comme Corneille (*Le Cid*) :
« Sais-tu que ce vieillard fut *la même vertu ?* » **pour :** la vertu même.

En effet, si l'article précède immédiatement même, l'expression prend les sens du n° 375 (identité). Cet article peut d'ailleurs être absent (F.E.), d'où plus de force dans l'expression (voir n° 260) :

Nous avons *mêmes joies, mêmes peines.*

N. B. — Le même peut être suivi de que : *les mêmes qu'*hier — **ou du relatif :**

Les mêmes qui étaient venus hier. **(Voir nos 412, 768.)**

376 **Employé comme adverbe, même signifie et aussi :**

Les femmes, les vieillards, *même* les enfants **(ou :** les enfants *même*[1]**)** furent emprisonnés.

Autre

377 **exprime, au contraire, la différence.**

a) Après l'article indéfini et précédant un nom (le nom reste alors vraiment indéterminé) :

Prenez *un autre* livre; *d'autres* livres.

b) Après l'article défini (il détermine un nom en l'opposant à des êtres ou des choses déjà nommés) :

Prenez plutôt *l'autre* livre, *les autres livres* **(= tous les autres).**

Nous autres, vous autres renforcent parfois le pronom de la 1re et celui de la 2e personne du pluriel dans le F.P. fam. :

Venez, *vous autres.*

Eux autres (= eux) est plus franchement populaire. Mieux vaut l'éviter.

378 **Les pronoms correspondants sont : un autre, nominal** (*Un autre* vous approuvera peut-être) — **ou représentant** (Votre cigare est humide; prenez-en *un autre*) — **L'autre, nominal** (Il faut penser *aux autres* — **et, F.P. pop. :** Écoute *l'autre!* Comme dit *l'autre*) — **ou représentant** (Mon œil droit voit mal; *l'autre* est bon).

N. B. — Sans article : autre chose (Choisissez *autre chose*) — **et l'adverbe autre part (= ailleurs :** Il habite *autre part*).

Autrui

379 **Le pronom autrui (F.E.) est une ancienne forme de complément s'appliquant aux personnes. En principe il ne faut pas l'employer comme sujet**[2] **:**

Le bien d'*autrui* tu ne prendras.

1. Une orthographe déjà ancienne admet encore : les enfants **mêmes,** à cause de la confusion de sens avec **eux-mêmes.**

2. Mais Sartre a écrit dans « L'Être et le Néant » : « *Autrui* a barre sur moi. » — Et Simone de Beauvoir dans « La Force de l'Age » : « *Autrui* la fascinait. » Le premier exemple est difficilement condamnable. Il se justifie par le voisinage de tours sartriens comme : **l'être pour autrui.**

N. B. — On dit : personne d'autre, rien d'autre, quelqu'un d'autre, quelque chose d'autre. Voyez-vous quelque chose *d'autre*[1] à lui dire ?

Autre se construit alors comme un adjectif qualificatif (cf. rien de neuf).

Pour l'un... l'autre, voir n° 361.

Pour l'accord du verbe avec l'un et l'autre, l'un ou l'autre, voir nos 579 et 581.

INDÉFINIS IMPLIQUANT UNE IDÉE DE QUANTITÉ

I. QUANTITÉS POSITIVES

Quelques

380 **Cet adjectif signifie : un petit nombre de.**

Faisons *quelques* pas ensemble.

On emploie aussi : plusieurs, ou maints ou maint (F.E.); divers, différents (sens quantitatif et qualitatif).

Tous ces « indéfinis » se placent avant le nom :

Plusieurs personnes vous diront que... — Il répéta *maintes* fois (*mainte* fois) — Je l'ai vu en *diverses* circonstances, en *différentes* circonstances.

Quelques, divers, différents peuvent être précédés de l'article ou de : ces... mes...

Les quelques personnes que j'ai aperçues... — Il m'a pris *mes quelques* sous.

Seul, plusieurs est à la fois adjectif et pronom (représentant et nominal).

Le pronom qui correspond à quelques est quelques-uns, généralement représentant, mais parfois nominal :

« Le monde sera sauvé par *quelques-uns.* » (A. Gide).

N. B. — Plus d'un est suivi, normalement, du singulier : *Plus d'un* me l'a dit. **Plus de deux, de trois, etc., sont suivis du pluriel :** *Plus de deux* me l'ont dit.

Tout

Tout, adjectif pluriel.

381 **Il exprime la pluralité totale et s'accompagne de l'article défini ou du démonstratif, ou du possessif :**

Tous les hommes, *tous ces* hommes, *tous mes* hommes, ont droit à la vie. (**= les hommes, ces hommes, mes hommes sans exception).**

1. **Quelque autre chose** appartient au **F.E.**

Remarquez que l'article est absent de beaucoup d'expressions anciennes, de cette valeur :

Travaux en *tous* genres, vêtements de *toutes* sortes — Courir de *tous* côtés.

De l'ancienne langue nous vient l'adverbe composé toujours, qui s'écrivit d'abord *tous jours (tuz jurs).* **— Un tour comme :** être prêt *à tous événements* **(ou :** *à tout événement*) **est plus concis et plus vigoureux que : à tous les événements.**

Dans : *tous les dix ans, tous* **a une valeur de distributif (= chaque dixième année, tour qui ne s'emploie pas).**

382 **Tout adjectif singulier. Il signifie alors :**

a) **Chaque, n'importe quel (sans article, ni adj. démonstratif, ni adj. possessif) :**

Tout homme a droit à la vie.

Le tour est plus vigoureux que : Tous les hommes...

N. B. — On écrit : de *toute* sorte **ou** de *toutes* sortes. **Mais seulement au singulier :** *De toute* façon, je refuse — *A tout* hasard, je viendrai demain — *En toute* saison.

b) **Seul, seule, dans certaines expressions encore vivantes :**

Pour *tout* salaire, pour *toute* récompense, pour *tout* potage. C'est *tout* mon bagage — C'est *tout* ce que je sais.

c) **Tout entier — Tout est alors généralement suivi de l'article défini, ou indéfini, ou du démonstratif, ou du possessif :**

Toute la ville en parle — Vous avez scandalisé *toute une* ville, *toute cette* ville.

S'il s'agit d'un titre d'ouvrage, tout s'accorde aujourd'hui, le plus souvent, au féminin singulier et au féminin pluriel :

J'ai lu *toute* l'« Odyssée », *toutes* les « Confessions » de Rousseau.

Plus rarement au masculin pluriel ; on écrira donc :

Tout « Les Martyrs » de Chateaubriand.

Si le nom n'est pas précédé de l'article, tout reste invariable[1] **:**

Tout « Phèdre », *tout* « Émaux et Camées ».

S'il s'agit du nom de l'auteur, employé pour désigner l'œuvre, il vaut mieux laisser tout invariable :

J'ai lu *tout* Madame de Sévigné.

1. Comme le fait remarquer M. Grevisse.

383 On retiendra, d'autre part, l'expression invariable **le tout...** suivie d'un nom de ville pour désigner aujourd'hui la partie « distinguée » d'une population :

Le tout-Paris assistait à cette brillante soirée.

Et les expressions du **F.P. fam.** : *A la toute fin* (= **tout à fait à la fin**) — *Dans sa toute jeunesse* (= **dans les premiers temps de sa jeunesse**).

L'article **indéfini** se trouve dans des tours du **F.P. fam.**, mais il est placé devant le nom :

C'est *tout un* travail — Évitez cette démarche : ça ferait *toute une* histoire.

De ces expressions où **tout** prend valeur d'un **superlatif**, on peut rapprocher celles-ci, sans article (**F.P. fam.**) :

A toute vitesse, *à toute* allure.

N. B. — Pour **tous les deux, tous les trois**, voir n° 202.

384 **Tout pronom.**

Au singulier, **tout** signifie :

a) la **totalité** de cela, de l'ensemble en **question** :

Voici dix kilos de pommes; prenez *tout*, si vous voulez.

b) **N'importe quoi,** en général :

Tout l'ennuie.

Au pluriel, **tous** signifie :

a) **les êtres** ou **les choses dont il s'agit,** sans exception.

Tous répondront oui — Ces livres sont *tous* pour vous.

b) **N'importe qui**, en général : *Tous* te le diront.

Mais il est plutôt rare dans cet emploi et l'on trouve couramment : *Tous* les gens te le diront (quelquefois : *Tout un chacun* te le dira — expression vieillie).

N. B. — Dans **« tous » pronom,** l' s est articulé. Dans **« tous »** adjectif, il ne l'est pas : *tou* (*s*) les hommes.

Tout le monde (verbe au singulier) remplace très souvent **tous** :

Tout le monde est présent.

N. B. — **Tout comme nom.**

Précédé d'un article, **tout** (singulier) signifie : **la totalité d'un ensemble** :

Ces trois livres forment *un tout* — Jouer *le tout* pour *le tout*.

Au pluriel, on écrit : plusieurs *touts* distincts les uns des autres (cité par Littré).

385 **Valeur adverbiale de « tout ».**

Tout s'emploie au sens de **tout à fait,** et reste **invariable,** en principe :

Ils sont *tout* contents — Ils étaient *tout* feu *tout* flammes — Une robe *tout* laine.

Devant un **adjectif féminin** commençant par une **consonne** ou un **h aspiré,** l'accord se fait :

Elle est *toute contente*, elles sont *toutes contentes*, *toutes honteuses*.

Mais devant un **adjectif féminin** commençant par une **voyelle** ou un **h muet,** l'accord est facultatif :

Elle est *toute étonnée*, *toute heureuse*; **ou** : *tout étonnée*, *tout heureuse*.

Si **tout** est suivi d'un **nom abstrait,** il s'accorde avec le **nom.**

Il est *toute bravoure*, *toute bonté*.

386 **Tout autre.**

a) Si **tout** signifie **n'importe quelle** (cf. 382 a) il **s'accorde :**

Toute autre difficulté provoquerait mon refus.

b) S'il signifie **tout à fait,** il reste **invariable :**

C'est *une tout autre* difficulté — Il m'a parlé de *tout autre* chose.

Tout à.

Dans : Elle est *toute* à vous, **toute est adjectif. Mais on peut écrire,** dans le même sens, avec **tout** adverbe : Elle est *tout* à vous.
Au **pluriel, tout** reste **invariable** (Elles sont *tout à vous*). **Sinon, il** aurait le sens de : **toutes sans exception** (Elles sont *toutes* à vous).

Tout en.

On écrit : Des tissus, des robes *tout* en laine; elles sont *tout* en larmes. **(Le pluriel aurait le même sens que ci-dessus.)**
Devant un **gérondif** (voir n° 559 bis) **tout** reste **invariable :**

Tout en m'aidant ils (elles) m'ont gêné.

Chaque

387 C'est un **adjectif** indéfini qui n'a qu'une forme et s'emploie toujours au singulier. Il se place toujours **avant le nom.**

Chaque garçon (*chaque* fille) reçut une récompense.

La langue courante dit, de plus en plus : Ces oranges m'ont coûté 2 F *chaque*. **Mieux vaut dire** : Elles m'ont coûté 2 F *chacune*.

388 **Chacun,** en effet, est le **pronom** correspondant à **chaque :**

Chacun pour soi, voilà un principe égoïste.

(Pour l'emploi de **son, leur,** etc., après **chacun,** voir le n° **320.)**

II. QUANTITÉS NÉGATIVES (VALEUR ZÉRO)

Adjectifs

389 **Nul, nulle, placés devant un nom, appartiennent aujourd'hui plutôt au F.E. littéraire. Assez rarement employés au pluriel[1], ils s'accompagnent de la négation ne ou de la préposition sans :**

Nul citoyen *n*'a le droit d'ignorer la loi — *Sans nulle* crainte.

Employé après un nom, ou comme attribut, nul est un adjectif qualificatif qui signifie sans valeur :

Voilà un travail *nul* — Cette autorisation est *nulle.*

Aucun, aucune ont pris, à la longue, la place de nul dans la langue courante. Plus rares encore, au pluriel, que nul[2], ils sont, au singulier, d'un usage fréquent et s'accompagnent de ne ou de sans :

Vous *n*'avez *aucune* patience — Vous êtes *sans aucune* patience.

On dit aussi, avec quelque affectation :

Vous êtes *sans* patience *aucune.*

Aucun s'emploie seul (donc sans ne) dans les phrases elliptiques :

De tes amis qui viendra? — *Aucun.*

N. B. — En F.P. pas un, pas une remplacent très souvent aucun, aucune, mais avec plus d'énergie :

Pas un camarade *ne* voudrait être à ta place.

Pronoms

390 **Nul ne... (nominal, ou représentant)** — Pars : *nul ne* t'en empêche **(nominal)** — De ses amis, *nul n*'est plus qualifié pour l'aider **(représentant).**

Aucun ne..., aucune ne..., pas un ne... (généralement pour représenter un nom antécédent) — Parmi tes amis, *aucun ne* viendra.

Parmi tes amis, **qui** viendra? — *Aucun* (ou *pas un;* **jamais** *nul,* **tout seul).**

Pas un peut, parfois, être nominal :

Pas un ne t'en voudra (= **personne).**

Personne ne..., rien ne... sont les pronoms les plus courants.

Je *ne* vois *personne* — Je *ne* vois *rien* — *Personne ne* te voit — *Rien ne* te presse — Je *n*'ai vu *personne* — Je *n*'ai *rien* vu. (v. n° 809)

Et, dans les phrases elliptiques :

Qui m'appelle? *Personne* — Hier, *rien!* Aujourd'hui, *rien!*

1. Pluriel qui est obligatoire si le nom n'a pas de singulier : sans *nuls* frais.
2. Mais on écrit : sans *aucuns* frais aussi bien que : sans *nuls* frais.

Pour renforcer la négation, on dit : *rien du tout*, **ou, plus rarement :** *personne du tout* (S. de Beauvoir, *Les Belles Images*).

Parfois on emploie quiconque :

Ne le dites à *quiconque* (**= à personne, à qui que ce soit).**

Notez que les indéfinis négatifs peuvent, dans divers cas, avoir grammaticalement une valeur affirmative (= quelqu'un, quelque chose) :

1. Après sans :

Il parla *sans aucune gêne* (**= sans une gêne quelconque).**

2. Dans certaines interrogations du F.E. :

Est-il *personne* (**= quelqu'un)** qui vous approuve? Est-il *rien* (**= quelque chose)** qui vous presse?

3. Dans le deuxième terme d'une comparaison :

Je ferai cela aussi bien que *personne*, mieux qu'*aucun* autre.

Aucun, personne, rien, tirent cette valeur affirmative de leur étymologie même. Nul admet des constructions semblables :

Il parle sans *nulle gêne* — Est-il *nulle chose* qui vous presse? **(F.E. un peu archaïque)** — Je ferai cela mieux que *nul* au monde **(même remarque).**

En revanche, rien, employé comme nom, garde une valeur négative :

« *Ce rien* qu'on nomme science. » (Bernis, cité par Littré).

ou presque négative :

« Une ombre, un souffle, *un rien*, tout lui donnait la fièvre. »
(La Fontaine, *le Lièvre et les Grenouilles*.)
— Mozart a composé le ballet des « Petits *riens* ».

Pour les relatifs indéfinis, voir les nos 410; et 727 et suivants.

LE PRONOM RELATIF

391 **Dans la phrase :** J'ai retrouvé le livre qui me manquait, **qui représente livre (= ce livre me manquait). C'est donc là un pronom. Au nom livre, déjà objet de « j'ai retrouvé », dans la première proposition, il fait jouer, peut-on dire, un autre rôle, celui de sujet dans la deuxième proposition. Il met livre en rapport, en relation avec la deuxième proposition : on l'appelle un pronom relatif**[1]**.**

FORMES SIMPLES DU PRONOM RELATIF

qui (généralement sujet)
que (généralement objet direct)
dont (qui assume toutes les fonctions introduites par de).
On peut y ajouter le relatif adverbial où.

Qui

392 **Comme sujet, il représente les trois genres (y compris le neutre) et les deux nombres :**

L'*homme qui* travaille beaucoup est laborieux.
Les *femmes qui* travaillent beaucoup sont laborieuses.
Il n'y a là *rien qui* me plaise[2].

Précédé d'une préposition[3]**, il est complément indirect (d'objet ou circonstanciel). Dans ce cas, il représente presque toujours maintenant :**

a) des personnes :

C'est *un garçon à qui* le travail ne fait pas peur.

Pourtant, Paul Valéry a écrit, selon la syntaxe classique :

« Une lueur mourante, *à qui* le jour naissant se substitua peu à peu » *(Cahiers)*.

A laquelle **eût sans doute paru lourd et gauche à l'écrivain. D'autres auteurs ont pratiqué cette construction légère, malheureusement taxée aujourd'hui d'archaïsme.**

1. On dit parfois, et l'appellation est très claire, pronom *conjonctif* (= qui joint) — Le nom (ou le pronom) que représente le pronom relatif s'appelle *antécédent* (= qui *précède* le relatif). Le tour suivant de Paul Fort, où le relatif précède l'antécédent, est plutôt exceptionnel : « L'énorme Brocéliande, d'où sortaient, *qui* vers l'or des sables se perdaient, l'Aven, l'Odet, l'Elorn... » *(Ballades Cornouaillaises)*.
2. Pour les *modes* du verbe de la proposition relative, voir nos 415 et suivants.
3. *Dans qui* n'existe pas — On dit : *en qui*.

b) des **choses personnifiées** :

La République à qui ils ont donné leur vie ne les oubliera pas.

c) souvent des **animaux** :

Ce chien, à qui vous faites tant de caresses, est dangereux.

N. B. — Pour l'emploi de **lequel**, v. le n° 402.

393 **Qui sans antécédent** : tour fréquent dans les proverbes, les dictons et certaines expressions figées, où les deux verbes ont même sujet. **Qui** équivaut alors à **celui** (sujet) **qui** (sujet) :

Qui va à la chasse perd sa place — *Qui* m'aime me suive! — *Qui* vivra verra — Sauve *qui* peut!

Qui peut même être équivalent à : **celui (objet)** qui **(sujet)** :

Choisis *qui* te plaira — Tout est facile *à qui* se porte bien.

ou à : celui **(objet)** que **(objet)** :

Embrassez *qui* vous voudrez **(chanson enfantine)** — J'ai répondu *à qui* vous savez.

Qui, sujet, **sans antécédent** peut avoir une valeur **neutre** (= chose qui, ce qui) dans des expressions figées :

Voilà qui va bien — Il a tout avoué, et, *qui mieux est*, par écrit.
(cf. aussi : *qui pis* est, *qui plus* est)

Pour : **ce qui, qui,** en apposition, voir n° **401 bis.**

F.P. pop. : Dans le français parlé populaire, le pronom relatif sujet est souvent réduit à **qu'**, devant une voyelle :

C'est lui *qu'a* dit ça (= **qui a dit**).

Il faut voir là, peut-être, une élision, non de « qui », mais d'une ancienne forme sujet **que,** qui subsiste dans de vieilles chansons :

« Une perdriole (petite perdrix), *que* va, *que* vient, *que* vole... »

Dans des dictons on trouve *que* comme sujet neutre :

Advienne *que* pourra (= **ce qui pourra arriver**).
Je fais ce *que* bon me semble.

N. B. — Pour l'**accord** du verbe avec **qui,** voir n° **585 ter.**

Que

394 **Que** représente **les trois genres et les deux nombres.** Il est le plus souvent **objet direct** du verbe subordonné :

Il y a des lieux *que* l'on admire.

Grâce à l'identité de construction de l'objet direct et de l'attribut, que a souvent la valeur d'un attribut :

Malheureux *que* je suis! — Le bon garçon *que* c'est!

Dans le F. E. : « *Innocent qu*'il était = **(comme il était innocent)** il a protesté contre cette accusation, **que est attribut (l'antécédent étant ici l'adjectif « innocent »).**

395 **Que est une sorte de relatif (ou un conjonctif) encore très employé pour former des compléments circonstanciels de temps (héritage de la langue classique) :**

L'année, l'été *qu*'il a fait si chaud... (= **où il a fait si chaud).**
La dernière fois *que* je l'ai rencontré — Du temps *que* mon père vivait...
« Ce serait une singulière aberration que des chrétiens voulussent revenir [aux impuretés du régime médiéval] dans l'instant *qu*'elles ont perdu leur occasion historique d'exister. »
(J. Maritain, *Les Juifs parmi les nations*).

De même : *dès* l'instant *que* **(dès que est devenu une franche conjonction).**

N. B. — Mais on dit, on écrit généralement :

A l'heure *où* je parle... Au temps, à l'époque, à la saison *où*...
Au cas *où* il viendrait... De la façon *dont* il parle... De l'œil *dont* il me voit...

Le F.P. pop. a gardé le tour ancien :
Du train *qu*'il y va, i' fera la culbute.

Quoi

396 **Quoi est neutre. Il a pour antécédent rien, quelque chose, ce (= cela) ou toute une proposition — Il est toujours amené par une préposition et s'emploie surtout en F.E.**

Il n'y a *rien à quoi* je pense plus souvent qu'à la mort — *Ce à quoi* je m'intéresse, c'est [à] votre avenir — Faites d'abord votre devoir, *après quoi* nous parlerons de récompense — **(voir n° 401 bis).**

Notez le tour, malheureusement vieilli, où l'antécédent est un nom :

C'est une chose *à quoi* il ne s'attendait pas.

Couramment, on dit aujourd'hui : ... une chose *à laquelle*[1]...

1. **Comme quoi** signifie : *cela prouve que* : J'ai bien fait de différer ma réponse; *comme quoi* il faut toujours être prudent. Ou, moins heureusement, *selon quoi :* Un avis *comme quoi* vous êtes autorisé... **Comme quoi** peut être aussi **interrogatif** : Raconte-lui *comme quoi* tu as été surpris (= comment).

Dont

397 **Dont est un ancien adverbe relatif (et interrogatif) de lieu**[1]**. Il exprimait l'origine, et on trouve encore en F. P. et en F. E. au sens figuré surtout** : La famille *dont* il est sorti, *dont* il est né... — L'idée *dont* je suis parti... **Et au sens propre (F. P. pop.)** : le lieu *dont* tu viens... **(En ce dernier sens, on emploie plutôt le relatif adverbial : d'où**[2]**.)**

Aujourd'hui, et d'une manière générale, dont absorbe toutes les valeurs de la préposition de, comme complément d'un nom, d'un verbe, d'un adjectif, d'une expression de quantité placés dans la proposition relative :

- **Complément de nom :**

  Voici le professeur, *dont les élèves* ont si bien réussi, *dont* je suis *l'élève*, *dont* je connais *les élèves* **(on dit en effet** : l'élève *du* professeur).

- **Complément d'adjectif :**

  C'est une voiture *dont* je suis content **(on dit** : *content de*).

- **Complément de verbe :**

  Quel est le mal *dont* vous vous plaignez? **(on dit** : *se plaindre de*).

- **Complément d'une quantité (partitif) :**

  J'ai là des livres *dont* je peux vous prêter quelques-uns **(on dit** : *quelques-uns des livres*).

N. B. — Dans ce sens de partitif, dont s'emploie assez souvent sans le verbe être :

Voici dix livres, *dont* quatre reliés.

Dont peut avoir pour antécédent le pronom neutre ce :

C'est *ce dont* je me plains (= c'est *de cela que* je me plains; **ou** : c'est *de quoi* je me plains).

Ce est aujourd'hui employé pour introduire une relative apposée à une autre proposition :

Il m'a évincé, *ce dont* je me plains (= **acte dont je me plains).**

(Mais voir n° 401 bis.)

398 **Remarque importante : Lorsque le nom que complète le relatif est lui-même complément indirect, dont doit être remplacé par : de qui, duquel (de laquelle, desquels, desquelles) si l'antécédent est une personne ou un animal; par duquel, de laquelle, etc., si l'antécédent est une chose.**

Et le complément indirect en question doit se placer, avec sa préposition, entre l'antécédent et le relatif.

1. Du latin populaire **de unde** = d'où.
2. La langue classique a connu cet emploi de *dont*.

Evitez de dire :

Le garçon dont je m'intéresse *à l'avenir*[1]... **Mais :** Le garçon à l'avenir *de qui* je m'intéresse... **(F.P. :** à l'avenir duquel...).

Et de même :

Le livre à la rédaction *duquel* je travaille.
Le parc dans les allées *duquel* je me promène...

Si pourtant il s'agit d'une locution verbale, le F.P. fam. emploie parfois dont :

Les honneurs *dont* il est à l'écart **(être à l'écart de = être exclu de).**

Cette construction gagne du terrain, même en F.E.

Si le nom que complète le relatif est sujet ou objet direct, ou attribut, c'est dont qui sera employé, et ainsi construit :

Nom sujet : Un parc *dont* les *allées* sont droites.
Objet direct : Le parc *dont* j'ai sablé les *allées.*
Attribut : Cet enfant *dont* Jean est le *père.*

Mais la construction de l'objet direct et de l'attribut est délicate. On peut tomber dans l'équivoque : Un homme dont la science remplit la vie... Cet enfant dont le directeur est le père... **sont des phrases obscures ou ridicules.**

Mieux vaut dire :

Un homme dont la vie est consacrée à la science — Cet enfant qui a le directeur pour père.

Dont complément de plusieurs noms ayant des fonctions différentes : cette construction est normale, si les noms sont sujets et objets directs :

Un garçon *dont* la réputation **(sujet)** dépasse le mérite **(objet direct).**

Mais on trouve :

« Le film *dont* le metteur en scène a veillé scrupuleusement *sur* l'authenticité » (*Le Monde*) [**ou :** sur *son* authenticité.]

399 **Dans un autre ordre, si l'on peut dire correctement :** Un homme *dont* l'honnêteté *le* recommande à notre estime, **on dira, avec plus d'élégance :** Un homme *que son* honnêteté recommande...

1. Relevé à la Télévision du 23 janvier 1965 : « ... un poète *dont* je parlerai des œuvres ». Le cas est de plus en plus fréquent.

400 **Dont est aussi un moyen d'introduire une proposition subordonnée d'objet en évitant une cascade de que et de qui : Au lieu de** : Un garçon *que* je sais *qui* vous respecte — **ou** : *que* je sais *que* l'on estime, **tours archaïques**[1], **on pourra dire :**

Un garçon *dont* je sais (= **au sujet duquel je sais)** *qu*'il vous respecte.
Un garçon *dont* je sais *qu*'on l'estime[2].

N. B. — Sont incorrects des tours comme : L'homme *qu*'on croit *qu*'il est allé... **F.P. populaire**[3].

401 **Où (d'où, par où, jusqu'où)**

Est un adverbe relatif de lieu et de temps, qui, aujourd'hui, n'a pour antécédent qu'un nom de chose :

Viens me rejoindre *au bureau où* je travaille.
L'été est *la saison où* les enfants ont leurs grandes vacances.

On dit, on écrit : Le jour *où* je l'ai vu **ou** : Le jour *que* je l'ai vu. **Mais le F.P. fam. préfère** : le jour *que* ... **et** la fois *que*... **à** : le jour *ou*..., la fois *où*... **(v. n° 395)**

Remarque : L'antécédent de où peut être un adverbe de lieu :

Ton livre est *là où* tu l'as mis.

401 bis **Nous avons noté (n°s 359, 359 bis, 359 ter) l'emploi des neutres : ce qui, ce que (et même, moins correctement, ce à quoi, ce pour. quoi...) dans l'interrogation indirecte.**

Les mêmes formes composent aussi des pronoms relatifs, où le démonstratif ce a perdu sa valeur particulière, pour se fondre dans une même expression avec qui, que, quoi.

On distinguera par conséquent : Je demande *ce que* tu fais **(ce que : interrogatif = quelle chose? quoi?) et** : Je te donne *ce que* j'ai **(ce que : relatif = la chose que)**, *ce à quoi* tu prétends (= **la chose à laquelle...).**

- **Ces formes peuvent précéder l'expression c'est (mise en relief) :**

  Ce qu'il veut, *c'est* votre démission — *Ce à quoi* il aspire, *c'est* à dominer.

- **Elles peuvent être apposées à une proposition :**

  Il est franc, *ce qui* me plaît — Tu réussiras, *ce dont* personne ne doute — Le temps s'est gâté, *ce à quoi* tu n'avais pas pensé.

A l'exemple du français classique, certains écrivains emploient ces relatifs sans le démonstratif ce. Ainsi, chez H. de Montherlant :

« M. Dandillot était assez vivant pour se contredire furieusement, *qui* est la vie même » (*Pitié pour les femmes*) = **ce qui est...** — « Il s'en pavane un peu, dont il a honte » (*Les Lépreuses*) = **ce dont...**

1. Mais qui avaient leur commodité ...
2. Ou encore : que je sais estimé.
3. Mais on pourra dire : ...*dont* on croit *qu*'il est allé, ou, avec une proposition infinitive (**F. E.**, v. n° 550) : L'homme *qu*'on croit *être allé*...

C'est une construction **archaïque,** qui exige pour être maniée un sens très sûr de la langue, sinon on risque l'équivoque.

Mais le **F.E.** utilise assez volontiers **à quoi, par quoi, de quoi** :

Il me demande *de* l'aider; *à quoi* je m'emploierai.

FORMES COMPOSÉES DU PRONOM RELATIF

402

Masculin		Féminin	
Singulier	**Pluriel**	**Singulier**	**Pluriel**
lequel	lesquels	laquelle	lesquelles
duquel	desquels	de laquelle	desquelles
auquel	auxquels	à laquelle	auxquelles

Ce pronom **a toujours un antécédent,** d'après lequel il varie en genre et en nombre.

a) Dans le français d'aujourd'hui, c'est, en règle générale, ce pronom que l'on emploie, quand l'antécédent est un nom de **chose** ou **d'animal**, après une préposition **autre que « de »** (car alors on emploie plutôt **dont**) :

J'aurai enfin une maison *dans laquelle* je serai à l'aise.
Voilà un outil *avec lequel* je pourrai travailler.

b) On peut aussi employer le relatif composé, en **F.P.** notamment, après un antécédent nom de personne, complément **indirect** :

L'homme *à qui* ou *auquel* j'ai parlé.

c) Après un antécédent quelconque, **duquel, desquels**, etc., s'emploient là où **dont** n'est pas possible (v. n° **398**).

403 d) Comme sujet ou objet direct, le pronom composé n'est plus employé aujourd'hui, sauf :

1. dans certains textes **juridiques** :

Ont comparu trois témoins, *lesquels* ont affirmé...

2. dans le français écrit, pour éviter une **équivoque** entre deux antécédents possibles, de genre ou de nombre différents :

« Vous savez qu'il y a une édition contrefaite de mon livre, *laquelle* doit paraître bientôt » (J.-J. Rousseau, *Correspondance*).

... et pour éviter la **répétition de** *qui :* « ... les changements radicaux qui sont absolument imprévisibles, sinon dans un avenir lointain, *lequel* ne relève pas de la politique » (*Le Monde*, 29 janvier 1965).

[**Lequel** permet ici l'ouverture d'une sorte de parenthèse sur un antécédent différent.]

Pour les accords du verbe avec le pronom relatif, voir n° **585 bis**.

PLACE DU PRONOM RELATIF

404 **En règle générale, il suit immédiatement l'antécédent**[1]**.**
Exceptions :

1. Si le relatif complète un nom lui-même complément indirect (v. nº 398) :

Elle porte des *bijoux*, sur la valeur *desquels* on peut hésiter.

2. Si l'antécédent est un pronom personnel atone (le, la, les) objet direct d'un verbe comme voir, entendre :

Je *le* vois *qui* court (= **je le vois courir).**

3. De même après le voilà, la voilà, les voilà :

La voilà qui sort.

4. Après un interrogatif :

Que voyez-vous *qui* vous plaise ?

5. Quand l'antéposition du verbe principal allège, clarifie ou équilibre la construction de la phrase :

« *Ma grand-mère* le comprenait ainsi, *qui* déménageait deux fois par an » (H. Bazin, *Vipère au poing*).
Un jour vient, *où* l'on se tourne vers le passé.
Tel est pris *qui* croyait prendre.
Celui-là pardonne mal, *qui* pardonne seulement des lèvres.
« Comment *cela* s'est-il fait, *qui* est si contraire à sa mesure ? » (M. Jouhandeau, *L'Imposteur*).

RÉPÉTITION DU PRONOM RELATIF

405 **a) Le F.P. tend à répéter le relatif simple, même s'il a formes et fonctions identiques :**

Les ennuis *qui* me tourmentent et *qui* m'angoissent...
Les affaires *que* je crée et *que* je dirige...

b) Le F.E. tolère mieux la non-répétition du relatif :

Les soucis *qui* l'assaillent et le tourmentent.
Les affaires *qu*'il crée et dirige.

Mais la répétition permet souvent de mettre en relief la 2e proposition, sous forme de gradation ou d'opposition.

Voilà un fait *qui* étonnera et *qui* scandalisera.
Voilà un fait *qui* étonnera, *qui* scandalisera.
Voilà un fait *qui* scandalisera les uns, *mais qui* amusera les autres.

405 bis **c) Avec la conjonction ni, la non-répétition est la construction correcte :** Voilà un fait *qui* n'étonna, *ni* ne scandalisa.

1. Les équivoques résultant de l'inobservation de cette règle ont été l'occasion de plaisanteries en français : Je suis allé chercher du beurre pour ma grand-mère qui est dans un petit pot. Cette faute s'appelle *janotisme*.

N. B. — La répétition est obligatoire, en F.P. et en F.E., avec des relatifs de même forme, mais de fonctions différentes :

L'homme *que* tu es devenu **(attribut)** et *que* je connais bien **(objet).**

Celui *dont* je vous ai parlé **(objet indirect)** et *dont* je vous ai montré la photo **(complément de nom).**

CE QUI... ET CE QU'IL...

406 **Avec certains verbes tantôt personnels, tantôt impersonnels, on dit et on écrit indifféremment :**

Fais *ce qui* te plaît **(qui, sujet du verbe personnel)**

ou Fais *ce qu'il* te plaît **(verbe impersonnel = ce qu'il te plaît de faire[1]).**

de même : Je m'étonne *de ce qui* arrive **(verbe personnel** arriver**)**

ou Je m'étonne *de ce qu'il* arrive **(verbe impersonnel** il arrive**)**

Nous dirons *tout ce qui* conviendra **(verbe personnel** convenir**)**

Nous dirons *tout ce qu'il* conviendra **(= ce qu'il** conviendra de **dire, verbe impersonnel).**

Mais il est des cas où il faut absolument faire la distinction. Ainsi : Détruis *ce qu'il* te plaît **(de détruire) est seul clair et correct.** (Détruis *ce qui* te plaît **serait absurde.**)

De même on dira, on écrira : En avril ne te découvre pas d'un fil; en mai, ôte *ce qu'il* te plaît **(proverbe).**

LE RELATIF ET LA MISE EN RELIEF

407 **L'expression C'est... qui (ou que, à qui, dont) + un verbe sert à mettre en relief un terme quelconque, jouant le rôle d'un sujet, d'un attribut, d'un complément :**

C'est Pierre *qui* a fait cela — *C'est* lui *que* je préfère — *C'est* premier *que* je voudrais être — *C'est* accepter *qu*'il faut.

(On voit que le relatif, ou conjonctif, en vient à se confondre avec la conjonction que, très nette dans : *C'est* demain *que* je viendrai.)

C'est à toi à qui...

La langue classique disait volontiers : *C'est à toi à qui* je parle, **là où nous disons et écrivons :** *C'est à toi que* je parle **(ou, à la rigueur :** *C'est toi à qui* je parle**)** — *C'est à toi à qui* je parle, **qu'on entend encore quelquefois, appartient plutôt au F.P. pop.**

Nous avons donc le tableau suivant :

Sujet : *C'est toi qui* parles.

Objet direct ou attribut : *C'est toi que* je vois — C'est mécontent *qu*'il est.

1. Mais : « ce qui te plaît de faire » est incorrect.

Complément indirect : *C'est à toi que* je parle[1].

Une autre mise en relief consiste à détacher, sous forme exclamative, l'antécédent du relatif (F.P. fam.) :

Ma clef, que j'oublie! — *Mon lait*, qui se sauve!

EMPLOIS SPÉCIAUX DES RELATIFS « QUI, QUE »

408 **a) Qui... qui... F.E.**

Ils se dispersèrent, *qui* à droite, *qui* à gauche (= **les uns à droite, les autres à gauche — sujet).**

On les a avertis, *qui* par lettre, *qui* par téléphone (= **objet direct, plus rare).**

Dans cet emploi, « qui » a perdu, pour un Français d'aujourd'hui, toute valeur de relatif; il a la valeur d'un indéfini (v. n° 361).

b) A qui mieux mieux (F.E.)

Ils criaient *à qui mieux mieux* (= **plus fort les uns que les autres).**

L'ancien français disait : Ils criaient *qui mieux mieux.*

c) « Qui » au sens de « si on » :

Tout vient à point *qui sait* attendre **(dicton).**

Construction courante encore au XVIIe siècle. Elle n'est plus claire pour les Français d'aujourd'hui, et devient souvent : Tout vient à point *à qui sait* attendre.

409 **d) F.P. fam.** Il fera beau demain, *que je crois.*

« Nous serons arrivés dans une heure. — Oh! *que vous croyez.* »

Il s'agit d'emplois populaires de que objet, représentant la proposition précédente[2].

F.E. — Elle n'est pas encore là, *que je sache* (= **à ma connaissance). Même tour sans doute, mais avec un subjonctif ancien**[3] **à valeur d'affirmation atténuée.**

S'écrit encore, mais toujours avec une principale négative (ou, plus rarement, interrogative) :

Est-il venu, *que vous sachiez ?* (= **est-il venu, à votre connaissance?) voir n° 522.**

1. Ici, **que** est conjonction.
2. Ce fut un tour de la langue classique.
3. Probablement emprunté tel quel au latin par les humanistes du XVIe siècle.

LES RELATIFS INDÉFINIS

410 **Avec l'indicatif** **(ou le conditionnel de supposition) : quiconque... (tout homme qui...)**

Quiconque est un pronom relatif contenant en quelque sorte son antécédent. Il doit donc, comme tel, être en rapport avec deux verbes.

Quiconque *prie sera* exaucé. (= **[Celui] qui prie sera exaucé.)**

Ce pronom, toujours du singulier, est généralement masculin.

Remarque : « Quiconque » est assez souvent employé comme pronom indéfini avec la valeur de : personne ou n'importe qui :

Je ne le dirai à *quiconque* — Si vous le dites à *quiconque*... — Je le sais mieux que *quiconque*.

Tous ceux qui, tout ce qui, ce qui sont aussi des pronoms relatifs indéfinis dont il serait peu pratique d'analyser les différents éléments.

411 **Tel qui signifie quelqu'un qui, celui-là qui, l'ensemble de la phrase ayant une valeur de possibilité; on ne trouve plus guère cette expression que dans des dictons ou proverbes :**

Tel qui rit vendredi, dimanche pleurera.
Tel est pris *qui* croyait prendre.

412 **Le même qui :**

Le relatif qui peut avoir pour antécédent le même :

Le même qui était venu hier est revenu aujourd'hui.
J'ai rencontré *le même homme que* j'avais déjà remarqué **(voir aussi la comparaison, n° 768).**

Avec le subjonctif :

Qui que vous soyez — **quel qu'il** soit... **voir n°s 727-728.**

L'ADJECTIF RELATIF (F.E.)

413 **Il a les mêmes formes que le pronom composé lequel, laquelle, etc.**

On répète après lui le nom qui, dans la construction courante, serait l'antécédent d'un pronom relatif :

Il s'empara d'*un poulet, lequel poulet* fut bientôt plumé et rôti (... d'un poulet qui fut bientôt... — **mais l'emploi de lequel permet une pause, qui peut répondre à une intention de l'auteur).**

L'adjectif relatif est archaïque et rare, sauf dans certains textes juridiques et, surtout, dans le cas où l'on veut éviter une équivoque (cf. l'emploi de lequel, pronom, n° 402).
Ainsi, le passage de Rousseau, cité au n° 403, pourrait s'écrire (moins bien) :

Vous savez qu'il y a une édition contrefaite de mon livre, *laquelle édition* doit paraître bientôt.

Enfin l'adjectif relatif subsiste aujourd'hui dans l'expression figée auquel cas :

Si la route est bonne, *auquel cas* notre voiture roulera vite, nous arriverons vers midi.

Mais on préférera dire, couramment :

Si la route est bonne, *et dans ce cas* notre voiture roulera vite...

N. B. — Quel, dans : tel quel (voir n° 372) et sans doute dans : quel qu'il soit (voir n° 727), est un ancien adjectif relatif.

LES PROPOSITIONS RELATIVES

414 **Remarque préliminaire : les paragraphes précédents contiennent déjà mainte observation importante sur la construction des propositions relatives.**

Ces propositions peuvent :

(I) être simplement déterminatives

(II) traduire une circonstance de cause, de conséquence, etc.

I PROPOSITIONS SIMPLEMENT DÉTERMINATIVES

415 **Elles servent à préciser le sens ou la valeur du nom (ou du pronom), de l'adjectif, de la proposition entière qui sont les antécédents :**

J'ai vendu les tableaux *qui étaient dans mon salon.*

L'identité de ces tableaux est précisée par la proposition relative (qu'annonce justement l'article défini).

Dans ce cas la relative a souvent une valeur d'adjectif :

L'heure *qui conviendra*, l'heure *qui conviendrait* = **l'heure convenable.**

(Mais on constate, par les exemples ci-dessus, que l'emploi d'une relative apporte, grâce au temps ou au mode du verbe, une précision utile.)

Le mode des propositions relatives à valeur d'adjectif est l'indicatif.

II PROPOSITIONS RELATIVES EXPRIMANT UNE CIRCONSTANCE

416. **a) Cause : le mode est l'indicatif.**

Cède ta place à ce monsieur, *qui est âgé* (= **parce qu'il est âgé**).

b) Opposition, concession : le mode est l'indicatif après qui, que, dont.

Paul, *qui a mal travaillé*, a pourtant été récompensé.

N. B. — Pour l'emploi de qui que ce soit, quel qu'il soit, voir n° 727.

c) **Conséquence** (ou plutôt : qualité, aptitude à quelque effet) : le mode est, en principe, le **subjonctif** ou le **conditionnel**.

Je cherche quelqu'un *qui puisse m'aider* (ou *qui m'aiderait*). C'est un des bons livres *qui soient faits* sur la question (exemple proposé par Ch. Bruneau, *Grammaire historique de la langue française*).

Mais **l'indicatif** peut être associé à l'idée de conséquence :

J'ai heurté le verre, *qui s'est brisé*.

416 bis Après un pronom relatif dont l'antécédent comprend : **le premier, le dernier, le seul,** ou un superlatif **(le plus grand, le meilleur, etc.)**, le subjonctif est en principe le mode correct.

Mais, outre que le **F.P. fam.** tend de plus en plus à employer l'indicatif en pareil cas, ce dernier mode est régulier s'il s'agit d'énoncer un fait pur et simple du récit :

Le premier qui les *a vus* a éclaté de rire.

En revanche, le subjonctif est tout indiqué s'il s'agit d'exprimer vraiment une **qualité, une aptitude** :

Voilà le seul article (le plus bel article) que nous *ayons* en magasin.

On notera, toujours dans le même ordre d'idées (= qualité, aptitude), l'emploi de **l'infinitif** après un relatif complément indirect :

Tu trouveras à qui *parler* (= un adversaire résolu) — Je n'ai vu personne à qui *parler* (= à qui j'aurais pu parler).

416 ter d) **Supposition, condition** :

Celui *qui t'entendrait* te prendrait pour un insensé.

(les deux verbes sont alors au **conditionnel**).

417 **Subjonctif d'attraction** :

Si la relative est en connexion avec une phrase exprimant la **supposition, le doute,** ou si elle dépend d'une proposition dont le verbe soit au **subjonctif**, le verbe de la relative, en **F.E.** sera souvent au **subjonctif** :

S'il connaissait un endroit *qui convînt* mieux, il le choisirait — « *Quelles que soient* les circonstances *qui puissent* expliquer son erreur... » (de Gaulle, *Mémoires*) — « Pensez-vous que *je ne sache pas* ce *qu'il veuille* dire ? » (Claudel, *Tête d'Or*).

Le **F.P.** dira plutôt : S'il connaissait un endroit *qui conviendrait* mieux... (ou *qui convienne*, sans concordance des temps) — Quelles que soient les circonstances *qui pourraient* expliquer son erreur... — Pensez-vous que je ne sache pas ce qu'il *veut* dire ?

Le mode est normalement le subjonctif, si **l'antécédent** de la relative, ayant une valeur **indéfinie**, est affecté d'une **négation** :

Je ne vois *pas de livre* qui vous *convienne* mieux — Il n'y a *aucun livre* qui vous *convienne* mieux.

(Mais, avec un antécédent de valeur définie : Je n'ai pas trouvé *le livre* que vous *cherchez*.**)**

Si l'antécédent (indéfini) est inclus dans une interrogation, le subjonctif est seul correct en F.E. :

Avez-vous trouvé *un* livre qui vous *convienne* mieux?

(On rejoint par là le paragraphe c) du n° 416.)

Mais le F.P. fam. dira souvent :

Avez-vous trouvé un livre *qui vous convient* mieux?

417 bis **Dans le tour : « ...** depuis plus de sept mille ans qu'il y a des hommes, *et qui* pensent » (La Bruyère) **la conjonction « et » met en relief la proposition relative.**

417 ter **Le pronom relatif peut être le complément d'un terme placé loin dans la proposition relative :**

A côté de :

« ... manœuvre *qu*'il *déjouera* »,

on peut avoir :

« ... manœuvre *qu*'il est prêt *à déjouer* » — « ... manœuvre *qu*'il a les moyens *de déjouer* » — « ... manœuvre *qu*'il a toute qualité *pour déjouer* ».

Mais le français n'est pas à cet égard aussi souple que l'anglais, par exemple.

LES PRONOMS PERSONNELS

418 **Les pronoms personnels désignent les personnes du discours :**
1re personne, celle qui parle : je, moi; nous
2e personne, celle à qui on parle : tu, toi; vous
3e personne, celle dont on parle : il, elle; lui, eux, etc.

Les pronoms des deux premières personnes ne représentent pas un nom déjà exprimé. Au contraire, les pronoms de la 3e personne, issus des démonstratifs latins, ont pour mission, le plus souvent, de représenter un nom ou un pronom énoncés précédemment :

Où est *Pierre*? — *Il* est dans sa chambre. Je vais *l'*appeler.

Du latin, les pronoms personnels ont conservé des formes différentes selon le nombre, le genre et la fonction grammaticale.

TABLEAU DES PRONOMS PERSONNELS

419

Singulier	1re personne M et F	2e personne M et F
Sujet	je (moi[1])	tu (toi)
Objet direct	me (moi)	te (toi)
Objet indirect	me (à moi)	te (à toi)
Autres compl.	(avec) moi, etc.	(avec) toi, etc.

Singulier	3e personne M	3e personne F	3e personne forme réfléchie M et F
Sujet	il (lui)	elle (elle)	
Objet direct	le (lui)	la (elle)	se (soi)
Objet indirect	lui (à lui)	lui (à elle)	se (à soi)
Autres compl.	(avec) lui	(avec) elle	(avec) soi

1. Sont soulignés dans ce tableau les pronoms personnels en principe **toniques** (= qui portent un accent d'intensité). Ces pronoms sont généralement **disjoints** (= **séparés** du verbe par un autre terme ou une pause; voir nos 428 et suivants).
Les autres sont généralement **atones** (= non accentués) et toujours **conjoints** au verbe (= placés **immédiatement** avant ou après le verbe).

Remarque importante : A l'**impératif affirmatif,** les pronoms compléments d'objet **suivent** immédiatement le verbe et en général sont ou deviennent **accentués :**
Suis-*moi*, regarde-*toi*, — suis-*nous*, regardez-*vous*, — prends-*le*, écoute-*la*, achète-*les*, réponds-*lui*, réponds-*leur*. (A l'impératif négatif, la construction des pronoms est conforme à celle de la phrase énonciative; voir nos 420, 424 et 445 à 450.)

Pluriel

	1re personne M et F	2e personne M et F
Sujet	nous (nous)	vous (vous)
Objet direct	nous (nous)	vous (vous)
Objet indirect	nous (à nous)	vous (à vous)
Autres compl.	(avec) nous	(avec) vous

	3e personne M	3e personne F	3e personne forme réfléchie M et F
Sujet	ils (eux)	elles (elles)	
Objet direct	les (eux)	les (elles)	se [soi (rare)]
Objet indirect	leur (à eux)	leur (à elles)	se [à soi (rare)]
Autres compl.	(avec) eux	(avec) elles	[avec soi etc. (rare)]

N. B. — Formes élidées. Les pronoms atones, terminés en e ou en a : je, me, te, le, se, la, **élident cet e ou cet a devant une voyelle ou un h muet :**

j'honore, je *t*'honore, tu *l*'honores (= **le, ou la**), il *s*'amuse.

EMPLOI DES PRONOMS PERSONNELS[1]

I. Pronoms toujours atones et toujours conjoints (compléments)

420 **Me, te sont toujours atones et généralement placés devant le verbe, comme compléments d'objet directs ou indirects :**

Tu *me* revois **(objet direct : revoir quelqu'un).**
Tu *me* nuis **(objet indirect : nuire à quelqu'un).**
Ne *me* nuis pas **(impér. négatif).**
Mais : dis-*moi* **(impér. affirm.).**

N. B. — A l'impératif affirmatif, ils se placent devant en (ou, plus rarement, y) et après le verbe : Donnez-*m*'*en*.

II. Pronoms généralement atones et toujours conjoints[2] (sujets)

421 **Je, tu, il, ils sont toujours sujets ; ils précèdent immédiatement le verbe. Dans l'ancienne langue, voisine du latin, où les terminaisons verbales étaient articulées et suffisaient à indiquer la personne, ils n'étaient que rarement exprimés. Nous conservons de cet usage quelques expressions consacrées :**

Fais ce que *dois* — Tes père et mère *honoreras*.

1. Les réfléchis **se, soi**, et l'emploi de **lui, eux, elle, elles**, dans un sens réfléchi, seront étudiés aux nos 438 à 439 bis.
2. Sauf pour : Je, soussigné,... (v. N. B.)

Je, tu, il, ils[1] **sont des formes atones. Mais, dans l'inversion interrogative et dans certaines constructions, tu, il, ils, rejetés après le verbe, supportent l'accent s'ils ferment un groupe rythmique**[2] **:** Parles-*tu*? Parlent-*ils*? — Peut-être viendra-t-*il*.
En revanche, je reste atone et on évite son inversion au présent de l'indicatif, sauf pour quelques verbes très usités et courts :

Ai-*je*, dis-*je*, dois-*je*, fais-*je*, puis-*je*, sais-*je*, suis-*je*, vais-*je*, vois-*je*. **(On dira donc :** Lequel *est-ce que* je prends?**)**

N. B. — Retenez l'usage juridique ou administratif d'un je exceptionnellement tonique dans l'expression : *Je*, soussigné, certifie... **(= moi qui ai signé ci-dessous, je certifie...) — C'est une survivance de l'ancienne langue.**

Valeurs de « il ».

422 **En français, le pronom de la 3e personne du singulier masculin peut représenter des choses, aussi bien que des personnes :**

Où est ton père? *Il* est là — Où est ton livre? *Il* est là.

Il perd toute valeur de masculin dans les tours impersonnels :

Il pleut — *Il* est vrai que... — *Il* est venu des visiteurs.

Le pronom prend alors une valeur neutre, ou plutôt devient une particule qui cristallise ces verbes à la 3e personne du singulier.

On trouve aussi cette construction, surtout en F.E., avec des verbes passifs :

Il fut vendu beaucoup de livres — *Il fut procédé* au vote **(passif impersonnel, v. no 597)**

ou avec des verbes réfléchis à valeur passive :

Il se vendait beaucoup de livres — *Il se peut* que je vienne.

Notez que il (neutre) reste inexprimé dans d'assez nombreuses expressions impersonnelles :

Peu *importe* — N'*importe* — *Suffit*! — Ainsi *fut fait* — Bien lui en *a pris* — *Reste* à savoir si... — *Plaise* au Ciel! — Si bon me *semble*. **(P. les tours c'est, il est, voir nos 300 et suiv.)**

Emploi indéfini de ils.

423 **Dans le F.P. fam. on use de ils sans le rapporter à une personne ou à un objet déjà énoncés, et par allusion souvent dédaigneuse à des personnalités vagues :**

Ils nous écrasent d'impôts. *Ils* ont encore augmenté les cigarettes!

Dites plutôt : L'État nous écrase d'impôts. On nous écrase d'impôts.

1. **F. P. fam.** — Devant **consonne,** et à la fin d'une phrase interrogative, *il, ils* se prononcent très fréquemment *i* : i (l) vient, i (ls) viennent; vient-i (l)? viennent-i (ls)? — De même, *elle, elles* se prononcent *è* : e (lle) vient, e (lles) viennent — Devant **voyelle,** *ils, elles* se prononcent *iz, ez* : ils ont, elles ont : izont, èzont (v. C. K. Datta, *Indian linguistics*, 1965).
2. C'est-à-dire si le pronom est *immédiatement* suivi d'une pause. Mais dans : parle-t-il *donc? il* est atone.

423 bis **Elle, elles atones et conjoints** devant le verbe sont **sujets** :

Elle vient, *elles* viennent.

Dans l'**inversion** interrogative, rejetés après le verbe, ces pronoms supportent l'accent et sont **toniques** :

Vient-*elle ?* viennent-*elles ?*

Mais, à la différence de **il, ils,** les pronoms **elle, elles** ont d'autres **emplois**, disjoints et **toniques** : voir n^os^ **428** et suivants.

III. Pronoms atones (sauf à l'impératif affirmatif) et toujours conjoints (compléments)

424 **Le, la, les,** placés **immédiatement devant** le verbe, sont des compléments d'objet directs :

Je *le* regarde — Je *la* regarde — Je *les* appelle.

Ces formes sont placées après le verbe, s'il s'agit d'un impératif affirmatif. Elles sont alors toniques, si elles ferment le groupe rythmique :

Regarde-*le* — Regarde-*la* — Appelle-*les.*

Mais : Ne *le* regarde pas, ne *la* regarde pas, ne *les* appelle pas.

425 **Le** peut être un pronom neutre.

a) Il représente l'idée exprimée par un **verbe** ou par toute une **proposition** et signifie à peu près : **cela** :

Il fait beau, je *le* vois — Je désire partir et même je *le* veux, il *le* faut.

b) Il représente toutes sortes d'attributs (construits comme les objets) :

Vous êtes courageux; vous *l'*êtes même beaucoup — Médecin, je *le* suis — Médecins, nous *le* sommes (**= nous sommes cela**). — « Ou vous étiez d'accord, ou vous ne *l'*étiez pas » (*Aux Écoutes*, 29 novembre 1963) (**v. n° 142**).

Le français d'aujourd'hui tend même à employer **le** dans des cas où un **y**, complément de lieu, semblerait s'imposer :

« Henri Michaux s'est toujours tenu à l'écart de la vie littéraire, et entend *le* rester » (*Le Monde*, 2 déc. 1965).

c) Il accompagne souvent les expressions telles que : **plus que, autre que, moins que, mieux que** suivies d'un **verbe** :

Tu vas mieux que je ne *le* pensais. Il est plus gai qu'il ne *l'*était hier.

(Mais **le** est naturellement impossible avec **être** suivi d'un adjectif : Tu travailles plus qu'il *n'est nécessaire.*)

D'ailleurs, ce **le** disparaît généralement en **F.P.** :

Tu vas mieux *que je ne pensais.* Il est plus gai *qu'il n'était hier.*

A cet égard, notez les tours courants à la forme négative : A-t-il raison? *Je ne sais pas, je ne crois pas.*
et même parfois à la forme affirmative : A-t-il raison? Oui, *je crois* — *Je sais*, il est mécontent.

425 bis **Le, la n'a pas de valeur précise dans certaines locutions courantes** : Il *le* prend de haut (= **il se montre arrogant**) — Je me *le* tiendrai pour dit (= **je considérerai cela comme un avertissement définitif**) — L'équipe de Rouen *l*'emporte sur celle de Caen (= **triomphe de**) — Nous *l*'avons échappé belle (= **nous avons, de peu, échappé à une catastrophe**) — Celui-là, il *la* connaît (= **c'est un vieux malin, F.P. pop.**) — Je *la* trouve mauvaise (= **je suis mécontent du procédé, F.P. fam.**) — On ne me *la* fait pas (= **on ne me trompe pas ainsi, F.P. fam.**) — Ah! vous me *la* baillez belle! (= **vous me racontez là une belle histoire, F.P. fam.**) — Tu me *la* copieras (= **tu as de singuliers procédés, F.P. pop.**)

426 **Lui, leur, atones, placés immédiatement devant le verbe, sont compléments d'objet indirects** : Je *lui* ai parlé — Je *leur* ai parlé.

Dans cet emploi atone, lui, leur peuvent représenter un masculin ou un féminin.

426 bis **Après un impératif affirmatif, à la fin d'un groupe rythmique, lui et leur portent l'accent tonique** : Parle-*lui* — Parle-*leur*.
Mais : Ne *lui* parle pas, ne *leur* parle pas **(impératifs négatifs).**

N. B. — N'imitez pas le F.P. pop. qui dit lui au lieu de : le lui; leur au lieu de : le leur[1]**; ne dites pas, à propos d'un paquet que vous voulez envoyer à votre frère** : « Je lui enverrai demain. » **Mais** : « Je *le* lui enverrai demain. »
Lui (comme elle, elles) peut être disjoint et tonique (v. n°s 428 et suiv.).

IV. Nous, vous, employés comme conjoints

427 **Nous, vous, conjoints, sont sujets, ou compléments d'objet directs ou indirects, atones s'ils précèdent immédiatement le verbe** :

Nous arrivons — Il *nous* voit — Il *vous* nuit;

mais toniques s'ils le suivent, à la fin d'un groupe rythmique :

Arrivons-*nous*? Aidez-*nous*.

N. B. — Nous, vous peuvent embrasser plusieurs personnes :
Nous peut signifier : moi + toi — ou moi + vous — ou moi + vous + lui (eux, elles), etc.
Vous peut signifier : toi + toi — ou toi + lui (eux, elles, etc.).
Moi ne peut donc être inclus que dans le 1er groupe (= nous).
Nous, vous peuvent être disjoints et toniques (v. n°s 428 et suiv.).

1. Ici encore, le **F.P. pop.** suit les habitudes de l'ancienne langue.

V. Emplois importants de certains pronoms, comme toniques, généralement disjoints

Les pronoms <u>**moi/nous — toi/vous — lui, elle/eux, elles**</u> **(et** <u>**soi,**</u> **que nous étudierons à part, nos 438, 439) sont employés, toniques :**

428 **a) Comme appositions :**

- **au sujet, exprimé ou non :**

Moi, je viens. *Moi-même*, je viendrai — Va-t'en, *toi*! — Pierre, *lui*, ne viendra pas.

- **à l'objet direct :**

On te cherche, *toi* — On la cherche, *elle*.

- **à l'objet indirect :**

On lui donne, *à lui* — On leur donne, *à eux*.

Le pronom est parfois mis en relief par : quant à, pour :

Quant à moi, je viens — *Pour toi*, va-t'en!

N. B. — Moi, toi, nous, vous, elle(s) toniques, employés devant le verbe, sont repris par les pronoms je, tu, me, te, nous, vous elle(s) :

Toi, tu partiras — *Nous*, ses amis, *nous* l'aiderons[1].

Au contraire, lui, eux, sujets, peuvent se passer de la répétition des pronoms : il, ils :

Lui n'a rien fait — *Eux* ne viendront pas.

Et l'on peut dire, s'il s'agit de compléments indirects :

A toi (*à elle, à eux, à elles*), je ne refuserai rien.

Pour nous autres, vous autres, voir no 377.

429 **b) Pour ajouter un pronom à un autre sujet ou complément :**

Ma mère *et moi*, nous espérons... — Ta mère *et toi*, vous... — Sa mère *et lui*, ils... — Leur mère *et eux*, ils... — Toi *et moi*, nous... — Eux *et moi*, nous... — Toi *et lui*, vous... — Toi, *lui et nous*, nous... — Vous, *elle et lui*, vous[2]... — Jean *et lui*, je les vois.

430 **c) Comme sujets ou compléments d'un verbe non répété (notamment dans les réponses) :**

Qui parle? — *Moi, toi, lui, eux*, **etc.**
Qui appelle-t-on? — *Moi, toi, lui, eux*, **etc.**
Il part, *et moi* avec lui.

431 **d) Comme exclamatifs :**

Toi ici! — *Lui*, faire ça!

432 **e) Comme compléments de comparaison :**

Il est plus grand *que moi*.

433 **f) Comme sujets d'infinitifs de narration (F.E.) :**

Voilà ce qu'il a dit. *Eux*, de se moquer.

1. Cependant, on trouve, dans le style « officiel » : *Nous*, préfet de la Manche, *ordonnons*....
2. Notez que, dans ces énumérations, le **moi** devra, si l'on veut parler poliment, venir en dernier lieu.

434 g) **Comme sujets d'un participe absolu :**

Lui parti, la réunion fut plus gaie.

435 h) **Enfin, comme compléments d'une préposition :**

Viens *avec moi* — Partez *sans elles* — Cette lettre est bien *de lui*.

436 **N. B. — On emploie ces pronoms après : c'est, ce sera, il reste, il y a, il n'y a que :**

C'est *moi*; *il y a* moi; *il reste*, *il y a* eux, toi; *il n'y a qu'eux*[1].

Moi, toi, etc., sont parfois attributs : Je suis toujours *moi*.

Rappelons qu'on emploie : moi/nous — toi/nous — le/la/les — lui/leur **après un impératif affirmatif :**

Regarde-*moi*, regarde-*le*, regarde-*les*, donne-*leur* une réponse.

437 **Remarques sur l'emploi de me, te, lui, leur, etc. : (indirects atones) et de à moi, à toi, à lui, à eux, etc. (indirects toniques) :**

Normalement, les pronoms compléments d'objet indirects sont atones, et précèdent immédiatement le verbe :

Tu *m*'obéis — Nous *leur* donnons congé.

Mais certains verbes, de sens intellectuel ou moral, exigent les formes toniques à moi, à toi, à lui, à eux, etc. placées après le verbe :

Je pense *à toi* — Je songe *à vous* — Je crois *à lui* — Je tiens *à elle* — Je renonce *à eux*[2].

C'est la construction obligatoire après tout verbe pronominal :

Je *m*'adresse *à lui* — Je *me* fie *à lui*.

Pour l'emploi de y représentant des personnes, voir n° 443.

Observations :

1. Si le pronom doit avoir une valeur de représentant (et notamment dans les réponses) on trouve souvent, surtout en F.P. fam., y, même avec des verbes pronominaux (voir n° 443 bis) :

Penses-tu à Pierre ? — Oui, j'*y* pense souvent.
Croyez-vous à l'immortalité de l'âme ? — J'*y* crois.
Et moi, tu *y* penses ?
Lui, je ne m'*y* fie pas.

2. On dit au sens propre : Elle *vient à lui;* **mais, au sens figuré :** Il *lui vient* une idée **(forme impersonnelle).**

VI. Pronom personnel réfléchi

438 **Ce pronom, employé comme complément, représente un sujet dont l'action se réfléchit, revient sur lui-même. Il n'a de formes particulières qu'à la 3e personne.**

1. Voir G. Gougenheim, *Système grammatical de la langue française*.
2. On dit : Personne ne fit attention *à elle* — Mais plutôt : « Personne ne *leur* prêta attention. » (H. Troyat, *Les Eygletière*).

Pour la 1re et la 2e personne on emploie :

Me, te, moi, toi, nous, vous, dans les mêmes conditions que lorsqu'ils sont non réfléchis (v. nos 420, 427, 428 et suiv.) :

Je *me* rase — Vous *vous* nuisez — Je t'emmène *avec moi* — Rase-*toi* — Ne *te* rase pas.

Pronom réfléchi de la 3e personne. Les formes sont :

Se (atone, conjoint, objet direct ou objet indirect, singulier et pluriel) :

Paul *se* rase — Ils *se* rasent.

Soi (tonique, disjoint, complément ou apposition généralement au singulier) :

Chacun pour *soi* **(voir n° 439).**

L'adverbe même renforce parfois ces pronoms; mais il s'ajoute à une forme tonique (qui redouble la forme atone) :

Je *me* reprochais à *moi-même* ce grave accident.
On *se* dupe parfois volontairement *soi-même*[1].

439 **Remarques sur l'emploi des réfléchis de la 3e personne.**

Se donne souvent une valeur passive au verbe pronominal, avec un nom de chose pour sujet :

Ce château *se voit* de loin (**= il est vu, on le voit), v. n° 604.**

Soi, et lui.

D'une manière générale, on emploie lui, eux, elle, elles pour renvoyer à des êtres déterminés :

Il s'attribue la meilleure part, à *lui* — Ce garçon ne pense qu'à *lui* — Ces filles ne pensent qu'à *elles*.

Soi ne renvoie plus guère, aujourd'hui, qu'à un être indéterminé :

Il est honteux de ne penser qu'*à soi* — Il faut parfois penser *à soi* — Le respect *de soi* est toujours nécessaire.

De là son emploi obligatoire pour représenter : on, personne, tout le monde et, moins strictement : chacun, quiconque :

On a souvent besoin d'un plus petit que *soi*.

Après quelqu'un, on trouve souvent lui :

« Si quelqu'un[2] ne voit pas clair en *lui*, c'est toi »
(R. Martin du Gard, *Les Thibault*).

De même après : aucun homme :

Aucun homme ne pense à *lui* en pareil cas.

1. Dans des expressions comme : Il faut faire son lit soi-même; Paul se rase lui-même, le pronom apposé renforce le **sujet,** plutôt que le complément.
2. Si ce quelqu'un désigne une femme on dira : Si quelqu'un ne voit pas clair en soi... (ou : Si une femme ne voit pas clair en elle, ou en elle-même...)

Avec des indéfinis au pluriel, eux redevient nécessaire : *Quelques-uns, certains* pensent à *eux*, d'abord **(ou plutôt** : *à eux-mêmes*).

Comme représentant de cela, on emploiera soi :

Cela est pénible en *soi* (**Mais** : *La chose* est pénible *en soi*, **ou** : *en elle-même.*) — *Cela* va de *soi*. (**Mais on dit, on écrit** : *La chose* va *de soi* **ou** : va *d'elle-même. Le refus* va *de soi.*)

En dehors de ces cas, l'emploi de soi, au lieu de lui, pour renvoyer à un être déterminé, ou à un pluriel, appartient à un F.E. archaïque et parfois affecté :

Ce joli garçon traîne tous les cœurs *après soi.*

Dans : « Il était enfermé *en soi* » (G. Duhamel. Cité par L. Spitzer, *Le Français moderne*, **oct. 1940), le réfléchi évoque l'idée du Moi, et se justifie par là**[1].

Dans les verbes pronominaux à l'infinitif, dépendant de l'auxiliaire faire, le pronom réfléchi est souvent omis :

Faites-le *asseoir* — Il m'a fait *asseoir.*

De même, en F.P. fam., dans l'expression : Je l'ai envoyé *promener*.
Mais si le verbe à l'infinitif est normalement transitif et non réfléchi, on emploie se pour éviter une équivoque :
Comparez : Il *l'a fait arrêter* (par la police) et : Il *l'a* fait *s'arrêter* (sur la route)[2].

N. B. — Soi-disant signifie, correctement : *se disant, se prétendant* : un visiteur, *soi-disant votre ami* — **Il a pris le sens de** : *prétendu*, **appliqué même aux choses** : votre soi-disant succès.

439 bis **Soi ou soi-même peuvent être sujets :**

Cela semble licite quand c'est *soi* qui le fait.

ou appositions au sujet :

« On est là, *soi* et pas un autre, sur la plate-forme » (Jules Romains, cité par M. Cressot).

Ils peuvent aussi être attributs du sujet :

L'important est de rester *soi-même.*

VII. Pronoms réciproques (nous — vous — se)

440 **Dans** : Nous *nous* battons — Les enfants *se* battent, **les réfléchis ont une valeur réciproque.**

Pour renforcer l'idée de réciprocité, le français ajoute aussi les pronoms : l'un l'autre, les uns les autres, en apposition aux réfléchis :

Ils s'injurient *l'un l'autre* — Ils s'aident *les uns les autres.*

Ou les adverbes mutuellement, réciproquement :

Ils s'aident *mutuellement.*

Enfin, dans certains cas, le verbe pronominal est muni du préfixe entre : Il faut *s'entraider* — Les fils de l'étoffe *s'entrecroisent.*

1. Voir A. Dauzat, *Le Génie de la langue française.*
2. Noté par A.-V. Thomas, *Dictionnaire des difficultés de la langue française.*

VIII. Pronoms adverbiaux : en, y

441 **En, selon son origine latine, a la valeur d'un adverbe de lieu :**

J'étais là-bas; j'*en* viens (= **de là**).

Mais, peu à peu, son emploi s'est largement étendu ; il en est venu à représenter un nom de chose (ou même de personne), ou une idée. Placé généralement en position atone, c'est-à-dire devant le verbe, il joue le rôle d'un pronom complément précédé de de : de lui, d'elle, d'eux, de cela.

En peut alors compléter un verbe :

Parler d'un voyage; *en* parler **(objet indirect)**.
Jouer du piano; *en* jouer **(instrument)**.
Être aimé de ses camarades; *en* être aimé **(agent — voir n° 600)**.
Tuer des corbeaux; *en* tuer **(partitif)**.

En peut compléter un adjectif :

Être digne de louanges; *en* être digne.
Je suis content que tu sois là; j'*en* suis content **(ici en représente une proposition)**.

En peut compléter un adverbe de quantité, un nombre :

Combien as-tu tué de corbeaux? Combien *en* as-tu tué? — J'*en* ai tué dix[1].

Notez à ce propos que en est obligatoire dans les tours :

As-tu un stylo? — Oui, j'*en* ai un. As-tu des livres? — Oui, j'*en* ai — *En* as-tu de plus récents?

La possession exprimée par en ou son, sa, ses. Voir à ce sujet le n° 331.

442 **En sans valeur précise. Voici des locutions courantes où en n'a plus aujourd'hui valeur analysable de pronom ou d'adverbe :**

En vouloir à quelqu'un (= **être fâché contre lui**) — S'*en* prendre à quelqu'un (= **tourner sa colère contre lui**) — S'*en* remettre à quelqu'un (= **lui faire toute confiance pour agir à votre place**) — *En* imposer à quelqu'un (= **l'influencer par le respect ou la crainte**[2]) — Je n'*en* puis plus (= **je suis à bout de forces**) — Il *en* tient pour elle (= **il a pour elle un penchant certain**); mais elle lui *en* fait voir! **ou** : elle lui *en* fait voir de toutes les couleurs (= **elle l'abuse, le malmène de toutes les façons**) — Je m'*en* vais — Il *en* va de même pour vous et moi (= **notre situation est la même**) — Ne t'*en* fais pas (= **ne te fais pas de souci — F.P. pop.**), etc.

1. De même : *Il en est venu beaucoup — Il en reste deux* — Mais on dira (si **beaucoup** ou le **nombre** sont construits comme sujets) : *Beaucoup* sont venus — *deux* restent.
2. L'Académie recommande en ce sens : *imposer* à quelqu'un (cf. l'adj. *imposant*) — *En imposer à* signifie, dit-elle, tromper (cf. l'*imposteur*) — Mais le **F.P.** et même le **F. E.** ignorent aujourd'hui la première construction, devenue archaïque.

443 **Y**, comme **en**, vient d'un adverbe de lieu latin et signifie **là** :

Vas-tu là-bas? — J'*y* vais.

Il joue aussi le rôle d'un **pronom complément** précédé de **à**. Mais il ne représente guère que des choses ou des idées :

Et ton roman? — J'*y* travaille — Cette lettre, il faut *y* répondre. Pensez-vous à me remettre votre rapport? — Oui, j'*y* pense — La foi de mes pères, j'*y* suis fidèle.

On distinguera donc : Cette entreprise, j'*y* prêterai la main; et : Cet enfant, je *lui* donnerai la main.

Cependant, on emploie souvent **lui** pour **y**; ainsi Montherlant, dans son discours de réception à l'Académie française, a écrit : « Je ferais bien de *lui* mettre au moins une péroraison », *lui* représentant ici le discours.

Et, d'autre part, on trouve (dans les réponses, par exemple) **y** représentant les personnes, dans des cas où la construction ne permet pas un **lui** atone : Pensez-vous à votre mère? — Oui, j'*y* pense.

Y sans valeur précise.

444 Voici quelques locutions courantes où **y** a perdu toute valeur précise de pronom ou d'adverbe :

Il y a des gens dévoués — *Il y va* de ta vie (= ta vie est en danger) — J'y vois; j'*y* vois clair — Il s'*y* entend, il s'*y* connaît (= il est habile, compétent) — Vous vous *y* prenez bien, ou mal (= vous procédez avec adresse, ou maladresse) — N'*y* revenez pas (= ne recommencez pas ce mauvais tour) — Regardez-*y* à deux fois avant d'agir (= réfléchissez bien) — Je n'*y* suis pour rien (= je ne suis pas responsable de cela) etc.

PLACE DES PRONOMS PERSONNELS MULTIPLES, COMPLÉMENTS

445 Le tableau suivant rend compte des places respectives occupées, dans une même proposition, par deux pronoms atones, selon leurs fonctions :

1. dans une phrase affirmative, à un mode autre que l'impératif;
2. dans une phrase négative, à tous les modes.

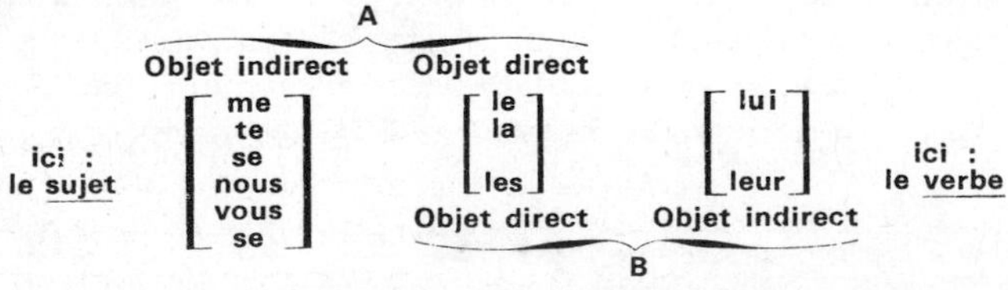

Exemples : **A.** Jean *te les* donne — **B.** Jean *les leur* donne.

On peut ajouter au tableau ci-dessus quelques remarques :

1er cas :

446 **Il y a un seul pronom de la 3e personne, non réfléchi.**

a) S'il est objet direct (A), on le met juste devant le verbe, et l'autre pronom le précède. Les deux pronoms sont atones :

On *te le* présente — Ne *me le* présente pas.
On *nous les* présente — Ne *nous les* présente pas.

b) S'il est objet indirect, le pronom de la 3e personne est mis après le verbe et devient tonique :

On *te* présente *à lui* — Ne *te* présente pas *à lui.*
On *nous* présente *à eux* — Ne *vous* présentez pas *à eux.*

2e cas :

447 **Les deux pronoms (non réfléchis) sont de la 3e personne (B).** **Ils sont tous deux atones devant le verbe. L'objet direct vient le premier. L'objet indirect est placé le plus près du verbe :**

On *le lui* présente — Ne *le lui* présente pas.
On *les leur* présente[1] — Ne *les leur* présente pas.

(N. B. — Y et en viennent toujours à la fin de la série, immédiatement avant le verbe : Elle *lui en* donnera — « Pour moi je n'*y en* attache aucune » **(= aucune importance, à ces affaires de bourse).** [Napoléon Ier, lettre à Savary].
Alors les pronoms de la 1re colonne peuvent être objets directs :
Elle *t'*en prie — Nous *nous* y appliquons.)

3e cas :

448 **Il n'y a pas de pronom de la 3e personne :**
Le pronom objet direct est atone, devant le verbe ; l'objet indirect, tonique, prend place après le verbe :

On *te* présente *à moi* — On *vous* présente *à nous.*

449 **N. B. — Dans une phrase à l'impératif affirmatif, les deux pronoms sont mis après le verbe dans l'ordre : objet direct, objet indirect. Le dernier porte l'accent :**

a) Présente-*le-moi.* b) Présente-*le-lui.* c) Présente-*toi à moi.*

4e cas :

449 bis **se (réfléchi) :**
Objet indirect : Il *se le* représente.
Objet direct : Il *se* présente *à moi, à lui.*

449 ter **N. B. — Avec en, on dira :** J'aime les confitures; donnez-*m'en*[2]. Ils veulent des confitures? Donnez-*leur-en.*

1. Vous entendrez, dans le **F.P. très pop. :** Je *lui le* présente. Construction **à éviter** absolument.
2. Le **F.P. très pop.** tend, ici, à accentuer le premier pronom en disant : *Donnez-moi-z'*en.

450 **N. B. — a) On dit parfois en F.P. fam. :** Présente-*nous-le*, **aussi bien que :** Présente-*le-nous*. **Mais on évitera de dire :** Présente-*moi-le*.

b) Cas de l'infinitif amené par l'un des verbes laisser, faire, envoyer, ou par des verbes exprimant une opération des sens : voir, entendre, etc. — Les pronoms compléments se placent non pas avant l'infinitif, mais avant le verbe qui amène cet infinitif :

Je *le fais* venir — Je *le leur fais* donner — Je ne *le leur fais* pas donner — Je *les vois* passer.

Mais à l'impératif affirmatif on dira : *Fais-le* venir — *Fais-le-leur* donner — *Entends-le* crier.

EXTENSION D'EMPLOI DES PRONOMS PERSONNELS

451 « Vous » dans un sens général (v. n° 367)

Ces gens-là, si *vous* les rencontrez sur votre chemin, *vous* n'avez qu'à fuir bien vite — « Je ne connais rien de plus ennuyeux que de sentir la pluie *vous* dégouliner dans le dos. » (R. Nimier, *Le Hussard bleu*) — On l'aide, il *vous* en veut.

Le « vous » de politesse

452 **Comme nous l'avons vu, n° 316, votre, vos s'emploient souvent par politesse ou pour marquer la distance sociale, au lieu de ton, ta, tes — Vous s'emploie dans les mêmes conditions, au lieu de tu[1] ; l'adjectif attribut se met alors au singulier :**

Vous êtes *satisfait*, *satisfaite*.

L'emploi de la 3e personne (avec un nom sujet, pour désigner celui ou celle à qui l'on parle) est plus rare — il est réservé :

a) dans certaines maisons, au maître, à la maîtresse, à un visiteur, auxquels s'adresse le domestique : Si *Monsieur* veut me donner son manteau... — *Madame* est servie.

b) à des princes, à des monarques, ou au pape :

Votre Majesté permet-*Elle*...? — J'implore *Votre Sainteté* pour qu'*Elle* m'accorde *Sa* bénédiction apostolique.

Le « nous » de « majesté » ou de « modestie »

453 **Nous avons vu encore, au n° 317, que la première personne du pluriel peut représenter :**

a) un personnage ayant autorité :

Nous, Président de la République, décrétons...

1. C'est ce qu'on appelle, en **F.P.**, le **vouvoiement**, par analogie avec **tutoiement** — En **F.E.** on dit aussi **vousoiement**.

b) ou un auteur présentant son ouvrage :

Nous avons tenté, dans ce livre...

Comme après le vous de politesse, l'adjectif attribut se met au singulier, dans les deux cas :

Nous sommes *décidé* à ... — Nous sommes *prêt* à accueillir....

N. B. — On trouve parfois le nom propre employé pour « je », comme sujet d'un verbe à la 3e personne. C'est une sorte de formule d'autorespect. Langue classique : « Pauline a l'âme noble et parle à cœur ouvert » (Corneille, *Polyeucte*); **et, de nos jours :** « Ce qui arrivera quand de Gaulle aura disparu ... » (Général de Gaulle, *Conférence du 25 mai 1962*).

454 Nous, pour : tu (vous), il ou elle, ils ou elles, F.P. fam.

Avons-*nous* été sage? **dira-t-on à un petit garçon ou à une petite fille (= tu).**

Il faut se montrer sévère, car *nous* n'avons pas été sages, **dira-t-on en parlant des enfants (= il, ils).**

455 On, pour : tu (vous), nous, il ou elle, ils ou elles, F.P. fam. (v. n° 367) :

Alors, *on* est content, contente, contents, contentes? **(= tu, vous)**

J'ai puni, car *on* n'a pas été sage (sages) **(= il, ils).**

Nous, *on* n'est pas contents **(F.P. pop.) (= nous).**

Pronoms compléments d'intérêt (ou explétifs)

456 **On les trouve dans des phrases comme :** Pour faire cet entremets, vous *me* prenez deux œufs bien frais, vous *me* les battez en neige... **ou :** On a jugé le malheureux et on *vous* l'a condamné à la prison perpétuelle — **ou (F.P. pop.) :** Je *te* l'ai pris par la peau du cou et je *te* l'ai mis dehors.

Les pronoms me, vous, te soulignent l'action plus vigoureusement, comme si les personnes qu'ils représentent y prenaient un intérêt particulier.

N. B. — Dans le F.P. du Midi, vous entendrez parfois : Il *se* mange une orange, **tour que le français commun ignore.**

RÉPÉTITION DU PRONOM PERSONNEL SUJET

457 **Elle obéit à des usages semblables à ceux qui règlent la répétition des relatifs (voir n° 405) :**

a) Le F.P. tend à répéter le pronom sujet ou complément :

Nous accueillerons, *nous* logerons et *nous* habillerons les réfugiés.

Nous les accueillerons, *nous* les logerons et *nous* les habillerons.

b) Le F.E. tolère mieux la non-répétition du pronom personnel :

Ils *les* accueillirent, *les* logèrent, *les* habillèrent.

Et même : Ils *les* accueillirent, logèrent et habillèrent. **Mais la répétition permet souvent de mettre en relief les propositions coordonnées ou juxtaposées :**

Ils les accueillirent, *ils les* logèrent, *ils les* habillèrent — **Surtout avec mais** : *Ils les* blâmèrent, *mais ils les* protégèrent.

458 **c) Avec ni, la non-répétition du pronom sujet est, dans la langue courante, la construction correcte** : Il *ne* boit *ni* ne mange.

Mais, en F.E., plusieurs ni peuvent être symétriquement employés :

Ni il ne l'approuva, *ni* il ne le défendit.

INVERSION DU PRONOM PERSONNEL (615 et suiv.).

Inversion a) du pronom sujet (postposition).

459 **Elle est régulière :**

1. dans l'interrogation directe simple : Vient-*il*? **ou complexe (si le sujet est un nom)** : Paul vient-*il*? **(v. n**[os] **817, 818 et *Remarque* p. 381).**

2. après ainsi, à peine, aussi (= c'est pourquoi), du moins, encore (= mais je dois préciser que), en vain, peut-être[1]**, toujours (dans** : *toujours est-il que* **= en tout cas) surtout en F.E. :**

A peine eut-il accepté qu'il le regretta — Les enfants étaient en retard; *aussi la mère était-elle* inquiète — Je veux bien vous aider; *encore faut-il* que vous y mettiez du vôtre[2] — Je ne sais s'il est fâché ou malade; *toujours est-il* que je ne le vois plus.

3. dans les propositions intercalées (ou incises) :

Oui, dit-*il*[3], j'y serai.

b) du pronom tonique complément (antéposition)

460 **L'antéposition n'est possible, sans reprise par un autre pronom personnel, qu'avec un complément indirect :** *A lui* je donne un livre.

Mais on dira, après un objet direct antéposé, en reprenant le pronom sous sa forme atone : *Lui*, je *le* récompense **(v. n° 428).**

Un tour notable[4] **est l'emploi du pronom tonique placé entre une préposition (surtout à) et un participe :**

« Son lit — c'est-à-dire la bande de paille *à lui* réservée... » (Barbusse, *Le Feu*) — Cette mission, *à moi* confiée par mes supérieurs... — Cette erreur, *par moi* découverte dans vos comptes...

C'est un tour du F.E. qui permet de rapprocher le verbe du complément d'agent ou du complément circonstanciel. Tour plus fréquent dans le style administratif ou juridique.

1. **Peut-être que, F. P.** n'entraîne pas l'inversion : Peut-être qu'il viendra.
2. Et non : faut-il encore, tour où l'inversion n'est plus justifiée.
3. Le **F. P.** répugne à ce genre d'inversion.
4. Etudié par R. Le Bidois (*Le Monde*, 12 septembre 1962).

LA SPHÈRE DU VERBE

461 AVOIR

INDICATIF ET CONDITIONNEL[1]

Présent	Passé composé
J'ai	J'ai eu
Tu as	Tu as eu
Il a	Il a eu
Nous avons	Nous avons
Vous avez	Vous avez eu
Ils ont	Ils ont eu

Futur	Futur antérieur
J'aurai	J'aurai eu
Tu auras	Tu auras eu
Il aura	Il aura eu
Nous aurons	Nous aurons eu
Vous aurez	Vous aurez eu
Ils auront	Ils auront eu

Imparfait	Plus-que-parfait
J'avais	J'avais eu
Tu avais	Tu avais eu
Il avait	Il avait eu
Nous avions	Nous avions eu
Vous aviez	Vous aviez eu
Ils avaient	Ils avaient eu

Passé simple	Passé antérieur
J'eus	J'eus eu
Tu eus	Tu eus eu
Il eut	Il eut eu
Nous eûmes	Nous eûmes eu
Vous eûtes	Vous eûtes eu
Ils eurent	Ils eurent eu

Conditionnel

Présent	Passé
J'aurais	J'aurais eu[2]
Tu aurais	Tu aurais eu
Il aurait	Il aurait eu
Nous aurions	Nous aurions eu
Vous auriez	Vous auriez eu
Ils auraient	Ils auraient eu

SUBJONCTIF

Présent	Passé
Que j'aie	Que j'aie eu
Que tu aies	Que tu aies eu
Qu'il ait	Qu'il ait eu
Que nous ayons	Que nous ayons eu
Que vous ayez	Que vous ayez eu
Qu'ils aient	Qu'ils aient eu

Imparfait	Plus-que-parfait
Que j'eusse	Que j'eusse eu
Que tu eusses	Que tu eusses eu
Qu'il eût	Qu'il eût eu
Que nous eussions	Que nous eussions eu
Que vous eussiez	Que vous eussiez eu
Qu'ils eussent	Qu'ils eussent eu

IMPÉRATIF

Présent
Aie
Ayons
Ayez

INFINITIF

Présent	Passé
Avoir	Avoir eu

PARTICIPE

Présent	Passé
Ayant	Ayant eu

1. Le conditionnel est souvent classé aujourd'hui parmi les formes de l'indicatif (voir nº 470, note).
2. ou : j'eusse eu **(F. E.)** ; voir le plus-que-parfait du subjonctif.

462 ÊTRE

INDICATIF ET CONDITIONNEL

Présent	Passé composé
Je suis	J'ai été
Tu es	Tu as été
Il est	Il a été
Nous sommes	Nous avons été
Vous êtes	Vous avez été
Ils sont	Ils ont été

Futur	Futur antérieur
Je serai	J'aurai été
Tu seras	Tu auras été
Il sera	Il aura été
Nous serons	Nous aurons été
Vous serez	Vous aurez été
Ils seront	Ils auront été

Imparfait	Plus-que-parfait
J'étais	J'avais été
Tu étais	Tu avais été
Il était	Il avait été
Nous étions	Nous avions été
Vous étiez	Vous aviez été
Ils étaient	Ils avaient été

Passé simple	Passé antérieur
Je fus	J'eus été
Tu fus	Tu eus été
Il fut	Il eut été
Nous fûmes	Nous eûmes été
Vous fûtes	Vous eûtes été
Ils furent	Ils eurent été

CONDITIONNEL

Présent	Passé
Je serais	J'aurais été[1]
Tu serais	Tu aurais été
Il serait	Il aurait été
Nous serions	Nous aurions été
Vous seriez	Vous auriez été
Ils seraient	Ils auraient été

SUBJONCTIF

Présent	Passé
Que je sois	Que j'aie été
Que tu sois	Que tu aies été
Qu'il soit	Qu'il ait été
Que nous soyons	Que nous ayons été
Que vous soyez	Que vous ayez été
Qu'ils soient	Qu'ils aient été

Imparfait	Plus-que-parfait
Que je fusse	Que j'eusse été
Que tu fusses	Que tu eusses été
Qu'il fût	Qu'il eût été
Que nous fussions	Que nous eussions été
Que vous fussiez	Que vous eussiez été
Qu'ils fussent	Qu'ils eussent été

IMPÉRATIF

Présent

Sois
Soyons
Soyez

INFINITIF

Présent	Passé
Être	Avoir été

PARTICIPE

Présent	Passé
Étant	Ayant été

1. ou : j'eusse été **(F. E.)** ; voir le plus-que-parfait du subjonctif.

463 PARLER (Verbe type du 1er groupe)

INDICATIF ET CONDITIONNEL

Présent	Passé composé[1]
Je parle	J'ai parlé
Tu parles	Tu as parlé
Il parle	Il a parlé
Nous parlons	Nous avons parlé
Vous parlez	Vous avez parlé
Ils parlent	Ils ont parlé

Futur	Futur antérieur
Je parlerai	J'aurai parlé
Tu parleras	Tu auras parlé
Il parlera	Il aura parlé
Nous parlerons	Nous aurons parlé
Vous parlerez	Vous aurez parlé
Ils parleront	Ils auront parlé

Imparfait	Plus-que-parfait
Je parlais	J'avais parlé
Tu parlais	Tu avais parlé
Il parlait	Il avait parlé
Nous parlions	Nous avions parlé
Vous parliez	Vous aviez parlé
Ils parlaient	Ils avaient parlé

Passé simple	Passé antérieur
Je parlai	J'eus parlé
Tu parlas	Tu eus parlé
Il parla	Il eut parlé
Nous parlâmes	Nous eûmes parlé
Vous parlâtes	Vous eûtes parlé
Ils parlèrent	Ils eurent parlé

CONDITIONNEL

Présent	Passé
Je parlerais	J'aurais parlé[2]
Tu parlerais	Tu aurais parlé
Il parlerait	Il aurait parlé
Nous parlerions	Nous aurions parlé
Vous parleriez	Vous auriez parlé
Ils parleraient	Ils auraient parlé

SUBJONCTIF

Présent	Passé
Que je parle	Que j'aie parlé
Que tu parles	Que tu aies parlé
Qu'il parle	Qu'il ait parlé
Que nous parlions	Que nous ayons parlé
Que vous parliez	Que vous ayez parlé
Qu'ils parlent	Qu'ils aient parlé

Imparfait	Plus-que-parfait
Que je parlasse	Que j'eusse parlé
Que tu parlasses	Que tu eusses parlé
Qu'il parlât	Qu'il eût parlé
Que nous parlassions	Que nous eussions parlé
Que vous parlassiez	Que vous eussiez parlé
Qu'ils parlassent	Qu'ils eussent parlé

IMPÉRATIF

Présent	Passé
Parle	Aie parlé
Parlons	Ayons parlé
Parlez	Ayez parlé

INFINITIF

Présent	Passé
Parler	Avoir parlé

PARTICIPE

Présent	Passé
Parlant	Ayant parlé
	Parlé

1. Il existe aussi des **temps surcomposés :** (quand) j'ai eu parlé, j'aurais eu parlé, etc.; voir nos 493 à 495.
2 ou : j'eusse parlé **(F. E.)**; voir le plus-que-parfait du subjonctif.

464 FINIR (verbe type du 2e groupe)

INDICATIF ET CONDITIONNEL

Présent

Je finis
Tu finis
Il finit
Nous finissons
Vous finissez
Ils finissent

Futur

Je finirai
Tu finiras
Il finira
Nous finirons
Vous finirez
Ils finiront

Imparfait

Je finissais
Tu finissais
Il finissait
Nous finissions
Vous finissiez
Ils finissaient

Passé simple

Je finis
Tu finis
Il finit
Nous finîmes
Vous finîtes
Ils finirent

Passé composé[1]

J'ai fini
Tu as fini
Il a fini
Nous avons fini
Vous avez fini
Ils ont fini

Futur antérieur

J'aurai fini
Tu auras fini
Il aura fini
Nous aurons fini
Vous aurez fini
Ils auront fini

Plus-que-parfait

J'avais fini
Tu avais fini
Il avait fini
Nous avions fini
Vous aviez fini
Ils avaient fini

Passé antérieur

J'eus fini
Tu eus fini
Il eut fini
Nous eûmes fini
Vous eûtes fini
Ils eurent fini

Conditionnel — Présent

Je finirais
Tu finirais
Il finirait
Nous finirions
Vous finiriez
Ils finiraient

Conditionnel — Passé

J'aurais fini[2]
Tu aurais fini
Il aurait fini
Nous aurions fini
Vous auriez fini
Ils auraient fini

SUBJONCTIF

Présent

Que je finisse
Que tu finisses
Qu'il finisse
Que nous finissions
Que vous finissiez
Qu'ils finissent

Passé

Que j'aie fini
Que tu aies fini
Qu'il ait fini
Que nous ayons fini
Que vous ayez fini
Qu'ils aient fini

Imparfait

Que je finisse
Que tu finisses
Qu'il finît
Que nous finissions
Que vous finissiez
Qu'ils finissent

Plus-que-parfait

Que j'eusse fini
Que tu eusses fini
Qu'il eût fini
Que nous eussions fini
Que vous eussiez fini
Qu'ils eussent fini

IMPÉRATIF

Présent

Finis
Finissons
Finissez

Passé

Aie fini
Ayons fini
Ayez fini

INFINITIF

Présent

Finir

Passé

Avoir fini

PARTICIPE

Présent

Finissant

Passé

Ayant fini
Fini

1. Pour les **temps surcomposés** (quand j'ai eu fini, etc.) voir n°s 493 à 495.
2. ou : j'eusse fini **(F. E.)** ; voir le plus-que-parfait du subjonctif.

AFFIRMATION — NÉGATION — INTERROGATION

465

PARLER (voix active)			**SE LAVER (voix pronominale)**		
Présent	**Passé composé**	**Impératif**	**Présent**	**Passé composé**	**Impératif**
AFFIRMATION					
Je parle Tu parles etc.	J'ai parlé Tu as parlé etc.	Parle Parlons Parlez	*Je me* lave *Tu te* laves etc.	*Je me* suis lavé *Tu t'*es lavé etc.	Lave-*toi* Lavons-*nous* Lavez *vous*
NÉGATION					
Je *ne* parle *pas* Tu *ne* parles *pas* etc.	Je *n'*ai *pas* parlé Tu *n'*as *pas* parlé etc.	*Ne* parle *pas* *Ne* parlez *pas* *Ne* parlons *pas*	Je *ne* me lave *pas* Tu *ne* te laves *pas* etc.	Je *ne* me suis *pas* lavé Tu *ne* t'es *pas* lavé etc.	*Ne* te lave *pas* *Ne* nous lavons *pas* *Ne* vous lavez *pas*
INTERROGATION					
Est-ce que je parle ?* Parles-*tu ?* Parle-*t-il ?* Parlons-*nous ?* Parlez-*vous ?* Parlent-*ils ?*	Ai-*je* parlé ? As-*tu* parlé ? A-*t-il* parlé ? Avons-*nous* parlé ? Avez-*vous* parlé ? Ont-*ils* parlé ?		*Est-ce que* je me lave ? Te laves-*tu ?* Se lave-t-*il ?* Nous lavons-*nous ?* Vous lavez-*vous ?* Se lavent-*ils ?*	*Me* suis-*je* lavé ? *T'*es-*tu* lavé ? *S'*est-*il* lavé ? *Nous* sommes-*nous* lavés ? *Vous* êtes-*vous* lavés ? *Se* sont-*ils* lavés ?	
*La forme *parlé-je?* est très rare.					
INTERROGATION NÉGATIVE					
Est-ce que je ne parle pas ? *Ne* parles-tu *pas ?* etc.	 *N'*ai-je *pas* parlé ? *N'*as-tu *pas* parlé ? etc.		*Est-ce que* je *ne* me lave *pas ?* *Ne* te laves-tu *pas ?* etc.	 *Ne* me suis-je *pas* lavé ? *Ne* t'es-tu *pas* lavé ? etc.	

466

VOIX PASSIVE

Le passif se forme, pour tous les temps, au moyen :
a) de l'auxiliaire être que l'on met lui-même au temps voulu — b) du participe passé du verbe à conjuguer :
Présent de l'indicatif : Je *suis* aimé — **Imparfait de l'indicatif** : J'*étais* aimé — **Passé composé** : J'*ai été* aimé — **Subjonctif présent** : Que je *sois* aimé — **Infinitif passé** : *Avoir été* aimé, **etc.**

467 CONJUGAISON DE QUELQUES VERBES PARTICULIERS EN -ER[1]

Remarques sur la conjugaison de ces verbes

I. Les verbes contenant un e muet à l'avant-dernière syllabe de l'infinitif changent cet e muet en e ouvert (marqué par un accent grave) devant une syllabe muette : il mène; il mènera.

II. Les verbes en -eler, -eter offrent un cas particulier. Certains d'entre eux marquent l'ouverture de l'e devant une syllabe muette par un accent grave (j'achète — je pèlerai) **— D'autres, plus nombreux, redoublent l ou t** (je je*tt*e, j'appe*ll*erai). **Consulter un dictionnaire.**

N. B. — Les verbes dont l'avant-dernière syllabe (à l'infinitif) contient un é fermé ouvrent cet é en è devant une syllabe finale contenant un e muet : répéter — il répète. Mais : il répétera.

	Indicatif présent		Futur
MENER	Je mène Tu mènes Il mène	Nous menons Vous menez Ils mènent	Je mènerai...
ACHETER	J'achète Tu achètes Il achète	Nous achetons Vous achetez Ils achètent	J'achèterai...
JETER	Je je*tte* Tu je*tt*es Il je*tte*	Nous jetons Vous jetez Ils je*tt*ent	Je je*tt*erai...
PELER	Je pèle Tu pèles Il pèle	Nous pelons Vous pelez Ils pèlent	Je pèlerai...
APPELER	J'appe*lle* Tu appe*lles* Il appe*lle*	Nous appelons Vous appelez Ils appe*llent*	J'appe*ll*erai...
BALAYER	Je bal*aie* Tu bal*aies* Il bal*aie* ou : Je balaye Tu balayes Il balaye, etc.	Nous balayons Vous balayez Ils bal*aient*	Je bal*ai*erai... ou Je bal*ay*erai...
NETTOYER	Je nett*oie* Tu nett*oies* Il nett*oie*	Nous nettoyons Vous nettoyez Ils nett*oient*	Je nett*oierai*...
ESSUYER	J'ess*uie* Tu ess*uies* Il ess*uie*	Nous essuyons Vous essuyez Ils ess*uient*	J'ess*ui*erai...
COMMENCER	Je commence Tu commences Il commence	Nous commen*ç*ons Vous commencez Ils commencent	Je commencerai...
MANGER	Je mange Tu manges Il mange	Nous mang*e*ons Vous mangez Ils mangent	Je mangerai...

1. Rappelons que, pratiquement, le **condit. présent** se forme à partir du **futur** ; le **subjonctif imparfait**

III. **Les verbes en -ayer peuvent maintenir l'y à toutes les formes — Les verbes en -oyer, -uyer le remplacent toujours par i devant un e muet:** je paye ou je paie — je nettoie, j'essuie.

IV. **Les verbes en -cer prennent une cédille devant a et o pour maintenir le son s à la lettre c** : nous commen*ç*ons.

Les verbes en -ger prennent un e devant a et o pour maintenir le son j [ʒ] **à la lettre g** : nous mang*e*ons.

mparfait	**Passé composé**	**Passé simple**	**Subjonctif présent**	**Part. présent**
e menais...	J'ai mené	Je menai...	Que je m*è*ne... Que nous menions...	Menant
'achetais...	J'ai acheté	J'achetai ...	Que j'ach*è*te... Que nous achetions...	Achetant
jetais...	J'ai jeté	Je jetai...	Que je j*ette*... Que nous jetions...	Jetant
pelais..	J'ai pelé	Je pelai...	Que je p*è*le... Que nous pelions...	Pelant
appelais...	J'ai appelé	J'appelai...	Que j'app*elle*... Que nous appelions...	Appelant
balayais...	J'ai balayé	Je balayai...	Que je bal*aie*... (ou Que je balaye) Que nous balayions...	Balayant
nettoyais...	J'ai nettoyé	Je nettoyai...	Que je nett*oie*... Que nous nettoyions...	Nettoyant
ssuyais...	J'ai essuyé	J'essuyai...	Que j'ess*uie*... Que nous essuyions...	Essuyant
commen*ç*ais...	J'ai commencé	Je commen*ç*ai	Que je commence... Que nous commencions	Commen*ç*ant
mang*e*ais...	J'ai mangé	Je mang*e*ai...	Que je mange... Que nous mangions...	Mang*e*ant

artir du **passé simple;** et l'**impératif,** généralement, à partir de l'**indicatif présent.**

468 3e GROUPE — VERBES DITS IRRÉGULIERS

(Voir aussi pages 228 à 230).

	Indicatif présent	Futur	Imparfait
ABSOUDRE[1] (comme *résoudre*)			
ACCROÎTRE (comme *croître*)			
ACQUÉRIR	J'acquiers... Il acquiert Nous acquérons... Ils acquièrent	J'acquerrai...	J'acquérais...
ALLER[2]	Je vais Tu vas Il va Nous allons Vous allez Ils vont	J'irai...	J'allais...
APPARAÎTRE (comme *paraître*)			
ASSAILLIR	J'assaille Nous assaillons Ils assaillent	J'assaillirai...	J'assaillais...
ASSEOIR (voir *seoir*)	J'assieds... Il assied Nous asseyons Ils asseyent	J'assiérai...	J'asseyais...
ou	J'assois... Il assoit Nous assoyons Ils assoient	ou J'assoirai...	ou J'assoyais

* Forme différente du verbe type.
1. N'a pas de passé simple.
2. Pour l'impératif, voir n° 476.

Passé composé	Passé simple	Subjonctif présent	Participe présent
(Lui, je l'ai absous*) (Elle, je l'ai absoute*)	Inusité		
(J'ai accr*u**... sans accent circonflexe)			
J'ai acquis...	J'acquis...	Que j'acquière... Que nous acquérions Qu'ils acquièrent	Acquérant
Je suis allé	J'allai...	Que j'aille... Que nous allions Qu'ils aillent	Allant
(Plutôt : Je *suis* apparu*)			
J'ai assailli...	J'assaillis...	Que j'assaille...	Assaillant
J'ai assis...	J'assis...	Que j'asseye...	Asseyant
		ou Que j'assoie...	ou Assoyant

	Indicatif présent	Futur	Imparfait
BATTRE	Je bats Il bat Nous battons...	Je battrai...	Je battais...
BOIRE	Je bois... Il boit Nous buvons Ils boivent	Je boirai...	Je buvais...
BOUILLIR	Je bous... Il bout Nous bouillons Ils bouillent	Je bouillirai ...	Je bouillais...
BRAIRE	Il brait Ils braient	Il braira...	Il brayait...
BRUIRE	Il bruit Ils bruissent		Il bruissait...
CHOIR[1]	Il choit...	Il choira (ou cherra... forme archaïque)	
CIRCONCIRE	Je circoncis Nous circoncisons...	Je circoncirai...	Je circoncisais
CIRCONVENIR (comme *venir*)			
CLORE	Je clos Il clôt Nous closons...	Je clorai...	

* Forme différente du verbe type.

1. Beaucoup de formes de ce verbe sont inusitées ; le participe *chu* (= tombé) se lit encore quelquefois.

Passé composé	Passé simple	Subjonctif présent	Participe présent
J'ai battu...	Je battis...	Que je batte...	Battant
J'ai bu...	Je bus...	Que je boive... Que nous buvions Que vous buviez Qu'ils boivent	Buvant
J'ai bouilli...	Je bouillis...	Que je bouille...	Bouillant
Il a brait...		Qu'il braie...	Brayant
			Bruissant (*Bruyant* est adjectif)
	Il chut...		
J'ai circoncis...	Je circoncis...	Que je circoncise...	Circoncisant
(J'*ai* circonvenu*...)			
J'ai clos...		Que je close...	

	Indicatif présent	Futur	Imparfait
CONCLURE	Je conclus Il conclut Nous concluons...	Je conclurai...	Je concluais...
CONDUIRE	Je conduis... Il conduit... Nous conduisons...	Je conduirai...	Je conduisais...
CONFIRE	Je confis Il confit Nous confisons...	Je confirai...	Je confisais...
CONNAÎTRE	Je connais Il connaît Nous connaissons...	Je connaîtrai...	Je connaissais...
CONTREDIRE (comme *dire*)	(Vous contredisez*...)		
CONTREVENIR (comme *venir*)			
CONVENIR (comme *venir*)			
COUDRE	Je couds Il coud Nous cousons...	Je coudrai...	Je cousais...

* Forme différente du verbe type.

Passé composé	Passé simple	Subjonctif présent	Participe présent
J'ai conclu...	Je conclus...	Que je conclue...	Concluant
J'ai conduit...	Je conduisis...	Que je conduise...	Conduisant
J'ai confit...	Je confis...	Que je confise...	Confisant
J'ai connu...	Je connus...	Que je connaisse...	Connaissant
(J'*ai* contrevenu*...)			
(Ce livre m'*a* convenu* Nous s*ommes* convenus de nous consulter)			
J'ai cousu...	Je cousis...	Que je couse...	Cousant

	Indicatif présent	Futur	Imparfait
COURIR (mais : chasse à *courre*[1])	Je cours Il court Nous courons...	Je courrai...	Je courais...
CRAINDRE	Je crains Il craint Nous craignons...	Je craindrai...	Je craignais...
CROIRE	Je crois Il croit Nous croyons Ils croient	Je croirai...	Je croyais...
CROÎTRE	Je *croîs* Il *croît* Nous croissons...	Je croîtrai...	Je croissais
CUEILLIR	Je cueille Il cueille Nous cueillons...	Je cueillerai...	Je cueillais...
DÉCHOIR	Je déchois Il déchoit Nous déchoyons...	Je déchoirai...	
DÉCROÎTRE (comme *croître*)			
DEVOIR	Je dois Il doit Nous devons...	Je devrai...	Je devais...

* Forme différente du verbe type.
1. Infinitif archaïque.

Passé composé	**Passé simple**	**Subjonctif présent**	**Participe présent**
J'ai couru...	Je courus...	Que je coure...	Courant
J'ai craint...	Je craignis...	Que je craigne...	Craignant
J'ai cru...	Je crus Il crut...	Que je croie...	Croyant
J'ai *crû*...	Je cr*û*s...	Que je croisse...	Croissant
J'ai cueilli...	Je cueillis...	Que je cueille...	Cueillant
J'*ai* déchu... (action) Je *suis* déchu... (état)	Je déchus...	Que je déchoie...	
(J'ai *décru*... sans accent circonflexe)			
J'ai d*û*...	Je dus...	Que je doive Que nous devions Que vous deviez Qu'ils doivent	Devant

	Indicatif présent	Futur	Imparfait
DIRE	Je dis... Nous disons... Vous dites...	Je dirai...	Je disais...
DISCONVENIR[1] (comme *venir*)			
DISSOUDRE[2] (comme *résoudre*)			
DORMIR	Je dors Il dort Nous dormons Ils dorment	Je dormirai...	Je dormais...
ÉCHOIR[3]	Il échoit Ils échoient	Il échoira (ou : il écherra)	
ÉCLORE	Il éclôt Ils éclosent	Il éclora	
ÉCRIRE	J'écris Il écrit Nous écrivons Ils écrivent	J'écrirai...	J'écrivais...
ÉMOUVOIR (comme *mouvoir*)			
ENVOYER	J'envoie Il envoie Nous envoyons...	J'enverrai	J'envoyais...

* Forme différente du verbe type.
1. S'emploie surtout avec une négation.

Passé composé	Passé simple	Subjonctif présent	Participe présent
J'ai dit...	Je dis...	Que je dise...	Disant
(Je n'*ai* pas disconvenu*...)			
(Je l'ai *dissous**, Je l'ai *dissoute**)	inusité		
J'ai dormi...	Je dormis...	Que je dorme...	Dormant
Il est échu	Il échut	Qu'il échoie	Échéant (*le cas échéant*)
Il est éclos		Qu'il éclose...	
J'ai écrit...	J'écrivis...	Que j'écrive...	Écrivant
(J'ai ém*u**... sans accent circonflexe)			
J'ai envoyé...	J'envoyai...	Que j'envoie...	Envoyant

2. N'a pas de passé simple.
3. Beaucoup de formes de ce verbe sont inusitées.

	Indicatif présent	Futur	Imparfait
FAILLIR		Je faillirai...	
FAIRE	Je fais Il fait Nous faisons[1] Vous faites Ils font	Je ferai...	Je faisais...
FALLOIR	Il faut	Il faudra	Il fallait
FORFAIRE (comme *faire*)	Je forfais Tu forfais Il forfait (seules formes usitées au présent)		
FRIRE[2]	Je fris Tu fris Il frit (seules formes usitées au présent)	Je frirai...	
FUIR	Je fuis... Il fuit Nous fuyons	Je fuirai...	Je fuyais...
GÉSIR	Je gis Tu gis Il gît Nous gisons Vous gisez Ils gisent		Je gisais...

1. Toutes les formes en **fais-** se prononcent **feuz** (sauf: je *fais*, tu *fais*).
2. On emploie surtout (dans le sens transitif) *faire frire.*

Passé composé	Passé simple	Subjonctif présent	Participe présent
J'ai failli	Je faillis		
J'ai fait...	Je fis...	Que je fasse Que nous fassions Que vous fassiez...	Faisant
Il a fallu	Il fallut	Qu'il faille	
J'ai forfait...			
J'ai frit...			
J'ai fui...	Je fuis[3]...	Que je fuie...	Fuyant
		Que je gise...	Gisant

3. On emploie plutôt le passé simple de *s'enfuir.*

	Indicatif présent	Futur	Imparfait
INCLURE[1] (comme *conclure*)			
LIRE	Je lis Il lit Nous lisons...	Je lirai...	Je lisais...
LUIRE	Je luis Il luit...	Je luirai...	Je luisais...
MAUDIRE	Je maudis Il maudit Nous maudissons...	Je maudirai...	Je maudissais...
MÉFAIRE[2]			
MENTIR	Je mens Il ment Nous mentons...	Je mentirai...	Je mentais...
METTRE	Je mets Il met Nous mettons...	Je mettrai...	Je mettais...
MOUDRE	Je mouds Il moud Nous moulons Ils moulent	Je moudrai...	Je moulais...

* Forme différente du verbe type.
1. Beaucoup de formes sont peu usitées.

Passé composé	Passé simple	Subjonctif présent	Participe présent
(J'ai inclus* et surtout : *ci-inclus*)			
J'ai lu...	Je lus...	Que je lise...	Lisant
J'ai lui	Je luisis...	Que je luise...	Luisant
J'ai maudit...	Je maudis...	Que je maudisse...	Maudissant
J'ai méfait...			
J'ai menti...	Je mentis...	Que je mente...	Mentant
J'ai mis...	Je mis...	Que je mette...	Mettant
J'ai moulu...	Je moulus...	Que je moule...	Moulant

2. N'est utilisé, et rarement, qu'au passé composé et à l'infinitif.

	Indicatif présent	Futur	Imparfait
MOURIR	Je meurs Il meurt Nous mourons Vous mourez Ils meurent	Je mourrai...	Je mourais...
MOUVOIR	Je meus Il meut Nous mouvons Ils meuvent	Je mouvrai...	Je mouvais...
NAÎTRE	Je nais Il naît Nous naissons...	Je naîtrai...	Je naissais...
NUIRE (comme *conduire*)			
OCCIRE[1]			
OUÏR[2]			
OUVRIR	J'ouvre Il ouvre Nous ouvrons	J'ouvrirai...	J'ouvrais...
PAÎTRE (comme *connaître*)			
PARTIR (comme *mentir*)			

* Forme différente du verbe type.
1. N'est plus guère employé que par plaisanterie et à de rares formes.

Passé composé	Passé simple	Subjonctif présent	Participe présent
Je suis mort...	Je mourus...	Que je meure Que nous mourions Qu'ils meurent	Mourant
J'ai mû...	Je mus...	Que je meuve Que nous mouvions Qu'ils meuvent	Mouvant
Je suis né...	Je naquis...	Que je naisse...	Naissant
(J'ai *nui**...)			
J'ai occis...	Il occit Ils occirent		
J'ai ouï...			
J'ai ouvert...	J'ouvris...	Que j'ouvre...	Ouvrant
Pas de temps composés	Pas de passé simple		
(Je *suis* parti*...)			

2. Infinitif et temps composés seulement.

	Indicatif présent	Futur	Imparfait
PLAIRE	Je plais Il plaît Nous plaisons...	Je plairai	Je plaisais
PLEUVOIR[1]	Il pleut (*les coups pleuvent*)	Il pleuvra Ils pleuvront	Il pleuvait Ils pleuvaient
POINDRE[2]	Le jour point	Le jour poindra	
POURVOIR (à)	Je pourvois Il pourvoit Nous pourvoyons Ils pourvoient	Je pourvoirai	Je pourvoyais
POUVOIR	Je peux[3] Il peut Nous pouvons Ils peuvent	Je pourrai...	Je pouvais...
PRENDRE	Je prends Il prend Nous prenons Ils prennent	Je prendrai...	Je prenais...
PRÉVALOIR (comme *valoir*)			
PRÉVOIR (comme *voir*)		(Je prévoirai*...)	

* Forme différente du verbe type.
1. Surtout impersonnel, mais peut avoir un sujet (voir n° 606).

Passé composé	Passé simple	Subjonctif présent	Participe présent
J'ai plu	Je plus	Que je plaise	Plaisant
Il a plu Ils ont plu	Il plut Ils plurent	Qu'il pleuve Qu'ils pleuvent	Pleuvant
Le jour a point			Poignant (n'a guère qu'une valeur d'adjectif : *très émouvant*.)
J'ai pourvu	Je pourvus	Que je pourvoie	Pourvoyant
J'ai pu...	Je pus...	Que je puisse Que nous puissions Que vous puissiez...	Pouvant
J'ai pris...	Je pris...	Que je prenne...	Prenant
		(Que je prévale*...)	

2. Ne s'emploie pas à toutes les formes.
3. Parfois : *je puis,* voir n° 470, note [4].

	Indicatif présent	Futur	Imparfait
PROMOUVOIR[1] (comme *mouvoir*)			
RECEVOIR	Je reçois Il reçoit Nous recevons Ils reçoivent	Je recevrai...	Je recevais...
REPAÎTRE (comme *paître*)			
REPARTIR[2] (comme *mentir*)			
SE REPENTIR (comme *mentir*)			
RÉSOUDRE	Je résous Il résout Nous résolvons...	Je résoudrai...	Je résolvais...
RIRE	Je ris Il rit Nous rions...	Je rirai...	Je riais...
ROMPRE	Je romps Il rompt Nous rompons...	Je romprai...	Je rompais...

* Forme différente du verbe type.
1. S'emploie surtout à l'infinitif et aux temps composés.

Passé composé	Passé simple	Subjonctif présent	Participe présent
(J'ai prom*u**...)			
J'ai reçu...	Je reçus...	Que je reçoive...	Recevant
J'ai repu*... Je me suis repu*...	Je repus*...		
(J'ai reparti* au sens de *j'ai répliqué*) Je suis reparti (= *je suis parti de nouveau*)			
(Je me suis repenti*...)			
J'ai résolu...	Je résolus...	Que je résolve...	Résolvant
J'ai ri...	Je ris[3]...	Que je rie...	Riant
J'ai rompu...	Je rompis...	Que je rompe...	Rompant

2. Ne pas confondre avec *répartir* (= distribuer) qui se conjugue sur *finir*.
3. Assez rare aux personnes autres que la 3e pers. du singulier et la 3e pers. du pluriel.

	Indicatif présent	Futur	Imparfait
SAILLIR[1] être en saillie (comme *assaillir* mais au futur : Il saillera)			
SAVOIR[2]	Je sais Il sait Nous savons...	Je saurai...	Je savais...
SEOIR[3]	Je sied Ils siéent	Il siéra Ils siéront	Il seyait Ils seyaient
SERVIR	Je sers Il sert Nous servons...	Je servirai...	Je servais...
SORTIR (comme *mentir*)			
SOURDRE[1]	Il sourd Ils sourdent (rares)		
SUIVRE	Je suis Il suit Nous suivons...	Je suivrai...	Je suivais...
SUFFIRE	Je suffis... Nous suffisons...	Je suffirai...	Je suffisais...

1. Ne pas confondre avec *saillir* (= *s'accoupler à* et *jaillir avec force*) qui, employé surtout aux 3es personnes, se conjugue comme *finir*.
2. Pour l'impératif, voir n° 476.

Passé composé	Passé simple	Subjonctif présent	Participe présent
J'ai su...	Je sus...	Que je sache... Que nous sachions Que vous sachiez...	Sachant
		Qu'il siée Qu'ils siéent } (rares)	Seyant Séant (plus rare)
J'ai servi...	Je servis...	Que je serve...	Servant
Je *suis* sorti...			
J'ai suivi...	Je suivis...	Que je suive...	Suivant
J'ai suffi...	Je suffis...	Que je suffise...	Suffisant

3. Seulement au sens de : *être convenable à, bien aller à*. Ne s'emploie qu'aux 3es personnes de certains temps.
4. N'est guère employé qu'à l'infinitif présent.

	Indicatif présent	Futur	Imparfait
SURSEOIR	Je sursois Il sursoit Nous sursoyons Ils sursoient	Je surseoirai	Je sursoyais...
TAIRE	Je tais Il tait Nous taisons	Je tairai...	Je taisais...
TENDRE	Je tends Il tend Nous tendons...	Je tendrai...	Je tendais...
TENIR	Je tiens Il tient Nous tenons Ils tiennent	Je tiendrai...	Je tenais...
TRAIRE	Je trais Il trait Nous trayons Ils traient	Je trairai...	Je trayais...
VAINCRE	Je vaincs Il vainc Nous vainquons...	Je vaincrai...	Je vainquais...
VALOIR	Je vaux Il vaut Nous valons...	Je vaudrai...	Je valais...

Passé composé	Passé simple	Subjonctif présent	Participe présent
J'ai sursis...	Je sursis...	Que je sursoie...	Sursoyant
J'ai tu...	Je tus...	Que je taise...	Taisant
J'ai tendu...	Je tendis...	Que je tende...	Tendant
J'ai tenu...	Je tins...	Que je tienne...	Tenant
J'ai trait...		Que je traie...	Trayant
J'ai vaincu...	Je vainquis...	Que je vainque...	Vainquant
J'ai valu...	Je valus...	Que je vaille Que nous valions Qu'ils vaillent	Valant

	Indicatif présent	Futur	Imparfait
VENIR	Je viens Il vient Nous venons Ils viennent	Je viendrai...	Je venais...
VÊTIR[1]	Je vêts Il vêt Nous vêtons...	Je vêtirai...	Je vêtais...
VOIR	Je vois Il voit Nous voyons Ils voient	Je verrai...	Je voyais...
VIVRE	Je vis Il vit Nous vivons	Je vivrai...	Je vivais...
VOULOIR[2]	Je veux Il veut Nous voulons Ils veulent	Je voudrai...	Je voulais...

1. Souvent conjugué comme *finir*. Mais le composé *revêtir* garde la conjugaison donnée ci-dessus.

2. Pour l'impératif, voir n° 476.

Passé composé	Passé simple	Subjonctif présent	Participe présent
Je suis venu...	Je vins...	Que je vienne...	Venant
J'ai vêtu...	Je vêtis	Que je vête...	Vêtant
J'ai vu...	Je vis...	Que je voie...	Voyant
J'ai vécu...	Je vécus...	Que je vive...	Vivant
J'ai voulu...	Je voulus...	Que je veuille Que nous voulions Que vous vouliez Qu'ils veuillent	Voulant

AUTRES VERBES IRRÉGULIERS

(Se conjuguent sur les modèles des pages 202 à 227).

ABATTRE (comme *battre*)
S'ABSTENIR (comme *tenir*)
ABSTRAIRE (comme *traire*)
ACCOURIR (comme *courir*)
ACCROIRE (seulement dans : *faire accroire*)
ACCUEILLIR (comme *cueillir*)
ADJOINDRE (comme *joindre*)
ADMETTRE (comme *mettre*)
ADVENIR (comme *venir*)
APERCEVOIR (comme *recevoir*)
APPARTENIR (comme *tenir*)
APPRENDRE (comme *prendre*)
ASSERVIR (comme *finir*)
ASTREINDRE (comme *craindre*)
ATTEINDRE (comme *craindre*)
ATTENDRE (comme *tendre*)
CEINDRE (comme *craindre*)
CHALOIR (seulement dans : *peu me chaut* = peu m'importe)
CIRCONSCRIRE (comme *écrire*)
COMBATTRE (comme *battre*)
COMMETTRE (comme *mettre*)
COMPARAÎTRE (comme *connaître*)
COMPLAIRE (comme *plaire*)
COMPRENDRE (comme *prendre*)
COMPROMETTRE (comme *mettre*)
CONCEVOIR (comme *recevoir*)
CONCOURIR (comme *courir*)
CONDESCENDRE (comme *tendre*)
CONFONDRE (comme *tendre*)
CONQUÉRIR (comme *acquérir*)
CONSENTIR (comme *sentir*)
CONSTRUIRE (comme *conduire*)
CONTENIR (comme *tenir*)
CONTRAINDRE (comme *craindre*)
CONTREBATTRE (comme *battre*)
CONTREFAIRE (comme *faire*)
CONVAINCRE (comme *vaincre*)
CORROMPRE (comme *rompre*)
COUVRIR (comme *ouvrir*)
CUIRE (comme *conduire*)
DÉBATTRE (comme *battre*)
DÉCEVOIR (comme *recevoir*)
DÉCONFIRE (comme *suffire*, mais très défectif)
DÉCOUDRE (comme *coudre*)
DÉCOUVRIR (comme *ouvrir*)
DÉCRIRE (comme *écrire*)
DÉDIRE (comme *contredire*)
DÉDUIRE (comme *conduire*)
DÉFAILLIR (comme *assaillir*)
DÉFAIRE (comme *faire*)
DÉFENDRE (comme *tendre*)
DÉMENTIR (comme *mentir*)
DÉMETTRE (comme *mettre*)
DÉMORDRE (comme *tendre*)
SE DÉPARTIR (comme *partir*)
DÉPEINDRE (comme *craindre*)
DÉPLAIRE (comme *plaire*)
DÉPOURVOIR (comme *pourvoir*)[1]
SE DÉPRENDRE (comme *prendre*)
DÉSAPPRENDRE (comme *prendre*)
DESCENDRE (comme *tendre*)
DESSERVIR (comme *servir*)
DÉTEINDRE (comme *craindre*)
DÉTENDRE (comme *tendre*)
DÉTENIR (comme *tenir*)

1. Beaucoup de formes de ce verbe sont inusitées.

DÉTORDRE (comme *tendre*)
DÉTRUIRE (comme *conduire*)
DEVENIR (comme *venir*)
DÉVÊTIR (comme *vêtir*)
DISJOINDRE (comme *craindre*)
DISPARAÎTRE (comme *connaître*)
DISTENDRE (comme *tendre*)
DISTRAIRE (comme *traire*)
ÉCONDUIRE (comme *conduire*)
ÉLIRE (comme *lire*)
ÉMETTRE (comme *mettre*)
EMPREINDRE (comme *craindre*)
ENCEINDRE (comme *craindre*)
ENCLORE (comme *clore*)
ENCOURIR (comme *courir*)
ENDORMIR (comme *dormir*)
ENDUIRE (comme *conduire*)
ENFREINDRE (comme *craindre*)
S'ENFUIR (comme *fuir*)
ENJOINDRE (comme *craindre*)
S'ENQUÉRIR (comme *acquérir*)
S'ENSUIVRE (comme *suivre*)[1]
ENTENDRE (comme *tendre*)
S'ENTREMETTRE (comme *mettre*)
ENTREPRENDRE (comme *prendre*)
ENTRETENIR (comme *tenir*)
ENTREVOIR (comme *voir*)
ENTROUVRIR (comme *ouvrir*)
ÉPANDRE (comme *tendre*)
S'ÉPRENDRE (comme *prendre*, mais auxiliaire *être*)
ÉQUIVALOIR (comme *valoir*)
ÉTEINDRE (comme *craindre*)
ÉTENDRE (comme *tendre*)
ÉTREINDRE (comme *craindre*)
EXCLURE (comme *conclure*)
EXTRAIRE (comme *traire*)
FEINDRE (comme *craindre*)
FENDRE (comme *tendre*)
FÉRIR[2] (seulement dans : *sans coup férir*)
FONDRE (comme *tendre*)
FORCLORE (seulement infinitif et participe : *forclos*)
GEINDRE (comme *craindre*)
INDUIRE (comme *conduire*)
INSCRIRE (comme *écrire*)
INSTRUIRE (comme *conduire*)
INTERDIRE (comme *dire*)
INTERROMPRE (comme *rompre*)
INTERVENIR (comme *venir*)
INTRODUIRE (comme *conduire*)
JOINDRE (comme *craindre*)
MAINTENIR (comme *tenir*)
MÉCONNAÎTRE (comme *connaître*)
MÉDIRE (comme *contredire*)
SE MÉPRENDRE (comme *prendre*)
MESSEOIR[3] (comme *seoir*)
MORDRE (comme *tendre*)
OBTENIR (comme *tenir*)
OFFRIR (comme *ouvrir*)
OINDRE (comme *craindre*)
OMETTRE (comme *mettre*)
PARAÎTRE (comme *connaître*)
PARCOURIR (comme *courir*)
PARFAIRE (comme *faire*)
PARVENIR (comme *venir*)
PEINDRE (comme *craindre*)
PENDRE (comme *tendre*)
PERCEVOIR (comme *recevoir*)
PERDRE (comme *tendre*)
PERMETTRE (comme *mettre*)
PLAINDRE (comme *craindre*)
PONDRE (comme *tendre*)

1. Aux 3es personnes seulement.
2. Le participe *féru* est devenu adjectif.
3. N'est guère usité, et rarement, qu'à la 3e personne du singulier.

POURFENDRE (comme *tendre*)
POURSUIVRE (comme *suivre*)
PRÉDIRE (comme *contredire*)
PRESCRIRE (comme *écrire*)
PRESSENTIR (comme *sentir*)
PRÉTENDRE (comme *tendre*)
PRÉVENIR (comme *venir*, mais auxiliaire *avoir*)
PRODUIRE (comme *conduire*)
PROMETTRE (comme *mettre*)
PROSCRIRE (comme *écrire*)
PROVENIR (comme *venir*)
QUÉRIR[1]
RABATTRE[2] (comme *battre*)
REBATTRE (comme *battre*)
RECONDUIRE (comme *conduire*)
RECONNAÎTRE (comme *connaître*)
RECOURIR (comme *courir*)
RECOUVRIR (comme *couvrir*)
RECUEILLIR (comme *cueillir*)
REDEVOIR (comme *devoir*)
REDIRE[3] (comme *dire*)
RÉDUIRE (comme *conduire*)
REJOINDRE (comme *craindre*)
REMETTRE (comme *mettre*)
RENDRE (comme *tendre*)
RÉPANDRE (comme *tendre*)
RÉPONDRE (comme *tendre*)
REPRENDRE (comme *prendre*)
REPRODUIRE (comme *conduire*)
REQUÉRIR (comme *acquérir*)
RESSENTIR (comme *mentir*)
RESSORTIR[4] (comme *sortir*)
RESTREINDRE (comme *craindre*)
RETENIR (comme *tenir*)
REVALOIR (comme *valoir*)
REVENDRE (comme *tendre*)
REVENIR (comme *venir*)
REVÊTIR (comme *vêtir*)
SATISFAIRE (comme *faire*)
SECOURIR (comme *courir*)
SÉDUIRE (comme *conduire*)
SENTIR (comme *mentir*)
SOUFFRIR (comme *ouvrir*)
SOUMETTRE (comme *mettre*)
SOURIRE (comme *rire*)
SOUSCRIRE (comme *écrire*)
SOUSTRAIRE (comme *traire*)
SOUTENIR (comme *tenir*)
SE SOUVENIR (comme *venir*)
SUBVENIR (comme *venir*, mais auxiliaire *avoir*)
SURFAIRE (comme *faire*)
SURPRENDRE (comme *prendre*)
SURVENIR (comme *venir*)
SURVIVRE (comme *vivre*)
TEINDRE (comme *craindre*)
TONDRE (comme *tendre*)
TORDRE (comme *tendre*)
TRADUIRE (comme *conduire*)
TRANSCRIRE (comme *écrire*)
TRANSMETTRE (comme *mettre*)
TRANSPARAÎTRE (comme *connaître*)
TRESSAILLIR (comme *assaillir*)
VENDRE (comme *tendre*)

1. Usité seulement à l'infinitif : *je vais quérir, j'envoie quérir.*
2. Nous ne donnons des composés avec *re,* que ceux qui offrent un sens nettement différent de celui du verbe de base.
3. A un sens particulier dans l'expression : *trouver à redire à* quelque chose (= trouver à critiquer, dans quelque chose).
4. Ne pas confondre avec *ressortir à* (= être de la juridiction de) qui, employé surtout aux 3es personnes se conjugue comme *finir.*

TERMINAISONS VERBALES

469 Terminaisons des personnes

Issues du latin, mais avec toutes sortes de variantes imposées par la phonétique ou l'analogie, elles ne sont plus guère sensibles à l'oreille (sauf dans les auxiliaires être et avoir et aux 1re et 2e personnes du pluriel). Les pronoms personnels, placés en général devant le verbe, jouent, pour l'oreille, le rôle de ces terminaisons devenues muettes : *Je* parle, *tu* parles, *il* avance, *ils* avancent.

470 Terminaisons des modes[1] et des temps[2] dans les verbes autres que être et avoir :

Indicatif présent

Singulier

1re personne : -e :

Dans les verbes du 1er groupe (je parle — **v. note du n° 477), et dans les huit verbes :** j'assaille, je cueille, je couvre, je défaille, j'offre, j'ouvre, je souffre, je tressaille **et leurs composés[3].**

-s : Dans les autres verbes, sauf je peux[4], je vaux, je veux.

2e personne :

-s, partout, sauf : tu peux, tu vaux, tu veux.

3e personne :

-e, dans les verbes du 1er groupe (il parle) **et dans les huit verbes ci-dessus mentionnés.**

Ailleurs : -t : il vient.

1. Traditionnellement, les modes (ou manières d'exprimer l'état ou l'action) sont : l'**indicatif** le **subjonctif**, l'**impératif**, l'**infinitif**, le **participe** et le **conditionnel.** Mais de nombreux linguistes rattachent le conditionnel à l'**indicatif** (dont il serait un temps, le *futur hypothétique*). Cette vue a pour elle de fortes raisons. Comme le futur, le conditionnel est une forme en *r* (je parle*rai*, je parle*rais*) étant issu, comme lui, de la périphrase latine *infinitif* + présent (ou imparfait) du verbe *habeo* (v. nos 471 et 474, notes). De là l'emploi du conditionnel comme futur du passé : « Il déclara qu'il *accepterait* ») — En outre, d'étroits rapports unissent les idées de futur et d'éventuel. Ils apparaissent assez bien dans la comparaison de : « S'il fait beau il *viendra* » et : « S'il faisait beau, il *viendrait* ».
Mais on doit remarquer d'abord que le conditionnel français exprime souvent l'irréel (« Si tu l'avais prévenu, il *serait* là »), mode qui s'éloigne nettement de l'indicatif ; ensuite que certains emplois du conditionnel le rapprochent du subjonctif, par exemple : « Je cherche un outil qui *soit*, qui *serait* maniable » — Qui l'*eût* cru ? qui l'*aurait* cru ? (v. n° 521).
En fait, il nous semble que le conditionnel n'est ni un mode à part ni un temps particulier ou plutôt qu'il est à la fois, et selon les cas, mode et temps.
Nous avons donc préféré, dans un ouvrage qui se voudrait surtout pratique, ne pas porter atteinte aux positions traditionnelles, qui ont elles aussi leur justification, et nous avons maintenu le conditionnel parmi les modes, mais en insistant sur les liens qui l'unissent à l'indicatif.

2. Les temps sont, pour chaque mode, les catégories chronologiques dans lesquelles s'insèrent l'**action** ou l'**état** : « Il *sortira* demain » : futur de l'indicatif — « Je l'*ai rencontré* hier » : passé (composé) de l'indicatif.
C'est là une définition, à vrai dire, un peu sommaire et que doivent compléter des aperçus sur l'*aspect* (durée par exemple) et les *servitudes grammaticales* (emploi, par exemple, de l'imparfait du subjonctif).

3. A la forme interrogative des verbes du 1er groupe on écrit cet « e » avec un accent aigu et il se prononce « é » : *parlé-je ?* (forme de plus en plus rare).

4. Mais on dit parfois : *je puis* — Et l'on **doit** dire : *puis-je ?*

Mais -d dans les verbes en :
-andre : il répand; **-endre :** il vend; **-ondre :** il fond; **-ordre :** il tord;
et dans : il assied, il sied, il coud, il moud, il perd[1].

Notez qu'on écrit : il vainc **(vaincre) et** il va **(aller).**

Pluriel

1re personne -ons : nous parlons.

2e personne -ez : vous parlez.
(Sauf : vous dites, vous faites. **Mais dans les composés de dire** [**sauf redire** : *vous redites* **et maudire** : *vous maudissez*], **on a** : vous contredisez, vous prédisez, **etc.)**

3e personne -ent : ils parlent **(Sauf** : ils font, ils vont).

Futur

471 **A toutes les conjugaisons les finales sont : -rai -ras -ra -rons -rez -ront**[2] (je parlerai, je rendrai).

Imparfait

472 **A toutes les conjugaisons : -ais -ais -ait -ions -iez -aient** (je parlais).

Passé simple

473 **1er groupe : -ai -as -a -âmes**[3] **-âtes -èrent** (je parlai, etc.).

2e groupe : -is -is -it -îmes[3] **-îtes -irent** (je finis, etc.).

3e groupe : soit -is : je dormis; **-soit -us (-us -ut -ûmes**[3] **-ûtes -urent)** : je voulus; **-soit -ins (-ins -int -înmes**[3] **-întes -inrent) :** je vins.
(La complexité de ces formes contribue à justifier la disparition du passé simple dans le F.P. de la conversation.)

Conditionnel présent

474 **A toutes les conjugaisons : -rais -rais -rait -rions -riez -raient**[4] (je parlerais).

Subjonctif présent

475 **-e -es -e -ions -iez -ent.** (Il faut *que je parle, que nous sachions.*)

1. A la forme interrogative, ce **d** (anciennement **t**) est prononcé comme **t** : *vend-il?* — En outre, par analogie sans doute, un **t** s'intercale entre le verbe et le pronom dans le **1er groupe** : *parle-t-il?* — On écrit aussi : *vainc-t-il?* — et, dans les passés simples : *parla-t-il?*

2. Issues de l'infinitif latin (d'où l'*r*) suivi du présent de **habeo** (j'ai) : *paraulare-habeo* : je parler-ai (= j'ai à parler). Les syllabes -rons -rez sont le résultat d'une « sorte d'écrasement » (v. F. Brunot et Ch. Bruneau, *Gramm. hist.*).

3. Accent circonflexe par analogie avec la 2e p. du pluriel (parlâtes) où l'accent représente l'allongement compensant la chute d'un **s** latin.

4. Finales issues de l'infinitif latin suivi de l'imparfait de *habeo* (= j'avais à parler). Ainsi, étymologiquement, le conditionnel est un **futur du passé.**

Subjonctif imparfait

1er groupe : -asse -asses -ât -assions -assiez -assent (Il fallait *que je parlasse*) **et de même dans les autres groupes** (que je fin*isse*, que je voul*usse*, que je vin*sse*) **selon les terminaisons du passé simple.**

Impératif présent

476 **Généralement analogue à l'indicatif présent.**

Mais : N. B. — Absence de pronom sujet : finis, finissons, finissez. **Dans le 1er groupe, absence de -s à la 2e personne du singulier :** parle. **(Sauf devant en et y :** parles-en — penses-y.**)**

v. aller : va, vas-y.
v. savoir : sache, sachons, sachez.
v. vouloir : veuille, veuillons **(rares)**, veuillez **(F.E., pour une demande polie ; mais F.P. :** ne *m'en veux* pas, ne *m'en voulez* pas).

Infinitif présent

477 **1er groupe**[1] **: -er** (parler).

2e groupe : -ir (finir).

3e groupe : -ir (venir) **-oir** (recevoir) **-re** (rendre).

Participe présent

478 **Toujours en -ant :** parlant, finissant, recevant.

Participe passé

479 **Terminaisons très diverses :** aimé — fini — reçu — acquis — éteint — absous (**fém.** absoute).
Noter : dû — mû — crû (**de** croître).

1. On classe les verbes français en **3 groupes** : 1er groupe (c'est le plus nombreux) : modèle : je *parle*, nous *parlons* (voir n° 463). — 2e groupe : modèle : je *finis*, nous *finissons* (voir n° 464). — 3e groupe : tous les autres verbes (voir n° 468). Seuls, le 2e groupe et surtout le 1er groupe admettent de nouveaux verbes (« conjugaisons vivantes »).

EMPLOI DES MODES ET DES TEMPS[1]

L'INDICATIF

480 **En principe, il énonce un fait (qui peut d'ailleurs être affecté d'une négation ou d'une interrogation) :**

La terre *tourne* — Jean *n'est pas venu* — Jean *viendra-t-il?*

En ce sens, l'indicatif s'oppose au subjonctif (qui exprime une volonté, un désir, une possibilité), à l'impératif (qui exprime un ordre), au conditionnel (mode de l'éventualité et de la condition).

LES TEMPS DE L'INDICATIF

LE PRÉSENT : Jean travaille.

481 **Le présent exprime :**

a) une action effectuée au moment où l'on parle :

En ce moment Jean *travaille.*

Il s'applique aussi bien à l'instant qu'à la durée :

L'enfant *tombe* **(instant)** — La nuit *tombe* **(durée)**[2].

b) un fait habituel ou permanent (toujours présent) :

La terre *tourne* — Une mère *pardonne* toujours — Qui dort *dîne* **(proverbe).**

des habitudes ou des dispositions physiques, morales :

Ce garçon *boit* **(= s'adonne à la boisson)** — « Une cigarette? — Merci, je ne *fume* pas. » — Mon fils *peint.*

(D'où l'opposition possible du présent d'instant, ou actuel, et du présent d'habitude :

« Fumez-vous? — Oui, je *fume* **(habitude),** mais aujourd'hui je ne *fume* pas » **(instant ou portion de temps.)**[3]

c) un fait futur mais annexé au présent (F.P.) :

Attendez-moi : je *viens* — Alors, c'est entendu, vous nous *téléphonez* dès que vous *savez* quelque chose.

1. Voir tableaux de concordance des temps, nos 575 à 577.
2. Pour le tour : *est entrain de,* v. nº 594.
3. Noté par G. Gougenheim.

N. B. — C'est d'ailleurs « une tendance générale du langage, d'employer le présent en fonction de futur » (Vendryes, *Le Langage*).

d) à l'inverse, un fait immédiat dans le passé :

Il *sort* d'ici (= **il n'y a qu'un instant).**

Le présent dit de narration ou historique, employé dans les récits, rend en quelque sorte le fait présent à l'esprit du lecteur ou de l'auditeur. Il est généralement amorcé[1] par des temps du passé :

J'ai voulu le rencontrer hier. J'*arrive* de bonne heure; je *sonne* : on ne *répond* pas[2]...

482 **Emplois issus du sens futur :**

un conseil :

Vous *cassez* deux œufs, vous *prélevez* les jaunes, vous y *ajoutez* de l'huile, vous *battez*... **(recette de la mayonnaise).**
Vous *prenez* la première rue à droite, vous *tournez* à gauche... **(indication du chemin à suivre).**

un ordre :

Toi, tu te *tais*!

Sous forme interrogative :

Alors, tu *viens*?

482 bis **Emploi issu du sens d'habitude : un précepte d'ordre général :**

On ne *vient* pas déranger les gens à pareille heure! — Quand on ne sait pas, on se *tait*.

LE FUTUR : Jean travaillera.

483 **Le futur de l'indicatif exprime un fait situé dans l'avenir, par rapport au présent :**

Je vous *rendrai* votre livre demain — Les élections *auront* lieu dans quelques années.

484 **Dans le F.P. d'aujourd'hui, la périphrase je vais + infinitif remplace souvent le futur, même s'il ne s'agit pas d'un fait très proche :** Elle *va se marier* dans trois ans. **C'est que le Français, en parlant, tend à actualiser les faits qu'il évoque (d'où aussi la faveur que connaissent le présent, le passé composé). Mais la distinction des deux formes est loin d'avoir totalement disparu, et il importe de la maintenir.**

1. Cf. G. Gougenheim, *Système grammatical de la langue française*.
2. Victor Hugo et d'autres auteurs ont même employé le présent historique dans une subordonnée relative dépendant d'un verbe au passé : « La déroute *apparut* au soldat qui *s'émeut*... » (*Waterloo*) — « Quand on *eut bien montré* son front royal qui *tremble*... » (*Mil huit cent onze*) — Ici, le présent, qui stoppe en quelque sorte le déroulement des faits, donne à l'action de la subordonnée un relief particulier. Mais ce sont des tours exceptionnels.

485 **Comme il s'applique à des événements à venir, le futur a parfois un caractère moins affirmatif que le présent.**

D'où son emploi dans des tours polis :

Ça vous *fera* (ça *va vous faire*) trois francs, **dira la marchande.**

Je vous *prierai* (je *vais vous prier*) de me prêter votre stylo.

Je ne vous *cacherai* pas (je ne *vais pas vous cacher*) que vous l'avez offensé.

De là, le futur comme expression (jadis atténuée) d'un ordre :

Vous *emmènerez* les enfants se promener (vous allez emmener).

[**Dans** : Tu *vas te taire!* **l'injonction se fait brutale ; quant au futur, il peut se combiner avec l'interrogation** : *Te tairas-tu?* (*vas-tu* te taire ?)]

Dans les textes de lois : Le vol *sera puni* de prison. **(La périphrase aller + infinitif est ici impossible à cause du caractère constant de la loi.)**

486 **A l'idée d'éventualité (donc de possibilité) se rattache naturellement celle d'une hypothèse ou d'un peut-être.**

D'où le futur comme expression d'une objection possible :

« Vous me *direz* que ce n'est pas beaucoup » (J. Romains, *Knock*).

(On pourrait avoir aussi : Vous *allez me dire*...)

...ou d'une explication plausible, mais conjecturale, appliquée, chose curieuse, même à un fait passé :

On a tourné autour de la maison ? Ce *sera* quelque rôdeur (= **Vous constaterez sans doute que c'était...).**

(Il y a un emploi analogue du futur antérieur : voir n° 490.)

Aller + l'infinitif s'emploie aussi, mais rarement, dans ce cas :

Ça va être quelque rôdeur... (= **Vous allez voir que c'était...)**

D'où encore le futur comme expression d'une perspective à envisager :

C'est un garçon qui vous *promettra* monts et merveilles (qui *va* vous *promettre*...).

Ces aspects disposent le futur à prendre place aisément dans les réflexions générales, les maximes (futur gnomique) : Souvent la perfidie *retombera* sur son auteur — **La périphrase aller n'est guère possible, alors. Sans doute à cause du caractère infini, temporellement, de l'action.**

487 **On remarquera l'emploi du futur, dans un récit historique, comme une ouverture sur de nouvelles perspectives :**

... Ainsi fut prise la Bastille, le 14 juillet 1789. Ses pierres *serviront* en partie à la construction du pont de la Concorde. (vont servir **est également possible.)**

C'est que le narrateur, à partir d'un certain moment de sa narration, se place, par la pensée, à l'époque où se situent les événements qu'il rapporte.

Présent au lieu du futur dans certaines subordonnées

488 **a) Après si pour exprimer une hypothèse dont la réalisation est considérée comme très possible (v. n° 750) :**

S'il vient, je le recevrai[1]. **(On dira même :** S'il vient, je le *reçois*.**)**

Le futur après si n'est possible que dans deux cas :

1. lorsque si veut dire : s'il est vrai que :

« *S'il épousera* enfin la belle Mlle de Galais, ce sera pour l'abandonner. » (E. Henriot, article sur *Le Grand Meaulnes*, cité par R. Le Bidois, *Le Monde* du 18 juillet 1962.)

2. Lorsque si est un adverbe d'interrogation indirecte (v. n° 641) :

Je demande *si votre père sera présent*.

b) On notera aussi l'emploi possible du présent au lieu du futur après une conjonction de temps, particulièrement dans le sens de : toutes les fois que (F.P. fam.) :

Comparez : « Viens quand *tu voudras* », **qui signifie, ou bien :** à l'heure où tu voudras **(fait isolé) ou bien :** toutes les fois que tu voudras **(fait répété) ;**
et : « Viens quand *tu veux* », **qui a les mêmes acceptions.**

Pour le conditionnel exprimant le futur dans certaines subordonnées (futur du passé), voir n° 520.

LE FUTUR ANTÉRIEUR : **Quand Jean aura travaillé...**

489 **Il traduit une action qui sera achevée antérieurement à une autre action, future aussi :**

a) Dans une proposition principale ou indépendante[2] :

Il arrivera à huit heures. Mais déjà je *serai parti*.

b) Dans une proposition subordonnée[2] :

Proposition de temps :
Il arrivera *quand je serai parti*.

Proposition de cause :
Vous serez récompensé *parce que vous aurez bien agi*.

Proposition de comparaison :
Vous serez traité *comme vous aurez traité autrui*.

Proposition de concession (avec : alors que) :
Peut-être serez-vous puni *alors que vous aurez bien agi*.

Proposition relative :
Nous mangerons le pain *que nous aurons gagné*.

1. Cet emploi du présent-futur après *si* est très ancien. Déjà en latin : *si possum* faciam.
2. V. page 1.

Proposition d'objet : Dans les interrogatives indirectes, le futur antérieur est en étroite concurrence, surtout en F. P. avec le passé composé : Vous me direz *ce que vous aurez choisi* **ou :** ce que vous *avez choisi* — Vous leur expliquerez *pourquoi vous aurez été retardé* **(deux faits futurs) ou :** pourquoi vous *avez été* retardé.

Notez un futur antérieur proche dans :

Je *vais avoir fini* dans deux minutes.

Parfois la périphrase je viendrai de + l'infinitif exprime un futur immédiatement antérieur :

« Vous boirez lentement, lisant les quotidiens que vous *viendrez* d'acheter » (M. Butor, *La Modification*, cité par P. Imbs).

Autres emplois du futur antérieur

490 **traduisant l'achèvement rapide d'une action (avec un complément de temps) :** *J'aurai bientôt recopié* votre article.

exclamatif d'impatience, après quand :

Quand vous aurez fini de rire!

exclamatif d'étonnement : *On aura tout vu!*

exprimant la confirmation d'une menace : *Tu l'auras voulu!* **(Tu** l'as voulu **signifierait que la catastrophe a déjà eu lieu.)**

le découragement : *J'aurai pris* tant de peine pour rien!

un fait supposé comme probable : Vous n'*aurez pas oublié* de lui dire... **(= sans doute n'avez-vous pas oublié...)**

l'explication plausible d'un fait : Il n'est pas encore là : il *aura manqué* son train **(voir n° 486).**

en conclusion d'un récit historique (voir n° 487) mais cette fois pour traduire l'achèvement : En 1815 Napoléon fut exilé à Sainte-Hélène. Six ans plus tard, *il aura vécu.*

N. B. — Pour le conditionnel passé exprimant le futur antérieur dans certaines subordonnées (futur antérieur du passé), voir n° 520.

LE PASSÉ COMPOSÉ : Jean a travaillé.

491 **Il exprime :**

a) une action achevée au moment où l'on parle. C'est un passé antérieur à un présent :

Es-tu quitte de ton travail? — Oui, *j'ai tapé* le rapport.

b) une action insérée à un moment du passé, par rapport au présent :

Il *a dîné* à six heures, il *est parti* à sept.

Dans certains cas, le passé composé employé au lieu du plus-que-parfait marque, en quelque sorte, le prolongement, un écho des faits dans le présent :
Comparez : L'enfant s'est réveillé **(hier, par exemple)** parce qu'il *avait entendu* du bruit;
et : Il s'est réveillé (il *est* encore *réveillé*) parce qu'il *a entendu* du bruit.

C'est que le passé composé appartient à la « sphère » du présent, qu'il s'agisse :
- **d'un fait récent :**

J'*ai reçu ce matin* une lettre de Paul (= **je l'ai encore dans ma poche),**
- **d'un fait qui se prolonge dans le présent**[1] **:**

Depuis mille ans, cet édifice *a bravé* les intempéries (= **il est toujours debout),**
- **d'un fait encore présent à l'esprit de celui qui parle, un fait qui le concerne d'une façon ou d'une autre :**

Je l'*ai vu*, il y a quinze ans.

Cette appartenance à la sphère du présent est un des motifs, avec la grande simplicité de structure de ce temps, pour lesquels le passé composé est régulièrement employé dans la conversation[2]**, même pour traduire une action lointaine :**

César *a vaincu* Vercingétorix à Alésia.

492 **D'où encore son emploi pour traduire l'état présent résultant d'une action passée :**

Ils *ont vécu*[3] (= **ils ont fini de vivre, ils sont morts maintenant) F.E.**
Vous resterez ici : j'*ai dit*.
Le facteur *est passé*, et *voilà* votre courrier.

- **ou (avec le verbe faire) pour exprimer, avec un complément de temps, l'achèvement rapide d'une action, par rapport au présent :**

On apporte une assiette de lait et les chats *ont vite fait* de tout laper.

- **ou pour exprimer (avec l'aide d'un adverbe : jamais, toujours, etc.) une maxime, une vérité d'expérience (F.P. surtout) :**

Jamais mauvais ouvrier n'*a trouvé* bon outil.
On n'*a jamais vu* ça! — *A*-t-on *jamais vu* ça?
On *a toujours fait* comme ça.

1. Déjà, dans la langue classique :
« Tu *vis* mon désespoir; et tu *m'as vu depuis*
Traîner de mers en mers ma chaîne et mes ennuis. »
(Racine, *Andromaque*). [Signalé par M. Michel Forget.]
2. Albert Camus a, on le sait, fait un usage très remarquable du passé composé dans *L'Étranger* dont le récit se situe, par là, dans le présent. (A ce sujet, J.-P. Sartre, dans *Situations I*, a remarqué en outre que chaque fait, ainsi exprimé, prend le caractère d'un *instant* chargé de sens (« Une phrase de *L'Étranger*, c'est une île »), alors que les passés simples marqueraient davantage l'*enchaînement* des faits.)
3. Latinisme.

492 bis **Enfin le passé composé peut encore exprimer une action qui sera bientôt achevée :**

J'*ai fini* dans un instant

ou suppléer, à ce titre, un futur antérieur impossible :

Si, dans deux mois, vous *avez constaté* des fissures, appelez l'architecte.

492 ter **Au futur proche je vais + infinitif, correspond (avec une moindre extension) un passé récent : je viens de + infinitif :**

Tu me demandes si j'ai vu Henri? *Je viens de le rencontrer.*

LE PASSÉ SURCOMPOSÉ : Quand Jean a eu travaillé...

493 **C'est encore un temps qui appartient à la sphère du présent. Il est formé du passé composé de l'auxiliaire avoir (ou être) et du participe passé du verbe en question. Il y a ainsi deux participes passés : eu, travaillé.**

Le passé surcomposé s'emploie normalement après : quand, après que, et surtout après : dès que, aussitôt que, pour marquer l'antériorité par rapport à un passé composé (et parfois un imparfait) ;

« *Quand* vous m'*avez eu chassé*, j'ai erré. » (Claudel, *Tête d'Or*.)

Le passé surcomposé peut être employé dans une indépendante avec vite, bientôt, pour marquer l'achèvement :

On a donné au chien une assiette de soupe et il l'*a eu vite* nettoyée.

Passé surcomposé formé de l'auxiliaire être

494 **Il concerne certains des verbes intransitifs régulièrement conjugués avec cet auxiliaire (v. n° 590) : (quand)** il a été arrivé, descendu, entré, monté, mort, né, parti, sorti, tombé.

Il n'y a plus aujourd'hui de passé surcomposé dans les verbes pronominaux; mais il y en a un dans les verbes passifs :

Dès qu'il *a eu été guéri*, il s'est remis au travail.

Autres temps surcomposés

495 **Le français connaît encore d'autres temps surcomposés, notamment :**

a) dans un récit, un plus-que-parfait surcomposé, qui exprime, avec un complément de temps, l'achèvement rapide par rapport au passé :

« Ah! l'idiote *avait eu vite fait* de se couler! » (F. Mauriac, *Genitrix*, cité par G. Gougenheim, *Système grammatical...*)

et même l'antériorité par rapport à un autre plus-que-parfait :

Quand *il avait eu déjeuné*, il avait rédigé son courrier.

(Il y a une double antériorité : celle de déjeuner par rapport à rédiger, celle de rédiger par rapport au temps du récit.)

b) dans un énoncé, un futur antérieur surcomposé, qui exprime l'achèvement rapide par rapport au futur :

N'ayez crainte : il *aura eu vite* fait de dire oui!

ou l'antériorité par rapport à un futur :

Dès qu'il aura eu dit oui, faites-lui signer un papier.

Mais le futur antérieur, plus léger, n'est séparé du temps surcomposé que par une nuance peu perceptible :

Dès qu'il aura dit oui.

c) un conditionnel passé surcomposé, généralement à valeur de futur antérieur (avec un verbe principal au passé : v. n° 520) :

Il m'a dit qu'il me *recevrait* dès qu'*il aurait eu fait* son courrier.

Mais, ici encore, le conditionnel passé, plus léger, est préférable :

Il m'a dit que, *dès qu'il aurait fait...*

d) un subjonctif passé surcomposé :

Avant qu'il *ait eu* compris, on lui a passé les menottes.

LE PASSÉ SIMPLE : Jean travailla.

496 Le passé simple traduit, en F.E., un fait généralement ancien, en tout cas sans contact avec le présent. Il convient donc aux récits historiques :

L'hiver de 1709 *fut* extrêmement rigoureux.

a) Il s'oppose au passé composé, qui a généralement la valeur d'un passé récent, ou présent à l'esprit de celui qui parle, et qui, de ce fait, est le temps du récit dans le F.P.

Ce matin j'ai fait une chute grave — **mais aussi :** *Il y a quinze ans, il a fait* une chute grave.

De là, dans le roman d'aujourd'hui, la fréquente spécialisation des deux temps : le récit étant souvent écrit au passé simple; les dialogues au passé composé. Mais on peut, exceptionnellement, trouver le passé simple dans le F.P., en opposition précisément à un passé composé :

J'*ai rencontré* M. Legrand qui *fut* mon professeur de troisième.

Le passé simple s'emploie surtout aux 3es personnes du singulier et du pluriel, qui, précisément, reviennent le plus souvent dans les récits historiques.

b) D'autre part le passé simple s'oppose à l'imparfait en ce qu'il ne traduit pas, par lui-même, un état, n'entre pas dans une description, mais énonce un fait pur et simple :

Après cet échec, il *changea* de méthode.

On ne pourrait plus écrire, comme dans *La Chanson de Roland :*
« Le roi Marsile en fut très effrayé; il *tint* un dard empenné d'or. »
Le verbe tenir exprime ici non une action qui surgit, mais un état, et il faudrait aujourd'hui : il *tenait* un dard...

Parfois le passé simple s'oppose à l'imparfait d'état ou d'habitude pour introduire un fait nouveau :

« Une autre partie des équipes *secondait* les médecins... *assurait* le transport des pestiférés, et, dans la suite, *conduisit* les voitures des malades et des morts » (A. Camus, *La Peste*).

497 **Le passé simple convient aussi aux vérités d'expérience (dans les maximes ou dictons) généralement sous forme négative :**

Jamais mauvais ouvrier *ne trouva* bon outil.

Sa forme brève, frappante donne ici au passé simple une supériorité sur le passé composé (v. n° 492).

498 **C'est à cause de cette brièveté frappante que parfois les écrivains préfèrent le passé simple au passé composé : il traduit plus énergiquement un fait, même de caractère personnel :**

« Elle travaillait, lisait, buvait du thé sans témoin : comme je l'*enviai*! » (Simone de Beauvoir, *La Force de l'âge*).

499 **Le passé simple n'est plus guère employé dans le français parlé de la conversation. Mais il a repris une vigueur nouvelle (à la 3e personne) dans cette langue particulière qui est celle des journaux et de la radio.**
On peut affirmer que la connaissance du passé simple est toujours nécessaire à qui veut entendre (et même écrire) le français quotidien[1].

L'IMPARFAIT : Jean travaillait.

I. La durée dans le passé

500 **A. — De par son origine, l'imparfait français exprime un passé envisagé dans sa durée :**

Autrefois, les forêts *couvraient* la plus grande partie de l'Europe.

N. B. — D'autres temps (passé composé, passé simple) peuvent aussi s'appliquer à des faits qui ont duré, mais généralement avec un complément circonstanciel, qui détermine cette durée :

« Il *marcha* trente jours, il *marcha* trente nuits. » (Victor Hugo, *La Conscience*.)

Cette aptitude à exprimer la durée fait de l'imparfait le temps de la description au passé :

Ce fut alors un beau tumulte : on *criait*, on s'*injuriait*, on se *battait*.

1. Voir notre article dans : **Le Français dans le Monde**, n° 11 : *Français parlé, français quotidien.*

L'imparfait, temps de la durée, de l'état, de la description, s'oppose au passé composé et au passé simple, temps du récit.
On comparera :

Les forêts *couvraient* l'Europe **(évocation d'un état) et :**
Les forêts *ont couvert* l'Europe **(expression d'un fait passé, pur et simple).**

Ou encore :

On *criait*, on s'*injuriait*, on se *battait* **(description) et :**
On *cria*, on s'*injuria*, on se *battit* **(narration de faits successifs).**

501 **B. — A l'idée de durée se rattache tout naturellement celle de répétition, et par conséquent d'habitude. L'imparfait pourra donc exprimer la répétition, généralement habituelle**[1].

Autrefois, il *venait* me voir.

Le passé composé, le passé simple peuvent aussi s'appliquer à des faits qui se répètent, mais généralement par l'intermédiaire d'un complément circonstanciel :

Pendant dix ans, il *est venu* me voir *tous les jours.*
Il *est tombé trois fois.*

502 **Enfin, toujours dans cette perspective de la durée, l'imparfait établit un cadre où se placent des faits exprimés au passé composé, au passé simple, ou au présent de narration :**

Les marins *reprenaient* courage, quand la grande voile *s'est déchirée.*
Les marins *reprenaient* courage, quand la grande voile *se déchira.*
Les marins *reprenaient* courage, quand la grande voile *se déchire.*

L'imparfait exprimera donc, par une conséquence logique, la simultanéité par rapport au passé[2] **:**

Le cambriolage eut lieu vers minuit, *pendant que* le gardien dormait.

D'où son emploi dans le style indirect en concordance avec un verbe principal au passé : Il disait que son fils *était* hors de danger **(voir n° 574 ter, concordance des temps).**

D'où la différence de sens entre : Je t'ai dit que *je suis* sans un sou **(ce qui est encore vrai maintenant).**
et : Je t'ai dit **(hier)** que j'*étais* sans un sou **(hier)**[3].

Souvent, dans le titre d'un article de journal, l'imparfait traduit une situation qui ouvre en quelque sorte le récit :

Deux corps *gisaient* au fond de la voiture...

1. Mais pas toujours, notamment s'il s'agit d'une description. Ainsi : Les signaux *apparaissaient* à intervalles réguliers — ou encore : Nous avons écouté : le bruit *cessait*, puis *recommençait.*
2. Le Français pousse même le respect de cette concordance jusqu'à dire : Si je *m'apercevais* que tu *avais* froid, j'allumerais le chauffage. » (On peut dire aussi : que tu *as* froid, ou : que tu *aies* froid.)
3. ...j'*étais* sans un sou peut aussi se rapporter au présent par attraction temporelle. Mais : ...je *suis* sans un sou ne peut évidemment pas se rapporter au passé.

Cette valeur de cadre explique pourquoi l'imparfait, surtout dans une relative, peut traduire l'antériorité à un autre passé :

L'édit de Milan *donna* aux chrétiens la liberté de culte que leur *refusait* la loi romaine. (La loi romaine *refusait* aux chrétiens la liberté de culte; l'édit de Milan la leur *donna*.)

II. Expression de faits ponctuels[1]

503 **L'imparfait peut traduire une série de faits ponctuels, mais formant chacun comme un tableau :**

A 9 h l'avion *décollait*; à 10 h il *atteignait* Nancy; à 11 h il *atterrissait* à Munich.

On le trouve aussi (dans le F.E.) en tête d'un récit, comme imparfait d'ouverture[2] :

En 1822, Pasteur *naissait* à Dole, petite ville du Jura. Son enfance fut studieuse, **etc.**

Ou, en conclusion, comme une sorte de point d'orgue :

Les préparatifs furent activement poussés, et, à minuit juste, la fête *commençait*.

504 **L'imparfait peut même s'appliquer à des faits purs et simples, appartenant au récit :**

Hier, il *manquait* son train.

Ces emplois ont été familiers aux romanciers de la seconde partie du XIXe siècle :

« La poitrine de la jeune femme parut se déchirer et elle se mit à pleurer convulsivement; le médecin *revenait* un peu plus tard et la *trouvait* dans cette crise » (O. Feuillet, *Morte*[3]).

Ce tour prend aujourd'hui un développement considérable dans le roman et le reportage.

Mais on discerne presque toujours, dans ces divers imparfaits, une valeur descriptive, et rayonnante, en quelque sorte, par opposition à la valeur narrative et ponctuelle qu'ont par eux-mêmes d'autres temps comme le passé simple.

En outre, par son aptitude à exprimer la simultanéité dans le passé, donc le présent par rapport au passé, l'imparfait peut, comme le présent (v. n° 481), s'appliquer à un fait immédiatement antérieur à un autre fait passé :

Il acheta une voiture neuve : elle *sortait* de l'usine.

ou immédiatement postérieur :

Nous sommes arrivés à temps : il *partait* le soir même.

1. C'est-à-dire qui sont **comme un point** (= un instant) et n'impliquent pas en eux-mêmes la durée.
2. V. P. Imbs, *L'Emploi des temps verbaux en français moderne* — Cf. aussi G. Gougenheim : « L'imparfait d'ouverture promet une suite, pique la curiosité. » (*Journal de psychologie*, mars 1937.)
3. Cité par F. Brunot, *La Pensée et la Langue*.

III. Valeurs de l'imparfait autres que temporelles

505 **Imparfait de discrétion :** Je *voulais* vous demander de m'accompagner **peut signifier :** Je voudrais vous demander...
Mais la demande, formulée au passé, prend un aspect plus irréel. Il semble qu'elle soit avancée, puis retirée presque aussitôt[1]. Ne pas confondre avec le passé positif, qui s'exprime par exemple dans : Si je suis venu vous trouver, c'est que je *voulais* vous être agréable.

506 **Imparfait équivalant à un conditionnel passé (= fait qui a été possible à un moment du passé, mais qui ne s'est pas réalisé, donc, là encore, irréel) avec certains auxiliaires :**

Tu *pouvais* avertir ton frère **(= tu aurais pu...)** — Elle *devait* vous aider **(= elle aurait dû...)** — Il *fallait* insister, voyons! **(= il aurait fallu...)**

Ne pas confondre avec les mêmes imparfaits traduisant des faits réels :

Il t'a prêté cette somme; il le *pouvait* bien, après les services que tu lui as rendus — Si elle vous a aidé, c'est qu'elle le *devait* — J'ai accepté cette proposition : il le *fallait*.

507 **• En revanche on rapprochera de ces emplois l'imparfait exprimant la conséquence inévitable d'un fait qu'on imagine réalisé :**

Si tu avais persévéré dans cette voie, tu *te ruinais* **(= tu te serais ruiné)** — Un peu plus, je *tombais* **(= je serais tombé).**

508 **• L'imparfait s'emploie après si, en concordance avec le conditionnel, pour exprimer :**
a) une supposition, soit irréalisable, se rapportant au présent :

Si j'étais plus jeune, je vous accompagnerais.

soit grevée d'un doute (alors elle se rapporte à l'avenir) :

Si, demain, je *recevais* sa réponse, je vous la transmettrais. **(hypothèse plus douteuse que dans :** Si je reçois...)

b) une condition :

Je ne partirais que *s'il m'accompagnait* **(v. n**os **738 et suivants).**

L'imparfait s'emploie après comme si pour exprimer une comparaison reposant sur une supposition, ou une cause apparente :

Il ferme les yeux *comme s'il dormait*.

• Il exprime encore, après si (F.P. fam.) :
le souhait : *S'il pouvait* revenir sain et sauf! **(fait réalisable).**
le regret : Ah! *Si j'avais* dix ans de moins!... **(fait irréalisable).**
la peur, l'inquiétude : Oh! *Si on me voyait!...*
l'invitation, la suggestion : *Si tu allais* te reposer un peu?
l'invitation impatiente : *Si tu te taisais!*

1. F. Brunot, *La Pensée et la Langue*.

509 **Un cas particulièrement curieux est celui de l'imparfait dit hypocoristique[1] employé par la mère française parlant à son bébé, comme si elle racontait l'histoire de cet enfant à une tierce personne :**

« Mais oui, madame, c'*était* le plus joli bébé du monde, et comme il *était* bien sage, il *avait* un bon gâteau. »

On notera ici, d'abord, que l'imparfait, avec sa terminaison en -ait, et le nombre de ses syllabes, a plus de corps que le présent, donc se prête mieux à un effet d'insistance ; ensuite, que c'est la transposition des faits au passé qui leur confère l'intérêt d'une histoire.

LE PLUS-QUE-PARFAIT : Jean avait travaillé.

C'est, avec le passé antérieur, un des deux temps qui expriment l'antériorité dans le passé.

I. Dans une subordonnée de temps

510 **La conjonction employée (donc la structure de la phrase) joue un rôle important :**

Depuis que, suivi du plus-que-parfait, exprime un fait antérieur à un état, lui-même traduit par l'imparfait :

Depuis qu'*il avait reçu* cette lettre, *il restait* songeur.

Après que, quand, suivis du plus-que-parfait, expriment généralement la répétition. Le verbe principal est alors à l'imparfait de répétition :

Quand il *avait bien déjeuné*, il *était* de bonne humeur.

Mais la valeur de répétition s'efface tout naturellement :

a) avec après que, si le verbe principal est à l'imparfait d'état :

« Le lien fédéral *demeurait* fort, 500 ans *après que* l'Étrurie *avait cessé* d'exister » (L. Heurgon, *Les Étrusques*).

b) avec quand, lorsque, si le verbe principal lui-même est au plus-que-parfait :

« Quand j'*avais aperçu* cette montagne de compétence, *j'avais songé...* » (Montherlant, *Disc. de réception à l'Ac. française*).

Autres mots subordonnants

Le plus-que-parfait s'emploie très couramment, pour exprimer l'antériorité, après parce que, comme (sens causal et sens comparatif), ainsi que, si interrogatif et après le pronom relatif. Le verbe principal peut alors être à l'imparfait, au passé composé, au passé simple, au plus-que-parfait :

Parce qu'il n'avait pas reçu de nouvelles de son père, il était inquiet, il a été inquiet trois jours, il fut inquiet trois jours, il avait été inquiet trois jours — Elle lui demanda *s'il avait reçu...* etc. — Ce garçon, *qui n'avait pas reçu...* etc.

1. C'est-à-dire d'affection, de gentillesse.

Il arrive que, surtout en liaison avec une relative au plus-que-parfait, le verbe principal soit au présent :

« Dans ces naufrages d'une foi dont *on avait fait* le centre de sa vie, on *s'accroche* aux moyens de sauvetage les plus invraisemblables » (Renan, *Souvenirs d'enfance et de jeunesse*).

C'est que le plus-que-parfait recule davantage dans le passé le fait en question, et lui confère un caractère irréel. Il en est de même dans des tours comme : Vous ne tenez pas ce que *vous aviez promis*. Ce n'est pas ce que *j'avais espéré*.

On rencontre ce plus-que-parfait « de déception » dans les propositions principales ou indépendantes :

Jean arrive? Je lui *avais écrit* de ne pas se déranger.

On notera enfin l'emploi fréquent du plus-que-parfait en concordance avec un verbe principal au passé, dans le style indirect, parallèlement à celui de l'imparfait :

Il demanda si elle *allait* mieux, si elle *avait* bien *dormi*. Elle répondit qu'elle *avait* dormi cinq heures **(voir n° 575 B)**.

II. Dans une proposition indépendante ou principale

510 bis **Le plus-que-parfait exprime une action, un état antérieurs à un fait passé :**

L'orage *avait cessé*. Le soleil reparut (**ou** : a reparu).
L'orage *avait cessé* quand sonna (**ou** : a sonné) l'heure du départ.

D'où l'emploi du plus-que-parfait dans le titre d'un article de journal pour exprimer un fait qui sert de point de départ au récit :

Le voleur *avait trop bien combiné* son affaire...

L'achèvement peut être présenté, à l'aide d'un complément de durée, comme très vite réalisé :

On a apporté aux chats une assiette de lait; et, *en cinq minutes*, ils *avaient tout lapé*.

Cet emploi s'accorde fort bien avec l'idée de répétition :

Tous les jours, on *apportait*... et en cinq minutes, ils *avaient tout lapé*.

III. Valeurs du plus-que-parfait autres que temporelles

511 **Plus-que-parfait de discrétion :** J'*étais venu* vous demander...

(Venir est peut-être le seul verbe susceptible de cet emploi. On ne dit pas, dans ce sens, j'avais voulu, mais je voulais... v. n° 505.)

Le plus-que-parfait s'emploie après si, en concordance avec le conditionnel passé, pour exprimer un irréel du passé :

A ce moment-là, *si j'avais été plus jeune*, je vous aurais accompagné.

...ou une supposition relative à l'avenir mais traduisant une antériorité, et grevée d'un doute :

Si j'avais retrouvé votre livre *à 7 heures*, je vous l'apporterais.

De même que l'imparfait, le plus-que-parfait exprime, au moyen de comme si, une cause hypothétique, mais alors cette cause apparente se rapporte au passé :

Vous hésitez *comme si j'avais posé* une question obscure — Vous avez hésité *comme si j'avais posé...*

Comme l'imparfait encore, il exprime, après si (F.P.) : le souhait : *Si vous aviez pu* m'expliquer un passage de ce texte... **(= Je voudrais bien que vous m'expliquiez...)**
le regret : Ah! *Si j'avais su!...*
la peur (rétrospective) : Oh! *Si on m'avait vu!...*
l'invitation, le conseil : *Et si tu étais allé* te reposer un peu? **(= Tu devrais aller te reposer...)**

N. B. — Comme il y a un imparfait hypocoristique (v. n° 509) il y a un plus-que-parfait hypocoristique : « Mais oui, parce qu'on *avait été* bien sage, on avait un bon gâteau. »
Pour le plus-que-parfait surcomposé, voir n° 495.

LE PASSÉ ANTÉRIEUR : Quand Jean eut travaillé...

I. Dans une subordonnée (essentiellement F.E.)

512 **Après : quand, après que, dès que... (mais plus rarement après depuis que) le passé antérieur exprime l'antériorité d'un fait passé par rapport à un autre fait traduit par le passé simple :**

Dès que Louis XIV *eut rendu* le dernier soupir, la cour *se sentit* plus libre.

Comparez avec la construction du passé composé et du passé surcomposé, en F.P. :

Dès qu'il *a eu rendu* le dernier soupir, la cour s'*est sentie* plus libre. **Voir n° 493.**

On trouve aussi (F.E.) le passé antérieur avec un verbe principal au passé composé, surtout si le verbe subordonné, employé à la forme pronominale, n'admet point le passé surcomposé :

La mère *a repris* espoir *dès que l'enfant se fut endormi.*

N. B. — La langue courante dira plutôt : dès que l'enfant *s'est endormi.*

Le verbe principal peut encore parfois, en F.E. littéraire, être à l'imparfait de description :

« Dès qu'*on eut* sur son front *fermé* le souterrain,
L'œil *était* dans la tombe et regardait Caïn. »
(Victor Hugo, *La Conscience.*)

ou au plus-que-parfait exprimant l'achèvement :

« Un mois à peine *après que* les éléments avancés *eurent touché* la terre ferme, l'armée de Patch *avait fait* sa jonction avec celle de Patton » (*Le Monde*, 11 août 1964).

II. Dans une indépendante

513 **(et toujours accompagné de :** en un instant, bientôt, **etc.), le passé antérieur marque l'achèvement rapide de l'action, dans un contexte au passé simple (F.E.) :**

On apporta une assiette de lait; et bientôt le chat *eut tout lapé*.

En F.P. : On a apporté une assiette de lait, et le chat *a eu vite fait* de tout laper.

LE CONDITIONNEL

Jean travaillerait si... — Jean aurait travaillé si... — On savait que Jean travaillerait (plus tard).

Le conditionnel traduit essentiellement un fait éventuel : aussi de nombreux linguistes le rapprochent-ils du futur[1].

514 **Ce fait éventuel est lié, en principe, à la réalisation, soit :**

a) d'une vraie condition :

Je vous *téléphonerais s'*il y avait nécessité.
Je vous *aurais téléphoné s'*il y avait eu nécessité.

515 **b) soit d'une simple supposition :**

Si (par hasard) *il y avait* nécessité, je vous téléphonerais.
Si (par hasard) *il y avait eu* nécessité, je vous aurais téléphoné[2].

N. B. — Le français emploie très souvent l'indicatif dans ces deux cas, mais avec une nuance de plus grande probabilité[3] :

1. Je ne vous *téléphonerai que s'il y a* nécessité.
Elle ne lui *a téléphoné que s'il y a eu* nécessité.

2. *S'il y a* nécessité, je vous *téléphonerai*.
S'il y a eu nécessité, elle lui *a téléphoné*.

EMPLOI DES TEMPS DU CONDITIONNEL

Le conditionnel présent

516 **Il est lié :**

- **à un fait réalisable dans l'avenir (= le possible) :**

Si le temps le permettait **(demain)**, je vous *accompagnerais*.

1. V. n° 470, note 1) : le conditionnel est-il un mode?
2. On remarque que la **condition proprement dite** se place le plus souvent en **deuxième position**. L'accent est mis ainsi sur cette partie de la phrase. Au contraire, quand il s'agit d'une simple supposition, c'est la **principale** qui normalement vient en **deuxième place**.
3. Voir, pour l'expression de la condition et de la supposition, les n°s 738 à 763.

- **à un fait qui n'est pas réalisé dans le présent (= l'irréel) :** Si j'avais vingt ans de moins **(maintenant)**, je vous *accompagnerais.*
- **à un fait qui ne s'est pas réalisé dans le passé (= l'irréel) :** Si j'avais obtenu son accord **(hier)**, je *saurais* comment agir.

Le conditionnel passé

517 **Il est lié à un fait qui ne s'est pas réalisé dans le passé :**
Si j'avais obtenu son accord, *j'aurais su* **(hier)** comment agir.

N. B. — Le conditionnel passé peut, cependant, se rapporter au présent ou à l'avenir : Si j'avais eu vingt ans de moins, je vous *aurais accompagné* **(maintenant ou demain) — Ici, c'est un irréel. Il peut encore se rapporter à l'avenir, en exprimant le possible, s'il est lié à un fait lui-même éventuel :** Si l'on me *confiait* (un jour) cette affaire, je l'*aurais* vite réglée.

A l'irréel du passé, on trouve souvent (en F.E.) ce qu'on appelle encore parfois la 2e forme du conditionnel passé, c'est-à-dire le subjonctif plus-que-parfait. Les combinaisons suivantes sont possibles :

S'il *eût su*, il *eût agi* autrement.
S'il *eût su*, il *aurait agi* autrement **(combinaison plus rare).**
S'il *avait su*, il *eût agi* autrement.
S'il *avait su*, il *aurait agi* autrement **(combinaison la plus courante).**

518 **Dans le sens de même si, on trouve souvent le conditionnel, sans conjonction :** *Accepterais-tu* (*qu'*) il serait trop tard **et aussi, surtout en F.E., l'imparfait ou le plus-que parfait du subjonctif :**

Le méchant, *fût-il* prince, n'est qu'un gueux.
Eût-il vaincu à Waterloo, Napoléon était voué à une chute prochaine **(voir n°s 755 bis-755 ter).**

Le conditionnel proprement dit est également possible, même en F.P. : Le méchant, *serait-il* un prince... *Aurait-il* vaincu... **Mais le F.P. dira plutôt :** Quand même il *serait* un prince... **ou :** Même s'il *était*...

519 **Le conditionnel, exprimant un fait éventuel, peut s'inscrire dans une subordonnée, dépendant elle-même d'une éventualité. C'est là un emploi très étendu, surtout en F.P., du conditionnel présent ou passé.**

Si vous agissiez de telle façon que vos amis *seraient* satisfaits... **(F.E. :** ... *fussent* satisfaits.)
Il peut partir à dix heures, mais, *dans ces conditions*, il partirait après que l'autre *serait arrivé*.

Futur du passé et futur antérieur du passé

520 **Du fait de son origine, et de sa valeur d'éventuel, le conditionnel présent (ou passé) remplace le futur (ou le futur antérieur) dans une subordonnée dépendant d'un verbe au passé**[1] : On savait qu'il *pardonnerait* un jour — qu'il *aurait pardonné* d'abord.

Mais, après un verbe principal au passé composé, cette substitution n'est obligatoire que si l'action exprimée par la subordonnée se situe elle-même au passé, ou au présent, par rapport au narrateur :

Il a dit, avant hier, qu'il *reviendrait le lendemain* — Il a dit qu'il *serait revenu le lendemain soir* — Il a dit qu'il *serait ici en ce moment.*

Si, en revanche, l'action exprimée par la subordonnée se situe dans l'avenir par rapport au narrateur, on peut avoir : Il a dit qu'il *reviendrait demain*, **ou** : qu'il *reviendra demain.*

Ce futur du passé peut prendre place dans beaucoup de subordonnées, par exemple :

dans une relative :

On décida de récompenser celui *qui arriverait* le premier.

dans une interrogative indirecte :

Ils demandèrent *s'ils pourraient* recommencer les épreuves.

ou dans le style indirect libre (v. n° 574 bis,) :

On lui accorda une satisfaction : *il recommencerait* l'épreuve.

Rappelons qu'il existe un conditionnel passé surcomposé (v. n° 495) : Il m'a dit qu'il me recevrait dès qu'il *aurait eu fini* son courrier. **Mais cette forme est rare et n'ajoute qu'une nuance assez faible au conditionnel passé.**

Le conditionnel dans une proposition indépendante

521 **Il peut exprimer :**

- **une éventualité liée à une supposition plus ou moins explicite :**

  Ne faites pas de bruit : l'enfant *s'éveillerait.*

  Venez dès 8 heures. A 9 heures, ce *serait* trop tard.

- **une affirmation nuancée d'une sorte de réserve :**

  Je *voudrais* vous parler — On *dirait* qu'il a peur.

- **particulièrement, un renseignement qu'on ne prend pas à son compte :**

  Aux dernières nouvelles, le blessé *serait* hors de danger; il *aurait été* ramené chez lui.

[En ce sens on n'emploie pas le subjonctif plus-que-parfait[2]**:** *il eût été ramené.*]

1. C'est, en fait, l'emploi le plus ancien du conditionnel : *je parlerais* était, étymologiquement (v. n° 474, note 3) : *j'avais à parler*. C'est pourquoi le subjonctif plus-que-parfait, qui n'a rien d'un futur, **ne peut être employé en ce sens.**
2. Pourtant nous en avons relevé un cas chez Daniel-Rops, mais en coordination avec un premier verbe au conditionnel.

- **l'étonnement** : Quoi! vous me *céderiez* votre tour? (vous *m'auriez cédé*...)
- **la protestation indignée** : Moi, j'*aurais trahi* ma parole!
- **un rêve, un plaisir qu'on imagine** : Voici comme je vois ma maison : elle *aurait* un toit rouge et des volets verts.
- **particulièrement, dans les jeux des enfants** : Je *serais* le cocher, tu *serais* le cheval.

LE SUBJONCTIF

522 **Par opposition à l'indicatif, qui est le mode du fait posé comme tel, le subjonctif est le mode de ce qui est seulement pensé, senti ou voulu. Il traduit essentiellement un mouvement de l'âme[1].**

D'où l'emploi courant du subjonctif pour exprimer :

- **l'ordre ou la défense, concurremment avec l'impératif, mais seulement à la troisième personne[2] :**

  Qu'il sorte! — *Qu'on ne me réplique pas*!

- **le souhait :**

  Ainsi *soit-il*! — Le diable *l'emporte*! — *Que je meure* si je mens!

Le souhait peut, à la 1re personne, impliquer une défense :

« Et *que je ne vous revoie point* dans le pays, ou bien vous aurez de mes nouvelles. » (Maupassant, *Le Vagabond*.)

Dans : « *Plût* au Ciel qu'il fût encore vivant! », **l'imparfait du subjonctif exprime le regret (F.E.).**

- **la protestation indignée** : Moi, *que je fasse* ça!
- **le désir qu'on va réaliser :**

  Ah! *que je vous dise* une nouvelle! (= **je veux vous dire**).

- **la supposition** : *Qu'il dise* un seul mot *et* je le mets dehors!
- **la réserve, introduite par autant que, qui atténue une affirmation :**

  Autant qu'on sache (qu'*on puisse* l'espérer), c'est la paix.

[Noter ici les expressions anciennes (formées du subjonctif de savoir) employées dans une subordonnée avec une principale généralement négative :

Il n'est pas venu, *que je sache*, *autant que je sache*

ou dans la principale elle-même : *Je ne sache pas* qu'il soit venu.]

- **la concession en forme d'hypothèse** : Le méchant, *fût-il* un prince, est un gueux.

1. Selon l'expression de R. Le Bidois (*Le Monde*, 27 mai 1964).
2. Cependant sois, soyons, soyez; aie, ayons, ayez; sache, sont des formes du subjonctif employées pour les 1re et 2e personnes de l'impératif.

523 **[Pour l'emploi du subjonctif dans les propositions sujet ou objet, voir nos 627 et suivants et 637 et suivants.]**

524 **Le subjonctif est, en bonne langue, une nécessité grammaticale après certaines conjonctions exprimant :**

• le temps : avant que, jusqu'à ce que. — Jusqu'à ce que est aujourd'hui rarement suivi de l'indicatif, alors que ce mode était courant dans la langue du XVIIe siècle, pour rapporter un fait réel (voir no 682).

N. B. — Le passé du subjonctif se répand de plus en plus avec après que. Il y a là une influence analogique de avant que. Ce subjonctif (qu'on trouve dans l'ancienne langue) est justifié quand la phrase a une signification d'éventualité (Si tu pars *après qu'on ait dîné...*); **il l'est moins quand la phrase a valeur de fait.**
Et des nuances temporelles précieuses sont ainsi perdues : futur antérieur, passé composé, plus-que-parfait, passé antérieur[1].

Nous conseillons donc de continuer à dire ou à écrire :

Il partira après qu'*on aura dîné* — il part après qu'*on a dîné.*
Il partait après qu'*on avait dîné* — il partit après qu'*on eut dîné.*

525 **• la concession : bien que, quoique :**

Bien qu'il soit malade...

Mais de plus en plus, pour des raisons de clarté et de facilité, apparaissent, surtout en F.P. fam., le futur, l'imparfait de l'indicatif, le conditionnel :

Bien qu'il *sera* content; qu'il *était* content; qu'il *serait* content... **(voir no 724).**

526 **• le but : pour que, afin que, de peur que (et que après un impératif :** Donne donc un bonbon au petit, *qu'*il se taise).

• la conséquence voulue : de (telle) sorte que :

J'ai agi de *sorte que vous ayez* satisfaction — **Comparez (conséquence non voulue) :** Les faits ont évolué *de sorte que vous avez* satisfaction **(voir no 701).**

527 **• la cause niée : non que (F. E.) :**

La Bastille fut détruite, *non qu'elle fût* encore bien redoutable, mais [parce qu']elle était le symbole du despotisme **(v. no 694).**

528 **• la supposition, la condition : à supposer que, pour peu que, à condition que, pourvu que, à moins que :**

Il viendra, *à condition que* le temps le permette.

1. Le sens de la phrase peut même devenir tout à fait obscur. C'est le cas, notamment, quand la proposition après que... se rattache à un groupe sans marque temporelle; par exemple : « Ce qui complique les choses, c'est son arrivée après que Paul *soit parti.* » On ne sait si *l'arrivée* s'applique à un futur, à un présent ou à un passé. Les formes : sera parti, était parti, est parti, fut parti, éclaireraient toute la phrase.

et après un que équivalant à si :

Si tu donnes ta parole et *qu'*ensuite *tu la trahisses...*

(Mais l'indicatif tend à se répandre, voir nos 760-761).

Pour le mode après le pronom relatif, voir nos 416-417.

529 **N. B. — 1. Ici prennent place les faits <u>d'attraction</u> : dans le F.E. (et même dans le F.P.) une proposition au subjonctif (et parfois au conditionnel) commande souvent le subjonctif dans une proposition qui lui est subordonnée :**

« Quelles que *soient* les circonstances qui *puissent* expliquer son erreur... » **(voir n° 417). De même :** « Je me souviendrais qu'elle m'*ait parlé bas.* » (R. Pinget, *Quelqu'un.*)

Les subjonctifs s'opposent nettement à des indicatifs qui exposeraient ou nieraient des faits positifs.

2. On constatera souvent que dans le français d'aujourd'hui le subjonctif obéit à un double mouvement d'extension ou de recul, selon, semble-t-il, que l'accent tend à se mettre sur le sentiment ou sur le fait.

Ainsi le subjonctif est <u>en extension</u> après : j'espère que — il est probable que — il est exact que.

Il est <u>en recul,</u> si l'on considère le progrès de l'indicatif dans les tours comme : je ne doute pas que — il est à craindre que — il est possible que — quoique, bien que, **etc. (dans bien des cas, le souci ou la nécessité de préciser une nuance de temps favorisent l'indicatif).**

Mais, une fois de plus, nous vous conseillons de rester fidèles aux règles et usages traditionnels. En les respectant, vous n'étonnerez personne (voir nos 627 et suivants et n° 638).

530 **Dès maintenant notons qu'après certains verbes, subjonctif et indicatif sont, respectivement et suivant le sens, des nécessités grammaticales :**

Comprendre : Je comprends qu'il ne *viendra* pas **(= De ce que vous dites, je conclus que...).**
Je comprends qu'il ne *vienne* pas **(= Je comprends son désir de ne pas venir — je trouve naturel qu'il ne vienne pas).**

Dire (écrire, etc.) : Je dis (j'écris) qu'il *est* imprudent **(c'est un fait).**
Je lui dis (lui écris) qu'il *soit* prudent[1] **(c'est un conseil).**

Entendre : J'entends qu'on *vient* **(opération des sens).**
J'entends qu'on *vienne* **(= Je veux qu'on vienne).**

Prétendre : Je prétends qu'il *a* tort **(= J'affirme que...).**
Il prétend que son fils *soit* le premier en tout **(= Il exige, par une volonté abusive, que...).**

1. On préfère l'infinitif (v. n° 636) : Je lui dis (lui écris) d'*être* prudent.

Sembler (impersonnel) : Il semble que l'occasion *soit* favorable (ou *est* favorable).
Il *me semble* que l'occasion *est* favorable **(il me semble = je crois).**

Supposer : Je suppose que vous *avez* l'intention de nous aider (= **Je crois que vous avez... Sans doute avez-vous...).**
Je suppose **(ou** : Supposons) que vous *ayez* l'intention de nous aider : dans ce cas, vous devrez apporter vos outils **(il s'agit seulement d'une hypothèse).**

Tenir : Je tiens que le roman *est* aujourd'hui le « genre » universel (= **J'affirme que...).**
Je tiens à *ce que* vous *soyez* prudent (= **Je désire fermement que...).**

LES TEMPS DU SUBJONCTIF

LE SUBJONCTIF PRÉSENT : Il faut que Jean travaille, comprenne...

531 **Il exprime une idée, un sentiment qui se placent dans le présent :**
Autant qu'on *sache*, ce meuble est ancien — Bien que la température *soit* fraîche, nous dînons au jardin.

Mais très souvent le présent du subjonctif se rapporte à l'avenir :
Qu'il sorte! — Il faut que vous *alliez* le voir — Je souhaite qu'il *réussisse.*

LE SUBJONCTIF PASSÉ (OU PARFAIT) : Il faut qu'il ait travaillé.

532 **Il exprime l'achèvement, par rapport à un moment de l'avenir :**
Qu'il *ait fini* dans une heure — Je ferai en sorte qu'il *ait accepté* quand vous reviendrez — Attendez qu'il *ait fini* de parler.

Mais il peut marquer aussi l'antériorité par rapport au présent :
Pour qu'il *ait agi* ainsi, il faut qu'il *ait été* bien imprudent.

L'IMPARFAIT ET LE PLUS-QUE-PARFAIT : Il fallait qu'il comprît... qu'il eût compris...

533 **L'imparfait et le plus-que-parfait du subjonctif sont, en F.E., les substituts respectifs du présent et du passé du subjonctif quand le verbe principal est à un vrai passé[1] (imparfait, passé simple, passé antérieur, plus-que-parfait).**

Comparez : On *souhaite* qu'il *vienne* — On *souhaite* qu'il *soit venu.*
et : On *souhaitait* qu'il *vînt* — On *souhaitait* qu'il *fût venu.*

1. Voir les tableaux de concordance des temps, nos 576, 577 *c* et 577 *bis*.

534 **Toutefois, même dans le F.E., cette règle de concordance ne s'applique plus strictement si le verbe principal est un passé composé (= passé en contact avec le présent) :**

On *a souhaité* qu'il *vienne.*

Et, surtout, si le fait exprimé par le verbe de la subordonnée est, soit considéré comme en dehors du temps, soit envisagé par rapport au moment présent, ou à l'avenir :

La nature *a voulu* que l'homme *ait* l'usage de la parole.

Cette décision, si grave qu'elle *puisse* paraître aujourd'hui (**ou :** un jour), se justifiait alors.

On notera d'ailleurs que, même dans le F.E., l'imparfait et le plus-que-parfait du subjonctif deviennent rares et ne s'emploient guère qu'à la 3e personne du singulier, surtout aux formes monosyllabiques : qu'il fût, qu'il eût, qu'il pût, qu'il fît, etc.

Quant au F.P., il évite, dans tous les cas, l'imparfait et le plus-que-parfait du subjonctif :

On *souhaitait* qu'il *vienne*, qu'il *soit venu.*

535 **Emplois particuliers dans le F.E.**

Dans le F.E. surveillé, ces deux formes remplacent un imparfait et un plus-que-parfait de l'indicatif, là où le subjonctif est nécessaire, même si le verbe principal est au présent :

(Il venait chaque jour) : Qu'*il vînt* chaque jour, c'est certain.

(Il était arrivé depuis le matin) : Qu'*il fût* arrivé depuis le matin, c'est vrai.

De là des tours comme : « Il n'est pas douteux que chaque homme n'*envisageât* **(alors)...** » (Pierre Gaxotte, *Histoire des Français*).

Dans tous ces cas, la langue courante dira, par exemple : Qu'il *soit venu* chaque jour, c'est certain — Il *était arrivé* depuis le matin, c'est vrai.

536 **Le F.E. emploie encore l'imparfait du subjonctif :**

- **avec une valeur de conditionnel, au sens de même si...**

  Le méchant, *fût-il* un prince, n'est qu'un gueux (= ***serait-il* un prince — *même s'il était*...**) — Le *voulût-il*, il ne le pourrait pas (= ***même s'il le voulait***).

- **pour exprimer un souhait non réalisable :**

  Plût au Ciel qu'il *fût* encore vivant. Elle voudrait qu'il *fût* encore vivant (**langue courante :** qu'il *soit...*).

Mais si le souhait est réalisable, le F.E. lui-même n'hésite plus à employer le présent du subjonctif :

Elle voudrait qu'il *vienne* de bonne heure.

537 **Enfin dans une proposition (et que...) coordonnée à un si introduisant une supposition douteuse à l'imparfait de l'indicatif, le F.E. emploie, en stricte correction, l'imparfait du subjonctif :**

Comparez : Si le temps le permet, et que la mer *soit* belle, le bateau sortira **et** : Si le temps le *permettait* et que la mer *fût* belle, le bateau sortirait. **Mais voir nos 761 et 761 bis.**

N. B. — Pour la concordance des temps avec jusqu'à ce que, avant que, voir n° 577.

537 bis **Il existe un passé du subjonctif surcomposé (voir n° 495) :**

On l'a condamné avant qu'il *ait eu répondu.*

C'est une forme rare.

L'IMPÉRATIF : Travaille, travaillons, travaillez.

L'impératif a deux temps, qui tous deux se rapportent à l'avenir :

IMPÉRATIF PRÉSENT

538 **A la 2e personne du singulier ou du pluriel, il exprime :**

un ordre : *Sors!* — *Sortez!* — **une défense** : *Ne sors pas!*

un conseil : *Refusez* cette offre, *croyez*-moi — *N'allez pas* le contredire!

une invitation : *Asseyez-vous*, Monsieur.

un souhait : *Dormez* bien.

une prière : *Donne-nous* aujourd'hui notre pain de ce jour.

Il a parfois une valeur ironique ou d'indignation : Oui, *compte* là-dessus! — *Allez* donc leur demander ça! — *Dormez, ne* vous *gênez pas!*

539 **A la 1re personne du pluriel, il exprime une exhortation, un encouragement adressés à tout un groupe** : *Poussons!* — *Allons-y!*

Mais il peut s'appliquer essentiellement à un seul acteur :

Voyons votre affaire.

Je donnerai, *disons* vingt francs.

L'impératif exprime encore la supposition : *Chassez* le naturel, il revient au galop (= **Si vous chassez...**).

Enfin il entre dans un grand nombre d'expressions figées, ou d'exclamations : *Veuillez* agréer... — *Daignez* accepter[1] — Il te pardonnera, *va*... — *Allons*, ne te fâche pas — *Tiens*, la tache a disparu, **etc.**

IMPÉRATIF PASSÉ

540 **On l'emploie (assez rarement) pour ordonner ou conseiller une action qui devra être achevée à un certain moment du futur :**

Ayez fini pour ce soir.

La langue courante dira plutôt : *Tâchez d'avoir fini* ce soir.

1. Veuillez et daignez sont devenus des sortes d'*auxiliaires* de l'impératif.

L'INFINITIF : Travailler — Comprendre

541 **L'infinitif a, peut-on dire, deux valeurs**[1] **:**
Celle d'un nom, généralement au présent :

La joie de *vivre* (**= de la vie**)

Celle d'un verbe, dans ses divers temps :

Que lui *dire*? — Lui, *avoir* trahi!

L'INFINITIF-NOM PEUT ÊTRE

542 **Sujet** : *Étudier* est toujours profitable. Il est beau de *pardonner*.
Attribut : Souffler n'est pas *jouer*.
Objet direct : J'aime *lire*.
Objet indirect : On l'oblige *à chanter*. Nous parlons *de revenir*.
Complément circonstanciel : Il reçut le choc *sans trembler*.
Complément de nom : Les enfants sont tout à la joie *de partir*.
Complément d'adjectif : Elle est heureuse *de donner*.
Apposition : Il n'a qu'une idée, *mourir*.

L'infinitif peut être formellement substantivé, grâce à l'article :

On lui refuse le *boire* et le *manger*.

N. B. — L'infinitif se construit avec la préposition à après certains adjectifs. C'est une sorte de complément de point de vue :

Une chose *facile à dire* — Vêtements *prêts à porter* — Villa *prête à habiter*.

543 **On notera que, dans les divers cas du n° 542, l'infinitif n'a point de sujet propre. Ce sujet doit être très clairement impliqué dans la phrase :**

Tu aimes lire — On *les* oblige *à chanter* — Le journalisme mène à tout, à condition d'en *sortir*.

On voit que ce sujet est généralement celui du verbe (à un mode personnel) dont l'infinitif dépend (Tu aimes lire) **ou qu'il est représenté par un complément de ce verbe :** On *les* oblige *à chanter*, **même si ce complément n'est qu'implicite :**

Le journalisme mène à tout... **(mène les gens à tout...).**

D'une manière générale, on veillera à ce que l'infinitif prépositionnel ait implicitement le même sujet que le verbe dont il dépend :
Dans : Tu me le diras avant de *partir*, **l'infinitif signifie seulement :**

avant *ton* départ.

Si l'on veut donner à partir un autre sujet que toi, il faudra tourner de manière à bien dégager cet autre sujet :

Tu me le diras avant que *je* ne *parte*, avant qu'*il* ne *parte* — avant *mon* départ, *avant son* départ, **etc.**

1. Elles sont parfois difficiles à discerner, l'infinitif étant essentiellement la forme du *concept* de l'état ou de l'action (M. Cressot). C'est ce qui explique l'emploi de l'infinitif dans certains titres : « Traduire Dante » *(Le Monde* du 5 février 1965*)* — Lire. Écrire (J-P. Sartre, *Les Mots*, titres de chapitres).

Emploi des prépositions de et à devant l'infinitif

544 **Dans bien des cas, ces prépositions, vidées de leur sens premier, jouent, devant l'infinitif, le rôle de particules de soutien :**

- **infinitif sujet :**

De : souvent devant un infinitif précédant le verbe principal :

De travailler [ça] lui a fait oublier son chagrin. (**En F. E.** *Travailler* lui fit oublier...)

Et il faudra dire, quand il y aura postposition de l'infinitif-sujet : Il est agréable *de* lire — C'est une belle chose *d'*étudier (*que d'*étudier) — Mon intention est *d'*étudier — C'est à lui *de* répondre.

- **infinitif objet :**

De et à : seul l'usage peut enseigner ici les diverses constructions (voir nº 636).

VALEURS PROPREMENT VERBALES DE L'INFINITIF

Propositions infinitives (ayant généralement un sujet).

545 **Elle dépendent surtout : a) de verbes exprimant une opération des sens — b) des verbes faire, laisser.**

— Les constructions sont les suivantes si l'infinitif n'a pas de complément d'objet :

a) verbes exprimant une opération des sens :

J'*entends* le chien *aboyer*[1] — Je les *vois sortir*.

On peut construire avec inversion (postposition) du sujet de l'infinitif et dire :

J'entends aboyer *un chien* — Je vois sortir les *enfants*, **aussi bien que :** J'entends *un chien* aboyer — Je vois les *enfants* sortir.

Dans les exemples ci-dessus, les verbes à l'infinitif sont intransitifs. Avec les verbes transitifs, le sujet est toujours antéposé : J'ai entendu *Pierre appeler*.

b) verbes faire, laisser :

546 Je fais *entrer* les enfants (**avec faire, le sujet-nom est postposé à l'infinitif.**)[2] — Je *les* fais *entrer*.
Je laisse *entrer* les enfants — Je laisse les enfants *entrer* — Je *les* laisse *entrer*.

547 **— Mais quand l'infinitif dépendant des verbes de perception ou de faire, laisser, présente, à la fois un sujet et un complément d'objet, les constructions sont plus délicates :**

1. Le Français d'aujourd'hui a le sentiment que *le chien* est complément d'objet, *aboyer* représentant une sorte de qualificatif **(v. 549 bis).**
2. Exemples de l'autre construction chez Gide, en particulier.

a) Verbes de perception :

Je vois *Pierre* donner une aumône **(tour obligatoire).** Je *le* vois donner une aumône **ou (plus rarement, et surtout en F.P. fam.)** : Je *lui* vois donner une aumône **(=** *lui* **équivaut à un vrai sujet de** *donner*[1]**)** — Je *l'*entends dire des sottises **ou** : Je *lui* entends dire des sottises.

Remarquer que dans : J'ai entendu dire *à mon père* que... J'ai vu faire *à mon père* des choses extraordinaires, **à signifie le plus souvent par (que l'on peut d'ailleurs employer).**

548 **b) Verbe faire :**

1. Je *lui* fais écrire une lettre **a deux sens possibles** : c'est lui *qui écrit* cette lettre — **ou** c'est à lui *qu'on écrit* cette lettre.

On tournera donc de façon non équivoque ; par exemple : Je *l'engage* à écrire une lettre, **ou** : J'obtiens *qu'on lui écrive* une lettre.

De même : Je fais écrire une lettre *à Pierre* **peut avoir deux sens. On dira donc plutôt, dans le 1er sens** : Je fais écrire une lettre par Pierre.

On notera à cette occasion l'expression figée : *Je ne le lui fais pas dire — Je ne vous le fais pas dire.* **(Il a dit cela, vous avez dit cela spontanément.)**

2. Le tour : Vous *le faites* dire des bêtises **s'entend en F.P. très fam. Il est sans équivoque, mais nous vous conseillons de l'éviter car, en principe, si l'infinitif accompagnant faire a un complément d'objet direct, c'est le pronom lui qu'on emploie, pour exprimer le sujet de l'infinitif :**

Vous *lui* faites dire des bêtises.

On trouve même lui avec un complément d'objet indirect :

« L'aspect buté de l'enfant *lui* fit changer de manière. » (R. Martin du Gard, *Les Thibault.*)

Si l'infinitif est un verbe réfléchi, on emploie le :

Vous *le* faites *se tromper.*

549 **c) Verbe laisser. Il n'offre guère que les tours suivants :**

Je *le* laisse écrire une lettre — Je laisse *Pierre* écrire une lettre. **Ou F.P. fam.** : Je *lui* laisse écrire une lettre[2] — Je laisse écrire une lettre *à* Pierre (deux sens : *pour* Pierre; *par* Pierre).

549 bis **N. B. — Les verbes exprimant une sensation particulièrement fine ou précise, comme apercevoir, distinguer, percevoir, se construisent le plus souvent avec un participe. Du fait de leur valeur très concrète, c'est le nom qui devient ainsi leur objet :**

J'aperçois nos amis *montant* la côte.

Mais on trouve des exemples de l'infinitif :

« Il *distingue* sur le perron *s'avancer* sa mère » (Gide, *Le Retour de l'enfant prodigue*), construction que Claudel approuve dans une lettre à Gide, du 3 mars 1908.

1. Il est construit comme certains compléments d'agent (voir n° 601).
2. On notera que cette construction est ancienne : Voir Bossuet : « Laissons-*lui* mépriser tous les états de cette vie » (*Oraison funèbre d'Henriette d'Angleterre*).

550 **Verbes d'opinion et verbes déclaratifs :**

Avec ces verbes (dire, croire, espérer, etc.) et avec savoir, la proposition infinitive avec sujet ne se rencontre qu'à l'intérieur d'une proposition relative. Encore est-ce une tournure assez rare, appartenant au F.E.

J'ai interrogé un voisin, *que* je savais *avoir fait* ce voyage[1], *préparer* ce voyage, *devoir faire* ce voyage. **(Variantes de la langue courante :** ... un voisin *dont* je savais *qu*'il avait fait ce voyage — ... un voisin *que* je savais *qui* avait fait ce voyage.)

550 bis **Mais on trouve fréquemment avec ces verbes un infinitif sans sujet exprimé ; ce sujet est, en fait, le même que celui du verbe principal (v. n° 636) :**

Il dit *être* satisfait. Il prétend t'*avoir écrit*.

Autres emplois de l'infinitif

551 **L'infinitif connaît encore toutes sortes d'emplois pour exprimer :**

le fait passé, dans un récit du F.E. : c'est l'infinitif de narration, qui introduit une péripétie soudaine, avec ou sans sujet, et toujours sous la forme du présent :

Il fit une bonne plaisanterie, et tout le monde *de rire*.

l'ordre, la défense, la prescription, ayant le plus souvent une valeur générale :

Ralentir — *Ne pas se pencher* au-dehors — *Faire* cuire à feu doux — *Prendre* trois gouttes matin et soir.

l'avertissement d'avoir à se souvenir. On notera dans un agenda :

Écrire à Jean — *Penser* aux impôts.

le souhait : Ah! *dormir* seulement deux heures!

l'indignation, la protestation : Lui, *avoir fait* ça!

la délibération, l'hésitation (avec un mot interrogatif) :

Que *faire*? — Je ne sais que *faire*, où *aller*.

une supposition ou une cause :

« *A vaincre* sans péril, on triomphe sans gloire. » (Corneille, *Le Cid*.)

la destination, la conséquence (avec un pronom relatif) :

Je n'ai pas d'endroit où *me retirer* — Je cherche quelqu'un avec qui *voyager* **(v. n° 416 bis) ou, comme complément d'un adjectif :** C'est bête *à pleurer* (= **au point de pleurer)** — Un enfant gentil *à croquer*.

Ces constructions sont différentes des tours : un repas facile à préparer, un garçon agréable à fréquenter, **où l'infinitif exprime non une destination, une conséquence, mais une simple précision apportée au sens de l'adjectif (voir n° 542 N. B.).**

1. Ne pas confondre avec un tour comme : Pierre, que je veux être le premier à féliciter, où **que** est objet de féliciter.

Noter encore les expressions : Il met du temps *à venir* — J'ai de la peine *à marcher* — Il a du plaisir *à vous voir* — **où l'infinitif complète une locution verbale.**

Enfin l'infinitif, dans le sens d'une destination, peut compléter un verbe :

J'ai *à écrire* un rapport — **ou un nom :** Voilà *un travail à recommencer*.

552 **On ne confondra pas ce dernier emploi avec celui de l'infinitif construit comme un nom complément d'un autre nom. Dans :** une *scie à découper*, **l'infinitif a la valeur d'un nom (= une scie pour le découpage) ; dans :** *une silhouette à découper*, **il a une valeur plus nettement verbale (= une silhouette qui doit être découpée.)**

LES TEMPS DE L'INFINITIF

Infinitif présent : travailler

553 **Il a une très grande extension. Non seulement il peut exprimer diverses valeurs du présent (v. n° 481) :**

Souffler n'est pas *jouer* — Elle est heureuse de vous *donner*

mais encore il peut exprimer diverses sortes de temps :

le futur : Il espère *réussir* (= **plus tard).**

ou le passé (très rarement) : Après *boire*, il est irritable.

N. B. — Après entraîne obligatoirement l'infinitif passé, si cet infinitif a un complément : Après t'*avoir* consulté.

Un adverbe suffit à conférer la valeur future à l'infinitif présent :

Accepter aujourd'hui, c'est *regretter demain*.

554 Infinitif passé : Avoir travaillé

Il exprime l'antériorité par rapport au verbe à un mode personnel :

Il croit *t'avoir vu* — *D'avoir mal agi* t'empêche de dormir — Il part, il partit, il partira après *avoir déjeuné*.

Parfois l'infinitif passé exprime plus précisément l'action accomplie :

Il faut *avoir vu* cela — Ne partez pas avant d'*avoir réglé* votre note (avant de régler votre note **est possible également, mais sans la nuance d'achèvement).**

Infinitif futur

555 **Il n'existe que dans la périphrase : devoir être, devoir faire, etc., et ne s'emploie que lorsqu'on veut marquer expressément le futur :**

Cette situation semble *devoir durer* quelque temps — ... un voisin que je savais *devoir faire* ce voyage **(n° 550).**

LE PARTICIPE

Le participe est, comme l'infinitif, une forme nominale du verbe; plus précisément, il participe à la fois du verbe (il peut exprimer l'action) et de l'adjectif (il peut qualifier un nom).

LE PARTICIPE PRÉSENT : Travaillant.

I. Participes devenus essentiellement adjectifs, ou adjectifs verbaux

556 **A la façon des adjectifs ordinaires, ils qualifient le nom, soit comme épithètes, soit comme attributs, et s'accordent avec lui en genre et en nombre. Ils traduisent une manière d'être (durable ou non) plutôt qu'une action déterminée :**

Ses yeux *brillants* disent la convoitise — Je l'ai trouvée toute *tremblante* — Nous avons attendu avec une impatience *grandissante* — « La bourrasque *gémissante* battait les vitres » (Maupassant, *Une Vie*).

La valeur adjective de ces participes est si bien établie, que l'orthographe de certains s'est différenciée :

participe *convainquant*; **adjectif** : des arguments *convaincants*.
participe *fatiguant*; **adjectif** : un travail *fatigant*.
participe *adhérant*; **adjectif** : un tronc d'arbre avec les branches *adhérentes*.

Dans certaines expressions figées, l'adjectif verbal équivaut à une relative dont le sujet serait on :
Une séance *payante* (où l'on paie) — Une collation *soupante* **(au cours de laquelle on soupe, si copieuse qu'elle tient lieu de souper, c'est-à-dire de dîner).**

Parfois l'adjectif prend une valeur intensive : une couleur *voyante* **(= que l'on voit bien)** — une rue *passante* **(= où l'on passe beaucoup).**

II. Participes à valeur essentiellement verbale

556 bis **En tant que verbes, ils admettent normalement des compléments, d'objet ou circonstanciels; en outre, ils ont un sujet. En tant qu'adjectifs, ils qualifient ce sujet. Mais ils restent invariables, du moins en principe. F. Brunot et Ch. Bruneau notent dans leur** *Précis de Grammaire historique* :
« C'est un procédé habituel aux écrivains modernes d'accorder certains participes pour marquer une nuance de sens. Flaubert écrit :

« Ils se voyaient *mourants* par les fièvres dans des régions farouches » (*L'Éducation sentimentale*);

mourants, **qui évoque une mort lente, est beaucoup plus expressif que** *mourant* **qui indiquerait une mort instantanée. »**

Nous distinguerons les participes conjoints (construits comme des épithètes immédiates) ; type :

Un portefeuille *contenant* deux mille francs,

et les participes disjoints, qu'une pause plus ou moins longue sépare du nom, ce qui confère au participe la valeur d'une circonstance ; type :

Voyant l'embarras de l'étranger, l'agent se fit plus aimable.

557 **A — Participes conjoints ; type :**

Un portefeuille *contenant* deux mille francs.

a) En F.P. cette construction se rencontre.

Mais la préférence va nettement à la proposition relative : s'articulant sur le nom, elle assure facilement le jeu des temps et des modes.

Si donc le français parlé admet volontiers le participe lorsque la nuance qualificative est encore sensible (Un portefeuille *contenant* deux mille francs), **en revanche il donne le pas à la relative s'il s'agit surtout de souligner l'action : le français parlé ne dira pas :** « Ils ont l'air de gens pêchant », **mais plutôt** « Ils ont l'air de gens *qui pêchent* » — **ni :** « Les autos allant vers la frontière sont nombreuses » **mais plutôt :** « Les autos *qui vont...* »

557 bis **b) En F.E. le participe en « ant » a une fâcheuse réputation de monotonie et de lourdeur, à cause de sa finale.**

Pourtant, les écrivains les plus sourcilleux admettent fort bien ce participe conjoint :

soit parce que précisément sa « lourdeur » concourt à produire un effet :

« ... Le claquement d'une charrette *roulant* au loin dans les ornières » (Flaubert, *Madame Bovary*).

soit parce qu'il permet, par la redondance même, une manière d'insistance :

« Et tout cela *grouillant*, *criant*, tumultueux et furieux, l'étourdit » (Flaubert, *Tentation de saint Antoine*).

soit parce qu'il permet, tout simplement, de varier le tour, et, en particulier, d'éviter la répétition des *qui* **:**

« Le cortège, d'abord uni comme une seule écharpe de couleur, qui ondulait dans la campagne, le long de l'étroit sentier *serpentant* entre les blés verts... » (*Madame Bovary*).

On notera que, parfois, le participe semble l'emporter sur la relative : c'est que celle-ci, en imposant un temps ou un mode trop précis, risquerait de gêner l'énoncé. Lorsque *Le Monde* **du 1er avril 1965 imprime :** « Les organisateurs espèrent une recette supplémentaire d'au moins 100 000 dollars *provenant* de la télévision », **il esquive ainsi la difficulté d'énoncer une précision** (qui *proviendra ?* qui *proviendront ?* qui *proviendraient ?*)

Enfin, nous croyons devoir insister sur l'usage que fait un certain français écrit du participe conjoint, type : « Un portefeuille *contenant* deux mille francs ».

A la façon d'un adjectif, ce participe introduit ainsi une caractéristique, une précision essentielle, une définition. D'où le retour fréquent des formes : *ayant*, *contenant*, *concernant*, *touchant*, *portant sur*, *définissant*, *réglementant*, *montrant*, *tendant à*, *visant à*.

On les rencontre dans les légendes explicatives :

Dessin *montrant* le passage du liquide de A en B.

ou dans la langue de l'administration :

Les personnes *désirant* parler au directeur sont priées de remplir une fiche.

Bien entendu, on ne saurait établir de lois rigoureuses à l'égard du participe conjoint. Dans l'ordre littéraire, par exemple, les écrivains réagissent chacun selon la liberté que requiert la création artistique. Et si certains se laissent aller à multiplier ces participes, d'autres, au contraire, semblent les éviter soigneusement.

558 **B — Participes disjoints (séparés, par une pause, du nom auquel ils se rapportent) ; type :**

Voyant l'embarras de l'étranger, l'agent se fit plus aimable.

Le participe peut alors, soit précéder le nom, soit le suivre, soit prendre place à la fin de la proposition principale dont ce nom est sujet :

Construction 1 : *Voyant* son embarras, l'agent se fit plus aimable.
Construction 2 : L'agent, *voyant* son embarras, se fit plus aimable.
Construction 3 : L'agent se fit plus aimable, *voyant* son embarras.

Dans le F.P. ces emplois du participe sont plutôt rares. La langue écrite littéraire, en revanche, les admet fort bien, parce qu'ils permettent d'associer une grande variété de valeurs à une certaine concision de forme.

Le participe ainsi employé, peut exprimer :

558 bis **a) La cause, comme dans l'exemple ci-dessus** (« Voyant son embarras... »). **Alors les constructions 1 et 2 sont plus fréquentes en F.E. Le F.P. fam. introduit parfois** *parce que* **devant le participe, en construction 3 :**

Il a refusé, *parce que craignant* d'être trompé.

b) L'opposition-concession :

Il est parti en mer, *sachant* [pourtant] la tempête imminente.

La construction 3 est usuelle, même en français écrit — Le F.P. fam. introduit souvent : *bien que*, *quoique* **devant le participe :**

Il est parti, *quoique sachant* la tempête imminente.

c) La supposition, la condition :

Elle réussirait mieux, *s'y prenant* autrement.

Ici, la langue courante utilise plutôt le gérondif (voir n° 559) :

... en s'y prenant...

d) La simultanéité :

Lui *prenant* la main, il le regarda affectueusement. **(Surtout F.E.)**

Ce dernier emploi offre une riche gamme de nuances qui développent les circonstances d'un fait donné, souvent pour le décomposer en ses divers aspects, toujours pour l'éclairer. Les exemples sont extrêmement nombreux dans le français moderne et contemporain :

« Elle biffa à coups de crayon les quatre premières colonnes, *rayant* chaque nom de saint jusqu'au 2 mai... » (Maupassant, *Une Vie*) — « *Refusant* depuis son arrestation de répondre aux questions des enquêteurs, il avait entrepris une grève de la faim » (*Le Monde*, 1er avril 1965) — « Un parti de soldats de l'armée de Condé envahit l'abbaye, dévasta la basilique, *violant* les sépultures, *brisant* les autels. » (A. Chagny, *Cluny et son Empire*.)

On le voit, nous touchons à l'expression de la manière. Mais ici le participe rencontre un concurrent heureux : le gérondif.

C — Le gérondif : En voyant...

559 **A l'origine, cette forme, constituée du participe présent précédé de** « en », **signifie, à la manière du latin** *in videndo*, **qu'un fait a lieu** *dans le cadre* **d'un autre fait, en même temps que lui. Puis, très vite, il a exprimé aussi la manière, le moyen**[1]. **Jusqu'au XVIIe siècle, le participe sans** « en » **a souvent été employé dans le sens d'un gérondif :** « Gagnez une maîtresse *accusant* un rival » **(Corneille,** *Cinna*) — **Encore aujourd'hui :** Chemin *faisant*, je lui ai raconté la chose. **Avec un sens progressif :** Le malade va *s'affaiblissant*. **Mais la forme du gérondif avec** « en », **tend à l'emporter, surtout en français parlé; c'est une tournure ferme, bien articulée, et riche de sens :**

- **La cause :**

En voyant son embarras, l'agent se fit plus aimable.

Cet emploi convient au français écrit comme au français parlé.

- **La condition, la supposition :**

Elle réussirait mieux, *en s'y prenant* autrement.

Emploi très fréquent, dans la langue courante.

- **La simultanéité :**

Ne lis pas *en mangeant* — **Fréquent en F.E. comme en F.P.**

- **La manière, le moyen :**

En forgeant on devient forgeron — **Très usuel, F.E. et F.P.**

Dans l'expression de la simultanéité et de la manière, le participe s'est effacé en F.P. devant le gérondif, demeuré ici seul vivant.

1. Le latin de la période romane utilisait aussi la préposition *ad*. D'où l'emploi de *à* (concurremment d'ailleurs avec *par* et *sur*) en ancien français, pour former le gérondif. Il en est resté l'expression : *à son corps défendant* (= *en se défendant*).
Il ne sera question ici que du participe précédé de *en*. Mais il existe aussi des emplois de l'infinitif auxquels on donne parfois le nom de gérondif, par ex. : *à vous entendre, on croirait...* (v. n° 793).

559 bis **<u>Tout en...</u> C'est un tour très employé, surtout dans la langue écrite. Il associe plus étroitement les deux actions, celle du verbe principal et celle du gérondif :**

Elle lit *tout en mangeant.*

Mais, généralement, il introduit une sorte de dissonance entre elles.

Ce tour devient plus rare dès qu'il y a parfaite convenance entre les deux actions.

On ne dira pas : Il écrit tout en faisant des lignes bien droites, **mais** : Il écrit *en faisant* des lignes bien droites, **ou (dissonance) :**

Il écrit *tout en regardant* ailleurs.

Voici des passages où *tout en...* **est bien à sa place :**

« Qu'y a-t-il pour votre service, monsieur le curé? demanda la maîtresse d'auberge *tout en atteignant*, sur la cheminée, un des flambeaux de cuivre. » (Flaubert, *Madame Bovary*) — « Tout *en boitant* de son pied bot il les conduisit sous le porche du Lion-d'or. » (*ibid.*) — **ou encore**: « *Tout en souhaitant* conserver la place de leader du continent noir, Le Caire semble désireux en ce moment de ménager l'Occident » (*Le Monde*, 3 avril 1965).

Mais la dissonance peut être plus sensible encore, et prendre la force d'un contraste :

Tout en prétendant m'aider, il a organisé mon échec.

Ici, l'accent est mis, non sur la simultanéité, comme dans les exemples précédents, mais sur l'opposition (v. n° 721).

<u>Rien qu'en...</u> S'emploie pour souligner que tel ou tel moyen, exprimé par le gérondif, suffit pour obtenir le résultat :

Rien qu'en l'écoutant, vous serez fixé.

REMARQUE **importante :**

Comme lorsqu'il s'agit d'infinitifs prépositionnels (voir n° 543), le sujet implicite des participes (B) et des gérondifs (C) doit être, en principe, le même que celui du verbe principal :

Tout en prétendant m'aider, il a organisé mon échec (C'est *lui qui* prétendait... c'est *lui qui* a organisé...).

Il convient de respecter cette règle de clarté, souvent oubliée dans la langue parlée. « *En partant*, tu m'as dit... » **signifie en bon français :** Quand *tu* es parti... **et non :** Quand je suis parti...

Il y a cependant des cas où, l'équivoque n'étant pas à craindre, le besoin de brièveté l'emporte. On dira et on écrira très bien :

« L'appétit vient *en mangeant* » — « La fortune vient *en dormant* » — « Ça s'apprend *en travaillant* » — « *En déjeunant*, une arête lui est restée dans le gosier » — « Le chemin est plus court *en passant* par la forêt ».

D — **Participes construits absolument.**

560 **Ils ont alors un sujet particulier et forment une véritable proposition; type :** *Le train ralentissant*, les malfaiteurs purent sauter sur le ballast.

Le français écrit utilise cette construction beaucoup plus souvent que le français parlé.

Nous retrouverons ici les divers emplois de (B) et de (C) :

a) **La cause** (voir l'exemple ci-dessus).

b) **L'opposition-concession :**

La tempête menaçant, il est néanmoins parti.

N. B. — Dans ces deux cas, la proposition participe précède généralement la principale.

c) **La supposition, la condition :**

Ses affaires prenant un autre cours, on aurait pu l'aider.

d) **La simultanéité :** « Ce monument fut érigé en 1840, *Louis-Philippe I*^er^ *étant* roi des Français. »

La manière ne s'exprime guère par le participe absolu. Et les emplois (b) et (d) sont rares, même en F.E.

En revanche l'emploi absolu d'un participe développant les circonstances d'un fait (voir 558 bis, d) est fréquent :

« Le printemps éclatait, mais sous forme de fleurs, les *œillets de Nice se mêlant* aux arums, aux lilas, aux jonquilles » (*Nice-Matin*, 30 mars 1965).

On trouve même des participes absolus sans sujet dans certaines expressions, de la langue administrative notamment :

S'agissant de la circulation automobile, le contrôle sera sévère — *Concernant* votre demande d'indemnité, nous vous prions de passer à notre bureau.

Mais ces expressions vivent ailleurs que dans la langue administrative; par exemple :

« On peut dire, sans exagération, que l'on assiste là à une transformation capitale des perspectives auxquelles l'esprit humain était habitué *touchant*[1] l'autorité et l'exercice du pouvoir » (A. Latreille, *Le Monde*, 28 mars 1965) — **Et même, pour :** ***il y a*** **:** « ... *N'y ayant plus* une opinion stable et générale, toute critique deviendra combattante. » (P.-H. Simon, *Le Monde*, 23 novembre 1966 [= **« Comme il n'y a plus... »**].

560 bis **Disons un mot du participe attribut, type :**

Je considère son cas *comme relevant* de la psychiatrie.

Ce genre de construction existe en F.P. comme en F.E. :

« Le 1er avril 1965 sera retenu *comme marquant* le véritable point de départ de l'ère nouvelle » (*Nice-Matin*, **30 mars 1965).**

On l'a acquitté *comme n'ayant* pas toute sa raison.

1. La fréquence de cet emploi a fait de *touchant* une véritable préposition.

Il arrive même qu'à la façon de *parce que* **(B) a) et de** *bien que* **(B) b) [voir n° 558 bis], le participe** *étant* **vienne s'intercaler après** *comme*, **quand l'adjectif qualificatif suffirait :**

On l'a condamné *comme* (*étant*) responsable de l'accident.

Le participe attribut de l'objet après des verbes de sensation est souvent remplacé par l'infinitif :

Je le vois *revenir*... (revenant...).

L'infinitif note le fait sans plus. Le participe superpose un aspect duratif et une note descriptive (M. Cressot, *Le style et ses techniques*) — **Mais l'on dira :**

Il semble, il paraît revenir... **et non revenant.**

LE PARTICIPE PASSÉ : Ayant travaillé — (Ayant été) vu.

Participes-adjectifs, ou adjectifs verbaux

561 Employés sans auxiliaire, avec valeur d'adjectifs, les participes passés sont innombrables. La plupart sont d'anciens participes passifs :

Des souliers *ferrés* — une chevelure *fournie* — un interrogatoire *serré* — une voix *couverte* — des avis *partagés*, **etc.**

Quelques-uns ont un sens actif à valeur de présent :

Votre fils *affectionné* **(qui vous affectionne)** — un air *entendu* **(l'air de quelqu'un qui s'y entend)** — une fillette *dissimulée* **(qui dissimule)** — un chef *décidé* **(qui sait décider)** — un ami *attentionné* **(qui a des attentions pour vous)** — des gens *obstinés* **(qui s'obstinent).**

Des verbes intransitifs à auxiliaire être, et certains verbes pronominaux peuvent aussi avoir des participes-adjectifs :

a) Voici une fleur *éclose* — Je pleure mes amis *morts* — Il trouva sa fille *partie*, la concierge *sortie*.
b) Un prisonnier *évadé* — Les enfants *réveillés*, *endormis* — Une femme *évanouie*, **etc.**

Participes-verbes

561 bis Ils sont souvent accompagnés de leur auxiliaire; par exemple : *ayant* pris **(actif)** — *ayant été* vu **(passif)** — *s'étant* réveillé **(pronominal) :**

Ayant pris un somnifère, il s'endormit — *Ayant été aperçus* de l'ennemi, ils réussirent pourtant à s'enfuir — *S'étant réveillée* dès l'aube, elle put partir à 7 heures.

Mais, en F.E., les participes passés des verbes passifs sont fréquemment employés sans auxiliaire (avec souvent une valeur de présent) :

Poursuivis par l'ennemi, ils réussissent à s'enfuir.
(voir aussi n° 574 n° 1).

C'est plus rarement le cas des participes passés des verbes pronominaux : *Réveillée* dès l'aube, elle partit à 7 heures.

Ce n'est jamais celui des participes passés de sens actif, à moins que leur auxiliaire ne soit être :

Partis dès l'aube, nous sommes arrivés à midi — *Arrivés* à midi, nous sommes repartis à 2 heures — **Encore le verbe aller exige-t-il la présence de l'auxiliaire :** étant allé[1].

(Pour le tour : *Abandonné qu'il fut* de ses amis ..., **v. n° 688.)**

Souvent dans le style télégraphique, ou le F.P. fam., le participe passé représente à lui seul un temps composé de la voix active :

dans un télégramme : *Reçu* argent, lettre suit (= **J'ai reçu...**).

dans un agenda : *Vu* le médecin — A 7 heures, *dîné* avec André. *Promené* deux heures.

dans une assemblée : Bravo! Bien *parlé*!

après un rapport administratif : *Pris* connaissance, l'intéressé : Dubois.

à la radio (compte rendu des courses) : Troisième course : 16 chevaux, tous *couru*.

561 ter **On retrouve, pour les participes passés, les mêmes fonctions qui ont été exprimées pour les participes présents.**

Un portefeuille *ayant appartenu* à mon père... (**v. n° 557**).
Ayant vu mon embarras, l'agent se fit plus aimable (**v. n° 558**).
Ses affaires *ayant pris* mauvaise tournure, il fit faillite.
Le marché *conclu*, nous avons éprouvé une vive satisfaction (**Participe absolu v. n° 560**).

Accord du participe passé

562 **Auxiliaire être : le participe s'accorde comme un adjectif[2] :**

Ils sont *nés* — Elle fut *arrêtée*.

563 **Auxiliaire avoir : le participe reste invariable, sauf si un objet direct féminin ou pluriel précède le verbe dont il fait partie, auquel cas il s'accorde en genre et en nombre avec ce complément d'objet.**

Ils ont *applaudi* — **Mais** : les cantatrices *qu'*ils ont *applaudies*... — *Que de films* j'ai *vus*! — Combien de *films* as-tu *vus*? — Je *les* ai tous *vus*.

N. B. — Dans les temps surcomposés, seul le 2e participe doit s'accorder : Cette lettre, il l'a eu bientôt *écrite*...

1. Pour *en allé*, voir n° 605.
2. Pour tous les cas où le participe a la valeur d'adjectif, on pourra se reporter au chapitre **Accord de l'adjectif** (nos 150 à 185).

564 **Verbe à la forme pronominale (auxiliaire être) : Ici encore, il faut distinguer le cas où un complément d'objet direct, féminin ou pluriel, précède le verbe :**

Elle *s*'est *lavée* **(se = objet direct).** Elle s'est *lavé les mains* **(se = objet indirect. L'objet direct, les mains, suit le verbe, donc pas d'accord).**

La canne *qu*'il s'est *fabriquée*... **(que = objet direct féminin).**

Ces rois se sont *succédé* **(se = les uns aux autres = objet indirect, donc pas d'accord).**

565 **Les participes des verbes pronominaux sans valeur réfléchie s'accordent avec le pronom réfléchi (ou, si l'on préfère, avec le sujet**[1]**) :**

Elle *s*'est *évanouie* — Ils *se* sont *enfuis* — Ils *se* sont *aperçus* du vol — Elles *se* sont *saisies* du manteau — Elle *s*'en est *prise* à moi — Ils *se* sont réjouis — Ils *se* sont *refusés* à venir.

Et, avec un sens passif : Ma voiture *s'est* bien *vendue*.

566 **Mais on écrit sans accord (le pronom réfléchi est en somme objet indirect) :** Elles *se* sont *imaginé* que... — Elles *se* sont *figuré* des choses... — **Laissez le participe invariable aussi dans :** Elle *s*'est *plu* à dire... — Ils *se* sont *complu* dans ces subtilités — Elle *s*'est *ri* de vos menaces — Elle *s*'est *arrogé* tous les droits.

567 **Si l'objet direct est une expression de quantité accompagnée de en (= de cela), on écrit, sans accord :**

Des films, j'en ai *vu beaucoup* — J'en ai *vu trois* **(l'objet suit le verbe composé).**

Si en accompagne combien ou tant, placés avant le participe, nous vous conseillons de laisser le participe invariable :

Des films, *combien* en as-tu *vu*? — *Combien* j'en ai *vu*! — J'en ai *tant vu*!

Si en est seul à représenter l'objet, laissez le participe invariable :

Des films, j'en ai *vu*[2]. **(Car en, équivalant à de cela, est une sorte de partitif neutre singulier.)**

568 **On écrira de même :** Elle est plus courageuse qu'on ne l'aurait *cru* : **l' = cela, neutre singulier qui représente la première proposition.**

569 **Laissez toujours invariable le participe d'un verbe impersonnel :**

Les chaleurs qu'il a *fait*... — Les pluies qu'il y a *eu*... — Les efforts qu'il a *fallu*...

1. Comme c'était le cas dès le Moyen Age.
2. Pourtant V. Hugo a écrit : « Cherchez des attentats tels que la voix des hommes
N'en ait point encor *racontés* » (*Quiberon*).

570 **Laissez invariable le participe complété par un infinitif (exprimé ou non) :**

Les ennemis que j'*ai eu* à *combattre*... **(que est l'objet de combattre)** — Il n'a pas versé la somme qu'il aurait *dû verser* — Il n'a pas versé la somme qu'il aurait *dû* — Les achats que nous avons *pensé à faire*... — La robe que tu as *fait couper*, *laissé couper*... — La cantatrice que tu as *entendu* chanter...

N.B. — Dans le dernier exemple, que peut être considéré comme l'objet du participe (et non, comme précédemment, de l'infinitif). L'accord, jadis, était exigé. Mais l'arrêté ministériel du 26 février 1901 tolère, dans tous les cas, l'invariabilité du participe suivi d'un infinitif, ce qui va dans le sens de la langue (voir n° 573).

571 **En revanche, le F.E. respecte encore les distinctions entre :** Les dangers que j'ai *courus* **(que est un véritable objet) et** : Les trois heures que j'ai *couru* **(que = pendant lesquelles, complément de durée)** — Les heures terribles que nous avons *vécues* **et** : Les quelques heures qu'il a *vécu* **(complément de durée)** — Les efforts que ce travail m'a *coûtés* **et** : Les dix francs que ce livre m'a *coûté* **(complément de prix)** — Les récompenses que son dévouement lui a *values* **et** : Les millions que cette maison a *valu* **(complément de prix)** — Les poissons que j'ai *pesés* **et** : Les cent kilos que j'ai *pesé* autrefois **(complément de poids).**

572 **Plus subtiles sont les distinctions, encore observées parfois (mais pour combien de temps?), en F.E., entre** : *Le peu de gens* que j'ai *rencontrés* m'*ont* été d'un grand secours **et** : *Le peu de gens* qu'il *a appelé* à son aide *a* été la cause de sa mort. **Dans le premier cas l'accent est mis sur les gens (d'où le pluriel) — Dans le second l'accent est mis sur le peu (d'où le singulier).**

Distinction subtile encore (et de moins en moins respectée) entre :

Le colis de pommes que j'ai *reçu;* **et** : *Le colis de pommes* que j'ai *mangées.*

572 bis **Après un relatif objet direct, ayant pour antécédent un des suivi d'un superlatif, on peut écrire** : C'est *un des plus beaux* paysages que j'aie *vus*, **ou** : que j'aie *vu.*

573 **Il faut d'ailleurs souligner la tendance très nette du F.P. (et parfois du F.E.) à négliger l'accord du participe avec le compl. d'objet. Cette invariabilité (qui n'est pas uniquement un fait contemporain) se remarque surtout dans les formes pronominales et quand le participe n'est pas en fin de phrase. On entend de plus en plus (et on lit parfois)** : L'idée qu'il s'est *fait* de l'affaire... — Les citations qu'il a *extrait* de ce livre...

Mais comme l'application des règles d'accord des n°s 563, 564 n'a rien d'insolite, même en F.P., nous conseillerons de continuer à les pratiquer, puisque, aussi bien, elles sont respectées de la très grande majorité des écrivains.

N. B. — Pour l'accord de certains participes-adjectifs, ci-joint, vu excepté, etc., voir nos 181 à 183.

Pour l'accord des participes-adjectifs se rapportant à des termes coordonnés par ou, par ni, voir nos 162, 163 ; se rapportant à nous, vous, on, voir no 169.

LE PARTICIPE FUTUR

574 **Il est formé du participe présent du verbe devoir :**

Devant achever mon rapport, je me suis levé très tôt.

Sa structure lui confère une certaine gaucherie. Aussi est-il plutôt rare, sauf avec comme : On le présenta (le présente, le présentera) *comme devant succéder* au premier ministre[1].

STYLE DIRECT, STYLE INDIRECT

574 bis **I.** Elle lui demanda : « *Souffres-tu ?* » Il répondit : « *Je souffre.* »

Ici, les phrases placées entre guillemets représentent les paroles elles-mêmes. Les verbes de ces phrases sont aux temps réellement employés par ceux qui parlent. Cette façon de présenter directement le discours est appelé : style direct.

II. Elle lui demande *s'il souffre*. Il répond qu'*il souffre*.
Elle lui demanda *s'il souffrait*. Il répondit *qu'il souffrait*.

Ici, le discours est introduit par une conjonction (que) **ou un adverbe interrogatif** (si).

Il n'y a plus de guillemets — Le verbe du discours a changé de personne, passant de la 1re ou de la 2e, à la 3e personne.

Enfin, il a pu changer de temps, passant du présent à l'imparfait. Cette façon de présenter le discours s'appelle style indirect — La proposition s'*il souffrait* **forme une interrogation indirecte.**

III. Elle s'informa : « *souffrait-il?* » Il donna sa réponse : « *il souffrait.* »

Ici, les paroles rapportées sont placées entre guillemets. En outre, les personnes et les temps des verbes sont ceux du style indirect. Mais il n'y a ni « que », **ni** « si ». **Cette forme de discours qui supprime les mots subordonnants, mais garde les personnes et les temps du style indirect s'appelle style indirect libre.**

1. Le participe passé sans auxiliaire a pu parfois, grâce à sa valeur imprécise, représenter un futur, même avec un verbe au présent : « *Inauguré* le 16 juillet par les deux chefs d'Etat, le tunnel sous le Mont-Blanc *est* le résultat d'une intelligente coopération. » (*Le Monde* du **10 juillet** 1965). Cette phrase est, à première vue, obscure. Il convenait d'écrire : « Le tunnel... qui *sera inauguré* le 16 juillet etc. ».

PRINCIPES DE LA CONCORDANCE DES TEMPS

574 ter **Nous venons de constater que, dans le style indirect, le temps du verbe subordonné est dans un étroit rapport avec celui du verbe principal :** Elle lui demanda : « *Souffres-tu ?* » **devient en style indirect :** Elle lui demanda s'*il souffrait.* **On dit qu'il y a concordance entre le temps du verbe subordonné et celui du verbe principal. Cette concordance a été signalée aux nos 493 (passé surcomposé), 502 (imparfait de l'indicatif), 510 (plus-que-parfait de l'indicatif), 512 (passé antérieur), 520 (futur du passé), 514-521 (temps du conditionnel), 531-534 (temps du subjonctif).**

Voici sur quels principes repose la « concordance des temps » :

I. La subordonnée est à l'indicatif

Quand le verbe principal est mis à un temps passé, le verbe subordonné passe :

du présent à l'imparfait :

Je crois qu'il dort — *Je croyais* / J'*ai cru* } qu'il *dormait.*

Je l'aperçois qui passe — Je l'*ai aperçu* qui *passait.*

Je l'aperçois quand il passe — Je l'*ai aperçu* quand il *passait.*

Je l'aperçois parce qu'il passe — Je l'*ai aperçu* parce qu'il *passait.*

du passé composé au plus-que-parfait :

Je crois qu'il a dormi — Je *croyais* qu'il *avait dormi.*

Il corrige le chat qui a mangé du fromage — Il *corrigea* le chat qui *avait mangé* du fromage.

Il corrige le chat parce qu'il a mangé... — Il *corrigea* le chat parce qu'il *avait mangé...*

du passé composé au passé antérieur (après quand... en concordance avec un passé simple) :

Il le reconnaît quand il a disparu — Il le *reconnut* quand il *eut disparu.*

du passé composé au passé surcomposé (après quand... en concordance avec un passé composé) :

Je me sens à l'aise quand j'ai dormi — Je me *suis senti* à l'aise quand j'*ai eu dormi.*

du futur au conditionnel (= futur du passé) :

Je crois qu'il viendra — Je *croyais* qu'il *viendrait.*

II. La subordonnée est au subjonctif

a) Ici, la stricte concordance voudrait qu'après un verbe principal au passé, le verbe subordonné soit mis :

du présent à l'imparfait du subjonctif :

Il souhaite qu'elle vienne — Il *souhaitait* qu'elle *vînt.*

du passé au **plus-que-parfait** du subjonctif :

Il souhaite qu'elle soit arrivée — Il *souhaitait* qu'elle *fût arrivée.*

Mais, aujourd'hui, en F.P. et très souvent en F.E., le présent ou le passé du subjonctif sont appliqués uniformément à tout verbe subordonné, que le verbe principal soit, ou non, au passé :

Il *souhaitait* qu'elle *vienne*, qu'elle *soit arrivée.*

b) Si le verbe principal est au **conditionnel** (Je voudrais que...), on emploie couramment aujourd'hui (F.P. et F.E.) le présent ou le passé du subjonctif, là où l'imparfait ou le plus-que-parfait du subjonctif étaient de règle il y a quelques années :

Je *voudrais* qu'il *vienne*, qu'il *soit arrivé.*
J'*aurais voulu* qu'il *vienne*, qu'il *soit arrivé.*

III. Propositions conditionnelles (si...)

On a les types suivants :

Si tu *acceptes*, { il refuse. / il refusera.

Si tu *acceptais*, il *refuserait* (maintenant ou demain).

Si tu *avais accepté*, { il *refuserait* (maintenant). / il *aurait refusé* (hier).

au sens de même si :

Accepterais-tu, il *refuserait* (voir n° 755 bis).
Aurais-tu accepté, il *aurait refusé.*

Voir, ci-après, les tableaux de concordance des temps dans les subordonnées compléments d'objet ou sujets, et, dans les subordonnées compléments de temps, n°s 575 à 577.

TABLEAUX DE CONCORDANCE DES TEMPS

575 **I. Subordonnées compléments d'objet (ou sujets) à l'indicatif (= style indirect)**

A. L'action de la principale est **contemporaine** de celle de la subordonnée.	Elle apprend qu'il dort (maintenant) Elle apprendra qu'il dort (à ce moment-là de l'avenir) Elle apprenait Elle a appris Elle avait appris Elle apprit (quand) elle eut appris } qu'il dormait (à ce moment-là du passé[1])
B. L'action de la principale est **postérieure** à celle de la subordonnée.	Elle apprend qu'il a dormi [qu'il dormait] (hier) Elle apprendra qu'il a dormi [qu'il dormait] (auparavant) Elle apprenait Elle a appris Elle avait appris Elle apprit (quand) elle eut appris } qu'il avait dormi (auparavant[2])
C. L'action de la principale est **antérieure** à celle de la subordonnée.	Elle apprend qu'il dormira, qu'il aura dormi (demain) Elle apprendra qu'il dormira, qu'il aura dormi (plus tard) Elle apprenait Elle a appris Elle avait appris Elle apprit (Quand) elle eut appris } qu'il dormirait[3], qu'il aurait dormi (plus tard)

1. Parfois on a le **présent** dans la subordonnée si l'action qu'elle exprime a une valeur toujours **présente** : Galilée *affirma* que la terre *tourne* autour du soleil.
2. Parfois on a le **passé composé** dans la subordonnée, si l'action qu'elle exprime est envisagée comme antérieure au moment **présent** : Vous ne *compreniez* pas, vous n'*avez* pas *compris* que les découvertes atomiques *ont changé* la face du monde.
3. Si l'action de la subordonnée se situe dans l'avenir du point de vue du narrateur, on peut avoir le **futur** : Il *a dit* qu'il *viendra* demain (voir n° 520).

576 II. Subordonnées compléments d'**objet** ou sujets au **subjonctif**

<table>
<tr><td>A. L'action de la principale est contemporaine de celle de la subordonnée.</td><td>Elle souhaite qu'il dorme (maintenant)
Elle souhaitera qu'il dorme (à ce moment-là de l'avenir)
Elle souhaitait qu'il dormît F.E. (qu'il dorme F.P.-F.E.)
Elle a souhaité qu'il dormît F.E. (qu'il dorme F.P.-F.E.)
Elle avait souhaité qu'il dormît F.E. (qu'il dorme F.P.-F.E.)
Elle souhaita qu'il dormît F.E.
Quand elle eut souhaité qu'il dormît F.E.
} (à ce moment-là du passé)</td></tr>
<tr><td>B. L'action de la principale est postérieure à celle de la subordonnée.</td><td>Elle souhaite qu'il ait dormi (hier)
Elle souhaitera qu'il ait dormi (auparavant)
Elle souhaitait qu'il eût dormi F.E. (qu'il ait dormi F.P.-F.E.) (auparavant)
Elle a souhaité qu'il eût dormi F.E. (qu'il ait dormi F.P.-F.E.) (auparavant)
Elle avait souhaité qu'il eût dormi F.E. (qu'il ait dormi F.P.-F.E.) (auparavant)
Elle souhaita qu'il eût dormi F.E. (auparavant)
(Quand) elle eut souhaité qu'il eût dormi F.E. (auparavant)</td></tr>
<tr><td>C. L'action de la principale est antérieure à celle de la subordonnée.</td><td>Elle souhaite qu'il dorme (demain)
Elle souhaitera qu'il dorme (plus tard)
Elle souhaitait qu'il dormît F.E. (qu'il dorme F.P.-F.E.) (plus tard)
Elle a souhaité qu'il dormît F.E. (qu'il dorme F.P.-F.E.) (plus tard)
Elle avait souhaité qu'il dormît F.E. (qu'il dorme F.P.-F.E.) (plus tard)
Elle souhaita qu'il dormît F.E. (plus tard)
(Quand) elle eut souhaité qu'il dormît F.E. (plus tard)</td></tr>
</table>

577 III. Subordonnées compléments de temps.

A. L'action de la principale est contemporaine de celle de la subordonnée.

Au moment où, quand, lorsque, alors que (Indicatif).

Elle entre au moment où il sort (quand il sort, lorsqu'il sort expriment plutôt la répétition).
Elle entrera au moment où il sortira.
Elle entrait au moment où il sortait (quand il sortait exprime plutôt la répétition).
Elle est entrée au moment où il est sorti (au moment où il sortait accuse la simultanéité).
Elle était entrée au moment où il était sorti (au moment où il sortait accuse la simultanéité).
Elle entra au moment où il sortit (au moment où il sortait accuse la simultanéité).

Comme (Indicatif). **En concordance** aujourd'hui avec un temps au **passé** seulement.

Elle entrait comme il sortait.
Elle est entrée comme il sortait.
Elle était entrée comme il sortait.
Elle entra comme il sortait.

Pendant que, tandis que (Indicatif).

(**N. B. — Tant que** postule le **même** temps dans les deux propositions.)

Elle lit pendant qu'il travaille.
Elle lira pendant qu'il travaillera.
Elle lisait pendant qu'il travaillait.
Elle a lu pendant qu'il travaillait (pendant qu'il a travaillé est plus narratif que descriptif).
Elle avait lu pendant qu'il travaillait.
Elle lut pendant qu'il travaillait (pendant qu'il travailla est plus narratif que descriptif).

B. L'action de la principale est **postérieure** à celle de la subordonnée.	**Quand, après que, dès que, aussitôt que, à peine... que...** (Indicatif[1]). Après qu'il a joué, l'artiste est applaudi — à peine a-t-il joué que l'artiste est applaudi. Après qu'il aura joué, l'artiste sera applaudi — à peine aura-t-il joué que l'artiste sera applaudi. Après qu'il a eu joué, l'artiste a été applaudi — à peine a-t-il eu joué que l'artiste a été applaudi. Après qu'il avait joué, l'artiste était applaudi — à peine avait-il joué que l'artiste était applaudi. Après qu'il eut joué, l'artiste fut applaudi — à peine eut-il joué que l'artiste fut applaudi.
	Depuis que (Indicatif — très rarement le futur ou le passé simple). Depuis qu'il dort sa fièvre tombe [mais : à partir du moment où il dormira, sa fièvre tombera]. Depuis qu'il dormait, sa fièvre tombait. Depuis qu'il a dormi, sa fièvre tombe, est tombée. Depuis qu'il avait dormi, sa fièvre était tombée.
C. L'action de la principale est **antérieure** à celle de la subordonnée.	**Avant que, jusqu'à ce que, en attendant que** (Subjonctif). Elle travaille avant qu'il revienne. Elle travaillera avant qu'il revienne. Elle travaillait avant qu'il revînt F.E. [avant qu'il revienne F.P.-F.E.][2] Elle a travaillé avant qu'il revînt F.E. [avant qu'il revienne F.P.-F.E.] Elle avait travaillé avant qu'il revînt F.E. [avant qu'il revienne F.P.-F.E.] Elle travailla avant qu'il revînt F.E.

577 bis **IV. Autres subordonnées au subjonctif** (but, conséquence, concession, cause [non que...], condition [à condition que...] Voir nos 524 et suivants, et 533.

1. Avec **après que,** le subjonctif passé (construction uniforme qui se répand de plus en plus) efface les nuances, parfois importantes, que marquent le passé composé, le futur antérieur, etc. Vous ne courrez aucun risque à respecter des constructions claires que pratiquent encore d'excellents écrivains. Voir n° 524.

2. ... Avant qu il *soit revenu*, qu'il *fût revenu* expriment l'*achèvement* (v. n° 532).

ACCORD DU VERBE (A UN MODE PERSONNEL)

ACCORD EN PERSONNE

578 **Le verbe s'accorde avec la personne représentée par le sujet :**

Je suis — *Vous* irez — *Pierre* reviendra.

On notera que, dans le cas où il y a plusieurs sujets, de personnes différentes, la 1re personne l'emporte sur la 2e et la 3e; la 2e sur la 3e; le verbe est au pluriel.

Toi et *moi* (nous) *irons*... — Paul et *toi*, vous *irez*...

Pour le vous de politesse et le nous emphatique, voir nos 452, 453.
Pour l'accord avec le relatif, voir no 585 ter.
Pour l'accord du participe passé, voir nos 562-573.

ACCORD EN NOMBRE

Normalement, le verbe prend le nombre du sujet :

Le cheval hennit; *les chevaux* hennissent.

S'il y a plusieurs sujets, le verbe se met au pluriel :

Le père et la mère *sont* là.

Sujets coordonnés par « et »

579 **Si les sujets sont sentis comme étroitement associés, on peut encore trouver, dans le français d'aujourd'hui, le verbe au singulier, à la manière de l'époque classique :**

« Le bien *et* le mal *est* en ses mains » (La Bruyère).

Ainsi François Mauriac (*De Gaulle*) **:** « Le comte de Paris *et* ce qu'il incarne *fait* partie du jeu français. »

Avec l'un et l'autre, mettez le pluriel : L'un et l'autre *sont* là.

Si les sujets sont des pronoms neutres, le verbe se met au singulier :

Ceci et *cela* lui *est* indifférent.

Comme, ainsi que, de même que, aussi bien que perdent souvent leur valeur comparative pour signifier et, et aussi. Dans ce cas le verbe est au singulier ou au pluriel : Pierre ainsi que Paul *sera* récompensé — Pierre ainsi que Paul *seront* récompensés[1].

579 bis **Quand plusieurs sujets sont chacun précédés de tout (= chaque), le verbe est au singulier :** *Tout* homme de troupe, *tout* officier *sera* tenu de respecter ce règlement.

1. Cet accord valait aussi autrefois pour **avec** au sens de **et** : Le singe *avec* le léopard *Gagnaient* de l'argent à la foire. (La Fontaine, *Le singe et le léopard*). Mais aujourd'hui **avec** est peu employé en ce sens.

580 **Après une énumération de sujets, le verbe est au singulier si l'énumération est résumée par tout, tout le monde, toute l'assistance, chacun, etc. :**

Les jeunes, les vieux, les riches, les pauvres, *chacun* est sujet à la mort.

Il peut même arriver que, en dehors du cas précédent, le verbe reste au singulier, si le dernier terme de l'énumération a plus de relief :

Un mot, un geste, un *simple coup d'œil suffit* à lui donner l'éveil.

Quand le verbe précède plusieurs sujets au singulier, si l'auteur considère séparément chacun d'eux, le verbe peut rester au singulier :

« Demain *viendra* l'orage, et le soir, et la nuit » (V. Hugo, *Les Feuilles d'automne*[1]).

Sujets coordonnés par « ou »

581 **Les grammairiens français enseignent, traditionnellement, que le verbe est au singulier si les sujets sont exclusifs l'un de l'autre, au pluriel dans le cas contraire. En fait, il semble bien que pour des motifs de structure (sujets multiples) le pluriel soit accepté aujourd'hui dans tous les cas :**

La paresse *ou* le zèle de son fils le *laissent* indifférent.

La même construction est possible avec soit... soit... :

Soit l'ami, *soit* l'ennemi *peuvent être utiles.*

Après l'un ou l'autre, le verbe reste généralement au singulier :

L'un ou l'autre *viendra.*

Sujets coordonnés par « ni »

582 **Même observation. On tend à dire, dans tous les cas :** Ni la paresse ni le zèle n'*ont* d'effet sur lui — Ni l'un ni l'autre ne *sont* là.

Remarque. Si l'énumération de sujets coordonnés par ni est résumée par personne, rien, le verbe est obligatoirement au singulier :

Ni les menaces ni les coups, *rien* n'a pu le décider.

Sujets collectifs

583 **Vous devez mettre le pluriel après : beaucoup, la plupart, peu, trop, combien, avec ou sans complément :**

Beaucoup *sont partis* — Parmi les élèves, la plupart *ont échoué.* Combien (de soldats) *ont péri* !

On met très souvent le pluriel après une foule de, une multitude de, une quantité de[2] (et F.P. fam. : une masse de, un tas de) :

Une multitude de soldats *ont* péri — Une quantité de soldats *ont* péri.

Mettez le singulier après : la foule des :

La foule des visiteurs *fut admise* au compte-gouttes.

1. Cité par O. Bloch et R. Georgin, *Grammaire française* (Hachette).
2. Après **quantité de, nombre de, force,** le pluriel est obligatoire : Quantité de gens *ont* péri — Force gens *ont* péri. (C'est qu'alors *quantité* et *force* sont sentis non plus comme des noms, mais comme des *adverbes* de pluralité.)

583 bis **De même, après des noms collectifs comme : l'assistance, l'auditoire, la classe, l'armée, le gouvernement.**

Avec beaucoup de, peu de, tant de, trop de, il faut parfois examiner si le vrai sujet du verbe n'est pas un nom comme : l'abondance de, le manque de, l'excès de, etc., auquel cas, le verbe reste plutôt au singulier :

Tant de prévenances m'*a* séduit — *Beaucoup* de précautions *peut* nuire (= *l'abondance* de précautions *peut* nuire. **Tandis que :** beaucoup de précautions *peuvent* nuire **signifierait :** certaines précautions, nombreuses, peuvent...) **(Voir aussi n° 572.)**

Après une dizaine, une douzaine, une vingtaine, une centaine, un millier, etc., et les fractions accompagnant un pluriel : la moitié, un tiers, etc., le singulier et le pluriel sont employés :

Un tiers des soldats *ont* péri, ou *a* péri — Un tiers *ont* péri, *a* péri — Une centaine *a* péri, *ont* péri.

Mais vous devez mettre le singulier après : douzaine, cent, mille, comme unités commerciales :

La douzaine d'œufs *vaut* 3 francs — Le cent *vaut* 25 F.

Après plus d'un, le verbe est au singulier, en général.

Plus d'un savant s'y *est* trompé.

Après plus de deux, plus de trois, etc., le verbe est au pluriel :

Si plus de deux sociétaires *étaient* absents, la séance n'aurait pas lieu.

C'est...

584 **Si le sujet (réel) est nous ou vous, le verbe reste toujours au singulier :**

Qui a fait cela ? C'*est* nous ; c'*est* vous.

Si le sujet est eux ou elles, le verbe se met soit au singulier, soit (et de préférence, dans le F.E.) au pluriel :

C'*est* eux. C'*est* elles — Ce *sont* eux. Ce *sont* elles — **Mais on dit toujours, à la forme négative :** Ce n'*est* pas eux — Si ce n'*est* eux.

Si le sujet est un nom pluriel, le verbe, en bonne langue, se met au pluriel :

Ce sont des visiteurs, *ce ne sont pas* des visiteurs.

S'il y a plusieurs noms sujets, dont le 1er soit au singulier, mettez c'est, qui est plus courant, du moins en F.P.

Le partage de l'homme, *c'est* la douleur et les maux.

« Il » impersonnel

585 **Quand le verbe est construit à la forme impersonnelle, il reste toujours au singulier :**

Il *vient des visiteurs* — Il *se trouve des cas...* — Il *y a des mécontents* — Il *tombe des grêlons*, etc.

Titre d'une œuvre

585 bis **Mettez le verbe au pluriel si les, ou des, ou ces introduisent le titre.**

La Guerre et la Paix est un roman de Tolstoï — *Mémoires d'un fou* est une œuvre de Flaubert — Mais : les *Mémoires d'un fou* parurent en 1900; *Les Faux-monnayeurs* sont un roman de Gide.

585 ter
Accord du verbe avec le relatif qui

En règle générale, qui, sujet, impose au verbe de la relative le nombre et la personne de l'antécédent (nom ou pronom) :

Je n'ai aucun appui, *moi* qui *suis* orphelin — C'est *toi* qui *as* gagné — Vous êtes l'*homme* qui *convient.*

Après une apostrophe (voir n° 629), l'accord se fait à la 2e personne : Amis, qui m'*avez secouru*, merci!

On distinguera donc :

« Foule qui *répands* sur nos rêves
Le doute et l'ironie à flots » (Victor Hugo, *Fonction du poète*),

où foule **est apostrophe — et :** Je fuis la multitude, foule qui *répand*... **où** foule **est apposition à multitude — ou encore :** Je fuis la foule qui *répand*..., **où** foule **est complément d'objet.**

Règles particulières

a) Quand le relatif a pour antécédents : le seul qui, le premier qui, le dernier qui, le meilleur qui, l'homme qui, etc., employés comme attributs d'un pronom à la 1re ou à la 2e personne, on emploie le plus souvent (surtout en F.P.) la 3e personne :

« Vous êtes le seul qui *puisse* provoquer le retrait de tous les candidats » (*Le Monde*, 16 septembre 1965).

Mais en F.E. on trouve l'accord avec le pronom personnel :

Vous êtes le premier qui vous *plaignez*, le meilleur qui *ayez* paru. **ou encore :** « Gaston Defferre et moi sommes *les deux* hommes qui, avant de Gaulle, *avons* joué un rôle décisif dans l'évolution politique de tout un continent » (*Nouvel Observateur*, 29 septembre 1965).

b) Après : je suis celui qui, nous sommes ceux qui, on emploie couramment la 3e personne :

Je suis celui qui vous *a* écrit. **L'expression biblique :** « Je suis celui qui *suis* » **est une traduction littérale du latin.**

c) Après : un des... qui, un de ceux qui, c'est la 3e personne du pluriel qui est le plus employée :

Vous êtes un de ceux qui *ont eu* le plus de succès.

Mais la 3e personne du singulier se rencontre, surtout en F.P. :

Vous êtes un de ceux qui *a eu* le plus de succès.

et en F.E., parfois la 2e personne :

Vous êtes un de ceux qui *avez eu* le plus de succès.

Pour le mode du verbe après : le seul, le premier, etc., **voir n° 416 bis**

VERBES TRANSITIFS, VERBES INTRANSITIFS

586 **On appelle verbes transitifs ceux qui peuvent avoir un complément d'objet :** *Je vois* la maison, **intransitifs ceux qui ne peuvent pas avoir de complément d'objet :** *Je viens.*
Beaucoup de verbes sont tantôt intransitifs, tantôt transitifs :

Il *rougit* de plaisir. Le vin *rougit* l'eau — *Sortez!* Je *sors* ma voiture.

587 **En outre on distinguera :**
a) Les transitifs directs qui ont un objet direct :

Je vois *la maison* — Je connais *ce garçon.* **(v. pour le passif, n° 596).**

(Il arrive souvent que ces verbes soient employés absolument, sans objet : Le docteur *reçoit* sur rendez-vous — Ne *tirez* pas!)

588 **b) Les transitifs indirects, qui ne peuvent avoir qu'un objet indirect :**

Il nuit *à notre cause* — On s'apercevra *de votre absence.*

Certains verbes sont tantôt transitifs directs, tantôt transitifs indirects, avec des nuances ou même des sens différents :

Pensez *à moi.* Pensez *un nombre* — J'aspire l'*air* frais avec bonheur. Il aspire *aux honneurs.*

Parfois l'objet passe du sens concret au sens abstrait.

Applaudir *quelqu'un*, applaudir *à une décision.*
Atteindre *le rayon* d'une armoire, atteindre *aux honneurs.*

N. B. — Dites plutôt : aider *quelqu'un*; aider *au* succès d'une affaire.

Très nombreux sont les verbes qui peuvent avoir simultanément un objet direct et un objet indirect : Donne *la main à ton frère.*

En principe, il est incorrect de construire avec un seul objet deux verbes exigeant, l'un une construction directe, l'autre, une construction indirecte — On ne dira pas : Il écoute et il obéit *à son père*[1] — **Mais :** Il écoute *son père* et *lui* obéit.

588 bis **Certains verbes généralement intransitifs peuvent être construits avec un objet se rattachant au sens même du verbe (objet interne) :**

Vivre *sa vie* — Dormir *son dernier sommeil* — Pleurer *de vraies larmes.*

N. B. — Dans : Ça fait *jeune* (elle fait *toute jeune*); achetez *français*; votez *socialiste*; roulez *Azur*, **le complément peut être considéré comme un complément de manière** (**voir n° 633 bis**).

1. Mais on trouve des exemples de cette construction, avec le **verbe transitif** en tête : « J'aime et je ne crois qu'à l'action » (*Le Monde*, 22 juin 1965). Le F.P. va plus loin encore.

LES AUXILIAIRES

LES AUXILIAIRES FONDAMENTAUX : avoir — être

Ils entrent dans la formation des temps composés et surcomposés (temps du passé et temps de la forme passive).

Se conjuguent avec l'auxiliaire avoir :

589 • **Les verbes transitifs directs ou indirects (sauf à la forme pronominale) :**

Ils *ont obtenu* leur libération — Vous *avez nui* à vous-mêmes.

(Mais :

Vous vous êtes nui à vous-mêmes.)

• **Certains verbes intransitifs, exprimant l'action et même le mouvement :**

Nous *avons couru*.

Ainsi pour : atterrir — amerrir — alunir — décoller (en parlant d'un avion) — foncer sur — charger sur — marcher — trotter — galoper — nager — voler — sauter — ramper.

Se conjuguent avec l'auxiliaire être :

590 **a) Plusieurs verbes intransitifs exprimant :**
un déplacement d'un point à un autre :

Nous *sommes allés* — nous *sommes arrivés* — nous *sommes partis, repartis* — nous *sommes tombés* — nous *sommes venus, revenus, survenus* — il *est accouru* **(on dira et on écrira aussi :** il *a accouru*).

Ou un changement d'état :

Il *est né* — il *est éclos* — il *est mort*, il *est décédé* — il *est devenu*.

Ou la permanence : il *est resté*, il *est demeuré*.

On dit et on écrit, en parlant de phénomènes météorologiques : La pluie *a tombé* toute la nuit — **au sens de habiter :** Mon frère *a demeuré* vingt ans dans cette maison.

Convenir, au sens de se mettre d'accord, se conjugue avec être et souvent, surtout en F.P., avoir : Nous *sommes convenus* de nous revoir — nous *avons convenu* de nous revoir.
Au sens de plaire à, être agréable à, il se conjugue toujours avec avoir : Cette chambre m'*a convenu*.

591 **b) Tous les verbes à la forme pronominale :**

Elle *s'est évanouie* — Elle *s'est lavé* les mains — Elle *s'est vu* classer première.

c) Tous les verbes à la voix passive :

Les champs *ont été vendus* un bon prix.

Se conjuguent tantôt avec avoir, tantôt avec être :

592 **• Certains verbes de mouvement, selon qu'ils sont employés ou non avec un objet :**

Je *suis sorti;* j'*ai sorti* la voiture du garage — Mon fils *est entré*[1] à l'École des Mines; vous *avez entré* votre bicyclette chez moi — Je *suis descendu* (*monté*) à 5 heures[2]; j'*ai descendu* (*monté*) l'escalier; j'*ai descendu* (*monté*) vos valises — Je *suis passé* le voir; j'*ai passé* un bâton par le trou.

593 **• Certains verbes intransitifs, selon qu'on veut insister sur l'action (avoir) ou sur le résultat (être) :**

Il *a* beaucoup *vieilli* en deux ans. Comme il *est vieilli!* — Ce peuple *a dégénéré* depuis deux siècles. Maintenant, il *est dégénéré* — **De même :** Ce livre *a paru* en novembre. Mon livre n'*est* pas encore *paru* **(mais le F.P. emploie très souvent l'auxiliaire avoir dans les deux cas)** — Le facteur *a passé* à 9 heures. Maintenant il *est passé.* **(Mais au sens de être considéré comme, on dira :** Il *a* passé longtemps pour riche.)

AUXILIAIRES SECONDAIRES

Les uns sont des auxiliaires de temps. Ils expriment :

594 **Le futur proche :** Je *vais* vous apporter ce texte — Je *suis sur le point* de sortir — *Elle doit* revenir demain.

Le passé récent : Je *viens de* vous le dire **(de là, F.P. pop :** Il *sort de* me le dire — Je *sors* d'en prendre!).

Le développement de l'action : Nous sommes *en train de* faire nos comptes — **F.P. fam. :** Nous *sommes à* faire nos comptes.

Les autres sont des auxiliaires de mode.

595 **Ils expriment par exemple :**

• L'obligation :

Tu *dois* t'excuser — Il *faut* lui pardonner — Tu *as à* t'excuser.

1. A propos de ce verbe on ne saurait trop regretter son remplacement (maintenant courant) par **rentrer**. Il n'y a d'ailleurs aucun inconvénient à parler et écrire correctement et à employer **entrer**, sauf s'il s'agit d'une action réitérée : Il est sorti à 9 heures et *rentré* à 10, ou d'un renforcement de sens : Ces chevilles sont faites pour *rentrer* à force, ou de l'expression : Cela *rentre* dans vos attributions.
2. Mais on trouve **avoir**, au sens intransitif, dès l'ancienne langue :
« J'*ai descendu* dans mon jardin / Pour y cueillir du romarin » (chanson du « *Gentil coquelicot* »).

- **La possibilité, l'éventualité :**
  Le vent *peut* s'élever d'ici ce soir — Que votre ami *peut* être désagréable! — Quelle heure *peut*-il être? — Il *se peut* qu'il convienne de ses torts — Vous *avez dû* faire erreur — Ces feuillets *viennent* parfois *à* se perdre.
- **La cause décisive :** Il *faut* qu'elle ait mal entendu.
- **Un fait évité de peu :**
  Nous *avons failli* réussir — Il s'*en faut* de peu (peu *s'en faut*, **F. E.**) que nous n'ayons réussi — J'*ai été pour* le chasser, *sur le point de* le chasser.
- **Le souhait :** *Puisse-t-il* dire vrai!
- **L'action commandée ou provoquée :** Je le *fais* sortir.
  ou tolérée : Je le *laisse* sortir.
- **L'invitation polie, la prière :**
  Veuillez vous asseoir — Mon Dieu, *daignez* m'exaucer.
- **La volonté, le désir, l'intention, le besoin :**
  Je *veux* savoir — Je *tiens à* savoir — Je *désire* savoir — Je *pense*, *je songe à* déménager — J'*ai besoin de* déménager.
- **Le conseil ironique ou négatif :**
  Allez donc lui dire ça! — *N'allez pas* lui dire ça, surtout!
- **L'apparence :**
  Le temps *semble*, *paraît* s'améliorer (*semble vouloir*, *paraît vouloir* se gâter) — Vous *faites semblant* d'approuver.
- **Le début, l'achèvement de l'action :**
  Commencez à dîner — *Il se mit* (il *se prit* **F.E.**) *à* rire — Nous *achevons*, nous *finissons de* dîner.

Ne pas confondre : Il commence *à*, il finit *de* dîner **(actions qui sont à leur début ou à leur fin) et :** Il commence, il finit *par* dîner **(actions qui ouvrent ou terminent une série).**

N. B. — On trouve au passif, dans le F.P. fam. :
Le blé *est fini de* battre — La salle *est commencée de* nettoyer.

- **L'action progressive :**
  Il *va dépérissant* **(F.E.)** — L'affaire *est en voie* d'aboutir.
- **L'habitude :**
  Les poules *ont l'habitude de* se coucher tôt — Ce plat *aime* **(ou** *demande***)** *à* être servi chaud.
- **Le renforcement d'une affirmation (F.E.) :**
  Ces faits *ne laissent pas* d'être inquiétants **(voir n° 807).**

N. B. — On remarquera l'emploi de voir et entendre, de sentir à la forme pronominale, pour remplacer certains passifs :
Il *s'est entendu, il s'est vu condamner* à la prison — Elle *s'est vu offrir* un beau cadeau — *Je me sens saisir* par la main.

LA VOIX PASSIVE (voir nº 466)

596 • Voix active : Pierre *conduira* la voiture.

• Voix passive : La voiture *sera conduite* par Pierre **(par introduit le complément d'agent).**

Le français n'a pas de forme passive spécifique — C'est l'auxiliaire être accompagné du participe passé qui en tient lieu :

L'affaire *est décidée, a été décidée* en cinq minutes.

• Les verbes rester, demeurer, sembler, paraître, passer pour, accompagnés du participe passé peuvent être considérés comme des auxiliaires du passif :

Tu *resteras* aimé de tous tes enfants (= **toujours tu seras aimé**) — Il *semble* aimé de tous (= **apparemment il est aimé**).

• Jamais le verbe devenir ne joue ce rôle. Le français dit : venir à, suivi de l'infinitif passif :

S'il *vient à* être aimé...

• Seuls, en principe, les verbes transitifs directs (v. nos 586, 587), sauf avoir et pouvoir, peuvent être mis au passif[1]. Toutefois on dit et on écrit :

Tu *seras obéi, pardonné.*

(Pour : Il *s'entendit condamner*; voir nº 595, N.-B.).

Dans le tour : « *J'ai eu* le doigt arraché par la machine » **le verbe** *avoir* **prend une valeur d'auxiliaire introducteur d'un passif (= mon doigt a été arraché) mais le tour insiste davantage sur l'intérêt que prend la personne à l'action.**

Passif impersonnel

597 **Quelques verbes transitifs indirects ou intransitifs ont un passif, avec pour sujet le pronom neutre il; ces tours équivalent à on, suivi de la forme active : ils appartiennent surtout au F.E., en particulier à la langue administrative.**

Il fut remédié à cet inconvénient (= **on remédia à...**) — *Il sera mis fin* à de tels agissements — Il va *être statué* sur votre cas — *Il fut procédé* au vote.

N. B. — Ne pas confondre avec les tours impersonnels, où le sujet réel d'un verbe transitif direct est en inversion :

Il a été dit *beaucoup de choses.*

1. Pourtant, en **F.P. argotique,** le verbe *avoir,* au sens de tromper, dominer, admet un passif : « J'ai été *eue* » (Simone de Beauvoir, *Les Belles Images.*)

598 **La forme passive s'applique, en principe, à tous les temps et modes. Cependant une distinction doit parfois être faite entre le passif d'action et le passif de résultat, où le participe a une valeur d'adjectif : le premier seul est susceptible d'avoir un complément d'agent ou un complément du type : « en combien de temps? » :**

Passif d'action

Cette maison *est construite par deux ouvriers* seulement.
Cette maison *sera construite en dix jours.*

Passif de résultat

La maison *est construite* (= **la construction en est achevée**) — Demain la maison *sera construite* (= **sera achevée**).
De même, on distinguera : A 10 heures la porte est *fermée par le concierge* **(action) et :** Maintenant la porte *est fermée* **(résultat).**

599 **Quelle est la fréquence du passif en français? — D'une manière générale, le F.E. et le F.P. préfèrent la forme active ou pronominale à la forme passive, qui a parfois un aspect lourd ou gauche — On dira donc :** Jean *conduit* la voiture — **et, sans sujet précis :** *On lit* beaucoup cet auteur **ou :** Cet auteur *se lit* beaucoup.

Cependant, en dehors du passif de résultat, très fréquent, mais ayant valeur d'adjectif, la forme passive proprement dite est loin d'avoir disparu, surtout lorsqu'on veut mettre l'agent en relief :

Ce carreau *a été cassé par Pierre* — « Le monde ne peut être sauvé que par *quelques-uns* » (A. Gide).

Si, employant la forme active, on voulait mettre le sujet en relief, il faudrait dire, par exemple :

C'est Pierre qui a cassé ce carreau.

Le complément d'agent : « par » ou « de »?

600 **En règle générale, c'est par qui introduit le complément d'agent :**

La voiture sera conduite *par* Jean.

Par introduit un agent, un être actif à proprement parler.

Mais on emploie de :

a) Plus fréquemment après des verbes de sentiment ou d'intelligence (un sentiment, et même une pensée, ne sont pas des actes à proprement parler) :

Il est aimé *de* ses camarades, compris *de* tous.

b) Très fréquemment si l'agent est une idée, une chose abstraite :
Il fut saisi *de peur, d'étonnement* — (**Mais** : Il fut saisi *par* une main ferme[1].)

c) Après des verbes d'accompagnement marquant plutôt une situation qu'une action intentionnelle :
Le chasseur est suivi *de* son chien. **Mais** : La petite fille est suivie *par* un chien hargneux — **De même** : Le prince était accompagné *de* ses gardes. **Mais** : Il fut accompagné *par* les gendarmes jusqu'à la frontière.

On constate que, si des compléments de lieu, de temps, sont associés au verbe, c'est-à-dire si l'action est nettement localisée dans le temps ou l'espace, si elle a une certaine « épaisseur », c'est par qui est plutôt employé.

Aussi de convient-il aux participes n'indiquant plus qu'une sorte d'état, ayant valeur d'adjectifs :
L'étoffe *est bordée* d'un galon — *ornée* de dentelles.

N. B. — Tous les compléments d'agent par de ont pour représentant en : L'étoffe *en* est bordée. — **Et l'on dira (pronom relatif) :**
Le galon *dont* l'étoffe est bordée.

601 La préposition à introduit l'agent dans : Un habit mangé *aux* mites.

602 Un complément d'agent (par...) se trouve parfois aussi après certains infinitifs de forme active : On enverra des patrouilles, en vue de l'attaque *à mener par* le régiment (= **l'attaque qui sera menée par le régiment**) — Je le fais *recevoir par* vous... **ou après un nom d'action** : Son *arrestation par* les gendarmes.

Les adjectifs en -ble tirés d'un verbe transitif, de même que le tour : facile à... sont parfois accompagnés en F.P. de la préposition par :
Cela est *acceptable par* vous, *facile* à régler *par* vous.

Ici, le F.E. construit aussi le complément avec pour : Ce n'est pas *acceptable pour* vous, **à moins que ce complément ne risque de faire équivoque avec un complément indirect d'objet** : C'est *explicable par* vous **est plus clair que** : C'est *explicable pour* vous, **qui peut avoir deux sens : 1)** explicable *par* vous — **2)** explicable *à vos yeux*, de votre point de vue.

Quand l'adjectif n'est pas dérivé d'un verbe transitif et n'a donc pas de valeur passive, par est à proscrire absolument, et on dira :
Route *carrossable pour* des voitures légères — Voie *navigable pour* des bateaux à faible tirant d'eau.

1. Dans : Il fut saisi *d'une main ferme* par son frère, on a : 1) un complément de manière. 2) un complément d'agent.

LA VOIX PRONOMINALE

603 **Un verbe est à la voix pronominale quand il a pour complément d'objet formel un pronom renvoyant au sujet :**

Avec valeur **réfléchie** : Elle *se voit;* tu *te* nuis.
Sans valeur réfléchie : Il s'aperçoit de son erreur.

Le passé composé de ces verbes se conjugue avec l'auxiliaire **être** :

Elle *s'est vue;* elle s'*est nui* (pour l'accord du participe, voir n°s 562 et suiv.).

On distingue :

a) Les verbes **exclusivement pronominaux,** qui n'ont pas à proprement parler de valeur réfléchie et ne possèdent pas de correspondant à la forme active : s'évanouir, s'emparer de, s'arroger, se repentir, s'envoler, s'enfuir, etc.

b) Les verbes **occasionnellement pronominaux,** formés avec des verbes transitifs directs ou indirects, qui prennent alors généralement un **sens réfléchi** : Il *se lave*, elle *se nuit.*

Souvent ces verbes, au pluriel, ont une valeur **réciproque** : Voltaire, interrogé sur ses rapports avec Dieu, répondit : « Nous *nous saluons*, mais nous ne *nous parlons pas.* »

La réciprocité peut être soulignée par certains **compléments** :

Ils se nuisent l'*un à l'autre, les uns aux autres, réciproquement.*

Et, pour quelques verbes, au moyen de : **s'entre...** :

Ils s'*entredéchirent.*

Le F.P. connaît aussi le tour : se rencontrer *avec* quelqu'un, et de même : *se rejoindre, se compléter, se réunir* — Montherlant a écrit : « *S'accrochera-t-elle avec* Brunet ? » (*Le Démon du bien*).

604 On notera :

a) que plusieurs verbes, au lieu de prendre à cette forme une valeur proprement réfléchie, revêtent un **sens tout particulier :**

J'*aperçois* votre fils. Je m'*aperçois* de mon erreur — Nous *battons* l'ennemi. Nous *nous battons* avec lui — On a *dépêché* un messager. *Dépêchez-vous* donc! — Vous m'*ennuyez* avec cette insistance. Je *me suis beaucoup ennuyé* à cette réunion[1].

b) que, en principe, tout verbe transitif direct peut, à la forme **pronominale,** prendre le **sens d'un passif** :

Ces arbres s'*aperçoivent* de loin — Ma maison s'*est bien vendue.*

1. On ajoutera le verbe *amener*, qui en **F.P. pop.** (et chez Sartre, Simone de Beauvoir) prend, à la forme pronominale *(s'amener)*, le sens de *venir, s'approcher* — Remarquer en outre un emploi très fréquent et parfois abusif, même en **F.E.,** de *se sortir* pour : *sortir, se tirer de :* Il ne *se sortira* pas de ses difficultés.

On dit même : Il *se peut* qu'il vienne — Elle vous a cordialement reçu, comme *il se doit*.

N. B. — Parfois (en F.P. fam. et surtout avec une négation) la forme active d'un verbe transitif sans objet prend un sens passif :

Voilà des habits qui jamais ne *brossent*.

D'autre part, on dit couramment :

La corde va *casser* — Cette étoffe ne *lave* pas.

(Il s'agit peut-être de formes pronominales qui pour des raisons d'abrègement (principe d'économie) ont perdu leur pronom réfléchi [voir n° 605]. Mais c'est un type de construction très ancien.)

Certains verbes occasionnellement pronominaux correspondent, avec des nuances différentes, à des verbes intransitifs :

Mourir. *se mourir* (lentement) — rire. *se rire* de (= se moquer de, mépriser) — **et surtout (différence entre l'action continue et l'action commencée) :** aller. *s'en aller* — venir. *s'en venir* — dormir. *s'endormir* **et, F.P. pop.,** trotter. *se trotter*.

604 bis **Aux temps composés de s'en aller et s'en venir, l'adverbe « en » doit, en bonne langue, précéder tout le groupe verbal.**

Il s'*en est allé* — Il s'*en est venu* — **Mais le F.P. fam. dit de plus en plus :** Il s'*est en allé*[1].

605 **Après certains auxiliaires (notamment faire et laisser) plusieurs verbes pronominaux perdent, à l'infinitif, leur pronom réfléchi. Cela est vrai surtout du F.P. :**

Se taire : Faites-le *taire* — **s'asseoir** : Faites-le *asseoir* — **se rencontrer** : Je l'ai fait *rencontrer* avec mon ami — **s'envoler** : L'oiseau, tu l'as laissé *envoler*.

Ce sont là, soit des survivances d'un français ancien, où certains verbes pouvaient s'employer indifféremment à la forme pronominale ou non[2], soit des exemples de cet abrègement que le français pratique de plus en plus.

Et les participes passés (sans auxiliaire) n'admettent jamais le pronom réfléchi : des gens *agenouillés* — des souvenirs *évanouis* — des prisonniers *évadés*. **Verlaine a écrit :**

« Que nous veut ce piège
D'être présents bien qu'exilés
Encore que loin *en allés*? » (*Romances sans paroles.*)

Et Péguy : « Le docteur *en allé* revint sur ses pas. »
(*Toujours de la grippe.*)

1. L'ancien français a dit : Il s'*en* est fui, et nous disons : Il s'est *en*fui. Il y a donc là une évolution qui remonte loin.
2. Par exemple : *sourire* et *se sourire*.

LES VERBES IMPERSONNELS

606 **On les appelle ainsi, bien qu'ils se conjuguent formellement à la 3e personne du singulier, parce que leur sujet apparent il (p. ex. il faut) n'est qu'une particule dépourvue de signification personnelle. Certains grammairiens les appellent d'ailleurs verbes unipersonnels.**

On remarquera que cet « il » cristallise toujours le verbe au singulier :

Il tombe *des* grêlons — *Il* est venu *plusieurs* personnes.

Il est à noter que le terme appelé naguère sujet réel n'est plus toujours senti comme tel, et que sa construction est celle d'un objet :

Il y a *du monde*, il faut *du monde* — *Que* faut-il ?

On peut distinguer :

a) Les verbes exclusivement impersonnels, comme il faut, **et, pour les phénomènes atmosphériques :** il neige, il grêle, il vente, il bruine, il crachine.

(Mais non pleuvoir **et** tonner, **qui peuvent avoir des sujets normaux :** Les coups *pleuvent* — Sa voix *tonne* dans le silence).

b) Les constructions occasionnellement impersonnelles. Ainsi :

Avoir :

Il y a des visiteurs — *Il n'y a qu'à* refuser (**F.P pop. :** *nyaka, yaka*).

Être : *Il est* des circonstances où...

Faire : *Il fait* froid — *Il fait* du vent.

Venir : *Il viendra* beaucoup de monde.

Convenir : *Il convient* de dire.

Sembler :

Il semble utile de la prévenir, **etc.**

et, à la forme pronominale : *Il se peut...* — *Il se vend* des livres.

Très souvent le F.P. pop. ou fam. remplace « il » par ça ou ce :

Ça pleut, Ça crachine, Ça tonne encore — *Ça me fait froid* d'imaginer ces horreurs — *C'*est utile d'aller le voir.

(Pour : *Il* est beau de, *c'*est beau de, **voir n° 303).**

ABSENCE DE VERBE

607 **Souvent, et notamment en F.P., la forme personnelle d'un verbe est absente de la proposition :**

a) Après un mot interrogatif, dans l'interrogation indirecte :

Devinez *qui* — Dites-moi *où.*

et dans le second terme d'une comparaison :

Il travaille mieux que *son frère.*

b) Dans les proverbes et dictons : *Affaire* sans soin, *affaire* de rien.

c) Dans les titres des articles de journal. Le nom est alors généralement un nom d'action :

Rencontre au sommet — *Cambriolage* à la prison.

d) Dans les descriptions en notations rapides :

« Pas un geste. Bras collés aux hanches. Visage complètement figé. Prunelle atone. Un masque » (J.-L. Curtis, *Les Justes Causes*).

e) Dans quantité d'expressions de la langue quotidienne, figées ou non :

A qui *le tour?* — Encore *vous?* — A demain les *affaires* sérieuses — *Entendu!* — Garçon, *un demi!* — *Raison de plus* — *Le temps* de mettre un manteau, je vous accompagne.

Avec un attribut en tête de l'expression :

Coupable, lui? — *Fameux*, ce vin!

et dans les ordres : *En avant!* — *Debout!* — *Chapeau!* etc.

f) Souvent, notamment en F.P. fam., après si, parce que, quoique, comme :

Vous paierez *si* satisfait (si *vous êtes* satisfait) — *parce que* satisfait — *quoique* mécontent — *comme* convenu.

FAIRE, SUPPLÉANT D'AUTRES VERBES

608 **Dans la langue classique, faire pouvait remplacer tout verbe transitif, en se chargeant de ses compléments d'objet directs :**

« Dieu continuera de l'instruire comme *il a fait Joseph et Salomon* » (Bossuet, *Oraison funèbre d'Anne de Gonzague*).

Aujourd'hui, cette construction n'est plus possible, et le complément d'objet direct devient un complément indirect précédé de pour ou avec (noms de personne) ou de (noms de choses) :

a) Aide Pierre comme je *fais avec* Jean (*pour* Jean).

b) Si je déchirais ton livre, comme tu *as fait du* mien?

Très souvent (surtout si faire est employé sans complément), comme je fais **devient** comme je *le* fais :

Tiens ta pioche *comme je le fais.*

INTENSITÉ ET DEGRÉS APPLIQUÉS AUX VERBES[1]

VERBES ORDINAIRES

609 **Intensité forte** : Il aime *beaucoup*, il aime *bien*, il aime *fort* les jardins[2], il aime *extrêmement*, *infiniment*. (**F.P. fam.** : Il l'aime *énormément*, **pop.** : Il l'aime *tout plein*).

N. B. — Très, avec les locutions verbales : J'ai *très faim*, *très soif*, *très froid*[3], tu m'as fait *très mal*, **etc.** — J'ai *grand*-faim, j'ai *grand*-peur **appartiennent plutôt au F.E.**

Autres tours du F.P. pop. : Et je *te* frotte le parquet! — **ou** : « *Astique que j'astique!* » (Bernanos, *Journal d'un curé de campagne*).

Intensité faible : Il aime *peu*, *très peu*, *fort peu* — Il n'aime *guère* — Il aime *un peu*.

N. B. — Il est *quelque peu* surpris **est plus intense que** : Il est *un peu* surpris.

Intensité moyenne : Il aime *assez*, *suffisamment*.

Intensité totale : Il aime *tout à fait*, *on ne peut plus*.

Intensité nulle : Il *n*'aime *pas du tout*, *nullement*, *en rien*.

Excès : Il aime *trop*.

Insuffisance : Il aime *trop peu* — Il n'aime *pas assez*.

Comparaison : **supériorité** : Il aime *plus*, il aime *mieux*, *davantage*.

Pour la comparaison de deux verbes : *plutôt* :
(Il court *plutôt* qu'il ne marche).

Infériorité : Il aime *moins*.

Égalité : Il aime *autant*, il *n*'aime *pas tant*.

Superlatif relatif : Il aime *le plus*, *le moins*.

Degrés dans la comparaison : Il aime *beaucoup plus*, *bien plus*, *un peu plus*, *d'autant plus*.

Exclamation : *Qu*'il l'aime! — *Comme* il l'aime! (**F.E.** : *Combien* il l'aime! **F.P. fam.** : *Ce qu'il* l'aime!) — *Comme* il l'aime *peu*! — Il l'aime *tant*, il l'aime *tellement*[4]! — Il l'aime *si peu*! — *Il l'aime! il l'aime!* — Ah! *l'aime-t-il!* **F.P. pop.** : L'aime-*ti*! — Je l'aime-*ti*!

Et (plutôt en F.E.) : *Combien* il l'aime *plus*! Il l'aime *tellement plus*!

Exclamation indirecte : Tu vois *comme* il l'aime!
et F.E. : *combien* il l'aime!

Interrogation : *Jusqu'à quel point* l'aime-t-il? — *Jusqu'où* l'aime-t-il?

1. Voir Tableaux des adverbes de quantité, n° 210 *bis*, tableau I et le N. B.
2. Mais attention : il parle fort ne signifie pas : il parle beaucoup, mais : il parle avec force.
3. **Très** tend à se multiplier aussi avec des verbes : Il s'est fait *très remarquer*. Ces derniers tours, sans élément nominal, sont à éviter.
4. Et en F.P. (cf. il a *très* faim) : il a *si* faim, *si* froid — et même : il s'est fait *si* remarquer (mais il convient d'éviter **si** avec un verbe, sans élément nominal).

VERBES DE SUPÉRIORITÉ

610 **(Vaincre, dominer, l'emporter sur)**

Il l'emporte *de beaucoup, de peu, d'autant.*
Il l'emporte *totalement, absolument, du tout au tout.*
Il *ne* l'emporte *nullement, en rien.*
Il l'emporte *trop, de trop peu.*
Il l'emporte *davantage, moins.*
Comme il l'emporte! Il l'emporte *tellement*!
Jusqu'où l'emporte-t-il?

VERBES DE PRIX, DE VALEUR

611 **a) Coûter, valoir :**

Cela coûte *cher*, cela coûte *peu*, vaut *peu* — Cela coûte *aussi cher, autant.*
Cela coûte *plus cher, davantage, moins cher* — Cela *ne* coûte *rien.*
Comme cela coûte *cher*! — *Comme* cela coûte *peu*!
Cela coûte *si cher*! — Cela coûte *tellement*! — Cela coûte *si peu*!

b) Acheter, vendre, payer :

J'achète *cher*, un *bon prix — bon marché — plus cher, moins cher, aussi cher* — Acheter, vendre *pour rien.*
J'achète *trop cher.*
Comme je paie *cher*! **etc.**

N. B. — L'expression c'est cher (C'est *plus cher — Comme* c'est cher! **etc.) s'emploie aussi très souvent, au lieu d'un verbe de prix. On se reportera aux degrés dans les adjectifs (voir n°s 208 et suivants).**

FORMATION DE VERBES NOUVEAUX DANS LE FRANÇAIS D'AUJOURD'HUI

• Avec désinences verbales

612 **-ir est encore vivant :** *alunir*[1].

-er l'est davantage :

Joint au radical d'un nom : baratin : baratin*er* **F.P. pop. — vision :** visionn*er* — **solution :** solutionn*er* — **photocopie :** photocopi*er*.

Joint à un radical étranger : kidnapp*er* — shoot*er* **(football).**

1. Condamné en 1966 par l'Académie des Sciences et l'Académie française, mais souvent employé...

Sous la forme -iser (formation très vivante) : américan*iser* — ato-m*iser* — polit*iser* — La seule poudre qui javell*ise* en moussant **(formule publicitaire), etc.**

Sous la forme -fier : plani*fier*.

Sous les formes -ailler, -ouiller (péjoratifs) -oter (diminutif) : mâch*ouiller* — crach*ouiller* — *vivoter* — *toussoter*.

• Avec préfixes

613 **Les préfixes les plus vivants sont :**

post- *post*synchroniser **un film.**

pré- *pré*fabriquer **(surtout au participe :** *pré*fabriqué**).**

sous- *sous*-alimenter.

et surtout :

dé- dés- *dé*politiser — *dés*embourgeoiser.

re- ré- *re*calcifier — *ré*ajuster.

Des préfixes savants (grecs notamment) servent aussi à former des verbes nouveaux : *télé*guider, *télé*commander.

LE SUJET

614 **Le sujet est le terme qui, généralement par sa place devant le verbe, désigne l'auteur de l'action, ou la personne, l'animal, la chose qui se trouvent dans telle ou telle situation :**

Jean conduit la voiture — *Ta place* reste vide.

Le sujet peut être :

a) un nom : *Une femme* conduit la voiture.

(Ce nom peut être précédé de l'article partitif :

Voulez-vous aussi des confitures? — Merci, *du beurre* me suffit.)

un pronom personnel : *Nous* sommes attendus.
un pronom possessif : Votre fils a réussi; *le mien* a échoué.
un pronom démonstratif : *Cela* me plaît.
un pronom interrogatif : *Qui* a sonné?
un pronom indéfini : *Quelqu'un* vient.
un pronom relatif : J'aime les gens *qui* disent la vérité.

b) un verbe à l'infinitif : *Souffler* n'est pas jouer.

c) une proposition subordonnée : *Qu'elle ait refusé* ne m'étonne pas — *Qui a bu* boira.

REMARQUE 1 : **Le complément d'agent est, pour le sens, un vrai sujet, puisqu'il désigne l'auteur de l'action (v. n° 600).**

REMARQUE 2 : **Absence de sujet** — Le sujet est absent devant l'impératif *(Pars)*, souvent devant l'infinitif (Le moment de *décider* est venu), ainsi que dans certaines expressions figées : Fais ce que *dois* — *N'importe* — *N'empêche* que...

LE SUJET EST UN NOM OU UN PRONOM

Place du sujet

615 **En règle générale il est placé avant le verbe. Mais les inversions, c'est-à-dire les postpositions du sujet, sont nombreuses en prose (pour ne point parler de la poésie).**

I. Dans une proposition intercalée (ou incise)

616 **L'inversion est obligatoire :**

Non, répondit *son frère* — Les prix vont, dit-*on*, baisser.

Le F.P. pop. use ici de la relative : Oui, qu'*il dit* **(prononcé** kidi).

REMARQUE : **Les verbes ainsi intercalés sont des verbes d'opinion ou déclaratifs. Mais on trouve aujourd'hui, chez de nombreux écrivains, la même inversion après des verbes exprimant un sentiment ou une attitude, lorsqu'une idée de déclaration s'y trouve associée :**

Non, *refusa-t-il* — Comment? *s'étonna mon frère.*

Il y a parfois abus, notamment quand le verbe exprime un geste, une attitude ou quand il a un complément d'objet.

Déjà, *sourit-il* — « Oui, *humâmes-nous* notre bock » (A. Allais; **mais ici il y a charge, certainement...)**

En revanche, il est toujours correct d'employer ces verbes sans intercalation :

Mon *frère s'étonna* : « Comment? »
Il sourit : « Déjà! »

II. Dans les interrogations

617 a) **Interrogation directe :**

Irons-*nous*? Où êtes-*vous*? Pourquoi as-*tu* fait cela?

Il faut remarquer que je n'est couramment inversé à la 1re personne du présent de l'indicatif que dans les verbes suivants : *ai*-je? *dis*-je? *dois*-je? *fais*-je? *puis*-je? *sais*-je? *suis*-je? *vais*-je? *vois*-je?

Avec les autres verbes on dit, par ex. : *est-ce que* je donne?

N. B. — Les formes *donné-je, aimé-je*, **etc., appartiennent au F.E. archaïque (voir n° 470, note) — Mais** *puissé-je* **(= souhait),** *dussé-je, eussé-je* **(= supposition) sont encore employés en F.E. et (pour** *dussé-je, eussé-je*) **parfois dans un F.P. surveillé :** Je n'irai pas, *dussé*-je en pâtir **(= même si je devais...).**

Cette inversion simple ne se pratique guère que si le sujet est un pronom personnel ou bien on ou ce, qui sont des sortes de pronoms personnels :

Vient-*on*? — Où est-*ce*?

Si le sujet est un nom, un pronom démonstratif (rarement ce), un pronom possessif, ou un pronom indéfini autre que on, le français use de l'inversion dite « complexe », le nom restant à sa place normale, et un pronom personnel redoublant le sujet :

Pierre est-*il* ici[1]? — *Celui-ci* se rappelle-t-*il*?

Cependant, si l'interrogatif est quand? où? comment? l'inversion peut être simple ou complexe :

Où va *Pierre*? — Où *Pierre* va-t-*il*?

Après que (interrogatif neutre) l'inversion simple est seule admise : Que fait *Pierre*?

1. Tour issu sans doute d'une double question : Pierre? Est-il ici? (voir G. Gougenheim, *Structure et économie en linguistique*).

Avec combien le tour correct est, en principe :

Combien de gens *viendront*?

Mais de plus en plus on entend et on lit (comme d'ailleurs dans l'ancienne langue) : Combien de gens viendront-ils[1]?

(Pour l'inversion peu correcte de il avec quel, voir n° 344.)

Le F.P. évite l'inversion — soit qu'il emploie « est-ce que? » : *Est-ce que* tu viendras? — **soit qu'il use de l'ordre normal :** *Il est* malade? **disant même (F.P. pop.) :** Combien *ils sont*? Pourquoi *il a fait ça*?

617 bis **b) Interrogation indirecte (dans une subordonnée d'objet) :**

L'ordre normal reparaît :

Dis-moi si *je fais* bien — Explique-moi pourquoi *tu es* en retard.

Mais, si le sujet est un nom, un pronom démonstratif (sauf ce), un pronom possessif, ou un pronom indéfini (sauf on), l'inversion simple est possible avec où? quand? comment? Encore faut-il qu'il n'y ait pas de nom complément d'objet :

Dis-moi où *est mon père*, quand *viendra le tien*, comment *va celui-ci*.

Dans l'interrogation indirecte, l'inversion complexe est incorrecte. On ne peut pas dire ou écrire : Dis-moi où mon père est-il. **(v. aussi, pour les pronoms interrogatifs, le n° 359).**

III. Dans les tours exclamatifs

618 **On a des constructions semblables à celles de l'interrogation :**

Discours direct :

Est-il généreux! Pierre *est-il* généreux! Quel *fut son étonnement*! Combien de gens *s'y sont trompés*!

Discours indirect :

Tu sais combien *il est* généreux, quel *fut* son étonnement.

IV. Après certains adverbes

619 **L'inversion est de règle, en principe, pour le F.E., après : aussi (= c'est pourquoi) — à peine — du moins — encore (encore faut-il... — Faut-il encore, très répandu en F.P., est contraire au bon usage) — en vain — peut-être — toujours (toujours est-il que...) tout au plus.**

Peut-être acceptera-t-*il*.

Si le sujet est un nom, un pronom démonstratif (rarement ce), un pronom possessif, ou un pronom indéfini (sauf on), l'inversion complexe apparaît :

Peut-être *ce temps* viendra-t-*il*.

On notera que l'inversion est assez fréquente après : ainsi, de même.

1. En revanche, est irréprochable l'expression : Combien viendront-ils? sans nom complément, et signifiant : Combien seront-ils à venir? (Combien = attribut).

Mais le F.P. (et souvent le F.E.) reprend volontiers l'ordre direct après ces adverbes (sauf encore et toujours dans les emplois ci-dessus) :

Peut-être *il acceptera* — Peut-être *qu'il acceptera.*

V. Après certains compléments circonstanciels de lieu ou de temps

620 **Il y a souvent inversion simple lorsque le verbe exprime le mouvement ou l'état :**

Alors *se répandit la nouvelle* de son retour — Au fond de la cour *restait une vieille échelle* toute vermoulue.

Cette élégante inversion permet de dégager le verbe, surtout si le sujet est alourdi de compléments, et de mettre en relief ce sujet — Même inversion facultative après quand, lorsque, les comparatifs : comme, ainsi que, plus que, etc.

Quand vient la belle saison, je me mets en route.

Comme disait avec sagesse Victor Hugo :
« Couché à dix, levé à six,
Fait vivre l'homme dix fois dix. »

VI. Après un attribut jeté en tête de la phrase

621 **L'inversion est de règle :**

Rares seront les absents — *Tel* était l'homme que... **(mise en valeur des attributs.)**

VII. Après le pronom relatif objet direct « que »

622 **L'inversion est facultative, toujours avec le même effet de dégagement du verbe et de relief du sujet :**

Je suis heureux de vos succès que *justifient de grandes qualités* d'esprit et de cœur.

Les sujets ne peuvent pas être, alors, des pronoms personnels (ni *on* ou *ce*).

VIII. Dans les expressions de concession : pour... que soit... — si... que soit... (voir n° 728)

623 **L'inversion simple est normale :**

Pour tenaces *que soient les ambitions* de l'homme, elles accusent sa faiblesse. **Mais, avec un pronom personnel, on, ce :** Pour tenaces qu'*elles soient...* — Si tenace qu'*on soit...* — Si vrai que *ce soit...*

N. B. — Mais on dit également, avec si et un pronom personnel ou on : *Si* tenaces *soient-elles*, les ambitions accusent... — Si tenace *soit-on...*

IX. Avec certains verbes suivis de l'infinitif (voir nos 545 à 549)

624 Il *laisse son frère entrer*, **ou** : Il *laisse entrer son frère* — Il *entend chanter* les oiseaux, **ou** : Il *entend* les *oiseaux chanter.*

Mais, avec faire :

Il *fit entrer son frère* **(inversion obligatoire).**

N. B. — Le pronom personnel se place avant l'auxiliaire :

Il *la laissa, la fit* entrer — Il *les entend* chanter.

X. Enfin il existe des inversions (expressions figées, tours littéraires) justifiées par l'usage ou la mise en relief :

625 Deux ôtés de trois, *reste un*[1] — *Soit une droite* AB... **(= supposition)** — *Vivent les vacances* **(écrit souvent :** *Vive* les vacances, **car le verbe n'est plus senti comme tel)** — *Fasse le Ciel* qu'il survive! — *Puissent-ils* revenir! — **On trouve même des inversions très artificielles :** « *S'impose davantage le dialogue* de M. Sartre avec le parti communiste » (Max-Pol Fouchet, *L'Express*, 1er nov. 1964).

On évitera toute inversion du sujet quand le verbe en cause a un complément d'objet (autre que le pronom relatif ou le pronom personnel). Et l'on ne dira plus, comme Corneille, dans *Polyeucte* **:**

« Allons fouler aux pieds ce foudre ridicule,
Dont arme *un bois pourri* **(objet)** *ce peuple* trop crédule **(sujet)** ».

En revanche on dira très bien avec un pronom personnel objet :

Comme *le* veut *ta mère*...

LE SUJET EST UN INFINITIF

626 **Il s'agit de tours comme :** *Partir*, c'est mourir un peu — *Partir* n'est pas toujours mourir.

Parfois de précède l'infinitif :

« *De* déduire froidement les conséquences de son amour ne l'empêcha pas d'aimer avec exaltation » (Roger Vaillant, *La Loi*).

Si l'infinitif est postposé, ce « de » est obligatoire :

Cela me chagrine *de* refuser — Il me coûte *d'*accepter[2].

LE SUJET EST UNE PROPOSITION SUBORDONNÉE

I. Une proposition conjonctionnelle[3]

627 Il est certain *que la paix est un bien fragile* **(postposition du sujet : c'est le cas le plus fréquent).**

1. Le verbe **rester** est très souvent antéposé au sujet : « *Restait* cette redoutable infanterie de l'armée d'Espagne... ». (Bossuet, *Oraison funèbre de Louis de Bourbon*) — *Restent* trois livres qui n'ont pas trouvé d'amateurs — *Reste* à savoir si...

2. Certains impersonnels comme : *il faut, il convient de, il importe de, il me tarde de*, admettent aussi la construction avec un infinitif. On peut discuter pour savoir si ces infinitifs ont encore fonction de sujet, ou si l'évolution de la langue leur confère fonction d'objet.

3. Voir, n° 850 — Nous dirons subordonnée **conjonctionnelle** plutôt que « subordonnée conjonctive ».

Le mode est l'indicatif après les verbes ou locutions verbales exprimant une constatation ou une probabilité :

Il est certain, il est *notoire* que ses affaires *ont* mal tourné — Il est *probable* que le temps s'*est* gâté.

(Cependant le subjonctif marque des points, surtout en F.P., après des expressions où la constatation peut prendre un caractère vigoureux : Il est *exact* que vous *soyez* fautif[1].)

Après il est décidé, entendu que, on emploie l'indicatif :

Il est décidé qu'on *ira*...

Après les verbes exprimant une apparence, l'indicatif gagne du terrain :

Il *semble* que le temps s'*est* gâté **(mais :** Il semble que le temps *se soit* gâté **reste très correct).**

Avec il me semble (= je crois) on doit employer l'indicatif :

Il *me semble* que le temps *s'est* gâté.

De même on dira : *Il apparaît, il paraît* que nos affaires *vont* mal.

627 bis **Le subjonctif est employé, normalement, après ces verbes ou locutions verbales, s'ils sont à la forme négative ou interrogative :**

Il *n*'est *pas* certain que la paix *soit* durable — *Est-il* certain que la paix *soit* durable? — Il *ne* semble *pas* que le temps *se soit* gâté.

Mais, même en F.E., on trouve l'indicatif (surtout s'il s'agit de traduire un futur) :

Il *n*'est *pas* certain que le temps *se gâtera*;

ou le conditionnel :

Il *n*'est *pas* certain que le temps *se gâterait* si le vent tournait au sud.

Le subjonctif est encore employé normalement avec les mêmes verbes, si la subordonnée est en tête :

Que la paix soit durable (ce) n'est pas certain.

Il est obligatoire, en général, après les verbes ou locutions impliquant nécessité, convenance, sentiment : il faut[2], il est nécessaire, il convient, il est pénible, il est bon, il est juste, il est normal, naturel, fréquent, exceptionnel, qu'il en *soit* ainsi.

Mais après il arrive que, on emploie soit l'indicatif, soit le subjonctif.

Il arrive que l'on *comprend* mal; il arrive que l'on *comprenne* mal.

627 ter **Enfin, avec les verbes et locutions exprimant le doute, la crainte, la possibilité, le français, depuis le XVIe siècle au moins, a hésité entre le subjonctif et l'indicatif. Au XIXe siècle, le subjonctif l'a emporté.**

1. Voir G. Gougenheim, *Structure et économie en linguistique.*
2. Le tour : Il faut *qu'il aille* est parfois remplacé, en **F.E.,** par : Il *lui* faut aller. Vous ne l'entendrez plus guère en **F.P.,** et c'est dommage : il se recommandait par l'élégance.

Mais, de nos jours, il y a de nouveau extension de l'indicatif.

La situation est assez mouvante. Voici quelques remarques utiles (nous associons ici subordonnées sujet et objet, v. aussi nos 637 à 639 :

a) Expression du doute :

Il est douteux que (et : je doute que, avec une subordonnée objet — voir nos 638 et suiv.) : le conditionnel est possible :

Il est douteux, je doute qu'elle *viendrait*, si on l'invitait.

Le futur se trouve aussi :

Il est douteux, je doute qu'elle *viendra.*

Mais le subjonctif reste le plus sûrement correct :

Je doute *qu'elle vienne*, si on l'invitait.

- **Avec une négation (il n'est pas douteux, nul doute, je ne doute pas) le subjonctif reste toujours correct :**

Il n'est pas douteux *qu'elle vienne* **(ou plutôt :** qu'elle *ne* vienne).

Mais comme un doute nié équivaut à une affirmation, l'indicatif et le conditionnel sont, depuis toujours, des modes parfaitement reçus :

Il n'est pas douteux qu'elle *a refusé*, qu'elle *avait refusé*, qu'elle *refusera*, qu'elle *refuserait* — « Personne ne doute, à l'O.N.U., que le débat sur le fond, s'il doit avoir lieu, *sera* stérile et ne *comportera* aucune solution. » (*Le Monde*, 3 février 1966.)

b) Expression de la crainte :

Il est à craindre que, je crains, j'ai peur que.

Ici, encore, l'ancienne langue offre de nombreux exemples de l'indicatif ou du conditionnel.

« Je crains que c'*est* un traître » (Montaigne, *Essais*) — « Je crains bien que tous ces petits sophistes grecs *achèveront* de corrompre les légions romaines » (Fénelon, *Dialogues des Morts*) **[Exemples cités par Littré].**

Et le français d'aujourd'hui emploie parfois ces modes, quand la crainte se rapporte à l'avenir :

« Il est à craindre que nous *devrons* faire face... » (*Le Monde*, 28 juillet 1964) — « On craignit que le temps *manquerait.* » (*Le Monde*, 17 juillet 1965).

Mais il semble que l'implantation de l'indicatif ou du conditionnel soit ici moins profonde qu'avec les expressions de doute, et nous recommandons l'emploi du subjonctif qui, en aucun cas, ne surprendra.

c) Expression de la possibilité :

Il est possible que, il se peut que, il est question que.

L'indicatif et le conditionnel n'étaient pas rares au XVIIe siècle :

« Est-il possible que vous *serez* toujours embéguiné de vos apothicaires ? » (Molière, *Le Malade imaginaire*).

Aujourd'hui le subjonctif l'emporte, mais l'indicatif se trouve surtout si une expression moins « douteuse » vient s'interposer :

« Il est *possible*, sinon *probable*, qu'il *s'est suicidé* » (Maurice Garçon — *Le Monde*, 1er février 1966).

Après: il est vraisemblable, le mode est normalement l'indicatif. Mais Gide, parmi d'autres, a écrit : Il est vraisemblable qu'elle *n'ait* pu... (*Souvenirs de la Cour d'assises*).

628 **Quand et si peuvent, surtout en F.P., introduire** une sorte de **sujet, après c'est...**

C'est agréable, *quand* on revoit ses enfants.

C'est un miracle *si* tes amis te reconnaissent sous ce déguisement **(v. aussi n° 639).**

II. Une proposition relative

628 bis **Elle peut aussi être sujet :**

Qui vivra verra.

Le relatif n'a pas, alors, d'antécédent. Le mode est l'indicatif ou, s'il y a lieu, le conditionnel :

Qui agirait ainsi serait un lâche.

N. B. — L'interrogation indirecte sujet est rare, mais non impossible :

Pourquoi il a fait cela, ce n'est pas facile à expliquer.

Dites plutôt: *Expliquer pourquoi* il a fait cela n'est pas facile; **ou mieux encore :** Il n'est pas *facile d'expliquer pourquoi* il a fait cela.

L'APOSTROPHE

629 **Apostropher quelqu'un c'est l'interpeller brutalement :**

Hé, *l'homme!* Haut les mains!

En syntaxe, l'apostrophe est le terme (nom ou pronom) qui, associé ou non à un verbe de la 2e personne, désigne celui à qui l'on parle :

Pierre, tu as raison — *Garçon*, un demi! — J'ai bien du chagrin, *mon cher ami* — Oh! *Jean*! **(reproche, étonnement, appel à l'attention).**

Il ne faut pas confondre l'apostrophe et l'exclamation, qui peut viser une 3e personne : Ah! *le misérable!*

630 **Pour l'emploi de l'article avec l'apostrophe, voir n° 251. Pour l'emploi de mon, voir n° 327.**

L'OBJET

631 **Si nous disons** : Pierre est l'*objet* d'un compliment, **cela signifie que quelqu'un complimente Pierre. C'est pourquoi on appelle objet du verbe le terme désignant l'être ou la chose sur lesquels s'exerce l'action.**

On distinguera les objets directs unis au verbe sans préposition :

Je complimente *Pierre*,

et les objets indirects introduits par une préposition :

Tu obéis *à ton père* — Fiez-vous *à votre chance* — Parlons *de ce voyage*.

Un verbe peut être pourvu de plusieurs objets, l'un direct, l'autre indirect :

Donnez *ce paquet au commissionnaire*.

N. B. — La distinction de l'objet direct et de l'objet indirect est nécessaire, en particulier, quand il s'agit de construire les pronoms personnels (v. n° 445).

Absence d'objet. Voir n° 587.

632 **Le complément d'objet peut être :**

un nom, ou un pronom (personnel, démonstratif, possessif, interrogatif, exclamatif, indéfini, relatif) :

Que dis-tu? — J'accepte *tout*, **etc.**

Le nom peut être précédé de l'article partitif :

Je prends *du beurre*.

un infinitif :

Je veux *dormir*.

une proposition subordonnée :

Je veux *que tu dormes* **(prop. conjonctionnelle)** — Je demande *si ce train est un express* **(prop. interrogative)** — Je vois *les feuilles s'agiter sous le vent* **(prop. infinitive)** — J'aimerai *qui m'aimera* **(proposition relative).**

L'OBJET EST UN NOM OU UN PRONOM

633 **Beaucoup de verbes admettent un objet direct ou un objet indirect, suivant le sens. Ainsi :**

Applaudir *quelqu'un* **(en frappant des mains) et :** applaudir *à un succès* **(au sens figuré).**

Assister *quelqu'un* **(l'aider) et :** assister *à un spectacle* **(le voir).**

Croire *quelqu'un* **(croire qu'il dit la vérité),** croire *une chose* **(la croire vraie) et :** croire *en Dieu, au diable* **(à leur existence).**

633 bis **Dans des expressions comme :** Achetez *français*, Votez *socialiste*, **on a, plutôt qu'un complément d'objet, un complément adverbial de manière.**

Place de l'objet

634 **En prose française, les noms objets directs et objets indirects se placent généralement après le verbe ; l'ordre type est alors le suivant : sujet, verbe, objet direct, objet indirect, complément circonstanciel :**

Pierre prête *son livre à Paul* avec empressement.

Mais, outre les inversions qu'amènent la mise en relief, le souci des nuances, et, en poésie, les lois de la versification, il faut noter que l'objet précède le verbe :

a) En principe, quand il s'agit du pronom personnel atone :
Tu *me* flattes.

b) Quand il s'agit d'un pronom relatif, et, en principe, d'un tour interrogatif ou exclamatif :
L'homme *à qui* je parle... — *Quelle décision* as-tu prise ? — *Quelle décision* il a prise!

c) Dans certaines expressions figées :
Qui *terre* a *guerre* a — Il gèle à *pierre* fendre — Acquérir sans *bourse* délier — Grand *bien* vous fasse! — A *Dieu* ne plaise!

Tout et rien se placent le plus souvent avant l'infinitif et le participe :
Il faut dire *tout* — **Mais** : Pour *tout* dire — Ne *rien* dire — Il a *tout* dit — Il n'a *rien* dit.

635 **[Pour l'objet « interne »** (vivre sa vie), **voir n° 588 bis.**
Pour les compléments de coûter, valoir, courir, peser, voir n° 571.
Pour l'ellipse de l'objet : (Le docteur ne *reçoit* plus), **voir n° 587.]**

L'OBJET EST UN INFINITIF

636 **Voici quelques verbes usuels accompagnés d'un infinitif objet direct ou indirect (généralement, mais non toujours infinitif présent :** Je crois *lire* — **Je crois** *avoir lu*) :

J'aime **Je compte** **Je crois** **Je désire** **Je déteste** **Je dois** **J'espère**	**lire**	**J'aime** **Je m'amuse** **J'apprends** **Je m'attends** **Je l'autorise** **Je commence** **Je me complais**	**à lire**	**J'accepte** **Je l'accuse** **J'aime (rare)** **Je m'arrête** **Je cesse** **Je commence** (plus rare)	**de lire**

Je me figure Je m'imagine J'ose Je pense (= J'ai l'intention de, ou Je crois) Je préfère Je prétends Je sais **Je souhaite** Je veux (N. B. — Je me rappelle avoir lu, inf. passé)	lire	Je consens **Je continue** Je me décide **Je demande** (= Je sollicite l'autorisation de) Je me dispose J'enseigne Je m'entends Je m'essaie Je m'habitue Je me mets Je m'oblige Je m'occupe Je pense (= L'idée me vient de) Je me plais Je me prépare Je me refuse Je renonce Je me résigne Je me résous Je réussis Je me risque Je songe **Je tâche** (F.E.) Je tarde Je tiens	à lire	Je lui commande Je lui conseille Je me contente **Je continue** (plus rare) Il convient Je crains Je décide Je lui **demande** (= Je le prie) Je **déteste** Je le détourne Je lui dis Je le dispense Je le dissuade Je doute Je lui écris Je lui enjoins J'essaie Je finis Je me flatte Il importe Je mérite Je néglige J'omets Je lui ordonne J'oublie Je lui permets Je le (ou lui) persuade Je lui prescris Je prévois Je le prie Je projette Je lui promets Je lui propose Je refuse Je risque **Je souhaite** Je le soupçonne **Je tâche** Il me tarde (N. B. — Je me souviens d'avoir lu)	de lire

N. B. — 1° On constate que quelques verbes (imprimés en **gras**) admettent plusieurs constructions.
2° La préposition **de** tend aujourd'hui à s'imposer devant beaucoup d'infinitifs (voir n° 837).

L'OBJET EST UNE PROPOSITION SUBORDONNÉE

I. Une proposition conjonctionnelle

Je sais *qu'il dort* — Je veux *qu'il dorme.*

637 **Le mode est en principe 1° l'indicatif ou 2° le subjonctif, selon que le verbe principal est : 1° un verbe exprimant une constatation, une déclaration, une opinion, une sensation ; ou 2° un verbe exprimant une volonté, une émotion ou un sentiment, un doute.** **Voir n° 627 ter. (Pour les constructions doubles, voir n° 530.)**

638 **AVEC L'INDICATIF**

J'annonce que ...
J'apprends que ...
(= J'annonce ou
Je viens à savoir que)
Je constate que ...
Je crois que ...
Je décide que[1] **...**
Je dis que ...
Je me doute que...
J'écris que ...
J'entends que ... (de mes oreilles)
J'espère que[2] **...**
J'ignore que[3] **...**
Je le (ou lui) persuade que...
Je prétends que (= J'affirme que)
Je promets que ...
Je me rappelle que ...
Je répète que ...
Je sais que ...
Je sens que ...,
Je me souviens que ...
Je tiens que... (= J'affirme que)

AVEC LE SUBJONCTIF

J'accepte que ...
J'aime que ...
J'ai peur que ... ne* ...
J'admets que (= J'accepte que)
Je m'attends à ce que ** **...**
Je conçois que (= Je trouve légitime que)
Je consens à ce que ** **...**
Je crains que ... ne* ...
Je défends que ...
Je demande que ...
Je déplore que ...
Je dis que ...
(= J'ordonne que...)
Je doute que ...
Je ne doute pas que ... ne*[4] **...**

*Ce **ne** (qui s'explique, en fait, par l'idée négative contenue dans la subordonnée) est parfois appelé à tort « explétif ». Noter qu'on dit Je *ne* crains pas qu'il vienne (sans **ne**). Pour exprimer la crainte d'un fait négatif, on dit : Je crains qu'il *ne* vienne *pas*, qu'il *ne* vienne *personne*, etc.

** **S'attendre que** + le futur est redevenu fréquent en **F. E.** Mais s'attendre **à ce que,** consentir **à ce que** (+ subjonctif) sont employés non seulement par l'immense majorité des Français dans le **F.P.** quotidien, mais encore par des écrivains nombreux et imposants.

1. Bien que ce verbe puisse être rangé parmi les verbes de volonté, il s'accompagne le plus souvent de l'indicatif futur comme dans l'expression : il est décidé que... (v. n° 627). L'idée d'une évocation de l'avenir l'emporte sur l'idée de volonté.

2. Après j'espère et surtout après il faut espérer, une tendance se manifeste parfois à employer le subjonctif. Mais l'indicatif reste le mode vraiment correct.

3. Au passé : J'ignorais qu'il était... et **F. E.** : *qu'il fût...*

4. Souvent l'indicatif (notamment futur) ou le conditionnel — et surtout en **F. P.** mais sans **ne** : Je ne doute pas qu'il viendra (= Je suis sûr qu'il viendra), voir n° 627 ter.

AVEC LE SUBJONCTIF (suite)

J'écris que ...
(= J'ordonne que...)
Je me félicite que ...
J'empêche que ... (ou :
J'empêche que ... ne*...)
J'entends que ...
(= Je veux que...)
Je m'étonne que...
J'évite que ... (quelquefois :
J'évite que ... ne*... F.P.)
J'interdis que ...
Je m'irrite que...
J'obtiens que[1] ...
Je m'oppose à ce que ...
J'ordonne que ...
Je me plains que ...
Je prends garde que ...
(pour un résultat *à atteindre*)
Je prends garde que ... ne[2] ...
(pour un résultat *à éviter*)
Je prétends que...
(= J'exige que...)
Je propose que ...
Je redoute que ...
Je refuse que ...
Je regrette que ...
Je souhaite que ...
Je suis heureux (mécontent) que ...
Je tâche que ...
Je tiens à ce que ...
Je veille à ce que ...
Je veux que[3] ...,
etc.

N. B. — On constate que certains verbes, comme dire, prétendre, écrire peuvent exprimer soit une déclaration, soit une volonté, selon que le verbe complément est soit à l'indicatif, soit au subjonctif (ou à l'infinitif, v. n° 636) :

Je dis qu'il *vient*, je dis qu'il *vienne*, je lui dis de *venir*.

Il est généralement incorrect d'employer une proposition au subjonctif, introduite par que après les verbes qui admettent l'infinitif : a) lorsque le sujet des deux verbes est le même. On dira, on écrira donc : Je veux *lire*, je mérite de *lire*; **b) lorsque le sujet du second verbe est déjà représenté par un objet du premier. On dira, on écrira donc :** Je *lui* demande de *lire*.

639 **On notera ici encore (v. n° 627 bis) que la forme négative ou interrogative conférée aux verbes d'opinion entraîne en principe le subjonctif dans la subordonnée. Mais l'indicatif est de plus en plus fréquent en F.P., surtout s'il s'agit de marquer le futur ou le conditionnel :**

Je ne crois pas *qu'il viendra* — Je ne crois pas *qu'il viendrait*, même si tu le lui demandais — Je ne crois pas qu'il *aurait accepté* (*qu'il eût accepté* **est spécial, sans être nécessaire, au F.E.).**

1. Mais aussi : J'obtiens que l'accord *sera* signé.
2. Comparez (résultat à obtenir) : Prends garde que l'enfant soit bien assis et (résultat à éviter) : Prends garde que l'enfant *ne* tombe.
3. Mais après : Le malheur veut que, la malchance veut que, l'indicatif se rencontre depuis le français classique : « Le malheur veut que qui veut faire l'ange *fait* la bête. » (Pascal, *Pensées*) — « La tradition veut qu'un mois après tous ces serpents *périrent* » (Alexandre Dumas, *Mémoires*).

Et l'indicatif reste normal après les verbes de connaissance ou de déclaration à la forme négative :

Il ne sait pas que son frère *est parti* — Tu ne me dis pas que tu *as écrit* — On n'ignore pas que la terre *est* ronde.

Après : Je nie, on emploie, en bonne langue, le subjonctif.
Après : Je ne nie pas que (comme après : Je ne doute pas que), l'indicatif est de plus en plus fréquent, surtout en F.P.

Je m'étonne *que*, je m'inquiète *que* **sont suivis du subjonctif** : Je m'étonne *qu*'il *soit* parti — **Mais** : Je m'étonne *de ce que*, je m'inquiète *de ce que* **sont normalement suivis de l'indicatif, qui souligne la réalité du fait** : Je m'inquiète de ce qu'il *est* absent.

Le subjonctif est de bonne langue, en tout cas, s'il y a inversion des propositions : *Qu'il soit honnête homme*, je le crois.
— Le F.P. fam. emploie parfois quand (plus rarement si) pour introduire une sorte d'objet : J'aime *quand tu te montres* gai.

II. Une proposition infinitive

640 **Il s'agit d'infinitifs pourvus d'un sujet qui leur est propre : soit après un verbe de sensation, ou faire, laisser** (J'entends *les oiseaux chanter* — Je laisse *entrer la chaleur*),
soit, F.E., après un verbe de déclaration ou d'opinion, par le moyen d'une relative : C'étaient des oiseaux *qu'il savait avoir été achetés* à Paris **(v. n° 550).**

Pour le tour : « L'aspect buté de l'enfant *lui* fit changer de manière » (R. Martin du Gard, *Les Thibault*), **voir n°s 547 et suiv.**

III. Une proposition interrogative

641 **(appelées aussi : interrogatives indirectes) :**

On voudrait savoir *pourquoi il agit ainsi*[1].

On notera que, dans les interrogatives portant sur l'action, le terme introductif devient si :

Viendras-tu ? — Je demande *si tu* viendras.

Rappelons que les pronoms sujets ou objets restent qui pour les personnes :

Qui va là ? — Je me demande *qui* va là.

Mais qu'est-ce qui (sujet neutre) et que (objet ou sujet neutres) de l'interrogation directe deviennent ce qui, ce que :

Qu'est-ce qui se passe ? Dis-moi *ce qui* se passe — Qu'est-ce que tu fais ? Je demande *ce que* tu fais — *Qu*'arrive-t-il ? Dis-moi *ce qui* arrive — *Que* veux-tu ? Dis-moi *ce que* tu veux.

1. Les exclamatives indirectes ont la même construction que les interrogatives indirectes : Tu vois *comme il est fort*, *combien* il est fort.

Le F.P. pop. conserve souvent le tour adverbe interrogatif + est-ce que de l'interrogation directe :

Quand est-ce que tu viens ? Je demande *quand est-ce que* tu viens.

Pour les inversions du sujet, voir n° 617 bis.

L'absence d'inversion permet, dans un titre, de constater qu'il va s'agir d'une explication :

Pourquoi *le chauffeur a perdu* la tête (= **Nous allons dire pourquoi...**) — Pourquoi le chauffeur *a-t-il perdu* la tête ? **poserait la question au lecteur.**

Les modes de l'interrogation indirecte sont l'indicatif ou le conditionnel suivant le cas, et parfois l'infinitif s'il s'agit d'une délibération :

Il se demande *où aller* — Je ne sais *où aller* — Je ne sais *que faire* — **F.P. :** *quoi faire.*

IV. Une proposition relative (sans antécédent)

J'aimerai *qui m'aimera.*

Le mode est l'indicatif ou le conditionnel suivant le cas.
Notez l'emploi que fait souvent le F.P. d'une proposition relative au lieu d'une interrogative indirecte :

Je ne te demande pas *l'heure qu'il est* — Dites-moi *la route qu'il a prise.*

---

641 bis REMARQUES SUR LES PROPOSITIONS COMPLÉMENTS DE NOM OU D'ADJECTIF

Les propositions subordonnées qui jouent le rôle d'un complément de nom, d'une apposition, d'un attribut du nom, ou d'un complément d'adjectif s'apparentent, pour le mode, aux subordonnées sujets et objets.

Ce mode est, en principe : a) l'indicatif — ou b) le subjonctif, selon que le nom en question ou cet adjectif expriment : a) une constatation, une déclaration, une opinion — ou b) une volonté, une émotion ou un sentiment, un doute.

a) Avec l'indicatif : complément de nom ou apposition : J'ai la certitude *qu'il guérira.*
attribut : Ma certitude est *qu'il guérira.*
complément d'adjectif : Je suis sûr *qu'il guérira.*

b) Avec le subjonctif : complément de nom ou apposition :
La crainte *que vous ne soyez irrité* le tourmente.
attribut : Sa volonté est *que vous fassiez ce voyage.*
complément d'adjectif : Je suis content *que vous reveniez.*

COMPLÉMENTS CIRCONSTANCIELS
COMPLÉMENTS DE TEMPS

LE MOMENT OU L'ÉPOQUE D'UNE ACTION

Un nom (v. n°s 232 et suivants)

642 **L'heure : Préposition à, sans article :**

Nous dînons *à 8 heures;* nous déjeunons *à midi.*

N. B. — Formules imprécises :

Venez *vers 8 heures,* **ou** *vers les 8 heures, vers les midi, sur les minuit — A 8 heures et quelques* (H. Troyat, *La Faim des lionceaux*).

643 **La partie de la journée (matin, midi, etc.) : Pas de préposition en général, article défini ou adjectif démonstratif :**

Je travaille, je travaillerai, j'ai travaillé *le* matin, *le* midi, *l'*après-midi, *le* soir, *ce* matin, *ce* midi, etc.

Pour une action lointaine :

Je travaillerai, il travailla *ce* matin-*là, ce* midi-*là, cet* après-midi-*là, ce* soir-*là, cette* nuit-*là.*

644 **Le jour de la semaine : Pas de préposition, pas d'article :**

Le magasin sera fermé *lundi, lundi prochain.* **Mais dans un récit** : Le magasin fut fermé *le lundi, le lundi suivant.*

N. B. — S'il s'agit d'un état ou d'une action qui se répètent, employez l'article défini :

Le magasin est ouvert *le* samedi, *le* samedi matin, *tous les* samedis.

La date chiffrée : Pas de préposition, mais article défini :

Nous sommes *le 14 juin.* Nous partirons *le lundi 16, le 16.* **Mais on dit** : Aujourd'hui, *14 juin.*

N. B. — Ordonnances médicales : Gouttes à prendre *matin, midi et soir* (= **tous les matins, etc.)**
Et l'on peut dire : Je travaille *le* jour et *la* nuit **ou** : *jour et nuit,* **ou** : *de jour et de nuit* — **Pour** *demain soir, hier soir,* **etc., voir n° 653-2.**

645 **La semaine, la quinzaine : Pas de préposition, article défini ou adjectif démonstratif :**

Je viendrai *la* semaine prochaine, *la* quinzaine prochaine, *cette* semaine, *cette* quinzaine, *cette* semaine-*ci, cette* quinzaine-*ci* — Je suis venu *la* semaine dernière.

Pour une action lointaine :

Je viendrai, il vint *cette* semaine-*là,* la semaine *suivante.*

N. B. — On peut dire : Le magasin est ouvert *sur* semaine (= **pendant la semaine).**

646 **Le mois : Préposition en, sans article :** *en* janvier, *en* avril.

647 **La saison :** *Au* printemps — mais *en* été, *en* automne, *en* hiver. **(Avec un adjectif, pas de préposition :** *L'hiver* prochain — *Cet hiver*-là et l'*hiver* d'après — **S'il s'agit d'une action habituelle, on peut dire :** *l'été, l'hiver.*

648 **L'année : Préposition en suivie seulement du nombre cardinal :** *En 1968.*

Avec un adjectif, le nom, sans préposition :

L'année prochaine, *l'année* suivante — **et :** l'*année* d'après.

Les expressions (*en*) *l'an de grâce* 1204, *l'an I* de la République **sont des archaïsmes.**

649 Quand emploie-t-on **an** et **année**?

a) S'il s'agit d'un **complément circonstanciel,** on dira :

Il viendra l'*an* prochain ou l'*année* prochaine. Il est venu l'*an* dernier ou l'*année* dernière — il a vécu cent *ans.*

Mais on dira seulement :

• l'*année* suivante, cette *année*-là, en quelle *année*? (et : dans quelques *années* — quelques *années* après — il y a un million d'*années*).

• Venez tous les *ans*, tous les cinq *ans*, trois fois par *an* (et : dans quatre *ans*, pour quatre *ans* — Restez quatre *ans*).

b) **S'il ne s'agit pas** d'un complément circonstanciel, employez **année :**

L'*année* dernière a été pleine de catastrophes (*année* est sujet du verbe) — L'*année* 1822 a vu naître Pasteur — Ce vin est de l'*année* 1963 — Je vous souhaite une bonne et heureuse *année* — Comme les *années* passent!

Mais notez les expressions : Le petit Pierre a six *ans* — Le nouvel *an*, le jour de l'*an* — Bon *an*, mal *an* (= en moyenne, que l'année soit bonne ou mauvaise) — Je m'en moque comme de l'*an* 40 — L'an 2000 — et, expressions toujours vivantes depuis La Fontaine : « Je suis sourd, les *ans* en sont la cause »; depuis Racine : « Pour réparer des *ans* l'irréparable outrage... »

N. B. — **Année** a, généralement, une valeur plus **concrète** et désigne, à proprement parler, la durée, le contenu d'un an :

Nous avons fait une bonne *année.*

650 **L'époque, dans un sens plus ou moins précis :**

Beaucoup de noms, précédés ou non d'une préposition, peuvent être compléments de temps :

Les jours de neige, je reste à la maison — Il a souffert *toute sa vie* — *Aux premiers froids* je protège mes pêchers — Ils se mirent en route *par une effroyable tempête* — *Lors de mon séjour* en Hollande, j'ai beaucoup aimé la ville de Delft — *A la saison des pluies*, le pays est bien triste — *Du temps de nos grands-parents*, on se chauffait au bois; *de* nos jours le chauffage central se trouve partout — Rome, *sous les Césars*, était encore respectée.

N. B. — On dit : *à* Pâques, *à la* Pentecôte, *à la* Toussaint, *à* Noël **(quelquefois :** *à la* Noël**).**

651 **Pour exprimer que l'action se place dans un certain intervalle de temps, on dit :** *dans l'intervalle, entre-temps*[1]. **(***Sur ces entrefaites* **signifie :** *à ce moment-là.***)**

Un adverbe (ou locution adverbiale)

652 Aujourd'hui, demain, après-demain, hier, avant-hier, autrefois, dernièrement, à présent, maintenant, alors, aussitôt, *en* même temps, *en* ce moment[2] **(employé pour le présent),** *à* ce moment **(employé pour le passé ou le futur),** *au* même moment, toujours, jamais[3], etc.

Il y a parenté entre les compléments de temps et les compléments de lieu. *Ici, là* **peuvent signifier :** *alors;* **et l'on construit :** *au même* moment **comme :** *au même* endroit; *à ce* moment **comme :** *à cet* endroit.

653 **N. B. — 1. Certains adverbes, propres à l'énoncé du présent, sont obligatoirement remplacés par d'autres compléments circonstanciels dans un récit qui ne se situe pas dans le présent :**

> Tu viendras *demain* — **Mais :** Il est venu *le lendemain* — Il viendra *le lendemain.*
> Tu viendras *après-demain* — **Mais :** Il est venu, il viendra le *surlendemain.*
> Tu es venu *hier* — **Mais :** Il est venu, il viendra *la veille.*
> Tu es venu *avant-hier* — **Mais :** Il est venu, il viendra *l'avant-veille.*
> Il est venu *dernièrement* — **Mais :** Il vint, il viendra *peu auparavant.*
> Tu es présent *aujourd'hui* — **Mais :** Il était présent, il sera présent *ce jour-là.*
> Tu es présent *maintenant* — **Mais :** Il était présent, il sera présent *alors.*
> Tu es présent *en* ce moment — **Mais :** Il était présent, il sera présent *à* ce moment-*là.*

2. On dit : hier *soir* **(plus rarement** *hier au soir***)** — hier *matin*, hier *midi*, hier *après-midi* — demain *matin* (*midi, soir,* **etc.**),
le lendemain (le surlendemain) *matin, soir* — *dans l'après-midi du lendemain,*
la veille (l'avant-veille) *au* matin, *au* soir — la veille *à* midi — *dans l'après-midi de la veille.*

653 bis **Une place particulière doit être faite à l'adverbe déjà :**
a) Il souligne la rapidité d'une réalisation :

> Il est *déjà* levé — C'est *déjà* mieux.

1. Qui s'écrivait en ancien français : entre *tant.*
2. *Dans* ce moment est plus rare et appartient plutôt au F. E. « Il a l'air heureux, il ne souffre pas *dans* ce moment » (J. Chardonne.)
3. Les adverbes à valeur de passé peuvent se classer ainsi (du passé le plus lointain au passé le plus proche) : autrefois (jadis, F. E.), naguère (F. E.), il y a peu, dernièrement, récemment, tout récemment — Les adverbes à valeur de futur (du futur le plus proche au futur le plus lointain) : immédiatement, dans un instant, dans un moment, sous peu, prochainement, bientôt, dans quelque temps.

b) Il souligne un fait comme ayant été réalisé une première fois :

J'ai *déjà* fait cet exercice.

c) Dans le F.P. fam., il accompagne une question pour souligner un léger désarroi de celui qui interroge :

[Ce tableau] « c'était de qui, *déjà*? » (H. Troyat, *L'Araigne*). C'est-à-dire : « Je l'ai su, mais je l'ai *déjà* oublié. »

Le gérondif ou l'infinitif

654 **a) Le gérondif (voir n° 559) :**

« *En passant* par la Lorraine, j'ai rencontré trois capitaines » **(chanson de France).**

Sans en (expressions figées) : Chemin *faisant*, nous avons trouvé la solution du problème.

655 **b) L'infinitif présent :**

« *A vaincre* sans péril on triomphe sans gloire » (= *Quand* on vainc...).

Ici, les idées de temps, de supposition et de cause sont associées.

N. B. — *Au moment de* partir **signifie** : immédiatement *avant* de partir.

Une proposition subordonnée conjonctionnelle[1] (mode indicatif ou conditionnel)

656 **Au moment où :**

Elle est entrée *au moment où* il est sorti.

(Pour la concordance des temps, voir n° 577 A.)

N. B. — Avec *du temps que* **(expression archaïque) le verbe est toujours à l'imparfait :** *Du temps que* les bêtes *parlaient*...

657 **Quand, lorsque : Attention aux valeurs de répétition (en construction notamment, avec l'imparfait ou le plus-que-parfait, voir n° 577 A).**

On notera aussi que ces deux conjonctions peuvent introduire une péripétie interrompant le cours des faits :

Nous nous disposions à écouter la radio, *quand* l'électricité *manqua*.

ou une sorte d'opposition (voir n°s 725 et 735) :

Il achevait de dîner *quand* j'en *étais* encore aux hors-d'œuvre (= *alors que* j'en étais...).

658 **Que, dans certains cas, a une valeur analogue :**

Il n'était pas dehors *que* déjà je le rappelais — Il achevait de dîner *que* j'en étais encore aux hors-d'œuvre.

1. Introduite par une conjonction de subordination, voir n° 850.

Et l'on peut encore écrire, comme La Bruyère :

« La vie s'achève, *que* l'on a à peine ébauché son ouvrage. »

658 bis **Alors que est de plus en plus employé (comme au XVIIe siècle) avec la valeur temporelle de au moment où :**

Je l'ai rencontré *alors qu'il sortait.*

659 **Comme, temporel, est surtout suivi de l'imparfait (v. nº 577 A) :**

Comme il sortait, elle entra.

660 **Si n'a le sens de quand, lorsque, qu'avec idée de répétition et souvent de cause :**

S'il sort, elle entre.
S'il sortait, elle entrait.

LA POSTÉRIORITÉ (de l'action du verbe principal)

Un nom ou un pronom

661 **Au moyen d'une préposition : après, à la suite de, dès, etc. :**

Après le dîner, une réception a eu lieu — *Après* moi, le déluge!
Sur ces mots (*sur ce*), il me quitta.

Ensuite de quoi **(avec une idée de conséquence) est une locution encore vivante en F.E., quoique rare. On trouve surtout :** *à la suite de quoi* **:**

Il a bien bu, bien mangé, bien fumé; *à la suite de quoi* il a été malade.

On trouve parfois *aussitôt* **dans le sens de :** *aussitôt après* **(plutôt F.P. fam.) :**

J'irai *aussitôt le déjeuner.*

Pour exprimer au bout de combien de temps se placent un état ou une action, on dit :

a) au futur : *Dans* trois ans, *d'ici* trois ans il sera libre[1].

b) au passé : Trois ans *après*, *au bout de* trois ans il fut libre **ou, avec un futur à sens de passé (v. nº 487) :** Il fut emprisonné en 1819; trois ans *après* il sera libre.

Un adverbe

662 **Ensuite, après, aussitôt, là-dessus, etc. :**

Il dit : « Non! » et *là-dessus* il partit.

662 bis Une proposition juxtaposée

J'entre, il *sort* (= **et aussitôt, il sort).**

1. Quelquefois, surtout dans la langue administrative, *sous* : Remettez-moi votre rapport *sous huit jours, sous huitaine.*

Participe ou infinitif

663 **a) Le participe passé (plutôt en F.E.).**

Ayant sujet commun avec le verbe principal :

Ayant réuni les officiers, le général leur exposa son plan — *Couché* de bonne heure, je lis des romans policiers.

Ayant son sujet propre (participe absolu) :

« *Les devoirs faits*, légers comme de jeunes daims,
Nous fuyions à travers les immenses jardins. »
(Victor Hugo, *Aux Feuillantines.*)

L'idée de cause est assez sensible dans cet emploi.

Dès, aussitôt, sitôt, une fois peuvent souligner la postériorité immédiate (F.E. et F.P.) :

Dès la nuit tombée... *Aussitôt* (sitôt) la nuit tombée... *Une fois* la nuit tombée...

664 **b) L'infinitif (voir n° 661, un nom).**

Passé : *Après avoir* bien *travaillé*, on mérite quelque repos.

Présent, très exceptionnellement dans : *Après boire*, il est méchant.

Notez aussi la construction : Le moteur tourna *pour s'arrêter* aussitôt **(deux actions étroitement consécutives, voir n° 699).**

Une proposition subordonnée conjonctionnelle
(mode indicatif)

665 **Après que (voir concordance des temps, n° 577 B. Pour le mode subjonctif, voir n° 524).**

Dans le français d'aujourd'hui, le verbe subordonné est à un temps composé — On ne dirait plus guère, comme au XVIIe siècle :

« Vous savez les honneurs qu'on fit faire à son ombre
Après qu'entre les morts on ne le *put* trouver » (Corneille, *Polyeucte*).

Pour indiquer une postériorité plus immédiate, on emploie : dès que, aussitôt que, une fois que.

Pour indiquer une postériorité moins immédiate : quand, lorsque (avec, au sens de toutes les fois que, exclusion du passé antérieur et emploi du plus-que-parfait dans la subordonnée) :

Quand il *eut rédigé* son rapport, il le fit taper.
Quand il *avait rédigé* son rapport, il le faisait taper (*toutes les fois qu*'il avait rédigé...).

666 **Notez le tour du F.E., pour indiquer une suite immédiate :**

a) Avec inversion du sujet du 1er verbe :

*A peine a-t-il avoué, qu'*on le jette en prison[1] **(v. n° 619).**

b) Sans inversion : Il *n'a pas plus tôt avoué qu'*on le jette en prison.

Quelquefois on écrit plutôt (comme au XVIIe siècle) : « Nous n'aurions pas *plutôt* acheté cette bête, que tu me supplierais de nous en défaire » (J. Borel, *L'Adoration*).

N. B. — Quand le 2e verbe (qui exprime en fait l'action principale) est au passé simple (F.E.), le 1er peut être au passé antérieur ou au plus-que-parfait :

A peine *eut-il avoué* }
A peine *avait-il avoué* } qu'on le *jeta*...

L'ANTÉRIORITÉ (de l'action du verbe principal)

Un nom ou un pronom précédés d'une préposition

667 **Avant :** *Avant* cette affreuse nouvelle, il m'avait paru très gai — Vous gonflerez mes pneus; mais *avant* cela, vous allez me mettre vingt litres d'essence.

Dès avant (F.E.) = déjà avant, tout-à-fait avant :

Dès avant sa demande je lui avais donné bon espoir.

(Dans le proverbe ancien : La poule ne doit point chanter *devant* le coq, devant **signifie** avant.)

A l'expression dans trois ans **correspond, pour l'antériorité,** il y a trois ans[2]. **Et, si le verbe est au passé ou au futur, on dit :** trois ans *avant* **comme on dit :** trois ans *après.*

Un adverbe

668 **Auparavant, avant, d'abord, antérieurement,** etc.

Nous partirons à 9 heures; mais *auparavant* nous aurons déjeuné.

Un infinitif (voir n° 667, un nom)

669 **Présent :** *Avant de commander*, apprenez à obéir.

Passé (achèvement) : Ne parlez pas *avant d'avoir réfléchi.*

On emploie encore parfois avant que de (F.E.) :

Aujourd'hui, la nouveauté, *avant* même *que d'*être consacrée par le succès, bénéficie d'un préjugé favorable.

1. Mettez toujours (malgré quelques exemples contraires) *à peine a-t-il avoué* **en tête** de la phrase.
2. On distingue : Il *est venu* il y a trois ans, **et** : Il y a trois ans qu'il *n'*est venu, expression qui met en relief **l'absence.**

Une proposition subordonnée conjonctionnelle

670 **Avant que (mode subjonctif) :**

Cueillez quelques fleurs *avant qu*'il *fasse* nuit. (Pour la concordance des temps, voir nº 577 C.)

N. B. — Avant que... ne est très fréquent, avec le même sens (avant qu'il *ne* fasse nuit). Ce ne, parfois appelé explétif, s'explique par l'idée de négation contenue dans la subordonnée ; c'est comme si l'on disait :

Il *ne* fait *pas* encore nuit; profitez-en pour cueillir quelques fleurs.

Que... ne... (subjonctif) surtout F.E. — Alors le verbe principal doit être à la forme négative ou interrogative :

« Il m'a dit qu'il *ne* faut *jamais*/Vendre la peau de l'ours *qu*'on *ne* l'ait mis par terre » (= avant qu'on ne l'ait mis... — La Fontaine, *L'ours et les deux compagnons*).

A-t-on jamais vendu la peau de l'ours *qu*'on *ne* l'ait mis par terre? (voir aussi **sans que**, nos **704, 789**).

671 **Avant le moment où (indicatif)** s'applique généralement à un fait **réalisé,** ou considéré comme tel. Comparez :

Avant que, subjonctif :

Des hommes résolus enlevèrent le ministre *avant que* son escorte *fût alertée* (le fut-elle ? on ne le dit pas).

Avant le moment où, indicatif :

Des hommes résolus enlevèrent le ministre *avant le moment où* son escorte *fut* alertée (et elle le fut, **réellement**).

LA DURÉE

Durée et simultanéité

672 **Un nom,** à l'aide d'une **préposition** (pendant, durant, tout le temps de, tout le long de, depuis (ou : de)... jusqu'à (ou : à)...

Pendant le défilé, les ministres restèrent debout — Nous avons attendu *depuis* 8 heures *jusqu'à* 11 heures (*de* 8 h *à* 11 h...).

Souvent (avec un nombre) **sans préposition** : J'ai attendu *dix ans*.

Très fréquemment : **tout le, toute la, tous les** ou l'adjectif **entier** :

Toute la nuit, j'ai veillé — J'ai attendu *toute l'année*, l'année *entière*.

Et, avec **durant** postposé (retrouvant ainsi son ancienne valeur de participe) :

Ce contrat est valable la vie *durant*.

Avec une **négation,** on écrira, on dira volontiers :

De tout son séjour à Paris, il *n*'est *pas* venu me voir une fois.

N. B. — Après le verbe **durer** on emploie rarement la préposition pendant :

Cela *dura deux heures.*

673 Le temps **pendant lequel** une action doit **continuer** à s'exercer (= durée à prévoir) s'exprime par **pour** :

Il est venu, il s'installe ici *pour dix jours.*

Un adverbe : cependant[1], pendant ce temps, pendant tout ce temps.

Faites les valises; *pendant ce temps* j'irai payer la note.

Noter ces emplois de **toujours** :

Il est *toujours* là (= encore) — Il *n'*est *toujours* pas là (= pas encore) — Il n'est *pas toujours* là (= Il n'est pas là continuellement, il est quelquefois absent).

674 **Un gérondif** :

Il n'est pas bon de lire *en dînant* (pour souligner la dissonance : *tout en dînant*, voir n° 559 bis).

Quelquefois le **participe absolu** (v. n° 560) :

« Vous vous accroupissez, les pieds *demeurant* en place » (leçon d'éducation physique, à la radio).

Mais ici des nuances d'opposition, de manière s'ajoutent à l'idée de temps.

675 **Une proposition subordonnée conjonctionnelle** :

Les ministres restèrent debout *pendant que* (*tandis que*) les troupes défilaient (v. n° 577 A).

Durée et postériorité

676 **Un nom ou un pronom**, précédés d'une **préposition** :

Depuis son succès, il se montre partout.

De, tout seul, au sens de **depuis**, ne s'emploie que dans les expressions : *de* ce jour (**F. E.**), *du jour de...* et dans : aveugle *de* naissance.

677 **Un adverbe** : dès lors, désormais, depuis (pour le passé); dorénavant, désormais (pour l'avenir) :

On oublia d'inviter les Durand. *Dès lors* ils se montrèrent très froids — *Dorénavant* vous rentrerez à 6 heures.

678 **Une proposition subordonnée conjonctionnelle** :

Depuis que : *Depuis que* la télévision est entrée dans les foyers français, les marchands de pantoufles ont doublé leur chiffre d'affaires.

1. En ce sens, **cependant** appartient au **F.E.** — Il a plus souvent (en **F.E.** et **F.P.**) la valeur de **pourtant** (v. n° 719).

N. B. — Après **depuis que**, le futur est inusité ; et le futur antérieur, le passé antérieur sont rarement employés.

En revanche, tous les temps sont admis après :
Depuis (dès) le moment où... A partir du moment où...

Après que peut s'associer à une idée de durée. Mais alors la conjonction est généralement précédée d'un **complément de temps** déterminant cette durée (v. n° 510) :

Longtemps après qu'on leur avait fait cet affront, leur rancune *restait* tenace.

« *Vingt-quatre* ans après que la lutte commença, le plus faible *continue* de se montrer le plus fort » (F. Mauriac, *De Gaulle*).

Durée et antériorité

679 **Un nom, ou un pronom,** précédés d'une **préposition** :

Je vous ai attendu *jusqu'à* la nuit — *En attendant*[1] votre tour, voulez-vous lire un journal ? — *D'ici* mon arrivée[2], surveillez bien la maison.

On écrit : **jusqu'aujourd'hui** — Mais on dit couramment : **jusqu'à aujourd'hui.**

680 **Une locution adverbiale** : **Jusque-là, d'ici là, en attendant.**

Je reviens dans une heure. *En attendant*, voici un livre.

N. B. — Jusqu'alors (jusque-là) s'applique à un fait éloigné dans le temps. Pour le présent, on emploie : jusqu'à **maintenant, jusqu'ici.**

681 **Un infinitif** (voir n° 679, un nom).

Présent : *En attendant de passer* à table, voulez-vous prendre un verre de porto ?

Passé (achèvement) : *En attendant d'avoir lu* sa lettre, évitez tout commentaire.

682 **Une proposition subordonnée conjonctionnelle** :

Jusqu'à ce que (subjonctif en général, même s'il s'agit d'un fait réalisé) :

Le peuple assiégea la Bastille *jusqu'à ce que* le gouverneur *capitulât*.

(Pour la concordance des temps, voir n° 577 C.)
Cependant, on trouve encore, quelquefois, à la manière de la syntaxe classique, **jusqu'à ce que** suivi de l'indicatif, s'il s'agit d'une **réalité**, d'un **fait** :

« ... jamais satisfaits, jusqu'à ce qu'ils *obtinrent* le titre » (Dauzat, *Génie de la langue française*, cité par M. Cohen, *Le subjonctif en français contemporain*[3].)

1. Ce gérondif a pris valeur de préposition.
2. Plus fréquent aujourd'hui que : *D'ici à* mon arrivée...
3. Voir aussi H. Glättli *(Revue de linguistique romane, nos 93-94).*

D'ici que (subjonctif) est d'un emploi assez familier, souvent ironique :

Le fils vous dédommagera un jour — Bon, mais d'*ici qu'il ait grandi*, il passera de l'eau sous les ponts!

Jusqu'à tant que (subjonctif ou indicatif) n'est plus employé qu'en F.P. pop. (avec l'indicatif ou le subjonctif) ou par des écrivains (avec le subjonctif) attachés aux tournures anciennes :

Restez, *jusqu'à tant qu'il revienne.*

Jusqu'au moment où (toujours avec l'indicatif) introduit un fait :

Les prodigues dépensent sans compter *jusqu'au moment où* ils n'*ont* plus le sou.

683 **N. B. — ... et que, ... ou que introduisent une subordonnée conjonctionnelle coordonnée à une première proposition conjonctionnelle de temps, et de même valeur. Le mode de cette proposition coordonnée est celui de la première :**

Pendant qu'il lit *et que* je *couds...* — *Avant qu*'il revienne *et que* je *sois* prêt à l'accueillir...

684 **Le temps nécessaire pour achever une action s'exprime par en (idée de moyen) :**

La ville fut prise *en* trois jours.

Pour la réalisation instantanée on emploie : en un instant, en un clin d'œil, en un tournemain et (F.P. fam.) : *le temps de dire ouf!*

Le temps de dire ouf! il avait disparu.

684 bis

Compléments de temps impliquant la durée

I. Durée ferme :

Pendant : Il *sera* là (pendant) trois jours. Il *fut* là (pendant) trois jours.

De (avec négation) : *De tout* son séjour il *ne viendra pas* me voir, il *n'est pas venu* me voir.

II. Durée à prévoir :

Pour : *Je viens, je viendrai, pour* trois jours.

III. Durée inachevée :

Depuis : Il *est* ici *depuis* trois jours (Il y a trois jours, cela fait trois jours, qu'il *est* ici) — Je *ne l'ai pas vu depuis* trois jours (il y a trois jours, cela fait trois jours *que je ne l'ai vu*).

A partir de : Il *sera* ici *à partir de* demain.

IV. Temps nécessaire pour qu'une action s'achève (= moyen) :

En : L'ennemi *a pris* la ville *en* trois jours.

COMPLÉMENTS DE CAUSE

685 REMARQUE : **On peut distinguer la cause initiale, exprimée par : parce que... et la cause finale (ou but), exprimée par : pour que... C'est essentiellement de la cause initiale qu'il sera question ici. La cause finale sera étudiée aux nos 712-716).**

MOYENS D'EXPRESSION

Un nom ou un pronom précédés d'une préposition

685 bis **Prépositions exprimant <u>uniquement</u> la cause :**

- **avec un complément de personne ou de chose :**

A cause de : *A cause de* leur négligence (*à cause d'*eux) l'affaire est manquée.

On peut ajouter « grâce à » : *Grâce à* votre obligeance (*grâce à* vous) nous sommes admis[1]. **F.P. très populaire : « rapport à »** : Je n'ai pas pu venir, *rapport à* mon frère, qui n'a pas permis.

- **avec un complément de chose seulement :**

Pour cause de, par suite de : Fermé *pour cause de* décès.

Mise en relief d'un motif logique :

en raison de, compte tenu de, étant donné (F.E., plus rare : eu égard à) : *En raison de* vos bons services, je double vos appointements.

Pour raison (s) de :

Il a donné sa démission *pour raison* (*s*) *de* santé.

F.P. fam. et F.E. juridique : vu, — F.E. juridique : attendu.

Il y a peu de clients, *vu* la saison — *Attendu* la bonne foi du prévenu, le tribunal lui octroie le sursis.

Cause intensive :

A force de : *A force de* ténacité, on réussit toujours.

Éventualité à éviter : par crainte de, de peur de.

Souvent, et depuis le XVIIe siècle, la première expression se réduit à : crainte de, surtout en F.P. : *Crainte d'*un échec, il a renoncé.

686 **Prépositions exprimant <u>occasionnellement</u> la cause :**

Par : Il agit *par* bonté, plus que *par* calcul.
Pour : Condamner *pour* vol.

1. En bonne langue, *grâce à* ne doit se dire que d'une cause favorable : Grâce à ses conseils *j'ai gagné* (et non : j'ai perdu de l'argent.) — En revanche, signalons ici l'emploi abusif de *risquer de*, dans un sens non défavorable : Vous risquez de *réussir*.

De : Tu es rouge *de* colère.
Dans : *Dans* son désir de vous être agréable, il souscrit à votre proposition.
Sous : Il a pâli *sous* l'outrage.
Devant : *Devant* tant de naïveté, on ne peut que sourire.
Avec : *Avec* mes mauvais yeux, je ne distingue rien.
On peut joindre à ces prépositions celles qui expriment à la fois la cause et le temps (après, à la suite de, à) :

Après tant d'efforts, vous tomberez malade — *A* ces mots, j'ai compris.

687 **N. B. — a) L'absence peut être une cause. D'où l'emploi de :**

Faute de : *Faute de* prudence, il s'est perdu.
Manque de[1] : « Mais, *manque de* coordination, le fort de Douaumont est occupé par surprise le 25. » (*Le Monde*, 20 février 1966.)

On rapprochera l'expression argotique, très répandue : *Manque de pot* **(= faute de chance, par malchance).**

b) Cause faussement alléguée :

Sous prétexte de, sous couleur de : *Sous prétexte d*'aide, on peut nuire.

c) Cause sans effet (v. concession, n° 717) :

Malgré : *Malgré* leurs belles promesses, ils n'ont rien fait.
Pour : Il n'est pas plus content *pour* cela **(F.E. pour autant; voir n° 720).**

687 bis Une proposition juxtaposée, ou coordonnée par une conjonction (voir n° 846) ou un adverbe

Le chien s'est enfui : *la corde a cassé.*
Le chien s'est enfui : *car* (ou *en effet*) la corde a cassé.

Avec tant, tellement, tel (cause intensive) placés en tête de la seconde proposition :

Le chien s'est enfui, *tellement* vous l'avez effrayé, *tant* il était effrayé — **F.E.** : Il s'est enfui, *telle* était sa frayeur.

Aussi bien exprime une cause accessoire, et a souvent le sens de : d'ailleurs, du reste :

Laissez cette affaire; *aussi bien*, je la connais mieux que vous.

Aussi (suivi généralement d'une inversion) n'exprime plus guère, à la différence de la langue classique, qu'une conséquence (v. n° 698) :

Vous êtes souvent en retard; *aussi* ne vous ai-je pas attendu.

Pourtant on le trouve parfois dans le sens de : aussi bien :

« Elle le fait exprès, sais-tu. *Aussi* tu la soutiens toujours. » (Maupassant, *En famille*).

1. Tour à rapprocher de : *crainte de* (voir n° 685 bis)

Un gérondif, un participe ou un infinitif
(voir nos 541 à 574)

688 **Gérondif** : *En voulant* déboucher cette bouteille, il s'est blessé.

Participe exprimé ou non : *étant* trop vieux (**ou** : *trop vieux*), il fut congédié.

(On notera aussi le tour : Trop vieux qu'*il était*... **ou, avec un participe** : *Abandonné qu'il fut* de ses amis, il ne tarda pas à se ruiner.)

Avec un sujet propre au participe (participe absolu) : *Les offres n'étant pas* suffisantes, nous avons dû baisser les prix — *L'aéroport occupé* (ou *une fois occupé*), la prise de la ville fut facile.

689 **Infinitif précédé d'une préposition (voir n° 686 : un nom)** :

Pour (aujourd'hui surtout avec l'infinitif passé) : L'enfant est récompensé *pour avoir bien étudié.*

Mais l'infinitif présent reste correct, bien que rare : « Les conférences de presse, que j'abomine *pour en concevoir* le danger. » (*Le Figaro*, 1961.)

De : *D'avoir tant crié*, j'ai la voix brisée — Enchanté, monsieur, *de vous connaître.*

A : *A trop oser*, on finit par tout perdre — Qu'as-tu *à rire*?

De crainte de, crainte de, de peur de : (*De*) *crainte de* manquer, l'avare amasse sans cesse **(voir n° 685 bis)**.

Cause intensive :

690 **A force de** : *A force de crier* (ou *d'avoir crié*) j'ai la voix brisée.

Cause par absence :

Faute de : *Faute d'*avoir réfléchi, tu t'es trompé.

Cause faussement alléguée :

Sous prétexte de, sous couleur de : *Sous prétexte de* m'aider, il m'a nui.

Cause sans effet (concession), avec une principale négative :

Pour : *Pour* être riche, il n'en est pas plus généreux.

Une proposition subordonnée conjonctionnelle
à l'indicatif (ou au conditionnel s'il y a lieu)

691 **Parce que, étant donné que, du fait que — (F.P. ou langue juridique : vu que — langue juridique : attendu que — F.E. archaïque : à cause que)** :

L'or est précieux *parce qu'il* est rare.

Parce que peut être employé sans verbe :

Il est seul, *parce que* méchant.

N. B. — Par ce que (en trois mots) contient un pronom relatif : *Par ce que* je sais de l'affaire, je l'estime avantageuse (D'après ce *que* je sais...).

Comme introduit une subordonnée qui précède la principale :
Comme je suis sans collaborateurs, mon travail n'avance pas vite.

Puisque introduit, en tant que cause, un fait déjà évoqué :
Eh bien, *puisque vous le voulez*, je cède la place.

692 **N. B. — Ne pas confondre puisque avec depuis que, qui est temporel (v. nº 678).**

Du moment que (même emploi que pour puisque) :
Du moment que vous le voulez, je cède la place.

Ont une valeur à la fois temporelle et causale : dès le moment où, dès lors que, maintenant que :
Maintenant que tu vas mieux, tu pourrais bien quitter ton lit!

693 **Si a parfois un sens voisin de puisque, surtout après une principale interrogative :**
Où irai-je, *si* vous m'interdisez votre foyer?
Il en est de même pour que (F.P. fam). :
Tu es donc un lâche, *que* tu t'enfuis?

694 **Nuances diverses dans la cause.**

Avec l'indicatif :

• **Cause et comparaison (comparaisons proportionnelles ou variables) :**
Ces fruits sont *d'autant plus* appréciés *qu*'ils sont *moins* chers.
Dans : *Moins* ces fruits sont chers, *plus* ils sont appréciés, **la cause est placée en tête.**

• **Cause mise en relief ou prépondérante :**
D'autant que, d'autant plus que : Vous avez bien fait de lui parler ainsi; *d'autant que* c'est un insolent.
En F.P. pop. : surtout que : Vous avez bien fait de lui dire ça; *surtout que* c'est un insolent.

• **Cause faussement alléguée :**
Sous prétexte que : Les Athéniens condamnèrent Socrate *sous prétexte qu*'il corrompait la jeunesse.

Avec le subjonctif :

• **Hésitation entre deux causes possibles : Soit que... soit que... Soit que... ou que... Que... ou que...**
Soit qu'il ait été imprudent, *soit qu*'on l'ait mal informé, il est tombé dans le piège — *Qu*'il ait été imprudent, *ou qu*'on l'ait mal informé...

N. B. — Un excellent raccourci consiste à employer deux noms :
Imprudence ou *ignorance*, il est tombé dans le piège.

• **Cause par absence :** « Bien des hôtels neufs sont encore bruyants; *faute*, sans doute, *que* l'isolation phonique ait été bien étudiée » (*Le Monde*, 24 mars 1968).

• **Une cause non retenue s'exprime par :**

1. Non parce que (indicatif) : le fait est le plus souvent réel.

2. Non que, ou ce n'est pas que (subjonctif) : le fait est généralement présenté comme faux :

1. On le fuit *non parce qu'il est* laid, mais parce qu'il est méchant.

2. On le fuit, *non qu'il soit* laid, mais il est méchant.
On le fuit : *ce n'est pas qu'il soit* laid, mais il est méchant.

Le F.P. fam. emploie volontiers l'indicatif après : ce n'est pas que :

Ce n'est pas que je ne veux pas répondre **(une interview à la Télévision, 14 mai 1966).**

REMARQUE : **Une cause apparente est incluse dans comme si :**

Il tremble *comme s*'il avait froid.

Pour les tours : « Je m'étonne que » ou « ... de ce que », v. n° 639.

695 **...et que, ou que introduisent une proposition conjonctionnelle coordonnée à une première proposition de cause :**

Tu agiras ainsi parce que je le veux *et qu*'il le *faut* — On le fuit, non qu'il soit laid *ou qu*'il *soit* bête, mais il est méchant.

Une proposition relative (à l'indicatif)

696 Cède ta place à ce monsieur, *qui est âgé* **(= parce qu'il est âgé).**

COMPLÉMENTS DE CONSÉQUENCE

MOYENS D'EXPRESSION

Un nom précédé d'une préposition

697 **À** : Rire *aux* larmes — Le malheureux était blessé *à* mort — Boire *à* satiété (**=de façon à être rassasié**) — *A* notre grande surprise, le match a été perdu par Reims.

Jusqu'à : Insister *jusqu'à* satisfaction — Boire *jusqu'à* plus soif — Mon âme est triste *jusqu'à* la mort (**= si triste que je peux ou je vais en mourir**).

Pour : *Pour* le malheur de la France, Charles VI devint fou.

Avec : Travailler *avec* fruit.

Sans : Travailler *sans* succès (**= conséquence niée ou évitée**).

(Assez pour... trop pour..., voir nos 706 et suivants.)

Une proposition juxtaposée ou coordonnée

Je l'approuve : *il rougit d'aise* (ou : il *en* rougit d'aise) — Je le blâme, *et il est furieux* (ou : il *en* est furieux).

698 **Les mots coordonnants (conjonctions et adverbes) peuvent être : et (v. nº 848), par conséquent, en conséquence, par suite, partant, c'est pourquoi, aussi (suivi généralement de l'inversion du sujet[1], surtout en F.E.), donc, et maintenant, ainsi, ainsi donc, alors, et alors.**

Nous sommes en été { *par conséquent* les jours allongent.
{ *aussi* les jours allongent-*ils*.

N. B. — En conséquence s'applique plutôt à une conséquence d'ordre logique :

Il y a eu beaucoup de réclamations. *En conséquence*, l'administration a décidé...

Un infinitif (voir nº 697, un nom)

699 **Un nom + à + l'infinitif :**

Il est *homme à nous trahir* (**= conséquence au sens large : homme capable de...**) — Voilà un *remède à tuer* le malade.

1. Il a bien travaillé, *aussi est-il* reçu (= conséquence) — Ton fils est reçu; ma fille *est reçue aussi* (= addition).

F. P. fam. : Ils font une *noce à tout casser* (ils mènent une extraordinaire existence de plaisirs et de débauche) — Un *vacarme à ne plus s'entendre*.

Un adjectif + à + l'infinitif :

Une histoire *bête à pleurer* — Il est *laid à faire peur* — Il est *malade à en mourir*. **On trouve aussi jusqu'à, avec une nuance parfois plus positive (= jusqu'à en mourir réellement).**

Un verbe + à + l'infinitif :

C'*est à vous décourager* d'être généreux — C'*est à n'y rien* comprendre — Il *gèle à pierre fendre* — *Courir à perdre haleine*.

Pour + l'infinitif :

Trois heures de marche ne sont pas *pour me faire peur*.

Pour peut introduire une action étroitement consécutive à celle du verbe principal : Il sortit *pour rentrer aussitôt* (*et aussitôt* il rentra) — J'ai travaillé *pour être plus pauvre qu'auparavant*.

(Assez pour..., trop pour..., voir n°s 706 et suivants.)

De manière à, de façon à : On ne peut agir *de manière à* contenter tout le monde.

Conséquence niée ou évitée : Sans : Il sortit *sans réveiller personne*.

Une proposition subordonnée conjonctionnelle

700 **si... que...** : Il est *si* bon qu'*il* pardonne tout (le mode normal est *l'indicatif*).

700 bis **De (telle) manière que, de (telle) sorte que, de (telle) façon que, si bien que ; à tel point que, tellement que, tel que** (v. n° 374).

Le verbe subordonné est généralement :

701 **a) Au mode indicatif s'il s'agit d'une conséquence constatée ;**

b) Au mode subjonctif s'il s'agit d'une conséquence voulue :

a) Le train avait du retard, *de sorte que j'ai manqué* mon rendez-vous **(fait réel indépendant de ma volonté, simplement constaté).**

b) Je veux agir *de telle façon que tous aient* confiance en moi **(fait souhaité, voulu).**

Le tour (fréquent en F.P. fam.) de manière à ce que[1] introduit toujours une conséquence souhaitée ; il est donc normalement suivi du subjonctif.

1. Les puristes évitent cette expression, en effet assez lourde. Pourtant on la trouve déjà chez Victor Hugo : « Placer cette commission très haut, de *manière à ce qu'*on l'aperçoive du pays tout entier. » *(Discours à l'Assemblée législative du 9 juillet 1849*, cité par J.-B. Barrère : *Victor Hugo)*.

702 **Pour que : peut exprimer la conséquence (idée voisine de celle de but) :**

Que t'a-t-il dit, *pour que tu sois* ainsi bouleversé ?

(Assez pour que..., trop pour que..., voir nos 709 et suivants.)

703 **Notez un emploi de que tout seul (surtout F.P. fam.) indicatif :**

Vous faites un vacarme, *qu'*on ne s'entend pas.

... et particulièrement, après une proposition interrogative :

Que s'est-il passé, *que* vous êtes en retard ?

Ici, on peut analyser de deux façons :

a) Que introduit une conséquence de « ce qui s'est passé ».

b) Que introduit la cause de mon étonnement (= Je vous demande cela, parce que je vous vois en retard).
Ce ne sont que deux aspects d'une même situation.

REMARQUE **: A cause du tour interrogatif de la principale, on peut avoir le subjonctif :**

Que s'est-il passé, que vous *soyez* en retard ?

704 **Conséquence niée ou évitée :**
Sans que : Sortez *sans qu'on* vous entende[1].

Alors la coordination s'exprime plutôt, en F.E., par ni que... :

Sans qu'on vous entende *ni qu'*on vous voie;

en F.P. par et, ou :

Sans qu'on vous entende *ou* qu'on vous voie.

Pour l'emploi de ne après sans que, voir n° 810.
Après une principale négative, on trouve, en F.E., que... ne :

Personne n'entre, *qu'*on ne s'en aperçoive aussitôt.

(Voir les compléments de manière, n° 789).

705 **Et que, ou que introduisent une seconde proposition de conséquence coordonnée à la précédente :**

Le soleil chauffe au point que le macadam s'amollit *et que les pieds s'y enfoncent.*

Assez... pour..., trop... pour...

706 **Ici, pour introduit soit un nom :**

a) Conséquence réalisable :

Le convalescent est *assez* vigoureux *pour une longue promenade* (si vigoureux, qu'il *peut* faire une longue promenade).

b) Conséquence irréalisable :

Le convalescent est encore *trop* faible *pour une longue promenade* (si faible qu'il *ne peut pas* faire...).

1. On peut analyser aussi *sans qu'on vous entende* comme un complément de manière (voir n° 789).

707 **Soit un infinitif :**

a) ... *assez* vigoureux *pour faire...*

b) ... *trop* faible *pour faire...*

708 **Soit une subordonnée conjonctionnelle (au subjonctif) :**

a) ... *assez* vigoureux *pour qu'on lui permette* une promenade.

b) ... *trop* faible *pour qu'on lui permette* une promenade.

Le français d'aujourd'hui présente parfois les tours suivants, hérités de la langue classique :

Assez ... de ... (F.P. fam.) :
Soyez *assez* aimable *de* m'apporter ce dossier.

Si... que de... après une négation ou une interrogation F.E. :
« Il n'était pas *si* naïf *que de* croire à une illusion objective créée par le diable » (Dom Nesmy, *Saint-Benoît*) [**ou** : *était-il* si naïf que de croire[1] ?].

708 bis **La conjonction que est absente dans :**
« Ils étaient si nombreux, si bons, elle défaillait de tendresse » (B. Pingaud, *L'Amour triste*).
Ce tour appartient plutôt au F.P. fam.

Une proposition relative

709 **Verbe à l'indicatif :**
J'ai appris la nouvelle à Pierre, *qui a été étonné* (**= fait réel**).

710 **Verbe au subjonctif :**
Nous cherchons un remède *qui lui rende la santé* (tel qu'il lui *rende*, **fait possible, souhaité**).

On peut dire que la proposition relative, exprimant ici une aptitude à un certain effet, introduit par là une conséquence :
Pour le seul qui, le premier qui, le meilleur qui, etc., voir n° 416 bis.

711 **Verbe à l'infinitif (si le relatif est complément de moyen ou de lieu) :**
On leur apporta *de quoi se vêtir* — Je n'ai pas de maison *où me réfugier* (**= où, dans laquelle je puisse me réfugier**).

N. B. — Si la subordonnée dépend d'un verbe comme : je ne sais, je me demande, il s'agit d'une interrogative, non d'une relative :
Je ne sais *à qui parler* (**= A qui parler ? Je ne le sais**).

1. On peut avoir ici une conjonctionnelle au subjonctif (**F.E.**) : Il n'était pas si naïf *qu'il crût...*

COMPLÉMENTS DE BUT, D'INTENTION, DE DESTINATION (CAUSES FINALES, voir n° 685)

MOYENS D'EXPRESSION

Un nom (ou un pronom, **notamment « cela »**)

712 **Préposition :**

Pour : Je m'impose des sacrifices *pour* l'acquisition d'une maison — C'est *pour* cela que je m'impose des sacrifices.
Des *habits pour* le travail — D'*autres pour* le voyage.

En vue de : *en vue de* l'acquisition...

À : Travailler *à* des fins lucratives **(= pour gagner de l'argent).** — Une seringue *à injection.* **(complément de destination, voir compléments du nom, n° 188).**

De : un appareil *de* signalisation.

Dans : J'ai agi *dans* votre intérêt, *dans* un but désintéressé[1].

N. B. — Pour exprimer une intention seulement apparente :

Comme pour : Il est entré chez moi *comme pour* une vérification.

Sous prétexte de : *Sous prétexte de* vérification.

Pour exprimer une **fin à éviter :**

De peur de, par crainte de, crainte de : Rentrer tôt chez soi *de peur des* mauvaises rencontres **(v. n° 685 bis).**

Contre : Prendre des précautions *contre* les accidents.

Une proposition juxtaposée ou coordonnée

713 Marquée par : **dans cette intention, à cette fin, dans cette vue, et (F.P. fam. et parfois F.E.) dans ce but[1] :**

Il fallait empêcher leur rupture; *à cette fin*, je les ai convoqués chez moi.

Un infinitif (voir n° 712, un nom)

714 **Pour :** Il économise *pour* acheter une maison[2].

En vue de, dans le but de[2] : *en vue d'*acheter... *dans le but d'*acheter...

A : une machine *à* écrire, un fer *à* repasser **(on dira plutôt qu'il y a ici des compléments de destination).**

1. *Dans un but, dans le but de,* tour discutable peut-être, est *très vivace*. Pratiquement, il s'est imposé.

2. *Rien que pour...* exprime un but visé à l'exclusion de tout autre : « Il refusera, rien que pour me contrarier. » (A. Troyat, *Les Eygletière*). Le tour est un peu familier. Une langue plus soutenue dira : *uniquement pour...*

Afin de, à l'effet de : Économiser *afin d'*acheter.
De façon à, de manière à : voir n° 699. [conséquence **voulue**].
Histoire de (F.P. fam.), question de (F.P. pop.) :
Je lui disais ça, *histoire de* rire, *question de* l'embêter.
Infinitif directement joint à un verbe de mouvement :
Il est venu me *saluer*.

N. B. — Pour préciser une intention :
À seule fin de (autrefois : à celle fin = à cette fin de).
(Tout) exprès pour : Il est revenu *exprès pour* te rencontrer.

Pour exprimer une intention seulement apparente :
Comme pour, sous prétexte de : *Sous prétexte de* vérifier.
Pour exprimer une fin à éviter :
De peur de, (de) crainte de, pour ne pas (F.P. vulg. : pour pas) :
Pour ne pas le fatiguer, ne prolongez pas l'entretien.

Une proposition subordonnée conjonctionnelle, toujours
715 au subjonctif

Pour que, afin que : *Pour que* les passagers fussent à l'aise, le capitaine *réduisit* la vitesse du bateau.
Que : Viens, *que je te donne* mes instructions.
De façon que, de manière que, de sorte que (v. n° 701) [conséquence voulue].

Pour exprimer une fin à éviter :
Pour que ... ne ... pas : *Pour que* la pluie *ne* vous mouille *pas*, mettez-vous à l'abri.

[**N. B. — Ne dites pas :** Pour ne pas que la pluie... **(F.P. pop.),** **ni surtout :** Pour pas que ... **(F.P. vulg.)**].
Pour éviter que, pour empêcher que, de peur que... Ici, on ajoute généralement ne devant le verbe, même en F.P. :
De peur que vous *ne manquiez* l'avion, je vous emmènerai moi-même à l'aéroport.

N. B. — Pour exprimer une intention seulement apparente, on emploie : Comme s'(il) voulait... comme s'(il) avait (eût) voulu... **(v. n° 756 ter) :**
Tu me serres la main *comme si tu voulais* la broyer.

715 bis **... et que, ou que introduisent une seconde conjonctionnelle de but, coordonnée à la précédente :**
Pour que tout soit prêt à l'heure, *et que vous ayez* moins de fatigue, je vous ferai aider.

Une proposition relative (intention et conséquence associées)

716 **a) Au subjonctif :**
Je veux quelqu'un *qui me soit une compagnie*.

b) A l'infinitif :
Donnez-moi un coin *où me reposer*.

COMPLÉMENTS D'OPPOSITION ET DE CONCESSION

717 **Il y a deux types d'opposition :**

a) *Malgré* ses défauts, je l'aime (= **je concède qu'il a des défauts, mais ils sont sans effet sur mon affection.)**

Cette opposition qui implique une cause sans effet, brisée[1]**, s'appelle concession.**

b) Pierre est travailleur, *tandis que* Paul est paresseux **(deux faits sont opposés parallèlement).**

Nous appellerons ce tour : opposition parallèle.

CONCESSION

MOYENS D'EXPRESSION

Un nom ou un pronom précédés d'une préposition

718 **Malgré :** *Malgré le mauvais temps*, le bateau est arrivé à l'heure — Le temps était mauvais. *Malgré cela*, le bateau est arrivé...

En dépit de : *En dépit de ma bonne volonté*, je lui ai déplu.

Pour cela, pour autant (le verbe étant négatif ou interrogatif) : L'Europe se coalisa contre Napoléon. Il ne perdit pas courage *pour cela* **(voir n° 698 bis).**

(« Pour cela » signifie, en principe : « à cause de cela ». On voit, par cet exemple, comment l'expression qui traduit une cause sans effet, en vient par là même à signifier : malgré cela.)

Avec (tout) : *Avec toute sa fortune*, le voilà ruiné.

(N. B. — C'est la même suite logique : l'existence d'une grande fortune a été sans effet.)

F.P. fam. : Voilà de bonnes raisons pour le congédier... *Mais avec tout ça*, il perd son gagne-pain.

Sans : *Sans fortune*, il vit à l'aise (= **Malgré l'absence de fortune...) (Ici, c'est l'absence qui est sans effet.)**

1. Selon la qualification de P. Guberina (*Valeur logique et valeur stylistique des propositions complexes*). — Montherlant a mis plaisamment en relief cet effet manqué : « On aime une femme d'amitié *parce que*, mais on l'aime d'amour **bien que** » *(Pitié pour les femmes)*.

N. B. — La préposition ancienne nonobstant (expression d'origine latine qui signifie : ne faisant pas obstacle) n'a plus guère cours que dans la langue juridique :

L'accord restera valable, *nonobstant toute réclamation.*

Certaines prépositions mettent en lumière la contradiction, le risque, plus que la concession :

Au mépris de (= contrairement à, sans tenir compte de, en bravant...) :

Risquer l'aventure *au mépris de toute prudence* — Exporter des capitaux *au mépris de la loi.*

Au risque de :

S'avancer sur la glace, *au risque d'une chute.*

Une proposition juxtaposée ou coordonnée

719 Le marchand *vantait* à sa cliente les avantages de cette étoffe : elle restait indécise. **Ou, en marquant plus nettement la concession :**

Le marchand *avait beau vanter* à sa cliente..., elle restait indécise.

C'est-à-dire : il avait belle occasion (beau est une sorte de neutre) de vanter... toute liberté de vanter...

Mais on trouve généralement, dans la seconde proposition, les mots coordonnants : pourtant, cependant[1], néanmoins[2], toutefois, en tout cas, tout de même, quand même, quelquefois et :

Cet herbage est de bonne qualité, *pourtant* mes vaches ont maigri. **Ou inversement :** Mes vaches ont maigri, *pourtant* cet herbage est de bonne qualité — Mes vaches ont maigri, *et* cet herbage est de bonne qualité!

720 **À pourtant, correspond, avec le même sens : pour autant, qui n'est plus employé qu'avec un verbe négatif ou interrogatif.**

Pour exprimer la concession :

Il est bourru, mais il n'est *pas* méchant *pour autant* (**= pour cela = malgré cela.**) — Il est bourru, mais *est-il* méchant *pour autant*?

C'est ce qui explique que pourtant serve seulement, aujourd'hui, à exprimer la concession :

Il est bourru, *pourtant* il est bon (**= malgré cela il est bon**).

Pourtant, cependant peuvent s'insérer dans la phrase pour colorer d'une valeur de concession à peu près n'importe quel terme :

Ce garçon, *pourtant gai,* a des soucis — Ce garçon, *soucieux pourtant,* se montre gai.

1. **Cependant** (v. n° 673) a, originairement, une valeur temporelle : **pendant ce temps.** De la simultanéité, le sens est naturellement passé à l'**opposition** puis à la **concession.**

2. **Néanmoins (F.E.,** assez rare) : néant + moins = en rien moins — *Néanmoins* elles ont maigri = elles *n'*ont *pas moins* maigri (pour cela), elles *n'en ont pas moins maigri.*

Autres tours associés à la concession : Toujours est-il que + indicatif (= ce qu'il y a de sûr, c'est que), F.E. : Vous *m'annoncez son retour* : *toujours est-il que* je ne l'ai pas encore vu. **On rapprochera, dans le même sens :** Prenez *toujours* ça — Ce sera *toujours* ça **(F.P. fam.).**

Il n'empêche que (+ l'indicatif), et n'empêche que, qui est plutôt du F.P. fam.

« Peut-être, mais n'*empêche qu'il* y a là un langage, déclara Bernard » (J.-L. Curtis, *Les Justes Causes*).

En tout cas est un tour équivalent, mais bien plus léger :

Vous m'annoncez son retour; *en tout cas*, je ne l'ai pas encore vu.

Soit renforce parfois la première proposition (celle qui porte en fait l'idée de concession) :

Il a de bonnes intentions, *soit*; mais il fait le mal.

C'est égal est une locution couramment employée pour souligner qu'on n'accepte pas aisément tel fait :

Tu étais pressé; *c'est égal*, tu aurais dû prendre le temps de m'avertir.

Le F.P. pop. a une assez riche gamme d'exclamations, de tours stéréotypés, pour exprimer un rapport de concession :

Il m'a fait des promesses : *Ah! oui! aucun résultat! — Pensez-vous, aucune suite! — Je vous crois!... Belles promesses! — Et, pour finir, rien — Total, zéro.*

(Et) Tout ça pour... traduit une idée de déception :

Il m'a fait les plus belles promesses, *et tout ça pour m'abandonner* **(voir nº 699).**

Un participe, un gérondif ou un infinitif

721 **Le participe, absolu ou non :**

Voulant bien faire, j'ai provoqué une catastrophe.

Les moindres détails *étant réglés*, il y a toujours des surprises à craindre.

Ou le gérondif, généralement précédé de tout :

Tout en faisant des progrès, cet élève n'atteint pas la moyenne.

(Pour : bien qu'ayant, quoique étant, v. nº 723.)

722 **L'infinitif :**

Pour (verbe principal négatif ou interrogatif) :

Pour avoir été condamné, il n'est pas forcément un bandit.

Pour être son père, je n'en suis pas moins sévère à son égard.

(voir nº 718, pour cela).

Sans : *Sans avoir* une grande fortune, il vit à l'aise.

Au risque de (opposition-concession hypothétique) :

S'avancer sur la glace, *au risque de tomber*.

Une proposition subordonnée conjonctionnelle
(normalement avec le subjonctif)

723 **Bien que** : *Bien que j'aie* rencontré cet homme deux fois, je ne me rappelle plus ses traits.

N. B. — On trouve aussi « bien que » avec un participe :
Bien qu'étant pauvre, je vous aiderai.
Et, sans le verbe « être » : *Bien que pauvre*, je vous aiderai.
« Quoique » (en un seul mot), moins rare dans le F.P. que « bien que », a le même sens (pour l'origine, voir n° 727, note p. 340) :
Quoique l'or soit toujours un métal précieux, il n'a plus la même importance qu'autrefois.
Et, avec un participe, ou sans verbe :
Quoique étant pauvre... *Quoique* pauvre...

724 **N. B. — 1. Dans le F.P. et même, de plus en plus, en F.E., quoique et bien que sont employés avec l'indicatif ou le conditionnel**[1] **:** Quoiqu'il *était...* — quoiqu'il *sera...* — quoiqu'il *aurait préféré...* **Ainsi H. Troyat, traduisant Tolstoï :**
« Nous n'empêchons pas l'ennemi de consolider son camp, bien que ce *serait* très facile » (*Tolstoï*).
Mais nous vous conseillons d'employer le subjonctif là où il est possible :
Il a refusé, bien qu'il *ait eu* envie d'accepter — Il est là, quoi qu'il *doive* aller demain à Paris....
ou de tourner par une proposition indépendante avec pourtant :
Il a refusé *pourtant il avait* envie d'accepter — Il est là, *pourtant il ira* à Paris — Il refuse, *pourtant il aurait* préféré accepter.

2. Dans l'expression F.P. pop., quoique ça (= malgré cela), il y a une influence de malgré ça — La conjonction est construite comme une préposition.

725 **Encore que (F.E.) a le même sens que bien que, quoique :**
Elle lui pardonne, *encore qu'il l'ait* beaucoup déçue.
Encore que tend aussi à s'employer avec l'indicatif ou le conditionnel. Ainsi Georges Duhamel a écrit :
« Encore qu'on ne *saurait*, je crois, relever dans mon ouvrage un détail entaché d'inexactitude... » (*Géographie cordiale de l'Europe*).
On trouve « encore que » sans le verbe être :
Je veux espérer, *encore que très inquiet*.

1. Et cela, dès l'ancienne langue.

Malgré que mérite une mention à part : cette forme ne s'emploie, en principe, que dans l'expression : malgré qu'(il) en ait, c'est-à-dire : *si* mauvais gré *qu'*il en ait; *malgré toute* sa répugnance. Mais à cause du sens très clair de la préposition **malgré,** la conjonction **malgré que** (*malgré que je veuille* vous aider), très employée dans le F.P., gagne chaque jour du terrain. Dès maintenant, on ne peut plus prétendre que l'emploi en soit incorrect.

Les expressions, trop répandues : **quoiqu'il en ait, quoi qu'il en ait, bien qu'il en ait,** semblent dues à une confusion avec **malgré qu'il en ait**[1].

Que ... que ... peut exprimer la concession :

*Qu'*il vente, *qu'*il pleuve, je fais une promenade quotidienne.

N. B. — **Quand, alors que** et surtout **alors même que,** avec l'indicatif, s'emploient aussi pour exprimer l'opposition ou la concession :

Vous me nuisez *quand je cherche* à vous aider (... *alors que je cherche...*) — voir n°s 657 et 734-735.

De là : quand, quand même, quand bien même + **conditionnel,** avec la valeur de **même si** (v. n° 755 bis) :

Quand (*même*) *ils seraient cent*, je les attends de pied ferme.

Si peut exprimer l'opposition-concession :

Si je suis bon, je ne suis pas faible.

Après une subordonnée conjonctionnelle de concession, sauf les subordonnées par **si,** on coordonne une autre subordonnée par **et que,** suivi généralement du même mode que dans la première subordonnée :

Quoique vous ayez fait de votre mieux *et que* les résultats *soient* bons, votre directeur n'est pas satisfait — Vous me nuisez *alors que je vous aide* et *que* je *veux* vous sauver.

Une proposition relative

726 Relatifs **ordinaires : indicatif.**

Pierre, *qui a bien travaillé,* est récompensé

(la relative exprime la **cause**);

Paul, *qui a mal travaillé,* est récompensé aussi

(la relative exprime l'**opposition-concession**).

727 Relatifs **indéfinis** (qui que... quoi que,.. quel que...) : **subjonctif.**

a) *Qui que vous soyez,* entrez (= **vous pouvez être tel ou tel,** n'importe qui, pourtant je vous accepte chez moi)[2].

1. L'expression **en dépit qu'(on) en ait** (= **malgré (soi)**), beaucoup moins répandue, a pour elle les meilleurs auteurs classiques (cf. Molière, *Le Misanthrope* I. 1).

2. On distinguera avec soin : *quoi que* (en deux mots), relatif de concession, et *quoique* (en un mot), conjonction de concession :
Quoi que vous fassiez, vous aurez toujours tort.
Quoique vous ayez beaucoup travaillé, votre directeur n'est pas satisfait.

b) Je l'admets chez moi, *quel qu'il soit; quel que soit* celui qui l'envoie.

L'histoire de ces tours est obscure, ou du moins très confuse. Le premier contient un pronom (qui); le second un adjectif (quel, peut-être substitué à un « lequel » primitif)[1]**.**

728 Autres emplois de relatifs indéfinis :

a) Un adverbe relatif :

Où que j'aille, je ne rencontre que des amis.

b) Expressions formées de quelque :

Quelque... que encadrant un nom (F.E.) :

Quelques efforts que vous fassiez... *Quelques grands efforts que* vous fassiez... (*quelque* **s'accorde alors avec le nom pluriel).**

Mais on trouve aussi : Si... que :

« *Si* grande *responsabilité* qu'il faille reconnaître aux chrétiens... » (J. Maritain *Le Mystère d'Israël.*)

Quelque... que encadrant un adjectif (F.E.) : alors quelque a le sens de : à quelque degré, et reste invariable :

Quelque bons que vous soyez tous deux, on vous craint.

On dit, on écrit : *Si bons* que vous soyez **(qui cède la place, aujourd'hui, à** *aussi* bons que **ou même à :** *pour si* bons, *pour aussi* bons que...).

On dira très correctement : *Si* bons *soyez-vous...* — **ou :** *Pour* bons *que vous soyez...* — *Tout* bons *que vous êtes...*

N. B. — On trouve aussi autant que (+ subjonctif) au sens de quelle que soit la quantité que (F.E.) :

« Nous lui demandons infiniment plus que ce qu'il nous donne, *autant* qu'il nous *ait* donné. »

(F. Mauriac.)

En revanche, comment que (= de quelque manière que) est malheureusement très archaïque :

« Toutes ces gardes, *comment qu*'elles soient établies, ne sont point difficiles à passer. » (Paul-Louis Courier, cité par Littré.)

1. Sans doute sont-ils le résultat de l'association de plusieurs tours, par exemple : **Quel... que** et **quelque** (voir L. Foulet, *Petite Syntaxe de l'ancien français*).

Qui que vous soyez permet d'expliquer la conjonction **quoique** : Originairement (Moyen Age) **qui qui...** ou **qui que...** + subjonctif, signifiaient : malgré tous ceux qui... tous ceux que. Par exemple : *Qui qu'en grogne* = malgré tous ceux qui en grognent, malgré tous les grognons, tous les mécontents.

De même on disait au sens neutre : **que que...** : *Que que vous disiez*, vous aurez tort.

« Que que... » est devenu **quoi que,** très vivant aujourd'hui en **F.E.** et même en **F.P.** : *Quoi que vous fassiez*, vous serez toujours blâmé par quelqu'un.

Enfin « quoi que » aboutit à **quoique,** conjonction : *Quoi que je lise*, on me croit ignorant, *quoique je lise*, on me croit ignorant.

Quant à **bien que,** son origine est sans doute dans un emploi concessif de l'adverbe **bien,** analogue à celui de **beau** dans : *avoir beau.*

OPPOSITION PARALLÈLE

Elle se traduit essentiellement dans des phrases de ce genre :

Paul travaille, *tandis que Pierre se repose.*

Il y a opposition, mais sans qu'il y ait nécessairement concession.

729 MOYENS D'EXPRESSION : un nom, ou un pronom, avec préposition

En face de, au lieu de :

En face de mes succès, on voit tes échecs — *Au lieu du* succès espéré, c'est un échec!

A côté de, auprès de, quelquefois (F.E.) au prix de, expriment une comparaison qui oppose :

Qu'est-ce qu'une puce, *auprès d'*un éléphant?

730 **Un pronom personnel tonique, toujours mis en relief (disjoint) :**

J'ai du mal à joindre les deux bouts; *lui, quant à lui, pour lui,* il se paie des vacances en Grèce.

Propositions juxtaposées ou coordonnées

L'un des plateaux s'abaisse; *l'autre s'élève.*
L'un des plateaux s'abaisse, *et l'autre s'élève.*

731 **On trouve aussi, pour insister sur l'idée de symétrie ou d'échange :**

Prêtez-moi votre auto { *en échange* / *en contrepartie* / *en revanche* } je vous prêterai ma maison.

Pour exprimer une opposition accentuée : au contraire :

Tu as réussi; j'ai échoué, *au contraire.*

Un participe ou un infinitif

732 a) **Un participe présent :**

L'un *entrant,* l'autre sort.

733 b) **Un infinitif (voir n° 729, un nom) :**

Au lieu de :

Au lieu d'être complimenté, j'ai été blâmé.

(Bien) loin de :

(*Bien*) *loin de nuire* à votre santé, ce voyage vous fera grand bien.

Une subordonnée conjonctionnelle

734 **Pendant que,** et, surtout : **tandis que, alors que + l'indicatif.**

Un des plateaux de la balance s'abaisse, *tandis que l'autre s'élève.*

N. B. — Il y a, ici, à la fois idée de **simultanéité** (v. nº 675) et idée **d'opposition.**

Mais voici l'opposition **pure et simple** :

Que de jeunes gens tournent mal, *alors que leurs parents étaient si honnêtes!*

735 **Quand** :

Nous attendions l'ennemi au nord, *quand il vint nous attaquer par le sud.*

Là est l'origine de l'expression si usuelle pour marquer **une péripétie** :

Je me disposais à écrire, *quand soudain* l'électricité a manqué.

L'avion avait disparu *qu*'on l'entendait encore (voir nº 657).

Si :

Si Pierre travaille mal, Paul travaille bien.

736 **Au lieu que** (très courant dans la langue classique, l'est moins aujourd'hui).

Mon père était officier, *au lieu que moi*, je suis devenu cultivateur.

(Bien) loin que + subjonctif (F.E.) est aussi moins employé qu'au XVIIe siècle :

(*Bien*) *loin que je veuille vous nuire*, mon dévouement vous est acquis.

Tant s'en faut que (subjonctif), **que...** est à peu près hors d'usage :

« *Tant s'en faut qu*'*il consente*, *qu*'au contraire il fera tout pour l'empêcher » (Voltaire). (*Bien loin de* consentir[1], il fera tout pour l'empêcher.)

Mais on trouve parfois cette expression sous une forme réduite (F.E.) :

Il fera tout pour l'empêcher, *tant s'en faut qu'il consente.*

Il ne l'aide pas, *tant s'en faut.* (= Au contraire!)

Une proposition relative

737 Avec l'adverbe relatif **là où,** le français exprime une opposition assez semblable à celle que traduit **au lieu que** :

Là où les pères étaient officiers, les enfants sont cultivateurs.

737 bis **... et que ou que** introduisent une subordonnée conjonctive coordonnée à une première subordonnée conjonctive de concession : sauf dans le cas de **quand** et de **si** (nº 735) :

Bien loin que je veuille vous nuire *et que* je vous desserve...

1. Littéralement : « On est *si loin* de son consentement *que,* au contraire, il fera tout pour l'empêcher. »

COMPLÉMENTS DE CONDITION ET COMPLÉMENTS DE SUPPOSITION

738 **Il y a condition quand la réalisation d'un fait A est nécessaire pour qu'un autre fait B se réalise.**

Question : *A quelle condition* quitteriez-vous votre appartement?
(A) **(B)**

Réponse : *A condition de* recevoir une indemnité **(A)**.
ou : *Si je recevais* une indemnité **(A)**.

739 **Quand la réalisation d'un fait A′ est envisagée non plus comme nécessaire mais comme suffisante pour la réalisation d'un fait B′, il n'y a pas condition mais supposition :**

Si vous pardonnez cela, vous êtes généreux.
(A′) **(B′)**

N. B. — Souvent condition et supposition sont étroitement associées, ou confondues.

MOYENS D'EXPRESSION de la condition et de la supposition

Un nom avec préposition

740 **I. La condition :**

Elle s'exprime dans toute sa force à l'aide d'une expression soulignant la nécessité, par exemple : seulement en cas de...

Vous serez remboursé des frais médicaux *seulement en cas d'accident*.

A charge de signifie : à condition de :

Je vous ai rendu service, mais *à charge de revanche!* (ou *de réciprocité*).

A moins de exprime une condition négative :

Restez, à *moins d'*un contrordre (*à condition qu'il n'y ait pas* contrordre, *sauf* s'il y a contrordre).

741 **II. La supposition :**

En cas de pluie (**= supposons qu'il pleuve**), je me réfugierai, je me réfugierais sous cet abri.

742 **Avec et sans introduisent parfois des compléments à valeur de condition, ou de supposition :**

Avec lui, on serait sûr de réussir — *Sans toi*, je me rompais le cou.

(Pour cet emploi de l'imparfait de l'indicatif, voir n° 507.)

743 **Un adverbe** (voir n° 759)

743 bis **Propositions juxtaposées ou coordonnées**

Il s'agit alors de suppositions, plutôt que de conditions : *Tu recules*, il avance — *Recules-tu*, il avance — *Recule et* il avancera — *Tu reculerais*, il avancerait — *Tu reculerais qu'*il avancerait.
(Ici, que, fréquent en F.P., est une particule de soutien.)

744 **Un gérondif, un participe ou un infinitif**

• **Gérondif — Participe.**

I. La condition :

Là encore, la force de la condition doit être mise en relief :

On *ne* digère bien *qu'*en *marchant* (= **que si on marche).**
C'est (seulement) *en marchant qu'*on digère bien.

745 **II. La supposition :**

Son fils mort, que deviendrait-elle ? — *En enseignant*, on s'instruit.

746 • **L'infinitif, précédé de à condition de :**

Le journalisme mène à tout, *à condition d'en sortir.*

...ou de à :

A l'en croire, il est le plus honnête homme du monde (= **si on l'en croit)** — *A t'entendre*, on jurerait que tu as tout fait — *A proprement parler*, nous ne nous fréquentons plus.

747 **Nous retrouvons ici à moins de (v. n° 740) :**

On ne le contentera pas, *à moins de tout lui accorder* (= **sauf si on lui accorde tout).**
Faute de répondre à temps, vous manquerez cette affaire.

Une proposition subordonnée conjonctionnelle

748 **I. La condition :**

A condition que — pourvu que[1], suivies en règle générale du subjonctif :

Il est très aimable { *à condition qu'on fasse* / *pourvu qu'on fasse* } ses quatre volontés.

1. **Pourvu que** exprime aussi le souhait (voir n° 824).

Après « à condition que », l'indicatif futur est fréquent dans le F.P. : ... *À condition qu'on fera* ses quatre volontés; **ou le conditionnel présent (= futur du passé), si le verbe principal est à un temps passé (v. n° 520) :** Il *promettait* d'être aimable, à condition qu'on *ferait* ses quatre volontés.

Si (et, plus nettement, seulement si, ne... que si) :

Certaines personnes *ne* dorment bien *que si* elles ont la tête tournée vers le nord.

Si tant est que (+ subjonctif) exprime une réserve, une restriction :

La paix est proche, *si tant est que* les nouvelles *soient* vraies.

Sauf si, excepté si (et d'une manière générale si... ne... pas) introduisent un cas dans lequel le fait exprimé par la proposition principale cesse d'être vrai :

L'accord { *prendra* / *prendrait* } fin dans un an, sauf s'il { *est* / *était* } renouvelé un mois avant son expiration.

Même sens avec à moins que... ne (suivi du subjonctif) :

L'accord prendra fin dans un an, *à moins qu'il ne soit* renouvelé un mois avant son expiration.

749 **II. La supposition :**

La conjonction la plus employée est si. Mais il est à noter que, dans ce sens, la proposition subordonnée se place très souvent avant la principale[1] :

Si vous partez, je pars — *Si vous étiez* parti, je serais parti.

750 Emploi des modes et des temps avec si : condition ou supposition (voir aussi n°s 516 et suiv.).

a) L'indicatif dans la principale signifie que la condition (ou la supposition) exprimée par si a de fortes chances de se réaliser, ou même se réalise ou s'est déjà réalisée :

1. Mon moteur *tire* bien *si* je *mets* du supercarburant.
2. Mon moteur *tirera* bien *si* je *mets*[2]...
3. Mon moteur *tirait* bien *si* je *mettais*...
4. Mon moteur *a* bien *tiré si j'ai mis*...

On voit que si avec une principale à l'indicatif exprime souvent la répétition : toutes les fois que... Aussi quand est-il très souvent employé ici (mais en 2, il est suivi du futur [...tirera... quand je *mettrai*...]**).**

1. Voir n° 515, note 2.
2. Noter l'emploi du présent (v. n° 488).

751 b) **Le conditionnel** dans la principale exprime toujours un fait imaginé et signifie que la condition est d'une réalisation **plus douteuse,** ou même **n'est pas** ou **n'a pas été réalisée.**

1. Réalisation **possible** mais **douteuse** (dans le **futur**) :

Mon moteur *tirerait* bien **(demain)** si je mettais...

(Voir aussi certains faits de concordance, avec l'imparfait, nº 502, note.)

2. **Irréel du présent** :

Mon moteur *tirerait* bien **(maintenant)** si j'avais mis du supercarburant.

3. **Irréel du passé** :

Mon moteur *aurait* bien *tiré* **(hier)** si j'avais mis...

F.E. : Ponce Pilate eût été bien surpris si on lui eût dit **(si on lui avait dit)** comment son nom passerait à la postérité **(voir nº 517).**

Que si n'est plus guère employé que pour un effet oratoire :

Que si l'on vient m'opposer la loi, je réponds en invoquant les droits de l'homme[1].

752 **Si,** au sens de **s'il est vrai que,** peut être suivi, comme dans la langue classique, d'un **conditionnel** :

Si vous auriez du plaisir à le recevoir, la réciproque n'est pas vraie.

Ou d'un **futur** :

« Qui donc attendrons-nous s'ils *ne reviendront pas*[2] ? » (Victor Hugo, *Les Contemplations*.)

753 (**Si** peut encore être suivi du **futur** ou du **conditionnel,** dans l'interrogation indirecte ; mais alors il s'agit d'un **adverbe d'interrogation** :

Dis-moi *s*'il *viendra* — Dis-moi *s*'il *protesterait* au cas où je m'abstiendrais.)

Seuls les enfants, dans leur logique, emploient si de condition avec le mode conditionnel :

Si je *serais* premier, tu me récompenserais.

754 **Si** peut encore exprimer une **opposition** symétrique :

Si Pierre *travaille* mal, Paul travaille bien.

Ou même une **concession** :

Si je veux bien être bon, je ne veux pas être faible.

1. Ne pas confondre avec le **que si** employé dans le français parlé pour **souligner** une réplique affirmative : Il ne viendra pas? — Oh! *que si* (v. nº 807).
2. Cité par R. Le Bidois (*Le Monde*, 18 juillet 1962).

755 Autres conjonctions introduisant la supposition :

Que (+ subjonctif) :

Que le temps *vienne* à se gâter et voilà la moisson compromise.

Souvent avec une valeur d'**opposition** : *Qu*'il *dise* oui, toi, tu dis non.

Pour peu que, si peu que (avec le **subjonctif**) expriment que le fait supposé sera suffisant, quelle qu'en soit l'intensité, pour produire la conséquence (= si seulement) :

Pour peu que vous *paraissiez* l'approuver, il sentira croître son audace.

Si... tant soit peu... a la même valeur, avec l'**indicatif** :

Si vous avez *tant soit peu* de bon sens, vous parlerez autrement.

Au cas où est suivi du **conditionnel** :

Au cas où il y *aurait* du verglas, je retarderais mon départ en voiture.

(Ne pas confondre avec **pour le cas où** qui exprime surtout une précaution :

Prenez un parapluie, *pour le cas où* il *pleuvrait*.)

La langue classique connaissait les tours :

En cas que / **Au cas que** (avec le **subjonctif**), que certains puristes emploient encore :

Prenez un parapluie *au cas qu'il pleuve*.

755 bis **Supposé que, à supposer que, en supposant que, en admettant que** (avec le **subjonctif**) expriment généralement (surtout la dernière locution) une supposition **extrême**, proche de la concession :

En admettant que vous ayez raison, il faut garder la mesure.

La même valeur de concession se retrouve dans :

Même si (pour les temps et modes, voir nos 750 et 751).

Quand même (plus rarement **quand, quand bien même**), **lors même que** (vieilli) :

Même si tu {*avais* / *as*} raison, il {*faudrait* / *faudra*} garder la mesure.

Quand même tu *aurais* raison (*quand* tu *aurais... quand bien même* tu *aurais...*), il *faudrait* garder la mesure.

« *Lors même que* Mgr le Marquis *mourrait*, la Vendée de Dieu et du roi ne mourra pas » (Victor Hugo, *Quatre vingt-treize*).

On trouve, très couramment (surtout en **F.P.**), le conditionnel sans conjonction, avec postposition d'un pronom personnel sujet :

L'emporterais-tu, il faudrait te montrer modeste — *L'emporterais-tu qu*'il faudrait te montrer modeste.

Sans postposition du pronom sujet :

Tu l'emporterais (qu')il faudrait te montrer modeste.

755 ter **Le F.E. emploie également en ce sens, sans conjonction, certains verbes : avoir, être, devoir, vouloir, au subjonctif imparfait ou plus-que-parfait. Il y a postposition du pronom sujet.**

Eût-il raison, il devrait garder la mesure — *Fût-il* riche, il ne donnerait rien — *Eût-il* protesté, cela n'aurait servi à rien — *Dussé-je* m'en repentir, je refuserai — *Le voulût-il*, il ne pourrait vous aider.

(Pour les expressions concessives se rattachant plus ou moins à l'idée de supposition (avoir beau..., si grand qu'il soit, **etc.), voir nos 719, 728.)**

756 **Pour exprimer l'équivalence entre deux suppositions : les expressions : soit que... soit que... — soit que... ou que... — que... (ou) que... — que... ou... suivies du subjonctif introduisent des suppositions différentes, mais ayant la même conséquence, exprimée par la principale :**

Soit qu'il pleuve, *soit qu*'il fasse beau, le pêcheur doit sortir en mer — *Qu*'il pleuve, (*ou*) *qu*'il fasse beau... — *Qu*'il pleuve ou fasse beau...

On préférera employer les deux dernières tournures, comme plus légères.

Souvent des noms, des adjectifs unis par ou remplissent le même rôle, sans verbe exprimé :

Adresse ou hasard, il atteignit le centre de la cible.
Courageux ou imprudent, le chef ne doit pas s'exposer en vain.

756 bis **Dans la langue classique : sans que (+ indicatif) s'employait au sens de si... ne... pas (+ conditionnel passé) :**

« C'était fait de leur nombreuse armée (= **leur armée eût été perdue**), sans que le comte de Souches *plaça* des troupes... » (Racine.)

(On dirait aujourd'hui : « ... sans le comte de Souches, *qui* plaça... » ou : « *si* le comte de Souches n'avait placé... »)

Le F.P. pop. n'ignore pas ce tour de la langue classique. Mais, en bonne langue, sans que (+ subjonctif) signifie aujourd'hui que l'action de la principale n'entraîne pas avec elle l'action exprimée par la subordonnée (v. n° 789) :

Il *entre sans qu*'on *s'en aperçoive*.

756 ter **Comme si contient une comparaison et introduit soit une cause supposée (voir n° 779) :**

Il tremble *comme s'il avait froid.*

soit une véritable comparaison :

Parlez-lui *comme si vous lui pardonniez tout.*

Quelquefois comme si traduit une exclamation indignée :

Comme si je mentais!

757 REMARQUES

a) **Si peut n'être pas exprimé, lorsque le verbe de la subordonnée est le verbe être, employé au sens de exister et à la forme négative (ces tours appartiennent au F.E.). On notera l'emploi obligatoire de l'indicatif dans le premier des exemples ci-dessous, du subjonctif dans le second :**

N'était cette difficulté, tout *serait* déjà réglé (si cette difficulté *n'existait* pas).

N'eût été votre sang-froid, nous { *périssions* tous. / *aurions* tous *péri*. }

(si vous n'*aviez gardé* votre sang-froid).

b) **Le verbe dépendant de « si » peut n'être pas exprimé (tour plus rare aujourd'hui qu'à l'époque classique) :**

Si vous venez demain, je serai encore là; *si* après-demain, ce sera trop tard.

758 **De là sinon, qui a plusieurs sens :**

a) **Après une proposition commençant par si, il exprime la supposition inverse :**

S'il accepte, c'est bien; *sinon*, tant pis pour lui[1].

b) **Inséré dans une proposition quelconque, sinon exclut de l'affirmation le terme qui le suit :** Il est, *sinon* courageux, *du moins* adroit (**= Il n'est peut-être pas courageux, mais il est adroit).**

c) **Mais souvent (surtout placé à la fin de la proposition) sinon a le sens de peut-être même :** Il a du talent, *sinon* du génie.

759 **Un adverbe ou une locution adverbiale (dans ce cas : alors, mais alors, autrement) ou même un nom, un adjectif peuvent, sans verbe, représenter toute une proposition commençant par si :**

Il peut tomber malade, *alors* on devrait lui nommer un successeur (et *s'il tombait* malade...) — Venez de bonne heure; *autrement*, vous n'auriez pas de places — *Plus jeune*, il obtenait ce poste.

N. B. — Alors seulement exprime une sorte de condition :

Laissez-le répondre. *Alors seulement* vous lui parlerez.

760 **Mode après... et que — ... et que, ou que... introduisent une subordonnée de condition ou de supposition coordonnée à la première : le mode correct est le subjonctif :**

Si le temps le permet *et que* ma voiture *soit* réparée, nous partirons pour la campagne.

Mais les exemples de l'indicatif se multiplient dans le F.P. fam. et même dans le F.E. (voir tableau n° 761 bis).

1. On peut dire aussi : *sans quoi*, tant pis pour lui; mais *ou sinon*, *ou sans quoi* sont des tours incorrects du **F.P.**

761 **Temps après... et que — En outre, après un verbe subordonné par si, à l'imparfait de l'indicatif, la correction exigeait jadis l'imparfait du subjonctif** pour le verbe dépendant de : **et que...**

a) *Si* le ciel *était* clair *et que* la température *fût* douce, mon père *venait* lire au jardin **(répétition).**

b) *Si* le ciel *était* clair *et que* la température *fût* douce, mon père *viendrait* lire au jardin **(conditionnel).**

Mais la défaveur de l'imparfait du subjonctif a entraîné (voir n° 534) son remplacement par le présent du subjonctif en F.P. et souvent en F.E. :

Si le ciel *était* clair et que la température *soit* douce...

... ou même (F.P. fam.) par l'imparfait de l'indicatif (... et que la température *était* douce...), **tout au moins dans les phrases du type a).**

De même, le plus-que-parfait du subjonctif a cédé la place au passé du subjonctif ou même au plus-que-parfait de l'indicatif :

S'il m'avait compris et qu'il *ait accepté* (et qu'il *avait accepté*) ma proposition...

Nous conseillons, après et que :
en F.P., d'user du présent et du passé du subjonctif
en F.E., de n'employer l'imparfait ou le plus-que-parfait du subjonctif qu'à la 3e personne du singulier, et dans les formes brèves de la 2e et de la 3e conjugaisons : fût, vînt, fût venu, etc.

761 bis Tableau de la construction de : Si... et que...

Chaque année, s'il *fait* beau, et que le foin	*soit* sec **(F.E. F.P.)** *est* sec **(F.P. fam.)**	nous le *coupons.*
Demain, s'il *fait* beau, et que le foin	*soit* sec **(F.E. F.P.)** *est* sec **(F.P. fam.)**	nous le *couperons.*
Demain, s'il *faisait* beau, et que le foin	*fût* sec **(F.E.)** *soit* sec **(F.E. F.P.)** *était* sec **(F.P. fam.)**	nous le *couperions.*
Hier, s'il *avait fait* beau, et que le foin	*eût séché* **(F.E.)** *ait séché* **(F.E. F.P.)** *avait séché* **(F.P. fam.)**	nous l'*aurions coupé.*

762 **... et que, représentant un comme si, est suivi, en stricte correction, de l'imparfait ou du plus-que-parfait du subjonctif. Mais on trouve, naturellement, même en F.E., l'imparfait ou le plus-que-parfait de l'indicatif :**

« Il continuait à se conduire comme si le monde extérieur n'existait pas *et que* seules *comptaient* les âmes » (H. Troyat, *Tolstoï*).

Propositions relatives

763 a) **Condition** : avec adjonction de **seul, seulement** (v. n° 740) :

Seul, celui qui { *est passé* / *serait passé* } par ces angoisses me { *comprendra.* / *comprendrait.* }

N. B. — La subordonnée relative se met au conditionnel, si le verbe principal doit être lui-même à ce mode.

b) **Supposition** : même emploi des temps et modes :

Celui qui { *est* passé... me *comprendra.* / *serait* passé... me *comprendrait.* }

L'expression populaire **comme qui dirait**[1], équivaut à : **dirait-on,** ou à : **pour ainsi dire** :

Il est *comme qui dirait* assommé. **F.P.**

1. Rapprochée — comme il est légitime — par M. Grevisse du tour : Tout vient à point *qui* sait attendre (= si l'on sait...). Voir n° 408 c.

COMPLÉMENTS DE COMPARAISON[1]

764 **La comparaison s'exprime soit par un rapport d'égalité ou de ressemblance** : blanc *comme* neige; **soit par un rapport d'inégalité on de différence** : *plus* blanc *que* neige.

Nous observerons cette double répartition au cours du présent chapitre.

LE SECOND TERME DE LA COMPARAISON EST UN NOM OU UN PRONOM

Comparaisons impliquant l'égalité, la ressemblance

765 **Elles sont introduites par comme, ainsi que, de même que.**

Je suis malheureux, je souffre *comme* vous[2] — « *Ainsi que* la vertu, le crime a ses degrés. » (Racine, *Phèdre*.)

Pour comparer l'intensité : autant... que, aussi... que :

Aussi... que... encadre un adjectif ou un adverbe de manière :

Je suis *aussi content que* vous.

Autant modifie en principe un verbe :

Je *travaille autant que* vous.

Il peut modifier un adjectif (ou plus rarement un adverbe). Mais alors, dans la langue d'aujourd'hui, l'adjectif précède *autant* **:**

Content, je le suis *autant que* vous.

Autant de... que de... encadre un nom. Si ce nom est singulier, la comparaison porte sur des masses — Si ce nom est pluriel, elle porte sur des êtres qui se comptent (voir nos 205 et suiv.) :

Dans ce verre il y a *autant d'eau que de vin* — Le fermier possède *autant de bœufs que de chevaux*.

Tant... que... ne s'emploie qu'en apposition et marque une répartition, sans qu'il y ait nécessairement égalité :

J'ai 250 têtes de bétail, *tant* vaches *que* moutons.

Dans une proposition négative, aussi... que, autant... que sont très souvent remplacés par si... que, tant... que :

Il *n'*est *pas si* bon *que* son père — Il *ne* travaille *pas tant que* son camarade — Complaisant, il *ne* l'est *pas tant que* son prédécesseur.

Ces tours sont répandus aussi (F.P. et même F.E.) dans les propositions interrogatives :

Est-il si bon *que* son père?

1. La comparaison n'est pas toujours exprimée par un complément circonstanciel v. **nos 765, et 768 à 771.**

2. Dans l'analyse on peut admettre que **vous** est le sujet de **souffrez** non exprimé — Mais le Français parlant sent, dans **comme**, une sorte de **préposition** introduisant un **complément de comparaison.**

On notera, en F.P. fam., l'expression tant que ça :

Travaille-t-il *tant que ça?* Si tu travailles *tant que ça*, tu tomberas malade.

On notera surtout l'emploi très étendu, dans le F.P. fam., de comme ça, constituant des expressions aux nuances variées :

Comparaison : Un fauteuil large *comme ça* **(avec un geste)** — Restez *comme ça* **(= ainsi)**, sans bouger — Tenez votre pelle *comme ça* **(= ainsi)** — Il s'est mis en colère? Oui, il est *comme ça* **(= ainsi).**

Appréciation vague : Vous allez mieux, j'espère? — *Comme ça...*

Désignation péjorative : Des gens *comme ça*, j'en ai trop vu.

Intensité : Il est bête *comme ça*? — Faut pas pleurer *comme ça*!

Conséquence : Économisez votre argent. *Comme ça* **(ainsi)**, vous en aurez quand vous serez vieux.

Conclusion d'un récit, formulée par l'interlocuteur : *Comme ça*, il vous a mis dehors? (= **ainsi donc...**)

766 REMARQUE **: le sens de ainsi que, de même que s'affaiblit parfois au point d'être celui d'une simple conjonction de coordination (= et, et aussi) — Dans le F.E., ainsi que, de même que sont alors souvent précédés d'une virgule :**

Les femmes furent évacuées d'abord, *ainsi que* les enfants.

Comme peut avoir cette valeur affaiblie. Il est alors souvent suivi de d'ailleurs ou aussi :

Madame est absente, *comme d'ailleurs* monsieur.

Pour rendre, au contraire, à de même que sa valeur primitive, certains puristes contemporains ont ressuscité la vieille expression tout de même que, au sens où l'employait, par exemple, Mme de Sévigné :

« Vous m'avez vue me repentir, m'agiter, et m'inquiéter *tout de même qu*'une autre » **(= exactement comme une autre, tout autant qu'une autre).**

Mais la langue populaire n'a point accepté ce tour, car elle a cristallisé tout de même dans le sens de pourtant (v. n° 719).

767 **A la façon de, à la manière de sont des locutions prépositives de comparaison :**

Elle avait un chapeau qui lui emboîtait la tête *à la façon d*'un casque.

(De là les tours : habit *à la* française; macaroni *à l*'italienne; des traits spirituels *à la* Voltaire.)

768 **[Notons que le nom ou le pronom, peuvent être aussi compléments d'adjectifs ou d'adverbes :**

a) Égal à, pareil à, pareillement à :

Le nombre des cavaliers est *égal au* nombre des fantassins.
L'amour maternel n'est point *pareil à* l'amour paternel[1].

b) Le même que (= identité), tel que (= ressemblance) :

Mon stylo est *le même que* le tien **(pour le même qui, introduisant une proposition relative, voir nº 412).**

Je n'ai jamais vu une paresse *telle que* la sienne.

Tel quel (plus rarement tel, tout seul) signifie : ainsi qu'il est, dans l'état où il est :

Emportez la marchandise *telle quelle*, sans l'envelopper.

Le F.P. pop. dit souvent ici : telle que.

Pour l'accord, dans le tour : Il fondit sur l'ennemi, *telle* la foudre, **voir les nºs 147 et 372, et les notes.]**

769 Expressions inversées, avec répétition du terme de comparaison : Le Français dit volontiers, au lieu de :

[Il y a *autant* d'eau *que* de vin] — Autant de vin, *autant d'eau.*
[Le fils est *tel que* le père...] — Tel père, *tel fils*[2] **(dicton).**

La comparaison ou plus exactement la conformité peuvent encore s'exprimer, dans un sens large, au moyen des prépositions d'après, suivant, selon, conformément à, sur :

Soyez sans inquiétude : il a agi *conformément à* vos instructions, *sur* vos instructions.

770 Si le nom qui les suit évoque le changement, les degrés dans l'action, dans la qualité, etc., ces expressions traduisent une comparaison proportionnelle ou variable (v. nº 694 et, plus loin, nº 781) :

Le mercure monte, ou descend dans le tube, *suivant* les changements de pression atmosphérique (ou *selon* la pression atmosphérique).
Les épreuves seront plus ou moins difficiles, *selon* l'âge des concurrents.

Ajoutons à ces emplois celui de au fur et à mesure de :

Au fur et à mesure des inscriptions, vous répartirez les concurrents en plusieurs catégories.

A la mesure de, à la hauteur de n'expriment pas une comparaison variable, mais statique :

Votre talent n'est pas *à la mesure* (*à la hauteur*) *de* vos prétentions.

N. B. — Les comparaisons variables sont en rapport étroit avec l'idée de cause (v. nº 694).

1. **Pareil que** est une incorrection pratiquée couramment par les enfants... et par nombre d'adultes, et qui tend à s'imposer. Elle a des exemples dans l'ancienne langue.
2. On remarquera l'absence fréquente de verbe dans l'expression inversée.

Comparaisons impliquant l'inégalité, la différence

771 **Ici, les expressions les plus courantes sont faites d'adjectifs ou d'adverbes au** **comparatif** **(v. n° 208) ; ils ont alors des compléments propres, qui ne sont plus des compléments circonstanciels.**

Comparatifs de supériorité :

Paul est *plus grand que* Pierre — Il court *plus vite que* Pierre.

Comparatifs d'infériorité :

Paul est *moins grand que* Jean — Il court *moins vite que* Jean.

On notera le tour : les moins *de* dix-huit ans, les moins *de* vingt et un ans **et (dans le même sens) les expressions juridiques :** les mineurs *de* seize ans, les mineurs *de* vingt et un ans.

N. B. — On dit : Il a vécu *plus de* cent ans — Ils sont *moins d'*un millier, **mais :** Il est autre *que*, différent *de*, dissemblable *de*, supérieur *à*, inférieur *à*, antérieur *à*, postérieur *à*, préférable *à*, inégal *à*.

Certains grammairiens proscrivent les expressions davantage que et même davantage de, qui ont cependant pour elles des écrivains comme Pascal, Molière, Bossuet, Proust, Montherlant — et connaissent une large diffusion dans le F.P. :

Je gagne *davantage que* toi — J'ai eu *davantage de* succès.

(Mais davantage, employé seul, ne soulève aucune difficulté :

Tu gagnes beaucoup. Je gagne *davantage*.)

Autre pouvait avoir dans la langue classique, et peut avoir encore aujourd'hui le sens de : plus grand, plus fort, meilleur, aussi bien que celui de : différent :

« Les exemples vivants sont d'un *autre* pouvoir » (Corneille, *Le Cid*) (= **d'un plus grand pouvoir).**

De même on peut entendre aujourd'hui :

Ma nouvelle voiture est *autrement* rapide que l'ancienne.

771 bis **La mesure de la** **différence** **s'exprime par la préposition** **de** **:**

Plus grand *de* dix centimètres — Il est plus vieux que moi *de* deux ans — Plus grand *de* beaucoup.

Ou par un adverbe qui précède : *Bien* plus grand, *un peu* plus petit.

772 **N. B. — Le tour appelé** **superlatif relatif**[1] **implique une comparaison :**

Voilà *le plus indépendant* des hommes **signifie :** voilà celui qui, *comparé* à tous les autres hommes, *l'emporte* en indépendance.

Le complément de ce superlatif (ou second terme de la comparaison) s'exprime de plusieurs façons :

La plus belle *des maisons*. **(Construction la plus fréquente.)**
Le plus heureux *d'entre vous*.

1. Rappelons que le *superlatif absolu* (sans complément) s'exprime au moyen de *très fort, extrêmement*, etc. : un cheval *très rapide*.

On peut dire aussi, sans superlatif relatif :

Vous êtes bénie *entre toutes les femmes.*
Estimé *sur tous* les professeurs de cette université.
Estimé *par-dessus tous.*

773 **Les principaux verbes exprimant la comparaison dans l'inégalité sont : aimer mieux... que, préférer... à, qui impliquent un choix, et l'emporter sur ; dépasser, surpasser, surclasser, qui impliquent la supériorité de fait.**

Le sage *préfère* la méditation *à* la turbulence — On dit que les femmes *l'emportent* en imagination *sur* les hommes — Notre usine *surclasse* les autres *par* la qualité des produits, sinon *par* leur quantité.

N. B. — Préférer une chose *qu*'une autre **est une incorrection, pratiquée seulement par le F.P. pop.**

773 bis **Pour un choix entre deux appellations, on dira, par exemple :**

C'est un sourire *plutôt qu'un rire.*

Pour un choix entre deux comportements :

Plutôt la mort *que* l'esclavage!

(Pour la construction de préférer, aimer mieux, avec des verbes, voir n°s 777 et 782.)

LE SECOND TERME DE LA COMPARAISON EST UN ADJECTIF OU UN ADVERBE

Comparaisons impliquant l'égalité, la ressemblance

774 **Le second terme peut être :**

a) un adjectif :

Le style de Flaubert est *aussi précis* que *pittoresque.*

Ou, en plaçant le premier adjectif en tête :

précis autant que *pittoresque* **(voir n° 765).**

b) Un adverbe de manière :

Maupassant écrivait *aussi vite* que *facilement.*

c) Un autre adverbe :

J'hésite *autant aujourd'hui qu'hier* — Arrêtons-nous *autant* ici qu'ailleurs.

Noter l'expression figée : tant bien que mal (= avec de la peine) :

Tant bien que mal nous sommes arrivés à dépanner l'auto.

On trouve des expressions inversées, surtout avec des adjectifs :

Autant il est *brave, autant* il est *prudent.*

(Mais jamais aussi... aussi...)

Comparaison impliquant l'inégalité, la différence

775 **Adjectifs :**

Le style des classiques est *moins* pittoresque que *précis.*

Adverbes de manière :

Maupassant écrivait *plus vite* que *soigneusement.*

Le tour : Il est *plus brave* que *prudent* **exprime une différence de degré entre deux qualités, la deuxième étant assez faible.**
Il est prudent *plutôt* que méfiant **traduit un choix du sujet parlant entre deux qualifications voisines et souligne une nuance.**

775 bis **Une simplification remarquable consiste à dire :**
« *Meilleur* diplomate *que* général » (Caulaincourt, *Mémoires*), **pour dire :** *bon* diplomate *plutôt que bon* général.

LE SECOND TERME DE LA COMPARAISON EST UN GÉRONDIF OU UN INFINITIF

Gérondif

776 **Égalité :** Il nuira autant en s'abstenant qu'*en intervenant.*
Inégalité : Il nuira moins en s'abstenant qu'*en intervenant.*
Pour un choix, une préférence, entre deux comportements :

Aidez-moi *plutôt* en vous abstenant qu'*en intervenant.*

Infinitif

777 **Quand un premier infinitif sert de complément à un verbe, à un adjectif, à un nom :**
Égalité : Il se réjouissait autant d'avoir humilié son adversaire *que de triompher.*
Inégalité : Ce qui le pousse, c'est le désir de dominer plus *que de s'enrichir.*
Quand il s'agit d'exprimer un choix, une préférence entre deux comportements :

Autant[1] mourir que *de vivre ruiné* (J'aime autant[1] mourir *que de vivre ruiné*) — Plutôt mourir que *d'être esclaves*! (Nous aimons mieux mourir que *d'être esclaves.* Nous préférons mourir plutôt que *d'être esclaves.*) **En F.P. pop. et parfois en F.P. fam. :** Nous préférons mourir *que d'être* esclaves.

On distinguera donc (voir n° 782) : J'ai laissé faire *plutôt que je n'ai approuvé* **(choix entre deux appellations) et :** J'ai laissé faire *plutôt que d'approuver* **(choix entre deux comportements).**
Certains écrivains ont employé préférer à avec deux infinitifs. Ainsi Montherlant : « Toutes les femmes préfèrent être dévorées *à être dédaignées.* » (*Les Jeunes Filles.*) **C'est une construction délicate à manier — Employez plutôt :** *aimer mieux... que de...*

1. Ici *autant* marque en fait une *préférence.*

LE SECOND TERME DE LA COMPARAISON EST UNE SUBORDONNÉE CONJONCTIONNELLE

Comparaisons impliquant l'égalité, la ressemblance

778 **Comme, ainsi que, de même que, autant que, aussi... que.**

Le mode de la subordonnée est l'indicatif ou, si le sens l'exige, le conditionnel :

Paul travaille *comme* son père *travaillait* — *comme travaillerait* son père, s'il était encore de ce monde.

On trouve aussi, l'idée de manière étant mise davantage en relief, de la manière dont[1], de la façon dont, à la manière dont, à la façon dont — (et, plus anciennement : de la manière que, de la façon que).

Paul travaille *de la façon dont* son père travaillait.

779 **a) Pour l'expression** : Paul travaille *comme faisait* son père, **voir n° 608.**

b) L'adjectif qualificatif suivi de comme il est a pris un sens causal :

Fatigué comme il est, il ne peut vous recevoir **(on dit aussi :** *fatigué qu'il est...* — **mais :** *fatigué comme il est* **comporte une idée d'intensité).**

c) La comparaison fondée sur une supposition s'exprime au moyen de comme si : Il crie *comme si* on l'écorchait.

780 **Aux expressions, suivies d'un nom ou d'un pronom, selon, d'après, etc. (v. n° 770), correspond l'expression conjonctionnelle selon que. Mais elle a toujours valeur de comparaison variable :**

Je vous traiterai amicalement ou non, *selon que* vous me traiterez en ami, ou non.

On peut ajouter à selon que :

Dans la mesure où :

Il est aimable *dans la mesure où* l'on fait ses quatre volontés.

(Au fur et) à mesure que :

A mesure que l'homme avance en âge, devient-il plus sage?

Expriment une idée voisine, impliquant une supposition vraisemblable, autant que, pour autant que (souvent suivis du subjonctif) :

*Autant qu'*on *puisse* s'en rendre compte, ce sont bien nos enfants qui arrivent.

(*Pour*) *autant* que je *sache*, l'avion a du retard.

1. **Dont** est certes un pronom relatif. Mais on sait le lien étroit entre ce pronom (appelé parfois **conjonctif**) et la conjonction. Dans ces expressions il s'agit bien de conjonctions.

Mais on entend, et on lit aussi, avec l'indicatif :

(Pour) autant que *je m'en souviens,* il m'a donné rendez-vous.

Que, tout seul, dans l'expression que je sache, est un pronom relatif (voir n° 522) : Les enfants ne sont pas rentrés, *que je sache.*

N. B. — autant qu'on peut, autant que possible expriment une sorte de superlatif (= le plus possible) :

« Il faut, *autant qu'on peut,* obliger tout le monde » (La Fontaine).

A ce que je sais, à ce que je vois, sont aussi très employés.

Comparaisons proportionnelles ou variables.

781 **d'autant { plus... / moins... } que... { plus... / moins...**

La mer s'agite d'*autant plus que* le vent est *plus fort.*

Ou, en inversant les termes, surtout F.E. :

Plus le vent est fort, *plus* la mer s'agite. **Quelquefois** : Plus le vent est fort, *et* plus la mer s'agite.

On peut rapprocher, pour le sens, à mesure que :

La mer se calme *à mesure que* le vent faiblit **(v. n° 780).**

On constate que les comparaisons proportionnelles impliquent très souvent une idée de cause.

Comparaisons impliquant l'inégalité, la différence

782 **a) Emploi courant des comparatifs :**

La vie est plus chère *qu'elle n'était* l'an dernier (que l'an dernier).
Il est meilleur ingénieur *que vous ne pensez.*

Remarque : ne (devant le verbe subordonné) est devenu ici quasi obligatoire, en F.P. et en F.E.[1] : il est en tout cas beaucoup plus fréquent après un comparatif qu'après avant que (v. n° 670).

b) Autre que est normalement accompagné de ne :

La vie est autre *qu'elle n'était* il y a cent ans.

c) Plutôt que :

1. L'emploi de cette conjonction est facile si la phrase exprime une comparaison pure et simple (choix entre deux appellations) :

Il somnole *plutôt qu'*il *ne* dort.

2. Mais on emploie l'infinitif s'il s'agit, non d'une comparaison, mais d'un choix entre deux comportements :

Mourons plutôt que d'*être* esclaves — Je mourrai plutôt que *de trahir* **(l'absence d'un de est archaïque).**

1. H. Glättli (*Idioma,* 2/69) a apporté à cette règle d'heureuses nuances. Rappelons que ce **ne** s'explique, du moins à l'origine, par un sentiment d'une négation incluse dans la subordonnée : La vie *n'*était *pas* aussi chère il y a un an — *Ne* pensez *pas* qu'il soit aussi bon ingénieur — Le *ne* n'existe pas, bien entendu, dans le 2e terme des comparaisons d'égalité : Il est aussi bon ingénieur *que vous pensez.*

Il est à souhaiter qu'il renonce, plutôt que *de courir* ce risque **(et non :** plutôt *que qu'*il coure, **qui ne se dit pas.)**

3. Mais le tour plutôt que + infinitif n'est possible qu'à la condition que l'infinitif ait le même sujet que son verbe principal.

Si le verbe de l'expression comparative a un sujet propre, on emploiera, par une simplification analogue à celle de la langue classique, plutôt que + le subjonctif.

J'aime mieux que Pierre se retire, *plutôt que* Paul *ne* le surprenne; **ou mieux :** plutôt que de *voir* Paul le surprendre. **(On rentre alors dans le cas 2.)**

On trouve aussi (F.P. fam.) : J'aimerais mieux que Pierre se retire *plutôt que si* Paul le surprenait.

Enfin on remarquera une autre simplification dans le F.P. :

Je ne demande pas mieux *qu'il reste* **(ou** que de le *voir* rester).
« Que qu'il reste » **est impossible.**

Emplois de « plutôt que »

782 bis

choix entre deux appellations :	choix entre deux comportements :
— C'est un sourire *plutôt qu'un rire.* — Il somnole *plutôt qu'il ne dort.*	— Plutôt la mort *que l'esclavage*! — Plutôt mourir *que d'être* esclaves! — Je préfère que Pierre se retire, plutôt que Paul *ne* le surprenne. (Je préfère que Pierre se retire, *plutôt que de voir* Paul le surprendre.)

783 N. B. — Remplacement de diverses conjonctions par et que :

La substitution de et que à un second comme exprimant la comparaison est assez rare. On en trouve pourtant des exemples, qui suivent d'ailleurs une tradition de la langue classique :

« Dans vingt ans on parlera de Bécaud *comme* on parle aujourd'hui de Trenet *et que* l'on parlera encore demain de Piaf[1]. »
(*Noir et Blanc*, 30 mars 1962.)

UNE PROPOSITION RELATIVE

784 Les propositions relatives n'expriment pas, par elles-mêmes, la comparaison. Remarquons seulement un emploi du relatif après le même :

Voilà *le même* homme *qui* m'a déjà aidé **(voir n° 412).**

1. Mais, bien entendu, lorsque **comme** a un sens **causal,** la substitution est courante : Comme j'avais manqué mon train *et que* j'étais en retard, j'ai pris un taxi.

COMPLÉMENTS DE MANIÈRE

785 **Les idées de comparaison et de manière peuvent s'associer :**

Jean-Jacques Rousseau vécut *comme un persécuté.*

Nous retrouverons donc, dans l'expression de la manière, des tours appartenant aussi à l'expression de la comparaison.

LE COMPLÉMENT DE MANIÈRE EST UN NOM OU UN PRONOM

Conjonctions à valeur de prépositions

Comme, ainsi que, de même que :

Il travaille *comme* son père, *ainsi que* moi.

Prépositions proprement dites

786 **À : Avec un adjectif qualificatif :** marcher *à pas lents*, dormir *à poings fermés*, voir *à grand-peine.*

Sans adjectif qualificatif : acheter *à crédit*, vendre *à perte*, décider à *ses risques et périls*, filer *à l'anglaise.*

Avec : appeler *avec* des gestes désespérés — répondre *avec* colère, avec *la* colère d'une femme indignée.

Dans : accepter *dans* un élan d'enthousiasme **(sens voisin de celui de cause)** — agir *dans* une bonne intention **(sens voisin de celui de but).**

De : boire *d'*un trait — interroger *d'*un air furieux — réussir *d'*un seul coup.

En : agir *en* secret — se déplacer *en* silence — marcher *en* ordre **et aussi, avec un attribut équivalant à un adverbe de manière (v. n° 140)** : se comporter *en honnête* homme.

Par : procéder *par* ordre (= **de façon ordonnée**).

Sans : parler *sans* gestes — répondre *sans* colère.

N. B. — Ces compléments peuvent accompagner un nom d'action :

Une *marche à* pas lents — une *réponse sans* colère — une *réussite d'*un seul coup — un *déplacement en* silence — une *attaque par* surprise.

LE COMPLÉMENT DE MANIÈRE EST UN ADVERBE

Il répond *mal* — Nous agissons *ainsi* — J'irai *volontiers* — *Comment* ferez-vous ? — Cela sent *bon*[1].

787 **Un très grand nombre d'adverbes dérivent d'adjectifs, au féminin desquels s'est ajouté le suffixe -ment (dérivé lui-même d'un nom latin féminin signifiant d'une manière...)** : lent : *lentement* — heureux : *heureusement*.

Mais les particularités sont nombreuses. On notera que :

Si l'adjectif se termine par -ai, -é, -i, -u, l'e féminin, peu audible, disparaît dans l'écriture : vrai : *vraiment* — poli : *poliment* — éperdu : *éperdument*.

Mais on écrit : gai*e*ment **et** : assid*û*ment, d*û*ment, cr*û*ment, goul*û*ment, **adverbes où l'allongement compensant la chute de l'*e* se marque par un accent circonflexe.**

Si l'adjectif se termine par -ant ou -ent, il dérive d'un adjectif latin qui avait même forme au féminin qu'au masculin. D'où les adverbes savamm*ent* (= **savant -ment**) — prudemm*ent*, **etc.**
La finale de ces adverbes se prononce : -a-ment.

Quelques exceptions : adverbes plus récents (véhémentement) ou reformés sur des féminins distincts (fortement, grandement).
Les adverbes tirés de certains participes comme exagér*é*ment **ont servi de modèles à d'autres, tirés d'adjectifs dont le masculin est surtout en -e :** uniform*é*ment, énorm*é*ment, intens*é*ment, **mais aussi :** obscur*é*ment, préc*is*ément, comm*un*ément.
Pour les adjectifs employés comme adverbes de manière, voir n° 174.

Pour les expressions : *Votez* socialiste, *roulez* Azur, **voir n°s 174, 588 bis, 633 bis.**

LE COMPLÉMENT DE MANIÈRE EST UN GÉRONDIF OU UN INFINITIF

788 **a) gérondif :** Ne demande pas *en menaçant*.

Dans : Il l'a fait *à son corps défendant*, **le gérondif est employé avec à** = Il l'a fait *en se défendant*, malgré lui.

b) Sans + l'infinitif (qui s'oppose ici au gérondif de manière) : Demande *sans menacer*.

788 bis **La manière s'exprime aussi par la construction directe de certains compléments :** Il entre *le chapeau sur la tête* **(voir n° 219)** — J'irais *les yeux fermés*.

1. Au comparatif : cela sent *meilleur*.

LE COMPLÉMENT DE MANIÈRE EST UNE SUBORDONNÉE CONJONCTIONNELLE

En fait, il n'y a pas de vraies subordonnées de manière.

Mais l'idée de manière est parfois associée à celle de comparaison (voir nº 778) :

Paul travaille *comme son père travaillait.*

789 **Ou bien elle est parfois incluse dans une proposition exprimant la conséquence (v. nº 701) :**

Refusons, *de* (*telle*) *sorte qu*'ils soient contents de nous.

On trouve encore avec un sens contraire, sans que... :

Refusons *sans qu*'ils soient mécontents de nous.

Pour l'absence de ne : Sans que personne *soit mécontent*..., **voir nº 810 bis.**

Ou, après une principale négative, F.E., que... ne... (v. nº 704) :

Il *n*'est *jamais* sorti *que* son fils *ne* l'ait accompagné (= **sans que son fils l'ait accompagné**).

COMPLÉMENTS DE MOYEN, D'INSTRUMENT

De la manière au moyen et à l'instrument, le rapport est très étroit. Nous allons donc retrouver certaines prépositions du chapitre précédent.

LE COMPLÉMENT DE MOYEN EST UN NOM OU UN PRONOM

790 **À** : démolir un mur *à* la pioche — frapper *à* coups redoublés — venir *à* bicyclette, *à* moto (**F.P. fam.** *en* bicyclette, *en* moto), *à* cheval, *à* âne (**ou** *sur* un âne), *à* dos de chameau.

Avec : creuser *avec* une pioche. (**Le contraire : sans** : creuser *sans* pioche.)

De : frapper *du* poing — menacer *de* mort.

En : voyager, se promener *en* voiture[1], *en* bateau, *en* avion, *en* chemin de fer — payer *en* billets, *en* or — venir *en* cinq jours — se rapprocher *en* deux bonds.

Par : voyager *par* bateau, *par* avion, *par* chemin de fer — payer *par* chèque — détruire *par* le fer et *par* le feu — commencer *par* des compliments, finir *par* des injures (**voir n° 793**).

Et la série des locutions prépositives :

A l'aide de, au moyen de (le complément est une chose) — avec l'aide de, par l'entremise de, par l'intermédiaire de (le complément est une personne) — grâce à (le complément est une personne ou une chose) :

Il pénétra dans la maison *au moyen d'*une fausse clef — *à l'aide d'*une... — *grâce à* une...
Par l'entremise de mon frère, vous obtiendrez facilement ce rendez-vous.

791 **Les noms d'action admettent également des compléments de moyen prépositionnels :**

Une promenade *à bicyclette, en voiture — un* déplacement *par chemin de fer — le* paiement *par chèque, en billets — la* destruction *par le feu — l'*entrée *à l'aide d'une fausse clef — un* accord *par l'entremise de mon frère.*

1. Ici, la notion de lieu, traduite en principe par **en**, s'est aujourd'hui effacée de la conscience du Français parlant pour ne laisser place qu'à celle de moyen de transport. On constatera d'ailleurs que si (le nom étant complété) l'article doit apparaître, **en** est remplacé par **dans :** venir *dans une voiture neuve, dans un avion spécialement affrété.*

LE COMPLÉMENT DE MOYEN EST UN ADVERBE OU UNE LOCUTION ADVERBIALE

792 **Ainsi, de cette façon, par là, par ce moyen :**

J'ai violemment poussé la porte. *Ainsi*, j'ai pu ouvrir **(v. n° 765).**

LE COMPLÉMENT DE MOYEN EST UN GÉRONDIF OU UN INFINITIF

793 a) **Un gérondif :** On s'instruit *en enseignant*.

b) **Un infinitif :** A *enseigner*, on s'instruit.

On voit ici la relation avec l'idée de cause.

A l'idée de moyen on peut rapporter les tours :

Il *commence par refuser*, il *finit par refuser*.

Mais les verbes commencer, finir tendent à prendre ici valeur d'auxiliaires (cf., avec un sens tout différent, commencer *à*, finir *de*, **n° 595).**

COMPLÉMENTS DE LIEU[1]

LE COMPLÉMENT DE LIEU EST UN NOM OU UN PRONOM

794 **Il s'exprime avec une des prépositions de lieu : dans, en, sur, sous, etc.**

Pierre est *dans sa chambre* — Tu as mis ton livre *sur le mien* — Nous sortons *de France*[2].

795 **N. B. — Le français emploie ces prépositions (sauf celles qui signifient séparation ou passage) aussi bien pour marquer a) l'accès à un lieu, que b) l'action ou l'état en ce lieu.**

a) *J'entre dans* ma chambre — **b)** *Je vais et viens dans* ma chambre.
a) *Place* le cahier *sous* le livre — **b)** Le cahier *est sous* le livre, etc.

LE COMPLÉMENT DE LIEU EST UN ADVERBE

796 **Ici, là, par ici — adverbes relatifs : où, d'où, etc. — interrogatifs : où? d'où? etc. — adverbes indéfinis : quelque part — nulle part — ailleurs — autre part.**

Ici désigne en principe un endroit rapproché de celui qui parle — là, un endroit plus éloigné — mais souvent, en F.P., là est dit pour ici :

Où est cette aiguille? — *Là,* à mes pieds.

On emploie là-dessus, là-dedans, etc., pour signifier sur cela, dans cet objet... :

Mettez votre argent *là-dedans.*

797 **Adverbes de rappel (ou pronoms adverbiaux) : en et y.**
Ils représentent un lieu déjà exprimé :

Londres, j'*y* suis; Paris, j'*en* viens.

UNE PROPOSITION RELATIVE

798 **Après un adverbe relatif (où, d'où, par où), avec ou sans antécédent :**

Je vais *là* où tu vas — Je vais *où* tu vas.

1. Pour la parenté entre les compléments de lieu et les compléments de temps, voir n° 652.
2. Pour l'emploi de *depuis*, voir n° 837, note.

AUTRES COMPLÉMENTS CIRCONSTANCIELS

799 **Les compléments circonstanciels[1] sont d'une variété presque infinie. Ils comprennent tout ce qui précise les conditions particulières dans lesquelles a lieu une action.**

(On notera que les compléments circonstanciels sont moins souvent nécessaires à la structure de la phrase que les compléments d'objet.)

Peuvent être considérés comme des compléments circonstanciels :

Les compléments de prix
(apparentés aux compléments de moyen)

800 **Un nom :**

J'ai acheté, payé ce livre *dix francs* — Pour combien en voulez-vous ? — Pour *deux francs*.

Un adverbe :

Cela ne coûte pas *cher*.

Les compléments de mesure

801 Ce sac pèse *cinquante kilos;* il pèse *lourd* — La table mesure *deux mètres sur quatre* — Le salon fait *soixante mètres carrés*.

N. B. — On voit que certains de ces compléments s'apparentent, par la structure, aux compléments d'objet directs.

Les compléments de différence

802 Mon fils est plus âgé *de* trois ans; ma fille est *un peu* plus jeune — plus jeune *de beaucoup* — Reculez *de* dix mètres — Vous l'emportez *de* trois longueurs — Ma montre avance *de* dix minutes — Il s'en faut *de* beaucoup.

1. Dont la plupart ont déjà été étudiés à partir du n° 642.

Les compléments de point de vue

803 En *matière de* géographie, je ne crains personne — *Au point de vue du* cœur, le mieux persiste — *Quant au* cœur, le mieux persiste.

N. B. — Du point de vue de tend à remplacer au point de vue (de), qui reste très vivant dans le F.P. : *Au point de vue des* poumons, **ou même (moins bien) :** *au point de vue* poumons.

Les compléments de destination, d'intérêt

804 Il travaille *pour* ses enfants.

LES MODALITÉS DE L'ÉNONCÉ

L'AFFIRMATION

805 **On qualifie d'affirmative toute énonciation d'un fait sous une forme positive :** Je viendrai.

L'affirmation se rencontre en particulier dans les réponses.

Alors elle s'exprime au moyen d'adverbes : Viendra-t-il? — *Oui.*

Ou par une phrase : *Est-ce que ça se demande?* **(= bien sûr!)**

Ou par l'intonation :

Comparez :

Il viendra **(le ton de la dernière syllabe est descendant : affirmation)**

et : *Il viendra?* **(le ton de la dernière syllabe est ascendant : interrogation)**

ou : *Il viendra!* **(le ton de la dernière syllabe est légèrement ascendant et porte un fort accent tonique : exclamation).**

806 **On peut distinguer plusieurs types d'affirmation, selon l'intensité de l'affirmation :**

AFFIRMATION NORMALE

Pour répondre à une question : Viendrez-vous ? — *Oui.*

Pour répondre à une question négative : Tu ne viens pas ? — *Si,* mais *si.*

Pour approuver ce qui vient d'être dit : *Oui* (*entendu* — *d'accord*[1] — *bien* — *bon* — *soit*, **etc.).**

AFFIRMATION RENFORCÉE

807 Viendrez-vous ? — *Oui, oui* — *Mais oui!* — *Que oui!* — *Ça oui!* — *Certainement* — *Bien sûr!* — *Bien sûr que oui*[2] — *Naturellement!* — *Évidemment.*

Pour détruire un doute possible : *Parfaitement!* **ou encore :** *Ça ne se demande pas* — *Ça va sans dire* — *Ça va de soi* — *Quelle question!* — *Dame!* — *Tiens!* **(tonalité grave).**

Pour marquer qu'on approuve une affirmation : *Oh! ça...*

Pour marquer la coïncidence : *Justement!* — *Précisément!*

L'affirmation-réponse peut encore s'exprimer avec fermeté par la répétition, sous forme affirmative, de la phrase interrogative :

Vous viendrez? — *Je viendrai.*

1. On notera la multiplication parfois abusive de : *d'accord* et : *exactement,* pour dire : oui, et de : *bien sûr!* pour dire : bien entendu : « Son père qui, bien sûr, l'aime... ».
2. Et, de même : Mais si! — Que si! — Bien sûr que si!

Une double négation peut équivaloir à une affirmation renforcée : Il *ne* peut pas *ne* pas venir — Je *ne* peux *m'empêcher* de rire — Vous *n*'êtes *pas sans* savoir que..., vous *n'ignorez* pas que... (**= vous savez sûrement que...)— et, en F.E. :** Il *ne* se peut pas qu'elle *ne* vienne — « Toute puissance nouvelle *ne* peut qu'elle *ne* complique notre morale » (J. Rostand, *Ce que je crois*).

On rapprochera :

« Il *n*'y eut pas jusqu'aux Augustins qui *ne* se relevèrent » (Daniel-Rops, *La Réforme catholique*).

On notera le tour du F.E. :

Ces faits *ne laissent pas* d'être inquiétants (ou que d'être...) **= sont assurément inquiétants, voir n° 595.**

Même que (F.P. pop.) introduit un fait qui appuie une affirmation : J'y avais pensé, *même que* j'avais fait un nœud à mon mouchoir.

AFFIRMATION ATTÉNUÉE

808 *Sans doute, probablement, vraisemblablement, il y a des chances* — *Je crois* que oui — *Il paraît* qu'il viendra... — *On dit* qu'il viendra — *Le bruit court* qu'il viendra — Il viendra, *à ce qu'il paraît, paraît-il* — Il ne viendra pas, *que je sache* **(voir n° 522) et, avec une probabilité moindre :** peut-être (peut-être *viendra-t*-il — **F.P. :** peut-être qu'il *viendra*).

On atténue encore une affirmation par : *presque, pour ainsi dire, autant dire, à peu près, peu s'en faut, quasi* (**F.P. pop. :** *quasiment*). « La rébellion est, *autant dire*, vaincue. » (*Le Monde*, 28 septembre 1966.)

Si l'affirmation ou l'approbation sont nuancées d'un regret partagé avec l'interlocuteur : « Que voulez-vous ? »

Sauf que, si ce n'est que introduisent un fait qui restreint l'affirmation : Nous sommes d'accord, *sauf que* j'exige des arrhes.

(Pour l'affirmation restreinte avec ne... que... : Il *ne* lit *que* des romans, il *ne fait que de* sortir, **voir n° 813.)**

LA NÉGATION

MOYENS D'EXPRESSION

809 **Ne... pas — ne... point (plus rare en F.P., et plus énergique) — ne... guère (= ne... pas beaucoup) — ne... plus**[1] **— ne... jamais**[2] **— ne... personne, etc.**

Modes personnels et participe

Aux temps simples des modes autres que l'infinitif, le verbe (précédé ou non d'un pronom personnel atone) se place entre le 1er et le 2e termes de la négation (pour personne et rien, voir n° 390) :

Nous *ne* le savons *pas* — Nous *ne* savons *rien* — Il *ne* veut *plus*. Je *ne* vois *personne* — Je *ne* sais *rien* — *Ne* sachant *rien*.

Aux temps composés, c'est l'auxiliaire qui, généralement, se place entre les deux termes :

Il *n'a pas* voulu — Il *n'a rien* vu — **Mais avec personne, aucun, nul :** il *n'a* vu *personne* (*aucun* homme).

Infinitif

809 bis **A l'infinitif présent, les deux termes de la négation précèdent le verbe :**

L'idée de *ne pas* venir — *Ne pas* le récompenser serait une injustice — Pour *ne rien* dire des autres...

Mais avec personne, aucun, nul : Pour *ne* voir *personne*, il reste chez lui.

Remarquons que le F.E. place quelquefois, avec une certaine affectation, l'infinitif entre les deux termes négatifs, à l'exemple de l'ancienne langue :

« L'art de dire et de *ne* dire *pas* » (La Fontaine).

A l'infinitif passé, le F.E. suit les règles des temps composés de l'indicatif (voir n° 809) :

Pour *n'*avoir *pas* fait sa tâche — Pour *n'*avoir *jamais* dit... — *N'*être *jamais* descendu — **et :** Pour *n'*avoir vu *personne*...

Le F.P. tend à bloquer les deux termes négatifs : Pour *ne pas* avoir fait... **Mais il dit toujours :** *N'*avoir vu *personne... aucun... nul...*

1. Au sens de *désormais ne... pas*. — On distinguait naguère dans la prononciation : il *n'a plus* d'argent (plus = long) — et : il a *plus* d'argent (plus = bref). Aujourd'hui, la différence tend à se marquer par un **« S » non articulé** (il n'a plu(s) d'argent) ou **articulé**, surtout en fin de phrase (il en a plu**s**).

2. L'expression **ne... goutte** ne s'emploie plus que dans : *n'entendre goutte, n'y entendre goutte* (= n'y rien comprendre), *n'y voir goutte.*

Emplois de ne[1]

810 **On n'emploie pas ne tout seul sauf :**

dans certaines expressions plus ou moins figées : Je *ne* sais — Je *ne* puis — Il *n*'ose — Si je *ne* me trompe — Si ce *n*'est — Il y a dix jours que je *ne* l'ai vu — **Obligatoirement dans :** *N*'importe — *N*'empêche que **(F.P. fam.)** — On *ne* saurait (dire).

souvent avec l'adjectif et le pronom interrogatifs : Qui *ne* serait ému ? quel homme *ne* serait ému ? que *ne* donnerait-on pour... ? — Que *ne* le disiez-vous ? **(= pourquoi ?).**

Pour la coordination avec ni — voir n° 812.

Pour le ne dit « explétif », voir les paragraphes :

n° 638 : Je *crains* qu'il *ne* vienne — J'*empêche* qu'il *ne* vienne — J'*évite* qu'il *ne* vienne — Je *ne doute pas* qu'il *ne* vienne.

(N. B. — Je crains qu'il *ne* vienne (je crains *sa venue*) **a pour contraire :** Je crains qu'il *ne* vienne *pas*).

n° 670 Cueillez quelques fleurs *avant qu*'il *ne* fasse nuit.

n° 684 bis Il y a trois jours que je *ne* l'ai vu.

n° 715 *De peur que* vous *ne* manquiez l'avion... — *Pour éviter que... ne* — *Pour empêcher que... ne.*

n° 748 ... *à moins qu*'il *ne* soit...

n° 782 La vie est *plus chère qu*'elle *n*'était il y a un an — La vie est *autre qu*'elle *n*'était il y a cent ans — ... *plutôt que* Paul *ne* le surprenne.

Après sans que, ne est, en principe, à exclure : Il entre *sans qu*'on *l'annonce* — **Mais la conscience qu'ont les Français d'une négation (portant ici sur le verbe** *annoncer*) **fait que ne, avec sans que, est aujourd'hui abondamment répandu, surtout si sans que est suivi d'un mot généralement négatif :**

« Elle entrait au salon *sans qu'aucun* craquement *n*'eût annoncé sa venue » (F. Mauriac, *La Pharisienne*[2])...

ou construit avec une principale négative :

« *Jamais* Liane et Robert *ne* sont descendus dans un village de la vallée... sans qu'un notable *ne* s'avance à leur rencontre. » (Marc Blancpain, *Les demoiselles de Flanfolie*[3]) **[Voir n° 789].**

Emplois particuliers des négations autres que « ne »

810 bis **Les indéfinis personne, rien, aucun, nul — et les adverbes jamais, aucunement, nullement, nulle part sont, en principe, accompagnés de ne placé devant le verbe ou le pronom atone :**

Personne *ne* vous aidera — Je *ne* l'ai rencontré nulle part.

1. Dans le **F.P. fam.** *ne* disparaît souvent : J'l'ai pas vu, j'ai pas dit.
2. Cité par R. Le Bidois (*Le Monde*, 26-11-58).
3. Cité par H. Glättli (article de *Vox Romanica*).

Mais, à l'exception du pronom nul, ils peuvent porter à eux seuls toute la négation (sans ne) :

Je veux tout ou *rien* — Agissons maintenant ou *jamais* — Ce sera ici ou *nulle part* — C'est un homme *de rien* — Nous sommes faits de *rien* — *Nullement* inquiet, il garde le sourire — « Vu de *personne* » (Victor Hugo) — « Attendant tout le monde et *personne* » (H. Bazin, *Au nom du fils*) — « Et je voyais, *nulle part*, un grand barbu en loques se promener dans un enclos. » (J-P. Sartre, *Les Mots*). **Ici,** *nulle part* **constitue une sorte de parenthèse à** : je voyais — **Dans les réponses :** Quels amis as-tu rencontrés ? — *Aucun*.

N. B. 1 — A l'origine, personne, rien, aucun, jamais sont des termes affirmatifs (= quelqu'un, quelque chose, quelque, un jour). D'où leur emploi, encore aujourd'hui, dans un sens affirmatif; emploi qui, bien entendu, exclut ne.

- **Subordonnées de condition :** Si *jamais* tu me trahis...
- **Second terme de comparaison :**

  Il connaît son métier mieux que *personne*.
- **Interrogation :** A-t-on *rien* vu de plus étrange ?

De là, précisément, l'emploi de sans avec les mêmes termes affirmatifs pour constituer une expression négative :

Venir *sans rien* dans les poches, *sans aucun* bagage.

Et, par extension : *Sans nulle* crainte.

N. B. 2 — Le Français éprouve si vivement le besoin d'exprimer toute idée négative, même implicite, qu'il écrira, et dira, par exemple :

« *Moins que jamais* ces pays *ne* sont prêts à renoncer à une intégration nucléaire » (*Le Monde*, 30 mars 1965),

ce qui, en analyse littérale, est peu correct, mais, du point de vue du génie de la langue, s'explique aussi bien que : Il mange moins qu'il *ne* boit[1].

810 ter **Pas, point, plus, jamais s'emploient souvent seuls, surtout en F. P. :**

Non, *pas* toi — *Pas* vu, *pas* pris — *Plus* un *sou* ! — Poussez *pas* !

Et, à cause de leur brièveté expressive, dans les proverbes :

Jamais deux sans trois — *Point* de roses sans épines.

Emploi de non

811 **La négation simple non s'emploie comme une sorte de préfixe : devant :**

- **un adjectif et surtout un participe :**

  Une lettre *non reçue* peut avoir de graves conséquences.

1. L'expression *rien moins que* signifie, au sens strict : *nullement* : C'est un homme *rien moins que* prudent (= nullement prudent : il n'est *aucune* qualité qu'il possède *moins* que la prudence) — *Rien de moins* s'emploie avec le sens opposé (affirmatif) : Qu'as-tu reçu ? *Rien de moins que* des injures. Mais, en fait, beaucoup d'écrivains, parmi les meilleurs, confondent les deux tours.

• **un adverbe** : Ma maison est *non loin* de la vôtre.
(**Dans ces deux cas le F.P. fam. emploie pas** :
Une lettre *pas* reçue... — ...*pas* loin de la vôtre).
• **ou un nom** :
Cet homme est une *non-valeur* — Vous commettez un *non-sens* — En cas de *non-exécution*...
Ce tour se répand de plus en plus, au détriment du préfixe in- (inexécution[1]).

Non s'emploie encore dans des tours marquant l'opposition :
Il faut manger pour vivre *et non* vivre pour manger (**on dit aussi** : ...*et non pas* vivre, **comme Molière lui-même**).
De là l'emploi de non dans : non seulement (des hommes) mais aussi, mais encore (des femmes).
• **Devant pas et plus, au sens de : désormais... ne... pas (l's de plus n'est pas articulé)** :
On entendait *non pas* (*non plus*) des appels *mais* des gémissements.
• **Dans non plus (s non articulé) au sens de pareillement, en coordination avec une première phrase négative** :
Jean ne viendra pas, Paul *non plus*.
• **Dans non plus que (s non articulé) au sens de : ne pas... plus que** :
La force n'est pas de mise ici, *non plus* que la menace (**le tour appartient surtout au F.E. ; le F.P. dit plutôt** *pas plus que*).
• **Dans non que (suivi du subjonctif), pour exprimer une cause non retenue (v. n° 694).**
• **Après ou, en opposition à une affirmation** :
Battu *ou non* aux élections, je ne renoncerai pas à la politique — Il acceptera, *ou non* — Viendra-t-il, *ou non ?* — Qu'il accepte *ou non...* — **le F.P. dit souvent**, battu *ou pas...* qu'il accepte *ou pas...*
• **Enfin dans les réponse négatives (v. n° 816).**

Emploi de ni

812 **La difficulté tient à l'emploi, ou non, de ne.**

La négation porte
a) **sur le verbe** : Il ne boit *ni ne* mange — **Parfois** : Il ne boit pas, *ni ne* mange. Il reste assis, ne buvant *ni ne* mangeant.
Mais avec sans : Rester sans boire *ni* manger.

Sous la forme ni... ni... (avec un mode personnel) :
« Un de Gaulle *ni ne* s'en indigne, *ni ne* le déplore » (F. Mauriac, *De Gaulle*).

1. On ferait la même remarque à propos des adjectifs : **faisable** a pour négatif **infaisable.** Mais J.-P. Sartre a préféré **non récupérable** à **irrécupérable** dans *Les Mains sales*.

b) sur le sujet :

Ni le vent *ni* la pluie *ne* m'arrêtent **(ou, plus rare, mais plus expressif[1] :** *Ni* vent *ni* pluie...).

c) sur l'attribut du sujet :

Il *n*'est *ni* gras *ni* maigre — Comment est-il ? — *Ni* gras *ni* maigre.

d) sur l'épithète :

Un homme *ni* gras *ni* maigre.

e) sur un participe :

Voilà une lettre *ni* signée *ni* datée **(surtout F.P. fam. —** Dites plutôt : Une lettre *qui n'est* ni signée ni datée).

f) sur l'objet :

Je *n*'aime *ni* les romans *ni* les poèmes — Je *ne* bois *ni* vin *ni* bière.

g) sur un complément circonstanciel :

Elle *ne* voyage *ni* en auto *ni* en avion.

N. B. — Des tours comme : Il *ne* craint *pas* la pluie, *ni* le vent, **qui détachent le deuxième membre de phrase, appartiennent plutôt au F.P. — On en rapprochera celui-ci :**

Tu n'as pas entendu, *ni* moi **(= moi non plus).**

Emploi de ne ... que

813 Ne... que, encadrant le verbe, exprime une affirmation restreinte qui équivaut à : seulement — Que est suivi du terme sur lequel porte la restriction :

Nous *ne* mangeons *que* des *légumes* — Il *n*'est *que* l'*employé.*

Il n'y a pas que, je n'ai pas que au sens de : il n'y a *pas seulement*, je n'ai *pas seulement*, **sont très vivants en F.P. et en F.E., et justifiés par le fait que la particule que a pris, à elle seule, le sens de seulement. On dit même (F.P. pop.) :**

Qu'est-ce que j'ai eu ? *Que* des coups.

• Il *ne fait que sortir*, il ne fait que *de* sortir.

On distinguait autrefois la première expression comme signifiant : il sort *sans cesse* (il *ne* fait *que* cela) **et la seconde :** il *vient seulement* de sortir. **Aujourd'hui le premier sens est souvent attribué aux deux expressions. Mais il semble que le second sens ne convienne qu'à la deuxième.**

Ce n'est *jamais* que du carton **signifie : ce n'est jamais autre chose que du carton ; c'est du carton, tout simplement.**

814 Ne... pas même — Cette expression peut recevoir les constructions les plus diverses. Elle porte :

a) sur le verbe :

Il est accablé; il *ne* mange *même pas*.

1. Plus rarement encore **(F.E.)** *ni* disparaît devant le premier terme : « *Père* ni mère il n'a connu » (A. Le Braz, *La chanson de Bretagne*).

b) sur le sujet :

Pas même la lecture *ne* le distrait (ou : *Même* la lecture *ne* le distrait *pas*).

c) sur l'attribut du sujet :

Il *n*'est *même pas* résigné ou : Il *n*'est *pas même* résigné[1].

d) sur l'épithète :

Un pardessus, *pas même* assez grand pour moi (*même pas* assez grand).

e) sur l'objet :

Il *ne* lit *même pas* de romans (même pas *des* romans).

f) sur le complément circonstanciel :

Je *ne* voyage *même pas* en auto.

POUR RÉPONDRE NÉGATIVEMENT

815 **On dit : Non — ou : Merci (Voulez-vous du thé? — Merci).**

Négation renforcée :

Non, non — Mais non — Certainement non — Certainement pas — Bien sûr que non — Oh! que non — Nullement — Pas du tout (**qui tend à être remplacé par** absolument pas) — Jamais de la vie! — Pas le moins du monde! — Quelle question! — Merci bien!

Appartiennent plutôt au F.E. : *Non pas, non point.*

Négation atténuée :

Non, sans doute — Sans doute que non — Probablement pas — Il y a peu de chances — Je crois que non.

Guère s'emploie parfois, dans une réponse, avec le sens de : pas beaucoup :

Vous écrit-il? — *guère.*

816 **Pour constituer une réponse négative, les pronoms ou adverbes personne, aucun, rien, jamais, nulle part sont employés sans l'adjonction de ne :**

Qui frappe? *Personne* — Où est-il? *Nulle part.*

1. Une expression comme *Il n'est pas même content* signifie aussi en **F.P. :** *Et même,* il n'est pas content.

L'INTERROGATION

L'INTERROGATION PORTE SUR L'ACTION OU L'ÉTAT — la réponse est oui ou non

817 **I. Interrogation directe, c'est-à-dire exprimée par une proposition indépendante ou principale :**

Avec inversion du sujet[1] **:**

Viens-tu ? — Pierre vient-*il ?* **(prononcé** *vien ti* -[vjẽti]) **(v. n° 617).**

Ce t-il a donné naissance, depuis longtemps, à la particule ti du F.P. pop. et du langage enfantin : j'peux-ti venir ?

Sans inversion du sujet, surtout F.P. :

Est-ce que tu viens ? — *Tu viens ?* **(avec plus d'insistance, ou lorsqu'on s'attend à un « oui »).**

Interrogation et négation :

Ne viens-tu *pas ?* — *Est-ce que* tu *ne* viens *pas ?* **(espoir d'un « oui »)**

— Tu *ne* viens *pas ?* **(étonnement et attente d'un « non »).**

Interrogation double :

Viens-tu *ou* ne viens-tu pas ? — Est-ce que tu viens, *ou non ?* — Tu viens, *oui* ou *non ?* **(plus impatient) — F.P. pop. : déjà dans le F.E. classique :** Est-il fou *ou si* c'est moi qui rêve ?

Pour souligner l'impatience :

Tu viens, *oui ?* **et plus souvent :**

Tu viens, *non ?*

Comme pour éliminer une objection possible :

Celle-là est bien bonne. *Non ?*

Le sens est proche de n'est-ce pas? Mais le tour appartient au F.P.[2]

Non? s'emploie aussi, sous forme de fausse question, pour exprimer l'incrédulité ou la surprise :

Tu sais, je suis reçu — *Non ?* **(= Pas possible ?)**

817 bis **II. Interrogation indirecte, c'est-à-dire exprimée par une subordonnée ; le terme introductif est si (voir n°s 617 bis et 641).**

1. Pour les inversions du sujet, voir n°s 617 et 617 bis.
2. « Non ? » est fréquent dans le roman d'aujourd'hui, pour renforcer l'affirmation : « Huit jours là-bas, tous les deux, ce serait passionnant, *non ?* » (H. Troyat, *Une extrême amitié.*)

L'INTERROGATION PORTE SUR LES MODALITÉS DE L'ACTION

818 **On emploie des adverbes :**

- **De temps :**

Interrogation directe :

Quand pars-*tu?* — *Jusqu'à quand* resteras-*tu?* — *Depuis quand* es-*tu* arrivé? **etc.** — *Quand* Pierre part-*il?*

Quand partira *Pierre?* **(tour employé surtout si le verbe n'a pas d'autre complément)** — *Quand est-ce que* tu pars? — *Quand est-ce que* Pierre part? — **F.P. fam.** : Tu pars *quand?*

Interrogation indirecte :

Dis-moi quand tu pars... *quand* Pierre partira... *quand* partira Pierre — **F.P. fam.** : ...*quand est-ce que* Pierre partira.

- **De lieu :**

Interrogation directe :

Où vas-*tu?* — *D'où* viens-*tu?* **etc.** — *Où* Pierre va-t-*il?* — *Où* va *Pierre?* **(le nom peut être postposé, si le verbe n'a pas de complément d'objet)** — *Où est-ce que* tu vas? *Où est-ce que* Pierre va? — **F.P. pop.** : Où *tu vas?* — **F.P. fam.** : *Tu* vas *où?*

Interrogation indirecte :

Dis-moi où tu vas... *où* Pierre va (*où* va Pierre) — **F.P. fam.** : Dis-moi *où est-ce que* Pierre va.

- **De manière :**

Interrogation directe :

Comment a-t-*il* réagi? — *Comment* Pierre a-t-*il* réagi? — *Comment* a réagi *Pierre?* — *Comment est-ce qu*'il a réagi? — **F.P. pop.** : Comment *il a réagi?* — **F.P. fam.** : Il a réagi *comment?*

Interrogation indirecte :

Dis-moi comment il a réagi — ... *comment* Pierre a réagi. ... *Comment* a réagi *Pierre* — **F.P. fam.** : Dis-moi *comment est-ce qu*'il a réagi. **Avec** comme **(F.E. F.P.)** : Montre-lui *comme* il faut s'y prendre — **(Comme s'emploie aussi pour exprimer l'exclamation : voir nos 609 et 821).**

- **De cause :**

Interrogation directe :

Pourquoi fais-*tu* cela? *Pourquoi* Pierre fait-*il* cela? *Pourquoi est-ce que* tu fais cela? — **F.P. pop.** : Pourquoi *tu fais* ça? — **F.P. fam.** : Tu fais ça *pourquoi?* — **Avec une négation, en F.E. et seulement pour l'interrogation directe** : *Que* ne vient-il pas? *Que* ne vient-il?

Interrogation indirecte :

Dis-moi pourquoi tu viens... *pourquoi* Pierre vient **(l'inversion est impossible)** — **F.P. fam.** : Dis-moi *pourquoi est-ce que* Pierre vient.

819 **N. B. — Pour interroger sur le but, on emploie :**

Pourquoi? — Dans quelle intention? — *Dans* quel *but*[1]*?* **Plus rarement, F.E. :** A quelle *fin?*

sur la conséquence :

Quel a été le *résultat? — Et alors..? — De sorte que?...*

sur la condition :

A quelle *condition?* — **Plus rarement :** *Sous* quelle *condition?* (*Dans* quelles *conditions?* **interroge sur les circonstances générales de l'action, non sur la condition mise à une action.)**

L'INTERROGATION PORTE SUR L'IDENTITÉ OU LA QUALITÉ DU SUJET, DU COMPLÉMENT

820 *Qui* a fait cela? *Qui* vois-tu? *Quel* livre choisis-tu? *Que* veut Pierre? **ou :** *Qu'est-ce que veut* Pierre? *Qu'est-ce que* Pierre *veut?*

(Jamais que, objet ou attribut, n'amène l'inversion complexe du sujet :

Que veut Pierre? — *Que devient* Pierre?)

(Voir les adjectifs-pronoms interrogatifs nos 344 à 359 ter.)

On notera en F.P. pop. la préférence, ici encore, pour les phrases sans inversion :

Il a vu *qui?* Il vient pour dire *quoi?*

Pour l'interrogation indirecte, v. n° 641.

REMARQUE. — **Il faut noter, en F. P., une tendance du locuteur à souligner l'idée d'interrogation par une inversion — superflue — du pronom sujet, après est-ce que :**

« *Est-ce que* demain les sauveteurs pourront-*ils* s'approcher des alpinistes en détresse? »

(Télévision, 24 février 1971).

Ce tour apparaît au moins comme une négligence. En F.E., il serait incorrect. (A rapprocher de : *lequel* viendra-t-*il*?, **v. nos 344, 353 note 2 et 357).**

1. Voir n° 712, note.

L'EXCLAMATION

MOYENS D'EXPRESSION

821 **L'exclamation se traduit soit par une simple intonation marquée dans l'écriture par le point d'exclamation, soit par un terme exclamatif :**

Il refuse! — *Voir Naples et mourir!* — *Si* j'avais su! — *C'est là que vous avez vécu!* — *Comme* il tremble! (**F.P. fam.** : *Ce qu*'il tremble!) — *Qu*'il est cruel! — Il tremble *tant!* (*tellement!* **etc.**) — **F.P. pop.** : *Qu'est-ce qu'il y a comme* monde! — *Que voilà* de belles paroles! — *Voilà-t-il pas* de belles paroles[1]! (**pron.** *voilatipa*) — *Est-il* intelligent[1]! (**pron.** *éti*).

822 **Au moyen d'adjectifs déterminatifs :**

Quel homme[1]! (**voir n° 345**) — *Quelle* fut sa colère! — **F.E.** : *Quelle ne* fut *pas* sa colère! — « *Cette* petite crapule, dit-elle lentement. » (S. de Beauvoir, *L'Invitée*.)

822 bis **Tout mot, à la rigueur, peut être employé comme exclamation :**

Courage! — Jamais! — Il vient sans moi... *Sans*! — Voilà le manteau... *Le*! Il n'y en a donc pas d'autres?

Certaines exclamations brèves, parfois faites d'un simple cri, sont destinées à mettre en relief un sentiment ou un geste. On en fait parfois une classe grammaticale, celle des interjections.
Les principales traduisent :

L'admiration : *Oh!* que c'est beau! — *Oh! là là!* — *Ah!* que c'est beau!
F.P. pop. : *Pardon!* ou : *Chapeau!* — « Ça rate souvent, mais quand ça touche, *pardon!* » (*Le Monde*, 4 août 1966).
Noter aussi l'ancien subjonctif *vive* **devenu interjection** : *Vive* la République[2]!
L'appel : Hé! — Hé là-bas! — Hep! — Psst! — Attention! — Gare!
L'approbation : Bon! — Bien! — Bravo! — Parfait! — Tant mieux! Ça va!
L'arrêt : Halte! — Stop!
Le choc : Paf! — **F.P.** : Bing! — Vlan!
La chute : Paf! — Patatras!

1. Le rapport est étroit, nous l'avons vu, entre l'**exclamation** et l'**interrogation** — Par exemple encore : « *Y a-ti* des gens qui sont canailles! » (Maupassant, *Le crime du père Boniface*).
2. En bonne langue on doit écrire (avec l'accord de l'ancien verbe) : « *Vivent* les vacances ! » Mais *vive* tend à rester invariable. On a même entendu : « Vive *vous-même*, Monseigneur! » (De Gaulle, *discours* du 31 août 1966) — La question exclamative d'une sentinelle : *Qui vive ?* pour réclamer le mot de passe, est équivalente à : « *Vive qui ?* »

Le bruit d'un déchirement : Crac!
Le dégoût : Pouah! (Fi! **très rare).**
La douleur : Ah! — Oh! — Aïe (Ouille!) — Hélas!
L'encouragement : Va! Allez! Allons!
L'étonnement : Ah! — Comment! — Tiens! — Ah! ça! — **F.P. fam.** : Ça, alors! — **F.P. vulg.** : Mince alors! — Sans blague! **etc.**
L'explosion : Boum! — Bang! **(avion supersonique).**
L'hésitation : Euh! — Hmm! — Bouh!
L'impatience : Allons bon! — Encore! — Et après! — **F.P. pop.** : Oh! ça va!
L'indignation : Oh!
Le mépris : Bah! — Pff! — Ah! là là!
L'opposition : Non, mais! — Non mais, dites donc! — Qu'est-ce que tu crois!
Le regret : Ah!
La résignation : Bah! — Tant pis!
Le souhait : Espérons!
Le soulagement : Ouf! — Enfin! — Ah! enfin!
N.B. — Pour : quoi exclamatif, v. n° 358.

LE DOUTE, LA POSSIBILITÉ, L'ÉVENTUALITÉ

MOYENS D'EXPRESSION

823 **Le doute et la simple possibilité s'expriment essentiellement par l'adverbe peut-être**[1] **:**

Il viendra *peut-être* **(F.E. F.P.)** — *Peut-être* viendra-t-*il* **(plutôt F.E.)** — *Peut-être qu'*il viendra **(F.P.)** — *Peut-être il* viendra **(F.P.).**

On peut encore exprimer le doute par de courtes propositions indépendantes :

Viendra-t-il? *C'est possible — Je ne sais pas.*

Ou, avec un sens de doute plus accusé :

J'en doute — C'est douteux — C'est très douteux.

Qui sait? **s'emploie généralement associé à** *peut-être* :

Il viendra *peut-être* : *qui sait?*

L'objet du doute peut aussi être exprimé dans une subordonnée :

Je ne sais *s'il viendra* — Qui sait *s'il viendra?* — Il n'est pas sûr *qu'il vienne* (*viendra*) — Peut-on dire *qu'il viendra?* — Il y a peu de chances (*pour*) *qu'il vienne.*

N. B. — Les formes verbales de l'éventuel sont : le futur (n°s 483 et suiv.), le conditionnel (n°s 514 et suiv.) — Voir aussi l'expression de la supposition (n°s 738 et suiv.)

1. Le **F.P.** pop. remplace souvent **peut-être** par : **Si ça se trouve** placé en tête de la phrase : *Si ça se trouve*, il est déjà parti.

LE SOUHAIT, LE REGRET

MOYENS D'EXPRESSION

824 **Propositions indépendantes**

Un subjonctif (v. n° 522)

Souhait : Oh! *qu'il vienne bien vite!* **(F.E.-F.P.)**
Puisse-t-il réussir! **(F.E).**

Regret : Plût au Ciel *qu'il eût réussi!* **(F.E.).**
Que n'ai-je la foi des premiers âges! (v. n^{os} **354, 818**).

• **Si** + **imparfait ou plus-que-parfait de l'indicatif.**

Souhait : *S'il pouvait* réussir! — *Si seulement il réussissait!* **(souhait d'une réalisation plus douteuse).**

Regret : Ah! *s'il avait pu* réussir! — *Si seulement il avait pu* essayer!
ou : *Si encore il avait pu* essayer! **(sorte de concession).**

• **Pourvu que** + **subjonctif**

Souhait : *Pourvu qu'il réussisse!* — **Quelquefois :** *pourvu...* **tout seul :** Il réussira peut-être — *Oui, pourvu...*

Un conditionnel

Souhait : *Je recevrais volontiers* ce prix (*J'aimerais* recevoir...).

Regret : *J'aurais volontiers reçu* ce prix (*J'aurais aimé* recevoir...).

Un infinitif

Souhait : *Voir* Naples et *mourir!*

Regret : *Mourir* sans avoir vu Naples!

Phrases contenant des subordonnées d'objet

824 bis **Souhait :** Je souhaite, je voudrais bien *qu'il vienne.*

Regret : Je regrette *qu'il soit venu.*

Emploi d'un nom

825 **Souhait :**
« Oh! seulement *un peu d'espoir!* et je garde la force de vivre.... »
— *Bon voyage!*

Souhait accompagné d'un choix :
Plutôt la mort qu'une victoire douteuse!

L'ORDRE, LA DÉFENSE

MOYENS D'EXPRESSION

826 **De l'ordre formel, ou de la défense absolue, à la simple invitation, il y a toutes sortes de nuances souvent marquées seulement par le ton. Mais les moyens d'expression se ramènent essentiellement à ceux-ci :**

Verbe d'ordre (ou de défense) suivi de son complément d'objet :

ORDRE	DÉFENSE
Je vous ordonne de partir.	*Je vous défends* de partir.
J'ordonne que vous partiez.	*Je défends que* vous partiez.

Ordre et défense atténués :

Je vous *invite* à partir.	Je vous *invite à ne pas* partir.

Avec un nom complément :

J'ordonne votre *départ.*	J'interdis votre *départ.*

827 **Impératif et subjonctif :**

Sortez!	*Ne répliquez pas!*
Qu'il sorte!	*Qu'il ne réplique pas!*

Ordre et défense atténués :

Sortez, *s'il vous plaît* (*je vous en prie*[1]).	Ne sortez pas, *je vous en prie.*

828 **Futur ou présent de l'indicatif :**

Toi, *tu te tairas* (*tu vas te taire*).	Toi, *tu ne diras rien.*
Toi, *tu te tais.*	Toi, *tu ne dis rien.*

A la forme interrogative :

Te *tairas-tu?*
Vas-tu te taire?

Ordre et défense très atténués (= conseils) :

Vous prenez la première rue à droite (vous *prendrez*).	*Vous n'allez pas* jusqu'à l'église (vous *n'irez pas...*).
Vous faites cuire à feu doux (vous *ferez* cuire).	*Vous ne laissez pas bouillir* (vous *ne laisserez pas* bouillir).

1. *Je vous en prie* est généralement une invitation **déférente** — *Je vous prie* implique le plus souvent l'ordre **formel.**

829 **Infinitif présent (prescriptions de portée générale) :**

Prescriptions administratives :

S'adresser au guichet 12. *Prière de ne pas fumer.*

Prescriptions médicales :

Prendre 2 à 3 comprimés par jour. *Ne pas dépasser* la dose prescrite.

Recettes de cuisine :

Faire cuire à feu doux. *Ne pas laisser* bouillir.

Modes d'emploi :

Déchirer suivant le pointillé. *Ne pas exposer* à l'humidité.

L'ordre et la défense peuvent encore prendre toutes sortes de formes, qui sont affaire de style plus que de grammaire :

Veuillez sortir — *Vous pouvez* vous retirer — *Je ne vous retiens pas*, **etc.**

LES MOTS INVARIABLES

LES ADVERBES

830 On désigne sous le nom d'adverbes des termes invariables, **simples** ou **composés (locutions** adverbiales), de valeur très diverse, mais qui ont ceci de commun qu'ils affectent d'une **modalité** : soit le **verbe** (qu'ils qualifient en quelque sorte) : travailler *courageusement* — soit l'**adjectif** : *étonnamment* généreux — soit l'**adverbe** lui-même : *plus* loin.

N. B. — L'adjectif invariable peut être employé comme adverbe (v. n° 174).

Les divers types d'adverbes ont été étudiés à l'occasion de leur emploi, et selon qu'ils expriment :
le temps, la manière, le lieu, l'affirmation, la négation, l'interrogation, le doute.

N. B. — La **négation** et l'**interrogation** peuvent affecter en particulier les adverbes de **manière** (*nullement* — *comment?*), de **lieu** (*nulle part* — *où?*), **de temps** (*jamais* — *quand?*).

831 On mettra à part les adverbes de **quantité**, qui sont plutôt des marques du **degré** (v. n°s 205 et suivants) et prennent parfois une valeur de **nom** ou **d'adjectif** :

Peu sont venus — Ils sont *beaucoup*.

832 On notera qu'il y a des **degrés (comparatifs, superlatifs)** dans les adverbes, comme dans les adjectifs :

Pour les adverbes de **manière** (voir 210 bis) : *plus* doucement (le comparatif de bien est *mieux*). Mal a deux comparatifs : *plus mal* — et *pis* qui ne s'emploie que dans certaines expressions :

Aller *de mal en pis* — *au pis*-aller — tant *pis!*

Pour quelques adverbes d'**affirmation** :

Il viendra *plus* probablement (*très* probablement) demain.

Pour quelques adverbes de **quantité** :

Très peu — *très* suffisamment — *bien* assez.

PLACE DES ADVERBES

833 Il est difficile d'énoncer ici des règles absolues. Mais on pourra noter que, d'une manière générale (et à part les adverbes d'**interrogation** ainsi que : **ne, ni**), l'adverbe se place après le verbe aux modes personnels :

Nous marchons *doucement*.

Toutefois, dans de nombreux cas, il peut se placer avant le sujet du verbe :

Certainement Henri viendra — *Toujours* elle a protesté.

Très souvent il précède l'infinitif présent, le participe passé, l'adjectif qualificatif.

Toujours *espérer* — *Entièrement écoulé* — *Très heureux.*

834 **Voici quelques observations propres à chaque catégorie d'adverbes. (Remarques s'appliquant aux temps simples des verbes.)**

Adverbes de manière :

Dans la langue courante ils sont presque toujours devant l'adjectif qualificatif (ou un autre adverbe) : surtout si l'adverbe a une valeur intensive :

Elle est *affreusement* pâle — Il répond *étonnamment* bien.

Bien, mal **précèdent souvent l'infinitif présent et normalement le participe passé :**

Pour *bien* faire — Un paquet *mal* ficelé.

Adverbes de quantité :

Ils sont presque toujours devant le participe passé :

Peu aidé — *Suffisamment* averti — **(Mais non devant le participe présent :** mangeant *peu*).

et devant l'adjectif qualificatif :

Peu intelligent — *Trop* beau.

Mais ils sont postposés au verbe à un mode personnel : il dort *peu.*

Adverbes de lieu :

On place obligatoirement avant le verbe en et y :

J'*en* viens, j'*y* vais (**mais** : j'irai, je n'irai pas, *sans* y).

(Sauf à l'impératif affirmatif : sors-*en*; vas-*y*.)

l'adverbe relatif où : Le lieu *où* tu vas;

l'adverbe interrogatif où :

Où dort-il? **(Noter cependant que le F.P. fam. dit souvent :** Il dort *où?*)

En outre, ici, là, partout, ailleurs précèdent quelquefois le participe passé (F.E.) :

Les mots *ici* ajoutés — Cette réflexion *partout* entendue.

ci est placé obligatoirement devant le participe :

La note *ci*-jointe, *ci*-incluse.

Adverbes de temps :

Ceux qui expriment la date se placent avant ou, plus souvent, après le verbe :

Aujourd'hui je me repose — Nous viendrons *demain* — Une réflexion entendue *hier* — Pour te recevoir *demain.*

Mais toujours, longtemps, encore, déjà précèdent souvent l'infinitif, le participe passé, l'adjectif :

Toujours aimer, *toujours* souffrir — Une offre *longtemps* refusée — Un garçon *encore* jeune.

N. B. — Jamais, qui est négatif, précède naturellement le terme qu'il modifie :

Une réflexion *jamais* faite.

Adverbes d'affirmation et de doute :

Sans doute, peut-être (et plus rarement probablement, apparemment) peuvent précéder le verbe, même à un mode personnel. Alors le sujet est souvent inversé en F.E. :

Sans doute acceptera-t-*il* — *Apparemment* était-*il* fatigué **(plus rare).**

Adverbes de négation (v. **n**os **809**) **et suiv.**) :

Rappelons seulement ici que les deux termes de la négation française encadrent le verbe à un mode personnel : Il *ne* rit *pas*, il *ne* rit *jamais* — **(et :** Il *ne* fait *rien*) — **mais non le verbe à l'infinitif présent**[1] **:** *ne pas* rire — *ne jamais* rire — **(et :** *ne rien* faire).

Adverbes d'interrogation (comment? quand? pourquoi? où?) :

Ils précèdent le verbe avec postposition du sujet en bonne langue (voir n° 617).

Mais en F.P. fam. ils suivent souvent le verbe :

Tu viendras *comment ?* — Tu viendras *quand ?*

835 REMARQUES **concernant les temps composés.**

Aux temps composés, l'adverbe est souvent intercalé entre l'auxiliaire et le participe, sauf en ce qui concerne les adverbes de lieu[2] **et ceux d'interrogation.**

Adverbes de manière :

Il *a* éloquemment *parlé* **(ou :** Il *a parlé* éloquemment**).**

Adverbes de quantité :

Vous *avez* beaucoup *maigri* — Vous *avez* trop *travaillé* — Vous avez maigri pour *avoir* trop *travaillé.*

Adverbes de temps :

L'enfant a dormi *hier* — **Mais :** Il *a* toujours *dormi* — Il *a* longtemps *déliré* — Il *a* déjà *fini* — *Avoir* déjà *fini.*

Adverbes d'affirmation, de doute :

Il *a* certainement *entendu* — Il *a entendu* certainement **est plutôt du F.P.** — Il *a* peut-être *entendu.*

Adverbes de négation (voir nos 809 et suivants).

1. Sauf chez certains écrivains affectant l'archaïsme (voir n° 809 bis).
2. Encore dit-on presque aussi bien : Il *a* partout *cherché*, que : Il *a cherché* partout.

LES PRÉPOSITIONS

836 **Les prépositions sont des termes invariables, simples ou composés (locutions prépositives), qui introduisent surtout des compléments du nom, du pronom, de l'adjectif, du verbe, de l'adverbe. Ces compléments présentent une extrême variété :**

Le livre *de Pierre* — Un livre *à moi* — Un gâteau *d'hier* — Il était rouge *de colère* — Je parle *à la concierge* — Beaucoup *de soin*, etc.

A la différence de l'adverbe, qui constitue à lui seul un complément (Tu cours *vite*), **la préposition exige d'être associée à un terme qui la suit**[1].

Les emplois des prépositions ont été étudiés dans le cours de ce livre, à propos de l'article, de l'apposition, de l'attribut, des compléments du nom, des compléments de l'adjectif, des verbes auxiliaires, du sujet, de l'objet, des compléments circonstanciels. Nous rappellerons ici les emplois de quelques prépositions parmi les plus usuelles.

De :

837 **Cette préposition exprime, dans le principe, la séparation :**

Aller *de* Paris à Rouen[2] — Cette étoffe, *de* bleue est devenue verte.

Certains emplois se rattachent encore plus ou moins à ce sens premier :

Complément d'origine :

Son acte est *d'*un lâche.

Complément partitif :

Je serai *de* ceux qui obéiront — Lequel, *de* toi ou *de* lui, a menti ?

Complément de cause :

De colère, il a brisé son bâton — Je le croyais blessé, *de* crier comme ça — C'est *de* ma faute (**à côté de :** c'est *ma* faute, **ancien et plus affecté).**

Complément d'agent :

Il est aimé *de* tous.

1. Remarquer que certaines prépositions, toutefois, ont dès l'origine une valeur adverbiale, par exemple : être placé *avant, après* — Je suis *contre*. En outre, on notera les expressions du **F. P. fam.** sans compléments : C'est pour *aider à* (= pour faciliter les choses) — C'est *fait pour* (= c'est fait exprès, dans cette intention).

2. Pour insister sur la *longueur* du trajet on dira : aller *depuis* Paris *jusqu'à* Rouen (ou même : *de* Paris *jusqu'à* Rouen).

De... à... et *depuis... jusqu'à...* sont employés aussi pour exprimer le temps (*depuis* est même essentiellement temporel) : *de* lundi *à* samedi — *depuis* lundi *jusqu'à* samedi.

N.B. *Depuis*, au sens local, remplace de plus en plus *de* après des verbes comme parler, écrire, avertir, entendre, voir — Lorsqu'il s'agit d'éviter une équivoque (on vous parle *depuis* Paris) cette substitution peut, à la rigueur, se justifier.

Mais, dans beaucoup de cas, de a perdu toute valeur discernable (p. ex. : Il y a trois soldats de blessés), et n'est plus qu'une particule vide de sens, mais nécessaire à la structure de la phrase[1]**. D'où, souvent, la préférence qui lui est donnée :**

François Mauriac a écrit (sur l'exemple de nombreux écrivains classiques) :

« Il me reste *de* le lui demander »,

alors que l'usage aujourd'hui serait plutôt d'écrire :

Il me reste *à* le lui demander.

Et l'usage hésite entre : *de* nouveau **et :** *à* nouveau —

S'efforcer *à* faire **et** : s'efforcer *de* faire — commencer *à* faire **et** : commencer *de* faire — cela ne sert *à* rien **et** : cela ne sert *de* rien.

Voici encore quelques emplois de la préposition de :

Une tasse *de* lait (≐ **une tasse pleine de lait ou le contenu d'une tasse.)**

(à garde un sens plus précis dans : une tasse *à* lait : **destination).**

Un garçon *de* mérite **(valeur d'adjectif).**
La ville *de* Paris, l'appellation *de* père **(apposition).**
Traiter quelqu'un *d'*insolent **(attribut de l'objet).**
De pleurer, ça soulage **(ou** : *Pleurer*, ça soulage).
C'est une honte *de* dire ça.
Je trouve bon *de* refuser.
Je souhaite *de* vous rencontrer **(ou** : Je souhaite vous rencontrer).
Quoi *de* nouveau ?
Eux *de* courir **(infinitif de narration).**
Sortir *de* nuit **(ou** sortir la nuit), **etc.**

REMARQUE : **De est absent de certains compléments de nom :**

L'Hôtel-*Dieu* — timbres-*poste* — **F.P. fam. :** question *appointements*, côté *succès*, **etc.**

De par : voir par (n° 843).

A :

838 **Mieux que de, à garde sa valeur fondamentale (application à un point donné)** : vivre *à* Paris — aller *à* Paris — s'adresser *à* quelqu'un[2].

1. Voir G. Gougenheim, « Y a-t-il des prépositions vides en français? » (*Le Français moderne*, janvier 1959).

2. C'est cette valeur ponctuelle qui explique la faveur populaire du tour : partir à Paris, où partir a pris le sens *d'aller* (au lieu du sens premier de : « se mettre en route »).
Proust écrivait déjà : « J'ai bien envie de profiter de ce que je suis levé pour *partir à* Brest » (*Contre Sainte-Beuve*) — Nous vous conseillons de continuer à dire : « Il part *pour* Paris », (mais, bien entendu, si la personne est déjà arrivée, le verbe étant au passé composé, dites : « Il est parti *à* Paris »). Et vous direz, dans tous les cas : « *partir en voyage* », et : « *s'en aller à Paris* ».

On dit, dans une acception encore très voisine :

À ce moment-là **(du passé ou de l'avenir)** — *à* trois heures — la veille *au* soir — *à* l'automne **qui marque plus nettement un point dans l'année que :** *en* automne **(= au cours de l'automne).**

Boire *à* la bouteille.

Un livre *à* moi.

Apte, disposé, destiné *à* servir dans l'armée.

Il y a contradiction *à* associer...

J'ai attendu *à* vous répondre **(pour vous répondre)** que l'intéressé m'ait écrit.

Écrire mot *à* mot **(un mot s'ajoutant à un mot)** — S'avancer pas *à* pas. **On comparera encore :** atteindre un objet **et :** atteindre *aux* honneurs **(idée d'effort vers).**

Mais voici des cas où à présente surtout une valeur structurale :

C'est facile *à* comprendre — Un visage agréable *à* regarder — Je demande *à* lire **(moi-même), opposé à :** Je lui demande *de* lire **(lui-même).**

Dans :

839 **Signifie à l'intérieur de — Il est plus concret que en — Il a un caractère plus strictement local et, surtout, il s'accompagne toujours, en principe, de l'article ou d'un autre déterminatif (ce, mon, etc.) alors que en s'emploie généralement sans article (sauf dans quelques expressions, voir n° 257 b).**

On dira donc au sens propre : Vivre *dans* une belle maison **alors que :** vivre *à* la maison **(par opposition à : dehors) implique surtout un mode de vie.**

Mais on dit aussi, par extension :

Vivre *dans* le péché — Être *dans* la misère — Il est *dans* votre nature d'hésiter **(ou :** il est *de* votre nature : **voir de).**

Dans le doute, abstiens-toi — *Dans* sa colère, il l'a chassé — *Dans* son esprit, vous avez tort.

J'ai agi *dans* une bonne intention, **d'où, sans doute :** *dans* un but louable **(voir n° 712, note).**

Revenez *dans* une heure **(au bout d'une heure).**

En :

840 **C'est, comme à, une variante de dans, en moins concret. Elle n'est pas suivie de l'article défini sauf parfois *la* ou *l'* :** *en* l'air, *en* la circonstance, *en* l'espèce, *en* la personne de **(voir n° 257).**

On l'utilise aussi : devant les autres déterminants : *en* ce cas, *en* son for intérieur.

On emploie en devant les noms propres géographiques : Vivre *en* France **(voir n° 265).**

On dit, on écrit : J'ai récompensé *en* vous le bon citoyen.

Voyager *en* été — *en* automne — *en* hiver — **mais** : *au* printemps — Être *en* bonne santé — *En* deux ans il a fait des progrès **(voir n° 684).**

Être *en* habit de soirée, sortir *en* veston — S'habiller *en* gendarme — Parler *en* soldat.

Le froid change l'eau *en* glace — Ses belles intentions s'en vont *en* fumée.

Diviser, partager un gâteau *en* quatre.

L'outil est *en* fer.

D'aujourd'hui *en* huit **(dans huit jours)** — *En* partant il m'a embrassé.

On peut dire : *à* la fin de la semaine, **ou** (plus fréquemment en **F. P.**) : *en* fin de semaine, *au* haut de la page, **ou** *en* haut de page.

J'ai confiance **est généralement suivi de en, si le complément est une** *personne* :

J'ai confiance *en* mes amis, *en* lui — Vous, *en* qui j'ai confiance...

Il est suivi de dans, ou de en, si le complément est une chose :

J'ai confiance *en* son talent, *dans* l'avenir.

Toutefois, même avec un nom de personne, on emploie dans le, dans les au lieu de en le, en les :

J'ai confiance *dans le* chef, *dans les* chefs.

Se résumer en **cède peu à peu la place à** : *se résumer à*, **dont la construction, admettant l'article, est plus facile** : « La crise se résume *à* une épreuve de force » (*Le Monde*, 7 décembre 1966) — **Et l'on dit, couramment** : « Voilà *à quoi* se résume l'affaire. » **Il y a influence de** *se réduire à*.

On notera que en, opposé à dans, traduit souvent une situation qui confère une certaine qualité :

Comparez : Être *en* prison (= **prisonnier) et** : être dans la prison — Être *en* feu (= **enflammé), et** : être dans le feu.

De même, quand on dit : Chasser *en* plaine, *en* forêt, pêcher *en* rivière, **il s'agit surtout d'un certain mode de chasse ou de pêche.**

Sur :

841 **Au sens premier : « marque la situation d'une chose à l'égard d'une autre qui la soutient » (Littré)** : Votre gant est *sur* mon livre.

D'où : *Sur* terre et *sur* mer **(moins concrètement déterminé que :** sur *la* mer, sur *la* terre).

Les aigles planent *sur* l'abîme **(au-dessus de).**

Mettre une faute *sur* le dos **(sur le compte)** d'un autre — Avoir autorité *sur* quelqu'un.

Assez *sur* ce sujet.

Accumuler déception *sur* déception.

Ouvrir une fenêtre *sur* la rue. Marcher *sur* les pas de quelqu'un.

Les troupes marchent *sur* Paris.
Comptez *sur* moi — Prêter *sur* gages — Jurer *sur* la tête de son fils.
Sur mon honneur, je n'ai pas trahi — Prélever mille francs *sur* une somme donnée — Vous êtes troisième *sur* quatre.
Composez un dessin *sur* ce modèle — Restez *sur* la défensive— Tenez-vous *sur* la réserve — Vous tournerez *sur* la droite (**ou** : à droite).
Il était *sur* son départ — *Sur* ce, je vous quitte — Partez *sur* l'heure.
Sur la fin, j'étais fatigué.

On dit : *Sur l'exemple de* **et (plutôt)** : *à l'exemple de.*

Sous :

842 **« Marque la situation d'une chose à l'égard d'une autre qui est par-dessus » (Littré)** :

Votre stylo est *sous* mon sac.

D'où : Être *sous* le feu de l'ennemi — Se placer *sous* la protection des lois.
J'ai *sous* la main un rapport circonstancié — L'ennemi fut défait *sous* les murs de la ville.
Mon fils est *sous* les drapeaux — Nous travaillons *sous* votre direction.
Sous Charles X les ultras accédèrent au pouvoir.
Mes livres sont *sous* clef — Le voleur est *sous* les verrous — Il se fait inscrire *sous* un faux nom.
Promettre *sous* serment — C'est interdit *sous* peine d'amende.
Vous avez passé *sous* silence mon intervention.
Voilà un homme sympathique *sous* tous les rapports.

Emploi de à, dans, en, sur, avec divers noms de lieu

842 bis **Devant les noms de voies ou de places, la préposition est souvent absente** :

L'accident a eu lieu *rue de Rome, boulevard du Temple, route de Versailles, place des Vosges.*

On dit :

Dans une rue, une allée, une avenue — **(mais couramment** : *sur* les Champs-Élysées).
Sur une route, un chemin, un boulevard, la chaussée, le trottoir, une place.
Sur le fleuve, *sur* la rivière, *en* mer : « L'homme est *en* mer » (V. Hugo, *Les pauvres gens*).

Mais, pour préciser la surface physique :

Pas une ride *sur* la mer

comme cri d'alarme :

Un homme *à* la mer! — **Noter aussi** : Les fleuves vont *à* la mer[1]

1. Rimbaud a écrit (*Le bateau ivre*) : « O que ma quille éclate ! O que j'aille *à la mer !* » Exceptionnellement, le sens est ici : *dans* (= *au fond de*) la mer.

pour désigner l'intérieur :

Les poissons vivent *dans* la mer.

On distingue : *dans* l'air (dans l'*atmosphère* — **ou, au sens figuré :** ces *idées* étaient *dans* l'air = **prêtes à prendre corps) — et** *en* l'air (*au-dessus* du sol — **ou, au sens figuré :** des *idées en l'air* = **des idées sans fondement).**

On dit : *Dans* la terre **ou** *dans* le sol **(le nom a son sens physique) :**

Il y a de nombreux filons *dans* la terre **(ou** *dans* le sol).

En terre **s'emploie avec certaines expressions :**

Planter en terre[1].

A terre **et** *par* terre **signifient tous deux** *sur le sol.* **Mais le second peut impliquer chute brutale :**

« O ciel! toute la Chine est *par terre en* morceaux » (V. Hugo, *l'Art d'être grand-père*),

et, d'autre part, le premier exprime souvent l'idée d'une défaite (sens propre ou sens figuré) : Voilà votre ennemi *à terre.*

Sous terre, **moins analytique que** *sous* la terre, **entre dans la composition de certaines expressions techniques :**

Mettre des fils électriques *sous* terre.

Dans un champ **(le nom a son sens physique) :**

L'avare a enfoui son trésor *dans* un champ.

Sur-le-champ **signifie aussitôt, tout de suite :**

Il est sorti *sur-le-champ.*

Sur la montagne **exprime l'idée d'un lieu élevé :**

Observatoire construit *sur* la montagne.

Dans la montagne, **l'idée d'un espace plus ou moins clos :**

Il s'est perdu *dans* la montagne.

On dit : vivre *à* la montagne, *à* la campagne, *à* la ville. (*Dans* la ville **a un sens physique précis :** L'inondation se répandit *dans la* ville.)

En ville **peut signifier :**

a) hors de sa maison :

Il n'est pas chez lui, il est *en ville.*

b) parmi les gens de la ville :

En ville, les commentaires allaient bon train.

Noter qu'on dit, en parlant d'un comédien :

X... s'habille, *à* la ville, chez tel tailleur.

On dit : *sur* un siège, *sur* une chaise, *sur* un banc (*dans* un banc, **s'il s'agit d'un siège monumental).**

Dans un fauteuil — **Mais :** M. Dupont était *au* fauteuil présidentiel — Elle est assise *aux* fauteuils d'orchestre.

1. Dans : *genou en terre* (et *casque en tête*), en = *sur*

On lit quelque chose *dans* un livre, *dans* un journal (*sur* un journal **est F.P. pop.**), *sur* une affiche.

On peut dire : *à* cet endroit (**tour le plus courant) ou** : *dans* cet endroit (**pour marquer plus nettement la limite qui circonscrit).**

En cet endroit **à une valeur stylistique (F.E.).**

On dit : *dans* ce lieu (**à est impossible ici**) — *en* ce lieu **a une valeur stylistique (F.E.). Avec** « place » **on n'emploie guère que** *à* :

à cette place.

Enfin, on ne peut dire que : *à* la place de..., *à ma* place.

Par :

843 **Au sens propre : à travers** : Passer *par* la fenêtre.

D'où : Le mal s'étend *par* toute la terre.

Sortir *par* beau temps.

Le navire est *par* 20° de latitude nord, 10° de longitude ouest.

et encore :

Jurer *par* tous les diables.

Contraindre *par* la famine — Être frappé *par* quelqu'un, *par* un bâton.

Voir les choses *par* le beau côté — Prendre quelqu'un *par* la main.

Diviser *par* chapitres **(mais aussi : diviser en chapitres).**

N. B. — De par signifie :

a) de la part de, au nom de :

Je vous arrête *de par* le roi.

b) dans l'étendue de :

J'ai voyagé *de par* le monde.

c) du fait de :

Ce procédé connaît un grand succès, *de par* sa facilité même.

On distinguera soigneusement : commencer *à* lire **(action en son commencement) et** : commencer *par* lire **(première action d'une série). De même** : finir *de* lire **(action en son achèvement) et** : finir *par* lire **(dernière action d'une série).**

Pour :

844 **Marque la destination, le but** (**v. nos 685 et 712 et suiv.**).

Cette lettre est *pour* lui — Travailler *pour* la gloire — Payer 500 francs *pour* un chapeau.

D'où : Ce remède est bon *pour* les rages de dents — J'ai pris cette peine *pour* vous — Être *pour* ou contre quelqu'un — Nous étions *pour* partir, quand un télégramme est arrivé — Trop *pour*... assez *pour*... (**v. n° 709**) — Ils partent *pour* deux jours.

Œil *pour* œil, dent *pour* dent — Prendre quelqu'un *pour* un autre — *Pour* un de perdu, dix de retrouvés **(échange, substitution)** — *Pour* moi, je suis satisfait (*quant* **à** moi). **Voir n° 730.**

N. B. — 1. On remarquera les sens variés de pour + infinitif :
Cause : Être puni *pour* avoir ri, **voir n° 689.**
Concession : *Pour* être riche, il n'est pas moins généreux **(voir n° 722).**
Conséquence : Il est assez intelligent *pour* comprendre **(voir n° 709).**
Sucession de deux faits : Il entre *pour* sortir aussitôt **(voir n° 699).**
— 2. Partir *pour* Paris **: voir n° 838 note.**

Répétition des prépositions

845 **Il n'y a pas de règles à ce sujet; le besoin de précision, le style, le rythme, l'harmonie jouent ici un rôle important.**

Il semble cependant que (sauf dans les expressions figées : *sur* terre *et sur* mer; *par* le fer *et par* le feu, **etc.) les prépositions se répètent d'autant plus volontiers qu'elles sont plus vides, particulièrement de et à :**

Les livres *de* Jean *et de* Pierre — Parler *à* Jean *et à* Pierre.

On y ajoutera en, la plus synthétique des prépositions :

Voyager *en* Belgique *et en* Allemagne.

Au contraire, on dira très bien :

Ceci est *pour* Jean *et* Pierre — Rejeter la faute *sur* Jean *et* Pierre (*sur* Jean *et sur* Pierre **distinguera mieux les torts particuliers de chacun)** — Vivre *dans* sa maison *et* son jardin, *parmi* les fleurs *et* les fontaines.

LES CONJONCTIONS

846 **On distingue, traditionnellement, les conjonctions de coordination (qui coordonnent, unissent des termes de même fonction) et les conjonctions de subordination, qui subordonnent une proposition à une autre (voir p. 1).**
Les conjonctions sont invariables.

CONJONCTIONS DE COORDINATION

847 **Les principales conjonctions de coordination (conjonctions simples et locutions conjonctives) sont :**
Et, ou, ni, mais, car, or, donc, auxquelles il faut ajouter les adverbes jouant un rôle de coordination entre deux propositions : en effet[1], alors, puis, aussi (= c'est pourquoi, mais avec inversion du sujet en F.E.), par conséquent, ainsi (= par conséquent et de cette manière), cependant, pourtant, néanmoins, autrement (= sinon).

Il a gelé cette nuit, *aussi* la terre est-*elle* dure — Mets ce document dans une enveloppe; *ainsi* tu ne le perdras pas — J'ai cru le satisfaire; *cependant*, il est mécontent — Gardez votre calme; *autrement* vous aurez tous les torts.

Remarques sur l'emploi de et[2]

848 **Outre l'addition, et peut marquer :**

a) la succession :

« Demain viendra l'orage, *et* le soir, *et* la nuit. » (V. Hugo, *Les Feuilles d'automne.*)

b) la conséquence :

Tu as mis le verre au bord de la table *et* il est tombé — Que tu le mettes au bord de la table, *et* il tombera **(v. n° 698).**

c) la concession, l'opposition :

Tu avais promis, *et* maintenant tu refuses.

d) l'indignation :

Et tu oses me dire ça!

e) La mise en relief :

Il est entré chez moi, *et* à trois heures du matin!

ou : *et cela* à trois heures...

848 bis **Généralement, dans une addition de termes, et ne s'exprime que devant le dernier :**

Évacuez d'abord les enfants, les femmes *et* les vieillards.

1. Évitez d'associer *car* et *en effet* qui formeraient *pléonasme.*
2, Pour l'emploi de **ni**, voir n° 812.

La répétition de et devant chaque terme produit un effet d'insistance (surtout F.E.) :

« *Et* le riche *et* le pauvre *et* le faible *et* le fort
Vont tous également des douleurs à la mort. »
(Voltaire, *Premier Discours sur l'égalité des conditions.*)

En particulier et répété deux fois (et... et...) s'emploie dans le sens de non seulement, mais encore :

Tu satisferas ainsi *et* le fils *et* le père.

Ce tour correspond, dans l'ordre de l'affirmation, à ni... ni... dans l'ordre de la négation :

Tu ne satisferas *ni* le fils *ni* le père.

Il peut arriver que le dernier terme d'une addition soit placé hors de la phrase, après une forte ponctuation : effet de surprise ou de rectification, F.E. :

Sa mère le veut. *Et* son père (= **et aussi son père**).

Enfin et s'emploie :

1. devant demi, demie, **et quelquefois devant** quart :

Midi *et* demi — une heure *et* demie — midi *et* quart **(ou** midi un quart**)** — deux livres *et* demie (**mais** deux livres trois quarts).

2. devant un dans la numération de vingt à soixante inclus :

vingt *et un*, **etc.**, soixante *et un* — **et l'on dit** soixante *et onze*.

Remarques sur l'emploi de ou

849 **Comme et, cette conjonction peut se placer à part, après une forte ponctuation :**

Sa mère acceptera. *Ou* son père.

Comme et, elle peut être répétée, pour insister sur l'alternative, devant chaque terme de l'énumération :

Je viendrai *ou* demain, *ou* après-demain (= *soit* demain, *soit* après-demain).

N. B. — L'emploi de et, ou, ni exige que les termes coordonnés soient logiquement associables.

On ne dira pas sans ridicule : Il prit son chapeau et la fuite — **Ni** : Un enfant d'une piété filiale et visible.

Juxtaposition, au lieu de coordination

Pour produire un effet de renforcement, souvent les termes, au lieu d'être coordonnés, sont juxtaposés sans conjonction :

Opposition :

Moi je dis oui. Toi tu dis non — « Le tigre déchire sa proie et dort. L'homme devient homicide et veille. » (Chateaubriand.)

Cause :

Pas étonnant si le moteur ne marche pas : tu n'as plus d'essence.

Conséquence :

Je lui ai donné ton nom. Il s'est précipité chez toi.

CONJONCTIONS DE SUBORDINATION

850 **Elles mettent en dépendance grammaticale (pour introduire une idée de cause, de but, etc.) une proposition dite subordonnée conjonctionnelle par rapport à une autre, dite principale :**

Nous agirons ainsi *parce qu'*il le faut.

Les conjonctions ou locutions conjonctives de subordination sont :

quand, si, comme, que et les composés de que : lorsque, depuis que, pour que, de sorte que, parce que, à condition que, quoique, ainsi que, etc. Leur emploi a été étudié avec le sujet, l'objet, les compléments circonstanciels.

On peut ajouter : si ce n'est que, sauf que, qui expriment une restriction (v. n° 808) :

On est d'accord, *si ce n'est que* la date paraît trop éloignée.

Outre que, qui exprime une addition :

Outre que vous êtes arrivé en retard, vous avez gêné vos camarades.

(Le F.P. pop. même que exprime un renforcement, une aggravation (v. n° 807) :

Je l'avais averti; *même que* je lui avais écrit.)

851 **D'autre part, la conjonction que sert de substitut aux autres conjonctions de subordination, pour introduire une deuxième proposition, de temps, de but, de conséquence, de cause, de concession, de condition, de supposition, de comparaison :**

... pour qu'il se soumette *ou qu'*il se démette.

Parfois le deuxième que est supprimé : pour qu'il se soumette *ou se démette.*

Le mot que a d'autres emplois : il est devenu particule de soutien :

Que oui! *que* non! — Peut-être *qu'*il viendra — C'est un crime *que* d'agir ainsi — Voilà *que* le temps se gâte.

Il est encore pronom relatif (Lui *que* j'admire), **pronom neutre interrogatif** (*Que* fais-tu?), **adverbe interrogatif** (*Que* ne lui parle-t-il pas?), **adverbe exclamatif** (*Que* je suis malheureux!).

Il entre dans la composition de ne... que (= seulement) :

Je *n'*ai mangé *qu'*une bouchée de pain — **expression réduite parfois à que en F.P. fam.** : Tu as pris quelque chose? — Oh! *que* deux petits poissons.

Index

Les chiffres *arabes* renvoient aux numéros des *paragraphes*.
Les chiffres *romains* renvoient aux premières *pages* du livre.

A

B

C

R

S

U

V

Y

Table des matières

INTRODUCTION

LA PHRASE ET LES PROPOSITIONS p. 1.

Les modalités de l'énoncé

Les mots invariables

INDEX p. 403.

1. V. note 1, page 352.

Imprimé en France par S.P.I. - 70, rue Compans - 75019 Paris
Dépôt légal n° 7588-11-1978 - Collection n° 11 - Édition n° 11

15/1741/6

I. S. B. N. 2.01.002134.7